# ANNA'S VLUCHT

Janusz L. Wiśniewski

# ANNA'S VLUCHT

*Vertaald door Theo Veenhof*

SIJTHOFF

Uitgeverij Sijthoff en drukkerij Bariet vinden het belangrijk om op milieu-vriendelijke en verantwoorde wijze met natuurlijke bronnen om te gaan.

© 2009 by Janusz L. Wiśniewski
Published by permission of Świat Książki Sp. Z o.o., Warschau.
All rights reserved
© 2011 Nederlandse vertaling
Uitgeverij Luitingh ~ Sijthoff B.V.
Alle rechten voorbehouden
Oorspronkelijke titel: *Bikini*
Vertaling: Theo Veenhof
Omslagontwerp: Nanja Toebak
Omslagfotografie: Maria Bogdanova/Arcangel/Hollandse Hoogte

ISBN 978 90 218 0433 0
NUR 302

www.boekenwereld.com
www.uitgeverijsijthoff.nl
www.watleesjij.nu

Voor mijn ouders

Dresden, Duitsland, woensdag 14 februari 1945,
vroeg in de ochtend

De stilte wekte haar. Zonder haar ogen open te doen liet ze een hand onder haar trui glijden. Haar hart ging als een razende tekeer. Ze beet op haar lippen. Harder. Nog harder. Ze deed haar ogen pas open toen ze de zilte smaak van bloed proefde. Ze leefde...

'Vertel je me een sprookje? Dan haal ik water voor je. En misschien een sigaret. Toe, doe je het?'

Ze draaide haar hoofd in de richting vanwaar ze de stem hoorde. Twee ronde lichtblauwe ogen keken haar vol verwachting aan. Ze glimlachte.

'Het mag best hetzelfde zijn als gisteren,' drong hij aan.

Ze tilde haar hand op en streelde zonder een woord te zeggen de warrige haardos van het jongetje.

''s Ochtends vertel je geen sprookjes,' fluisterde ze. 'Sprookjes vertel je 's avonds.'

Het jongetje boog zich over haar heen en kuste haar op haar voorhoofd. Er vielen strootjes uit zijn blonde haren op haar gezicht. Ze kreeg ze in haar ogen en ze plakten vast aan haar bebloede lippen.

'Dat weet ik, maar vanavond moet ik bidden. En je hoort trouwens toch niks met al die vliegtuigen. Je kan het beter nu maar vertellen. Nu we nog leven.'

Ze voelde de vertrouwde steek in haar hart. Alleen Marcus kon iets zo zeggen. Zo... hoe moest je het noemen? Zo terloops. Als een kleine zucht, veel zachter dan de rest van wat hij zei, fluisterend, alsof hij hoopte dat niemand het verstond. 'Nu we nog leven.' Daarom luisterde ze altijd goed naar wat Marcus zei. Tot hij helemaal uitgesproken was. Ze had dat een jaar geleden geleerd, toen ze samen met Heidi en Hinnerk kersen gapte in de tuin van Von Zeiss...

~

Herr Doktor Albrecht von Zeiss had een glazen oog dat hij verborg achter een om zijn kale hoofd vastgeknoopt leren bandje; verder bezat hij kromme benen en een enorme buik. Volgens Marcus was hij net een 'hele lelijke piraat zonder nek'. Zolang Marcus zich kon heugen droeg Von Zeiss altijd zijn zwarte parade-uniform van de ss, een bruin overhemd, een rode band met een swastika om zijn linkerarm en een zwarte das. Zelfs in zijn tuin of als hij zijn herdershond uitliet. Als je hem zag, zou je denken dat Hitler elke dag jarig was.

De omheining om het terrein van Von Zeiss grensde aan het erf van het huis waar ze woonde: Grunaer Strasse 18, in het centrum van Dresden. Je snapte niet hoe het kon, een villa met een knots van een tuin aan een drukke hoofdstraat met tweerichtingsverkeer. Als ze haar ouders ernaar vroeg antwoordden die iets vaags, of ze zeiden gekscherend dat ze het maar aan Von Zeiss zelf moest gaan vragen. En midden op een snikhete junidag liep Marcus, hij was toen zeven, naar het hek van Von Zeiss, die net zijn rozen liep te snoeien, en riep met zijn hoge stemmetje: 'Hoe kan het dat u zo'n groot huis heeft en dat wij daardoor maar zo'n klein erfje hebben?'

Er volgde een angstwekkende stilte. Von Zeiss' gezicht werd vuurrood. Hij smeet woedend zijn snoeischaar op het gras, deed zijn oogbandje recht, knoopte zijn uniformjasje dicht en liep op Marcus toe.

'Hoe heet jij, snotjong? Je achternaam!' siste hij, met zijn dikke buik tegen de omheining leunend.

De kleine Marcus, die met zijn gezicht pal onder Von Zeiss' buik tegen de omheining aan stond, ging stijf in de houding staan, met zijn hoofd in de nek, en schreeuwde: 'Ik ben Marcus Landgraf, Duitser, en ik woon in Dresden op de tweede verdieping!'

Ze herinnerde zich nog hoe iedereen – en het erf was op die zonnige zomerdag bomvol kinderen en volwassenen – luidkeels begon te schateren. Von Zeiss was furieus. Hij omklemde het prikkeldraad met zijn vuisten, alle bloed trok naar zijn gezicht, je zag zijn kaak trillen en er verscheen wit schuim op zijn lippen. Even later draaide hij zich om zonder een woord te zeggen en beende zenuwachtig naar zijn huis, waarbij hij struikelde over een zinken teil die onder de kersenboom stond en languit vooroverviel. Opnieuw klonk er luid gelach op het erfje. En zij lachte het luidst van iedereen. Ze haatte die man.

Twee dagen later waren zij, Marcus' zus Heidi van vijftien en Hinnerk, zijn oudere broer van zeventien, 's avonds laat bijeengekomen in de kelder. De breed uitwaaierende takken van de kersenboom in de tuin van Von Zeiss bogen door onder het gewicht van de rijpe kersen. De kinderen stonden bij de omheining en keken met open mond toe hoe

Von Zeiss' tuinman op een ladder kersen stond te plukken. Ze wachtten tot hij van de ladder af zou komen. De man kwam nooit naar hen toe lopen. Marcus gooide wel eens een steentje naar hem toe, soms raakte hij hem zelfs. De tuinman reageerde er nooit op. Ze kon zich überhaupt niet herinneren dat ze de man ooit een woord had horen uitbrengen.

De laatste keer dat ze kersen had gegeten, was op de verjaardag van haar oma, in de zomer van 1943. Oma had de keukendeur dichtgedaan, een paar kersen in een ruwe aardewerken kroes gedaan en die afgesloten met een stukje grauw papier en een elastiekje. Voor Lucas...

'Wil jij dit naar hem toe brengen?' had oma gevraagd. 'Doe het nu meteen. En vergeet niet eerst het licht uit te doen in de hal.'

En dat had ze gedaan.

Wanneer ze afdaalde in de schuilplaats die was ingericht onder de vloer van de hal, herinnerde ze zich altijd haar eerste ontmoeting met Lucas. Een angstig jongetje met blauwzwarte haren en enorme koolzwarte ogen zat in het verste hoekje van de schuilplaats. 'Dank u,' zei hij voortdurend, nu eens in het Duits en dan weer in het Jiddisj. Hij was er opeens geweest, die ene keer...

Lucas' opa, dokter Miroslaw Jacob Rootenberg, had een artsenpraktijk. Al jaren behandelde hij patiënten in een buitenwijk van Dresden. Oma Marta vond dokters altijd maar overbodig. Dat was nogal eigenaardig: haar eigen man was immers arts. Oma zei altijd dat de geneeskunde alleen maar diende om de patiënt bezig te houden en dat Moeder Natuur het zelf wel kon opknappen. Die mening bleef ze toegedaan totdat haar zoontje van anderhalf een geheimzinnige ziekte kreeg. Eerst was haar man kort na de geboorte van hun zoontje overleden aan tuberculose, nadat hij was besmet door een patiënt. En nu dreigde haar zoon te overlijden. Geen enkele Duitse arts kon hem helpen. Volslagen toevallig belandde ze, op aanraden van een kennis van haar, een Poolse jodin die net als zij naar Dresden was gekomen uit de provincie Opole in Zuidwest-Polen, bij dokter Rootenberg. Die constateerde onmiddellijk dat het kind leed aan bacteriële hersenvliesontsteking. Hij schreef antibiotica voor. Het leek oma Marta onmogelijk dat iemand ooit dankbaarder kon zijn dan zij deze man was toen na een paar dagen haar zoontje bijkwam uit zijn comateuze toestand en naar haar glimlachte.

En daarom riep oma Marta haar schoondochter en kleindochter bij zich toen op een dag Lucas' ouders zich met hem in haar huis aandienden met het bedeesde verzoek of 'hun zoontje gezien de omstandigheden wellicht enige tijd in hun huis kon verblijven'.

'Mama, zoiets hoeft u toch niet te vragen?' riep de schoondochter uit, en ze nam de kleine Lucas op haar arm.

Sinds die dag woonde Lucas bij hen. Onder de vloer.

Die avond moesten ze de tuinman van de familie Von Zeiss 'helpen'. Nou ja, niet hem natuurlijk. De kersenboom van Von Zeiss moest van wat kersen worden afgeholpen.

Hoe dat zo kwam wist ze niet eens meer, maar opeens had Marcus in de keuken gestaan, in zijn pyjama en met zijn rubberlaarsjes aan en met een emmertje in zijn hand. Niks aan te doen, ze moesten hem wel meenemen.

In het donker hadden ze de kersen zo van de boom gegeten. Ze wist er maar een paar in haar mandje te mikken. Opeens ging achter een van de ramen op de eerste verdieping van de villa van Von Zeiss het licht aan. Een ogenblik later klonk het bekende geblaf van zijn hershond, die op het balkon was gelaten. De kinderen gingen er halsoverkop vandoor. Ze waren al vlak bij de omheining toen ze opeens een tak hoorde knappen. Marcus slaakte een kreet; ze vloog naar hem toe.

'Marcus, wat is er gebeurd?' fluisterde ze.

'Niks aan de hand, ik ben gewoon uitgegleden. Tjonge, ik heb in geen tijden zulke lekkere kersen gegeten. De dikste zitten bovenin. Ik heb mijn hele emmertje al vol. Jammer dat ik niet ook nog een tas of zo heb meegenomen. En jij? Heb jij er veel geplukt?'

'Marcus, wat is er verdorie met je aan de hand?' herhaalde ze ongeduldig.

'Wil jij die spijker uit mijn hand trekken?' fluisterde hij rustig.

'Een spijker? Wat voor spijker?!'

'Nou, die,' antwoordde hij zachtjes en hij stak zijn rechterhand uit.

In een natte plank had een bruine, roestige spijker gezeten en die was dwars door zijn hand gegaan – de punt stak er uit.

'Nou, trek je hem er uit?' Hij spuwde een kersenpit uit. 'Toe nou, niet huilen...'

Met haar linkerhand had ze hem stevig bij zijn pols gepakt en met haar rechterhand had ze de plank zo hard ze kon naar zich toe getrokken.

Een ogenblik later waren ze bij de omheining en klommen ze over het tuinhek, de enige plaats waar geen prikkeldraad zat.

Twee weken later werd Hans-Jürgen Landgraf, de vader van Heidi, Marcus en Hinnerk, een rustige, onopvallende, rachitisachtige en voortdurend door hoestbuien geplaagde man die werkte als veiligheidsinspecteur op Dresden Hauptbahnhof, 'op speciaal bevel' overgeplaatst naar 'een verantwoordelijker post'. Aan het oostfront.

~

'Alsjeblieft, ga nou niet huilen,' zei de jongen. Met zijn vingers veegde hij de tranen uit haar ogen. 'Ze huilen allemaal. Zelfs Von Zeiss. En Heidi heeft de hele nacht liggen jammeren en miauwen als de kat van de Roesners in maart. Ik deed geen oog dicht.'

'Marcus, kom nou! Dat hebben we in de tuin van Von Zeiss toch al afgesproken, dat ik niet zou huilen? Weet je dat niet meer? Ik huil niet, ik heb gewoon een strootje in mijn oog. Uit jouw haren. Echt, ik huil niet.' Ze deed haar uiterste best om opgewekt te klinken.

De jongen kwam overeind en klopte energiek zijn broek af, waarvan hij de pijpen in zijn vilten slobkousen had gestopt, en trok een wollen muts over zijn oren. Daar stond hij voor haar, wijdbeens. Met zijn korte armpjes probeerde hij bij de zakken van zijn jack te komen, dat hem zoveel te groot was dat die zakken zich op kniehoogte bevonden. 'Nou, denk er nog eens over na. Dan haal ik intussen water voor je.'

Ze zag hem langzaam weglopen, om de op de grond slapende mensen heen. Een ogenblik later was hij verdwenen in de galerij die leidde naar de zuidelijke beuk van de kerk.

Ze ging op haar knieën zitten en keek om zich heen. Door een groot gat in het dak dat was ontstaan bij de tweede luchtaanval die nacht zag ze een sombere, grauwe hemel die een ovale lichtvlek wierp op de kleine ruimte rond het altaar. De rest was gehuld in een duisternis die dieper werd naarmate je verder de kerk in keek. Het leek net een gravure van Albrecht Dürer, zoals ze die voor de oorlog in het museum had gezien toen ze op schoolreis naar Berlijn waren. En het leek nog meer op een foto van Leni Riefenstahl, aan wie papa zo'n bloedhekel had en voor wie zij – alleen de fotografe natuurlijk, niet de persoon! – die hele Dürer honderdmaal cadeau gaf. Riefenstahl kon het moment vastleggen, terwijl Dürer een overdreven werkelijkheid creëerde waarin hij veel te veel van zichzelf stopte, op het kitscherige af. Bij Riefenstahl drongen geheel ongemerkt al die grijzen bij elkaar naar binnen. Een toverachtige, oeverloze, grijze wereld was het. Grijs zonder grenzen. Ze keek gebiologeerd naar de grijstinten in de kerk. Zulke rijke schakeringen zag je niet vaak. Misschien was dit de enige keer, 'nu we nog leven...'

Ze stond op en maakte haastig haar koffer open. En ze haalde haar camera eruit, die ze zorgvuldig in een bonten vest had gewikkeld.

~

Gisteren had mama bij het eerste luchtalarm gezegd dat ze 'het hoogst noodzakelijke' mee mochten nemen. Ze had haar camera ingepakt en hem zorgzaam op een dik kussen van truien neergevlijd. Dat was het 'hoogst noodzakelijke'. Maar toen mama al in de hal stond en haar steeds luider aanspoorde om op te schieten en ze naar de deur wilde rennen, had ze zich bedacht. Ze was teruggegaan naar haar kamer en had nog een paar dingen meegegrist: een stapeltje brieven van Hinnerk met een lintje erom; een foto van oma en oma's trouwring; haar Engelse leerboeken; haar lievelingsjurk; drie stel ondergoed; een in leer gebonden wereldatlas, die ze had gekregen omdat ze het zo goed deed op school; haar dagboek dat ze al zeven jaar bijhield en dat ze onder haar matras verstopte; en een kluit watten zo groot als een voetbal die ze stilletjes uit mama's kamer had gepakt. Ze had net 'die dagen'. Anna menstrueerde al zes jaar, sinds haar zestiende, maar mama had het nooit gemerkt. Of ze had gedaan alsof ze het niet merkte. Mama wilde niet dat haar dochter nu, aan het eind van de oorlog, een volwassen vrouw werd, want dan zou ze misschien verkracht worden.

Mama haatte Hitler. Ze haatte hem echt, dat wil zeggen persoonlijk. Het was een haat die tot een soort razende hartstocht was geworden die het haar mogelijk maakte om te gaan met haar eigen machteloosheid en zucht naar wraak. Wraak vanwege het eindeloze wachten op de brieven van haar man, vanwege zijn benen die waren afgevroren bij Stalingrad, wraak vanwege het niet-aflatende verdriet in de gedichten die hij aan haar opdroeg – en ten slotte vanwege het feit dat zij en haar man zich ervoor schaamden dat ze Duitsers waren.

Maar het meest haatte ze Hitler vanwege die gelige envelop die haar op de trap was overhandigd door een nerveus naar de grond starende jonge postbode in een haveloos uniform. Op die hete namiddag, 12 mei 1943. Uit die gele envelop vol stempels had ze met trillende vingers een grauw stuk papier gehaald met in de rechterbovenhoek een eindeloze reeks cijfers, een brief die 'van de Führer persoonlijk' afkomstig was, al stond diens handtekening er niet onder, een brief die haar liet weten dat degene bij wie dat eindeloze nummer hoorde 'de dood der dapperen was gestorven'. Ze haatte hem omdat ze iedere nacht droomde van dat eindeloze nummer, dat ze uit haar hoofd kende, en ze haatte hem omdat haar man zelfs geen graf had dat ze kon aanraken, waar ze op haar knieën kon vallen om zich over te geven aan haar wanhoop.

En later, toen ze dacht dat het onmogelijk was feller te haten dan zij deed, werd haar haat nóg heviger, razender – omdat ze in een ruwe aardewerken kroes kersen bracht naar een joods jongetje dat verstopt zat onder de vloer van de hal.

Mama koesterde niet alleen een razende, hartstochtelijke haat tegen Adolf H. Ze verachtte hem ook, die 'achterlijke, miezerige, wanstaltige minkukel, die dégénéré die al psychisch gestoord was vanaf het moment van zijn conceptie, die niets anders opwekte dan afschuw, die het van angst in zijn broek deed en behept was met een minderwaardigheidscomplex, die impotente Oostenrijker die als crimineel helemaal geen visum had horen te krijgen'. Toen zij dit alles voor het eerst hoorde uit de mond van mama was ze nog maar tien. Het was nog voor de oorlog. Papa was opgesprongen en had het raam dichtgegooid, en zij had gevraagd wat 'impotent' betekende, en 'conceptie', en 'visum'. Mama had geglimlacht en haar op schoot genomen en ze had haar, terwijl ze met trillende vingers haar haren vlocht, iets in het oor gefluisterd wat nog onbegrijpelijker was. En papa had vol bewondering naar zijn vrouw gekeken.

'Lieve schat, dat weten wij toch helemaal niet, of Hitler impotent is of niet? En als het wel zo is, dan moeten we toch medelijden met hem hebben? Zoiets is vreselijk, voor iedere man. En toen hij naar Duitsland kwam, was hij toch nog geen crimineel? En voor Oostenrijkers geldt geen visumplicht,' zei papa zachtjes. 'Dat is allang vastgelegd in het verdrag van...'

'Dat weet ik allemaal. Natuurlijk weet ik dat! En ik weet ook in welk idioot verdrag dat is vastgelegd.' Ze legde een vinger op zijn mond, alsof ze wilde beletten dat hij verder sprak. 'En ik wist dat je dat allemaal zou zeggen. Ik ben dol op je. Ook hierom,' had ze gefluisterd.

Ze werkte zich door de menigte heen en begaf zich naar de trap die leidde naar de kansel, vlak tegenover het altaar. Ze dacht even na, stelde toen diafragma en sluitertijd in en rende de trap op. Achter zich hoorde ze de verwensingen van de mensen die op de treden zaten te dutten en die ze wakker had gemaakt. Hijgend bereikte ze het kleine, halfronde plateautje dat aan alle kanten was omringd door een balustrade van gebeeldhouwde zuiltjes. En ze bleef stokstijf staan. Het meisje had haar blauwe wollen truitje zo ver omhooggesjord dat haar borsten ontbloot waren; een man sloot zijn handen eromheen. Met haar benen wijd gespreid bewoog het meisje zich op en neer op de heupen van de man die onder haar lag op de marmeren vloer van de kansel. Anna stond vlak voor ze. Het meisje, net zo oud als zij, of misschien iets ouder, deed haar ogen open. En sloot ze meteen weer. Een ogenblik verstarde ze. Ze bewoog haar tong over haar lippen, bracht haar vingers naar haar mond, likte ze af en bedekte met haar handpalm de toef blonde haren tussen de wijd uitgespreide benen. Daarna richtte ze zich wat op en gooide haar hoofd achterover. Het leek alsof het meisje zich in een andere wereld bevond en niets waarnam van wat er om haar heen gebeurde. Weer begon ze zich ritmisch op en neer te bewegen. Haar loshangende blonde haren raakten het gezicht van de man.

Anna voelde zich ongemakkelijk en tegelijk nieuwsgierig. En ze voelde dat het haar opwond. Vervolgens voelde ze schaamte vermengd met schuldgevoel. Vanwege die opwinding. En omdat ze die opwinding hier voelde, onder deze omstandigheden en op een dergelijke plaats. Al het andere zag er normaal uit, volkomen in overeenstemming met de werkelijkheid. Ze herinnerde zich de gesprekken thuis over dit onderwerp.

∽

Ze was al 'groot meisje' genoeg om te begrijpen wat hier gebeurde. Seks was geen taboe voor haar. Allang niet meer. In het Derde Rijk was seks niet langer iets persoonlijks en intiems. Seks was een maatschappelijke en politieke aangelegenheid geworden. Vooral omdat het de bevolkingsaanwas moest bevorderen. Alleen dat telde. Een Duitse vrouw diende veel kinderen te baren, liefst zo jong mogelijk. Over seks hoefde ze verder niet beslist iets te weten. Het begrip 'seksuele opvoeding' bestond niet eens. Daarin school een paradox: enerzijds moest men zich voortplanten, wat zonder seks niet gaat, anderzijds bleef seks een geheimzinnige zaak. Anna had over seks meer kennis opgedaan – voor zover je hier van 'kennis' kon spreken – uit de grauwe propagandabrochures die op school in de vensterbank lagen dan van haar leraren. In die brochures werd niet gerept over intimiteit, relaties, over het gezin en over liefde. Het ging wel uitvoerig over plichten, over de baarmoeder en over de toekomst van het grootse en talrijke, zuiver Germaanse volk. Toen ze voor het eerst zo'n brochure las, had ze geen flauw idee wat een baarmoeder was. Ze was dertien. Het bleef bij die ene brochure, ze had geen zin er nog meer te lezen.

Nu was ze bijna tweeëntwintig. Sommigen van haar leeftijdgenoten hadden al drie kinderen. Hun eerste kind hadden ze gebaard toen ze nog op school zaten. Ze kregen dan zwangerschapsverlof en keerden een jaar later terug naar de schoolbanken, als ze daar tenminste nog zin in hadden. Het belangrijkste was dat ze een kleine ariër op de wereld hadden gezet. Trouwen hoefde niet beslist. Neem de domineesdochter Marianne, die het hele jaar naast Anna had gezeten in de klas – zij had al twee jongetjes en een meisje. De jongetjes waren een tweeling, en toen ze geboren werden zat Marianne nog op het gymnasium. Hans-Jürgen heette de vader. Vervolgens kreeg ze haar dochtertje, maar toen zat Hans-Jürgen al elf maanden aan het front, dus kon het kind onmogelijk van hem zijn. Maar nu het land zat te springen om kinderen was dat geen probleem. Geen enkel probleem. Duitse vrouwen moesten kinderen baren en Duitse mannen moesten zo veel mogelijk vrouwen bevruchten. Dat mochten echtgenotes zijn of minnaressen, maar evengoed vriendinnen en kennisjes die als veredelde prostituees goed waren voor een avondje of zelfs een uurtje. Het beste kon een Duitse vrouw bezwangerd worden door een ss'er. Dat was een garantie voor raszuiverheid. Zij werden immers op bevel van Himmler gecontroleerd tot tien generaties terug: ss'er mocht je alleen worden als er sinds 1 januari 1750 geen enkele twijfel was over de 'raszuiverheid'. Die datum had Himmler zelf vastgesteld, waarom mocht Joost weten. Marianne kreeg haar dochtertje van een ss'er. En kinderen van ss'ers waren 'een edel geschenk aan het Duitse volk'. Marianne ging niet terug naar school na de geboorte van haar derde kind.

Anna praatte hier vaak over met papa en mama. Die deden niet geheimzinnig over seks. Toen ze zestien werd stond in de boekenkast in de huiskamer ineens *Het volkomen huwelijk*, het voorlichtingsboek van de Nederlandse arts Th.H. van de Velde. Dat was heel dapper van Anna's ouders, want de nazi's en de Duitse kerken waren eenstemmig in hun afwijzing van dat boek. De katholieke kerk plaatste het, tot grote vreugde van de nazi's, op de lijst van verboden boeken en de nazi's veroordeelden het als 'maatschappelijk schadelijk'. Dat wakkerde de belangstelling voor het boek alleen maar aan. De tot dan toe onbekende Nederlandse gynaecoloog werd in Duitsland de belichaming van alles wat voos en immoreel was – en dat allemaal omdat hij het waagde vanuit een wetenschappelijke invalshoek de geslachtsdaad niet alleen te beschrijven maar, erger nog, ook toe te juichen als een uiting van genegenheid tussen twee mensen die van elkaar hielden in plaats van als een middel om zich voort te planten. Het viel aanvankelijk niet mee om het te lezen – papa had opzettelijk een Engelse vertaling op de kop getikt. Met behulp van dit boek leerde Anna Engels, en toen zij alles eenmaal begreep, was ze enorm enthousiast.

Bij haar thuis was praten over seks vanzelfsprekend, maar anderen stonden daar heel anders tegenover. Haar leeftijdgenootjes deden hun kennis erover voornamelijk op uit 'echt gebeurde' verhalen, doordrenkt van goedkope sensatiezucht, die ze van oudere en meer ervaren vriendinnen in het oor gefluisterd kregen. Zelf kon ze over dat soort dingen vrijuit praten met haar ouders. Maar alleen wanneer oma Marta er niet bij was. Oma vond dat je kinderen alleen in het donker mocht verwekken, in de echtelijke sponde, en dat alleen getrouwde vrouwen ze hoorden te baren. En alleen van hun enige wettige echtgenoot, na een huwelijk dat was ingezegend in de kerk. Tot de dood je scheidde. De rest was zonde en vuiligheid. Sinds die 'monsterlijke viespeuk van een Hitler' op het toneel was verschenen, was niks meer zoals het hoorde te zijn. Zo dacht oma erover. Hitler had volgens haar opvatting 'Duitsland besmeurd en te schande gemaakt' als geen ander. 'Hij hangt de heilige boon uit en intussen heeft hij Duitsland in een bordeel veranderd,' placht ze te zeggen.

Toen ze het er op een avond met Anna's vader over had, gebeurde er iets wat uiterst zelden voorkwam: hij nam het voor Hitler op. Hij vond hem, anders dan oma Marta, geen 'viespeuk'. Integendeel, de man was een toonbeeld van seksuele reinheid en ascetische onthouding. Van de hele nazitop was hij de enige die niet zwolg in avontuurtjes, ontrouw, schandalen en intriges, ondanks zijn onbeperkte macht en de horden vrouwen die verliefd op hem waren. Zijn kluizenaarsbestaan wekte bij de Duitse vrouwen een seksuele massahysterie op, en juist Hitler was het middelpunt van hun geheime verlangens; ze verafgoodden hem. Dat gold voor jonge meisjes zo goed als voor rijpe matrones, voor arbeidsters zo goed als voor wereldse dames, voor simpele boerinnen zo goed als voor geschifte schilderessen en lieftallige actrices. Stuk voor stuk verlangden ze er wanhopig naar om zich, in de meest letterlijke zin van het woord, te geven aan de ongetrouwde Hitler, die hen opwond als een door een tovenaar bereide liefdesdrank – en dit alles enerzijds vanwege zijn positie en zijn macht, en anderzijds vanwege zijn vrijgezellenstatus, die elk van hen de kans bood zijn uitverkorene te worden. Vrouwen, en niet alleen Duitse vrouwen, smeekten Hitler in hun brieven de vader van hun kind te worden; ze schreeuwden zijn naam als ze kronkelden tijdens de barensweeën, alsof ze hoopten dat daarmee de pijn zou verdwijnen.

Van sommigen van die vrouwen leerde het volk de naam kennen. Maar dat gold slechts voor weinigen, en alleen als de propaganda er voordeel in zag. Onder hen waren de beeldschone baronesse Sigrid von Laffert; Wagners schoondochter Winifred; de zangeres Margarete Slezak; de architecte Gerdy Troost; de onfatsoenlijk rijke Lily von Abegg, die Hitler met geld overlaadde en hem kostbare kunstwerken cadeau deed; de fotografe en cineaste Leni Riefenstahl; de hopeloos op Hitler verliefde gravin Unity Mitford, de dochter van lord Redesdale; en Eugenie Haug, die op haar zestiende in de ban raakte van Hitler en een toegewijd lid werd van de nationaalsocialistische partij. Voor deze vrouwen was en bleef Hitler een idool. Net als voor duizenden anderen, die hem brieven stuurden met ondubbelzinnige voorstellen, die hun foto meestuurden en over wie niemand ooit iets zou vernemen.

De afschuwelijkste van deze bekende vrouwen was, volgens papa, Leni Riefenstahl. Haar film *Triumph des Willens*, die de grote nazibijeenkomst te Neurenberg in 1934 vereeuwigde, was een toonbeeld van Hitlerverering. Een hoge hemel met wolken terwijl de kijker voortdurend alleen maar het gebrom van vliegtuigen hoort. Een vliegtuig landt, majestueus afdalend naar de menigte fanaten op de grond. Het is de Führer, die als een engel of als een heidense godheid de hemel verlaat om zijn uitzinnige kudde te bezoeken. Geen enkele van Hitlers bewonderaarsters heeft zoveel gedaan om de mythe van de goddelijkheid van de Führer te cultiveren als Riefenstahl. Juist zij heeft met haar foto's en films, en met *Triumph des Willens* in het bijzonder, het visuele beeld geschapen van het Derde Rijk. Iedereen dacht dat dat beeld al te zorgvuldig geretoucheerd was, maar het was de zuivere waarheid.

De film vond een enthousiast onthaal in het buitenland, waar hij werd gezien als 'een triomf van de ware kunst', hoewel het in feite slechts de triomf was van een onberispelijk technische vorm, die een primitieve, banale essentie verborg. In de ogen van Goebbels had de 'doortastende Leni een wonder verricht', en Hitler liet geen gelegenheid voorbijgaan om te benadrukken hoeveel hij verschuldigd was aan zijn favoriete kunstenares. Papa, die weinig mensen haatte, haatte Leni Riefenstahl met heel zijn hart, vanwege haar opportunisme, haar leugenachtigheid en huichelarij. Hij noemde haar een 'hoer van de kunst', met de vrienden en invloedrijke beschermers die daarbij hoorden. Zijn dochter was het op dit punt niet met hem eens – Riefenstahl was een voortreffelijke fotografe.

Bij dit alles werd de propaganda niet moe te vertellen dat Hitler uiteindelijk maar één favoriete had, één geliefde: Duitsland. Om – wat God verhoede – te voorkomen dat er toch twijfels zouden ontstaan over zijn viriliteit, verscheen aan zijn zij een pretentieloos dametje, dat zwijgzaam was tegenover haar vriendinnen en dat soms ook wel eens koppig kon zijn: Eva Braun. Ze was een jong, knap, sexy meisje met een typisch arisch uiterlijk, afkomstig uit een eenvoudig Duits gezin. Ze paste volmaakt bij Hitler, die geen geheim maakte van zijn afkeer van intellectuele vrouwen. Eva werkte bij een fotoatelier en droomde ervan actrice te worden. Net als Hitler verslond ze de boeken van Karl May en net als hij was ze een groot fan van de onoverwinnelijke en edele Winnetou. Hitler hemelde Karl May openlijk op en raadde vanaf het begin van de oorlog zijn generaals aan deze schrijver te lezen. Ze konden er veel uit opsteken over militaire strategie. Geloof het of niet, maar Hitler putte zijn kennis van de krijgskunde niet uit Von Clausewitz, maar uit indianenboeken! Bij dat alles betekende Fräulein Eva Braun voor Hitler even veel en even weinig als zijn hond Blondi. Velen zijn van mening dat deze jongedame ideaal was om zijn aseksualiteit, gebrek aan libido of zelfs, God verhoede, homoseksuele neigingen te camoufleren.

Lange tijd gaf Hitler geen blijk van afkeer van homo's, en toen hij dat wel begon te doen klonk het, uit het oogpunt van propaganda bekeken, niet al te overtuigend. Als het ging om een verbod op homoseksualiteit nam hij een uitermate dubbelzinnig standpunt in. Weliswaar werd al in 1935 een aanzienlijk zwaardere straf gesteld op overtreding van paragraaf 175 van het Duitse Wetboek van Strafrecht, dat homoseksualiteit aanmerkte als 'strafbare ontucht', maar geruchtmakende processen bleven uit. Waarschijnlijk speelde hier de erfenis mee van de Weimarrepubliek, die een toegeeflijke houding tentoonspreidde jegens homo's. Dat was uniek voor Europa en volslagen ondenkbaar in het 'democratische' Amerika. In 1934 had je in Berlijn en Keulen zelfs officieel toegestane homoclubs, die adverteerden in de plaatselijke kranten. Zij gaven het tijdschrift *Der Eigene* uit en in de cabarets van Berlijn, Keulen en Düsseldorf traden travestieten op. Iedereen die daarin geïnteresseerd was, wist dat het Keulse Hotel zum Adler aan de Johanisstrasse 36 iedere nacht een bruisend Sodom was, en dat je de 'leukste jongens voor één nacht' kon vinden bij de openbare toiletten aan de Trankgasse.

In de nazibijbel *Mein Kampf* spat de haat tegen joden en minachting voor de Slavische volken bijna van iedere pagina, maar over homo's rept Hitler met geen woord. Dat vond ook zijn weerslag in zijn beslissingen. Onder de nazileiders waren heel wat homo's. Rudolf Hess bijvoorbeeld, die in gaykringen bekend was als 'Fräulein Anna' of 'Schwarze Emma'. Of Baldur von Schirach, de leider van de Hitlerjugend, een organisatie die wel spottend 'Homojugend' werd genoemd. De nazi's waren geobsedeerd door de kwestie van het 'zuivere bloed', en ze vonden dat alle joden vernietigd moesten worden omdat het onmogelijk was hun ras te 'veredelen'. Door de aderen van ariërs daarentegen stroomde 'zuiver bloed', zelfs wanneer het homo's waren. Die waren slechts 'biologisch en moreel onvolmaakt', en daarom moest hun de kans worden geboden 'hun leven te beteren'. Je kon ze bijvoorbeeld castreren of gedwongen testosteron toedienen. Wel begon men degenen die zich daartegen verzetten vanaf 1938 naar concentratiekampen te sturen.

Eva Braun overnachtte demonstratief in de Berghof, Hitlers zomerresidentie te Obersalzberg in de Beierse Alpen, en samen met de Führer in Berlijn. Daarmee werd ondubbelzinnig te verstaan geven dat de leider hield van een Germaanse godin, zelfs al was het misschien alleen platonisch. Hoe dan ook was hij geen heremiet en bracht hij de nachten niet in eenzaamheid door maar met een vrouw – een vrouw die jong, arisch en waarschijnlijk vruchtbaar was. Dit was politiek en propagandistisch bezien een goede zet. Een afwijkende seksuele geaardheid, aseksualiteit of impotentie waren ondenkbaar voor de leider van een volk dat geacht werd zich te vermenigvuldigen als konijnen. Daarom was Fräulein Braun bij Hitler helemaal op haar plek. Net als de herder Blondi trouwens.

Papa was het niet met oma Marta eens dat het Duitsland van nu een bordeel geworden was. Hij betoogde dat Hitler al in *Mein Kampf* had beloofd alle publieke huizen te sluiten. Dat deed hij inderdaad in 1933 met de ondertekening van een decreet dienaangaande. Volgens papa deed Hitler dat maar om één reden: prostituees in bordelen planten zich niet voort. Als ze zwanger werden, werden ze meteen ontslagen en daarom lieten ze zich bijna allemaal aborteren. In hetzelfde decreet verbood Hitler ook het gebruik van condooms en het afbreken van zwangerschappen. Aldus geschiedde: bordelen werden met onvervalste Duitse gründlichkeit opgespoord en gesloten. Maar aangezien prostitutie sinds mensenheugenis de trouwe metgezel is van iedere vorm van civilisatie, moest er wel iets anders voor de bordelen in de plaats komen om het vacuüm op te vullen. De zogeheten *Freudenhäuser* deden hun intrede. Eigenlijk waren dat gewoon bordelen, maar de vrouwen werden er geacht voor hun plezier te werken, of in elk geval tot heil van het Reich. En werken deden ze, dat is een feit. En vervolgens braken ze, illegaal maar effectief, hun ongewenste zwangerschap af. De Duitsers vermenigvuldigden zich dus nog steeds niet zoals het regime dat van hen verwachtte. De bekende naziarts Ferdinand Hoffman slingerde in 1938 openlijk verwensingen naar het hoofd van zijn landgenoten. Hij fulmineerde dat 'de Duitsers zevenentwintig miljoen condooms gebruikten'. Kort daarop maakte Himmler het moeilijker om contraceptiva op doktersrecept te krijgen. Hij koos een vanuit juridisch perspectief amusante formulering: 'Iedere informatie over anticonceptiva is verboden.' Zoiets kan alleen een Duitser verzinnen. En alleen een Duitser kan zich daarbij ook nog eens beroepen op het gezag van heuse professoren. Een van hen was een zekere Fritz Lentz, specialist in 'rassenhygiëne', die in de kranten de resultaten het licht deed zien van zijn beschouwingen en experimenten: 'Wanneer jonge mensen op de daartoe geëigende leeftijd een vanuit raciaal oogpunt zuiver huwelijk sluiten, kunnen zij het volk tot twintig kinderen schenken.' Geen wonder dat na zulke publicaties de mensen grapjes begonnen te maken: 'Op bevel van de Führer is de duur van een zwangerschap bekort van negen tot zeven maanden.' Uiteraard pakte Goebbels de redacteuren aan van kranten die dit grapje hadden afgedrukt.

Maar zelfs Hitler geloofde niet dat bij dergelijke intieme kwesties juridische sancties effectief konden zijn. En gelijk had hij. Het aantal arische borelingen groeide niet. Wat wel groeide, waren de ontucht, overspel en dat wat oma Marta 'de ergste zonde' noemde – vooral nadat het volk doorkreeg dat de strafbaarstelling van echtbreuk op persoonlijk bevel van de Führer in 1937 uit het Wetboek van Strafrecht was geschrapt. De Duitse kerken – zowel de katholieke als de lutherse – deden er weer eens het zwijgen toe. Misschien uit dankbaarheid voor het 'volledige begrip' dat sprak uit het feit dat de nazipropaganda een oogje toekneep bij de ontelbare gevallen van 'seksuele activiteit van geestelijken' ten aanzien van zowel vrouwen als minderjarige jongens.

Sinds Hitler het land definitief geknecht had, zweeg de kerk in Duitsland consequent over 'alle werkelijk belangrijke vragen'. Dat was het commentaar van papa. Ze zwegen over ongecontroleerde bevruchtingen en over gecontroleerde levensberoving. En dat terwijl het hoofd van de staat de godsdienst demonstratief afserveerde, hem mystiek van het zuiverste water en puur occultisme noemde. Maar zoiets zei papa nooit als oma erbij was.

Mama deed het zwijgen ertoe tijdens zulke discussies. Ze fluisterde alleen maar haar dochter in haar oor dat liefde het allerbelangrijkste was. Dat alleen die het wachten waard was. En dat als de liefde kwam, haar dochter feilloos een prachtig en zelfs onweerstaanbaar verlangen zou voelen. En daaraan zou zij zich onderwerpen. Net zoals zij, mama, dat destijds zelf had gedaan.

～

Ze draaide zich abrupt om, leunde over de balustrade en begon te fotograferen.

Een biddende soldaat. Met zijn rechterhand omklemde hij de stomp die was overgebleven van de linker. In de helm aan zijn voeten flakkerde een kaars. Een behuild meisje met haar arm in het verband zat naast hem op een omgekeerde po. Een paar meter verderop aaide een oude vrouw met een bontjas aan en een strohoed op een magere kat met één oor die bij haar op schoot zat. Naast haar bad een man de rozenkrans. Achter zijn rug zat een priester met een reusachtige bril op en een sigaret tussen zijn tanden in een fauteuil een voor hem neergeknielde non de biecht af te nemen. Daarnaast stonden onder het grote kruis nog drie gestalten. Ze drukten zich tegen elkaar aan en bogen diep het hoofd. Het leek net de Heilige Familie, deemoedig wachtend op haar terechtstelling.

Toen herkende ze het gezicht van Lucas...

Toen ze gisteren met haar koffer tegen zich aan gedrukt naar de deur liep, wachtte mama haar op met een schaar in haar hand. Aan haar voeten lag in een zinken teil een Hitlerjugend-uniformpje.

'Knip zijn haren af, trek hem dit uniformpje aan en blinddoek hem. Die blinddoek moet hij omhouden zolang hij buiten is, begrepen? Anders wordt hij blind. Herhaal wat ik gezegd heb!' riep mama, en ze reikte haar een rol zwarte stof aan.

Ze herhaalde wat mama zojuist gezegd had, eveneens schreeuwend. Daarna rende ze naar het dressoir bij de deur van de woonkamer. Ze zette zich schrap en schoof het meubel opzij. Daarna rende ze op en neer van de woonkamer naar de keuken, waar ze uit een la van de buffetkast een vleesbijltje griste. Ze duwde de scherpe kant in een spleet tussen de vloerplanken en trok een met parket bedekt vierkant luik uit de vloer. Ze ging op haar knieën liggen en deed het licht uit. Daarna ging ze languit op de vloer liggen en werkte zich de ruimte onder de grond in.

Lucas zat ineengedoken tegen de muur aan gedrukt. Ze vond zijn hoofd. In het donker begon ze haastig zijn haar af te knippen. Beiden zwegen. Hij trok zijn hoofd niet weg en kuste haar hand wanneer die in de buurt kwam van zijn lippen. Ze deed zijn schoenen uit en knoopte vervolgens zijn broek los, trok die ook uit en legde het wollen uniformpje voor hem neer. Hij begreep alles, ze hoefde niets te zeggen. Toen ze zich ervan vergewist had dat hij helemaal aangekleed was, deed ze hem de blinddoek om. Ze duwde hem voor zich uit. Mama stond bij het luik, pakte zijn hand en trok hem naar boven. Ze ging op de grond zitten en maakte alle knopen van zijn uniformpje vast. Voor alle zekerheid trok ze de blinddoek nog wat strakker. Ze knielde voor hem en aaide hem over zijn bol, huilend. Even later waren ze op straat en mengden ze zich onder de bange, voortrennende menigte.

De eerste keer loeiden de sirenes om kwart voor tien in de avond. Mama had de luchtaanvallen allang verwacht. Aan de andere kant had ze diep vanbinnen de naïeve hoop gekoesterd dat, nu er zoveel vluchtelingen uit het oosten in de stad waren, de Engelsen en Amerikanen uit humanitaire overwegingen deze stad vol vrouwen en kinderen niet zouden bombarderen.

Mama had uren door de stad gedwaald, op zoek naar afgelegen hoekjes waar ze zich kon verstoppen. Er waren maar heel weinig echte schuilkelders. (De belangrijkste man in Dresden, Gauleiter Martin Mutschmann – en het was voor niemand een geheim gebleven – had voor zichzelf op het adres Comeniusstrasse 32 een privébunker laten bouwen.) De bevolking moest zich, volgens de autoriteiten, verbergen in de kelders. Maar de kelder van hun huis was net een paar maanden daarvoor volgelopen toen er een waterleiding was gesprongen. 's Nachts, als de temperatuur zakte onder het vriespunt, bevroor dat water.

Ze renden achter de menigte aan. Bij de ingang van de eerste schuilkelder, aan de Beethovenstrasse, kolkte een zee van doodsbange mensen. Er was geen denken aan dat ze hier naar binnen zouden kunnen. Ze hoorden het gejank van de naderende vliegtuigen. Het was die avond onbewolkt, en even na elf uur werd de hemel boven Dresden verlicht door myriaden lichten. Het leken net enorme vuurballen. Opeens werd het zo licht als midden op de dag. Ze wisten dat de bommenwerpers er binnen een paar ogenblikken zouden zijn. En ze renden door een smal straatje naar het centrum, in de richting van de Frauenkirche. Met haar ene hand hield ze haar koffer vast, met de andere Lucas' handje. Opeens stuitten ze op een versperring van brandweerauto's die dwars over de straat heen waren neergezet. Ze maakten rechtsomkeert. Achter haar rug hoorde ze het gejank van de naderende vliegtuigen en ontploffende bommen. Ze was doodsbang. Mama schreeuwde dat ze koste wat kost naar de schuilkelder aan de Annenstrasse moesten. Dat was de enige schuilplaats in de buurt. Helemaal aan het begin van de straat, bij de Annenkirche, viel mama met haar gezicht op een met vuil bedekte, verijsde sneeuwhoop. Anna hielp mama overeind. De kerkdeuren stonden wijd open. Ze renden naar binnen en bleven staan bij het zijgedeelte van het altaar, rechts van de hoofdingang. Mama zette een houten bank die daar stond dwars tegen de muur en barricadeerde met koffers de toegang tot hun hoekje. Daarna droeg ze Lucas ernaartoe, trok de blinddoek van zijn hoofd en legde het jongetje op de met stro bedekte vloer.

'De priesters van de Annenkirche hadden een vooruitziender blik dan Gauleiter Martin Mutschmann en zijn corrupte zootje ambtenaren,' hoorde ze mama zeggen.

Mama zei dat ze naast het jongetje moest gaan liggen en dekte hen beiden toe met een deken. Anna was bang. Banger dan ze ooit van haar leven geweest was. Ze drukte Lucas tegen zich aan en herhaalde eindeloos hardop versregels van Rainer Maria Rilke; ze smeekte de dichter om stilte te doen neerdalen. Bij iedere nieuwe explosie smeekte ze luider om stilte. Na een paar ogenblikken begon Lucas haar de versregels na te zeggen, als een gebed.

Tot een echt gebed kon zij zichzelf niet brengen. Zelfs niet hier, op deze plek, op dit ogenblik. En in deze toestand. Die gebeden, afschuwelijke afgoderij in haar ogen, die ze haar op school uit haar hoofd hadden laten leren, vergat ze meteen nadat ze ze tijdens de godsdienstles had opgedreund voor de leraar. Net als het gerijmel dat de Führer moest verheerlijken en dat ze elke dag bij het ochtendappel moesten herhalen voordat de lessen begonnen. Ze geloofde niet in een opperwezen, een hemelse Führer bij wiens cultus het verboden was vraagtekens te zetten. En dus geloofde ze niet in God. Dat betekende volstrekt niet dat ze haar geloof was kwijtgeraakt als gevolg van alles wat ze had geleden sinds het begin van de oorlog. Ze was niet haar geloof kwijtgeraakt uit desillusie, of omdat ze zich gekwetst voelde, of uit wraak omdat Hij dit alles toeliet, omdat Hij de wereld de rug had toegekeerd op een moment waarop die wereld Hem meer nodig had dan ooit. Juist dat zou, naar haar mening, een ontkenning zijn geweest van het geloof, en een nog grotere huichelarij dan bidden op een moment van doodsangst. De laatste jaren had ze het lijden gezien, en ook aan den lijve ondervonden, dat werd veroorzaakt door gedrag van mensen dat uitsluitend was ingegeven door grenzeloze, blinde angst voor de straf die stond op het niet gehoorzamen aan een commando, of aan een bevel, of aan een van de tien geboden. Papa had haar geleerd verstandig te zijn en te twijfelen – vooral aan dat wat iedereen om haar heen zonder nadenken napraatte – en vragen te stellen. En mama was, in navolging van haar schoonmoeder, een schoolvoorbeeld van 'niet op je knieën leven'.

Anna geloofde niet in God, hoewel ze gedoopt was en bij haar eerste communie de hostie had doorgeslikt. Bij het vormsel had ze haar tweede naam Marta gekregen, naar haar oma. Aan mensen die belangrijk voor haar waren stelde ze zich wel eens voor met die naam. Hinnerk was er dol op. Voor haar was ze uitsluitend Marta. Toen hij haar voor het eerst kuste, zittend in het donker aan de rand van de vijver in het Zwingerteich-park, had hij haar in haar oor gefluisterd: 'Mijn Martinique.'

Oma Marta, die was geboren in de ultrakatholieke, destijds Poolse stad Opole, wilde er niets van horen dat haar kleindochter ongedoopt zou blijven. En haar ouders, die misschien al een voorgevoel hadden, lieten haar vanwege haar oma dopen, in de monumentale Dresdense Frauenkirche. Ze konden zich er toen nog geen voorstelling van maken hoe het doopbewijs hun enige dochter nog eens van pas zou komen.

Sinds enige tijd – het was begonnen toen ze op het gymnasium zat – werden kinderen die niet in het bezit waren van dit grauwe papiertje er automatisch van verdacht dat ze van 'niet-arische afkomst' waren. Dat was slecht voor de demografische statistieken van de school. Iets wat iedere schooldirecteur, als rechtgeaarde ambtenaar van het Derde Rijk, heel goed wist. Allemaal waren ze verplicht actief en direct deel te nemen aan de 'opbouw van de nieuwe Duitse maatschappij'. Een maatschappij die raszuiver, gezond, tot werken in staat en, natuurlijk, loyaal aan de Führer was.

Dat was het belangrijkste. Vaders van geesteszieke kinderen werden op grond van een in 1934 aangenomen wet verplicht zich te laten steriliseren. Om dezelfde reden werden ook mannelijke psychiatrische patiënten in de vruchtbare leeftijd en ongeneeslijke alcoholisten gesteriliseerd. En vanaf 1939 werd op 'chronisch zieken' euthanasie toegepast. Goebbels sprak van een 'humane daad'.

Papa meende dat juist Hitler als geen ander de Duitsers ervan wist te overtuigen dat zij het uitverkoren volk waren. Hij, Himmler en Goebbels zogen het begrip 'de onsterfelijkheid van het volk' uit hun duim. Het Duitse volk, wel te verstaan. Iets waarmee ze de kleinburgers in verrukking brachten. Dat deden ze op een handige en heel eenvoudige manier. Ze gooiden de oude nationale monumenten tegen de vlakte en vervingen ze door nieuwe, veel groter en monumentaler maar ook veel primitiever – alsof ze een piramide bouwden voor farao Walt Disney. Ze stichtten musea die waren gewijd aan de nationale tradities, lieten betrouwbare en aan het regime loyale geleerden 'wetenschappelijke' classificaties uitwerken van culturen en rassen, ze legden folkloreverzamelingen aan, canoniseerden de volksliteratuur en vernietigden demonstratief alles wat niet binnen die canon viel. Ze riepen nieuwe nationale feestdagen in het leven, organiseerden plechtige ceremonies ter ere van hen die gevallen waren 'voor de goede zaak'; ze lieten nieuwe vlaggen ontwerpen en nieuwe nationale hymnen componeren; ze brachten reusachtige menigtes op de been voor parades ter ere van de nieuw uitgevonden betekenissen van historische gebeurtenissen... Binnen korte tijd creëerden ze een mythe. En een mythe die wortel heeft geschoten in het bewustzijn neemt de plaats in van culturele waarden. Een nieuwe gedragsstijl, nieuwe waarden en symbolen worden iets natuurlijks, iets wat authentiek is en begrijpelijk voor iedereen. En de mythe begint de geschiedenis in te halen. Culturele waarden zijn niet voor iedereen toegankelijk, aangezien je voor het interpreteren ervan kennis en geestelijke inspanning nodig hebt. In een mythe daarentegen hoef je alleen maar te geloven. Die hoef je niet beslist te begrijpen. Dat laatste geldt trouwens ook voor cultuur, zodra die een massacultuur wordt. Schilderijen werden simpel en begrijpelijk, Goebbels en zijn trawanten zorgden ervoor dat op de radio alleen nog vaderlandse liederen te horen waren en nog vaderlandsere, simpele operettedeuntjes, en ene Arno Breker werd gebombardeerd tot Duitslands belangrijkste beeldhouwer. Hij maakte kolossale sculpturen die zich tot beeldhouwkunst verhielden als een tuinkabouter tot de antieke kunst. Dat belette Hitler niet te vinden dat Brekers kolossen behoorden tot de 'schitterendste beeldhouwwerken die ooit in Duitsland geschapen waren'. Naast Breker had je ook nog Thorak en Klimsch, die werkten in dezelfde geest. De rest was, volgens Hitler, het werk van 'gedegenereerde stotteraars, talentloze saboteurs, dwazen en handelaren'. Zo dacht overigens iedereen erover die zich liet fotograferen met op de achtergrond de scheppingen van Breker, Thorak en Klimsch in Berlijn of München.

Maar de hitlerianen kregen nog iets anders voor elkaar. Het belangrijkste, misschien wel. Zij wakkerden bij het volk voortdurend het gevoel aan dat zij, het volk, heel belangrijk waren, en uiteindelijk geloofden de mensen oprecht dat ze helemaal geen aanhangsel van de dictatuur waren. Hitler kon als geen ander, Stalin misschien daargelaten, de massa's ervan overtuigen dat zij zélf de dictatuur waren. Dat was zijn grootste persoonlijke verdienste.

Hitler had schilder willen worden, filosoof, architect, en uiteindelijk werd hij acteur. Een voortreffelijke acteur. Juist hij kon de Duitsers hypnotiseren met zijn redevoeringen. Juist hij plaatste de decors en regisseerde tot in de puntjes zijn openbare optredens, die de indruk moesten wekken dat het allemaal improvisatie was. Elk optreden was een spektakel. Het begon altijd met stilte. Daar stond Hitler, onbeweeglijk, zwijgend. Dan begon hij te spreken, heel rustig, met lage stem, maar geleidelijk zichzelf opwerkend tot hysterisch gekrijs, waarmee hij de menigte in trance en tot extase bracht. Daarbij kwamen de visuele effecten: de stralenbundels van luchtafweer-schijnwerpers; flakkerende fakkels; en masse uitgevoerde gymnastische uitvoeringen die veel weg hadden van een erotisch ballet; pathetische, als uit de hemel neerdalende muziek. De tirades van de heftig gesticulerende Führer, uitgelicht tegen een achtergrond van bloedrode vaandels met de zwarte swastika in een witte cirkel. Zijn steeds weer herhaalde lievelingswoorden: 'absoluut', 'onwankelbaar', 'beslist', 'definitief', 'onvermoeibaar', 'van historisch belang', 'eeuwig'. Eenvoudige, eenduidige, voor iedereen begrijpelijke woorden. Hij schreeuwde iedereen precies dat in het oor wat diegene het liefst wilde horen. Tot de boeren: 'Jullie zijn de grondslag van de natie.' Tot de arbeiders: 'Jullie zijn de elite van het Derde Rijk.' Tot de financiers en de fabrikanten: 'Jullie hebben bewezen dat jullie tot het hoogste ras behoren, jullie hebben het recht leiders te zijn.' In zijn primitieve, instinctieve populisme had Hitler met iedereen een intieme band. Hij was een boezemvriend, een weldoener, een onvermoeibare verdediger. Van iedereen, niemand uitgezonderd. Van oude mensen en van kinderen, van wegenbouwers en bakkers, van leraren en slagers, van dichters en boeren.

Hitler was de eerste die bij zijn redevoeringen elektrische versterking gebruikte. Dankzij de luidsprekers kreeg de menigte het gevoel dat de stem van de leider ergens uit de hoogte op hen neerdaalde. Het is niet ondenkbaar dat Hitler zonder luidsprekers Duitsland nooit aan zijn voeten had gekregen. En dat alles in combinatie met angstaanjagende lichteffecten. Een absoluut innovatief propagandistisch meesterwerk dat ongetwijfeld ook in de toekomst nog inspirerend zal werken. Alleen Hitler, zo benadrukte de propaganda van Goebbels, was in staat een effect te bereiken waarbij 'vrouwen met een afwezige uitdrukking op hun gezicht onmachtig op de grond neerzegen, als lappenpoppen', en het 'Heil!'-geschreeuw bereikte aan het eind van zijn redevoeringen zo'n oorverdovend volume dat 'velen meenden dat het gebouwen kon doen instorten'.

Je kan je voorstellen dat dit alles effectief was. En het wás effectief. Zelfs buiten de Duitse grenzen. In 1938, een jaar voordat de oorlog uitbrak, werd Adolf Hitler voorgedragen voor de Nobelprijs. Die voor de vrede! De man die hem voordroeg was ene E.G.C. Brandt, een Zweedse politicus met een Duitse achternaam en de hersens van een rat. De meeste politici hebben trouwens zulke hersens. Dat neemt niet weg dat Brandt democratisch gekozen was tot Zweeds parlementslid. Adolf Hitler, laureaat van de Nobelprijs voor de Vrede! Kan je je in de geschiedenis van de mensheid een grotere perversie voorstellen? Een van zijn rivalen dat jaar was Mahatma Gandhi... In februari 1939 werd overigens op initiatief van Goebbels zijn kandidatuur geschrapt. Goebbels wist heel goed dat in september 1939 de oorlog zou uitbreken. En dat de uitreiking van de Nobelprijzen in november en december niet zou doorgaan. En die voor de vrede al helemaal niet.

De vorming van de *Homo germanicus*, die ideaal was toegerust voor de eisen en ambities van het Duizendjarig Rijk, begon al op de crèche en werd intensief voortgezet op school. Hier werd de tot op de laatste druppel bloed raszuivere ariër gevormd. Papa had een keer gevraagd of ze zich dit gedicht nog kon herinneren:

> *Bewaar de reinheid van je bloed –*
> *dat bloed is niet van jou alleen.*
> *'t Kwam toegestroomd van verre*
> *en 't zal nog heel veel verder stromen.*
> *Je voorouders zijn in dat bloed,*
> *en op dat bloed rust ook de toekomst,*
> *dat bloed is heel jouw leven!*

Wat dacht je, natuurlijk herinnerde ze het zich! Ze had het vanbuiten moeten leren. Al in de derde klas moesten de kinderen het in koor declameren. En daarna moesten ze op bevel hun rechterarm de lucht in gooien. Zij ook. Al begreep ze er geen steek van.

De onderwijzers cultiveerden bij de kinderen vrijwillig een permanente toestand van patriottische extase. Die zogenaamde raszuiverheid was een van de belangrijkste voorwaarden voor het bestaan van het Derde Rijk. Je werd bij de geschiedenisles voortdurend om de oren geslagen met verhalen over de noodzaak om het arische ras 'onberispelijk rein' te houden. Volgens de lerares waren de oude volken in verval geraakt, juist omdat ze hadden toegelaten dat hun bloed vermengd werd, 'en verlies van raszuiverheid richt het geluk van een volk voor eens en altijd te gronde'.

En voortaan moest je je onberispelijke arische afkomst ook nog bewijzen. Met een document. En als iemand dat noodzakelijke document niet bezat, dan wierp dat onmiddellijk een zweem van verdenking op diegene. Dat waren heel gevaarlijke verdenkingen. Je werd op de achterste bank gezet. Je achternaam werd niet genoemd, zodat je niet 'present' kon roepen. Je mocht niet in de schoolkantine eten. Onwaardige kinderen hadden niet het recht honger te hebben. Maar ze moesten wel aantreden als de hele school in het gelid stond om de

Führer te eren. Weliswaar bestonden deze kinderen eigenlijk niet zolang ze niet in het bezit waren van dat grauwe getuigschrift van hun raszuiverheid, maar bij die gelegenheid waren ze nuttig om het benodigde aantal decibellen te produceren. Zodra ze met de gewenste verklaring op de proppen kwamen, veranderde het beeld radicaal. Dan was het kind weer een volwaardig lid van het collectief. Maar alleen met de juiste stempels! Wee je gebeente als datum en registratienummer ontbraken, of als de verklaring was opgesteld in een vreemde taal. Dan was je nog een of twee weken een twijfelachtig wezen, totdat het document helemaal in orde was. Dat overkwam bijvoorbeeld Irene, het meisje dat naast haar in de schoolbank zat. Zij was geboren in een Duits gezin in een dorpje bij Breslau, ofwel Wrocław, maar in het begin van de oorlog waren haar ouders naar Dresden getrokken, op zoek naar werk. De priester die Irene gedoopt had was een 'gebrekkig gegermaniseerde' Pool; hij kende ook amper Duits. Hij had de doopakte op de Poolse manier opgemaakt: voor- en achternamen van de ouders waren vermeld, en hij had er ook de datum op gezet en het stempel, de zwarte Duitse adelaar, maar het registratienummer ontbrak. In plaats daarvan had hij er met de hand iets op gekrabbeld, in het Pools. Dat volstond om van Irene het zwarte schaap van de school te maken.

Anna bezat een onberispelijke doopakte, met dank aan de onwrikbaar katholieke opvattingen van oma Marta. Maar als gevolg van alle gesprekken thuis hield ze haar mond stijf dicht als de school moest aantreden om de Führer lof toe te zwaaien.

Soms had ze het idee dat het niet eens Hitler was die de lakens uitdeelde in het land. Nee, dat deden zijn doodsbenauwde bureaucraten. Ze had er een keer over gediscussieerd met papa. Hij had haar verteld over een of andere Russische Hitler, ene Sthalin, of Stalin, dat wist ze niet meer precies. Die Stalin zou naar Siberië zijn getogen en uit propagandaoverwegingen kampen hebben bezocht waar ze de tegenstanders van het regime naartoe stuurden. Alle kranten schreven erover. Hij praatte met gevangenen, maakte grapjes met ze, dronk wodka met ze. Van een van de gevangenen, net als Stalin zelf een Georgiër, hoorde hij dat de man naar de kampen was gestuurd wegens sabotage: hij had niet de vereiste tachtig kubieke meter hout geleverd aan het vaderland. Toen vroeg Stalin waarom hij zo slecht had gehandeld. Het bleek dat het dichtstbijzijnde bos zich op meer dan tweehonderd werst van het huis van de Georgiër bevond. En hij had niet eens een paard! Toen de inmiddels dronken Stalin 's avonds het kamp verliet, gaf hij bevel de Georgiër meteen vrij te laten. En de kampcommandant liet hij executeren.[1]

Met dit voorbeeld probeerde papa haar ervan te overtuigen – wat niet nodig was, Anna begreep het zo ook wel – dat Stalin een gedegenereerde dictator was, dronken van macht, zoiets als keizer Nero uit de historische roman *Quo vadis* van Henryk Sienkiewicz die ze voor haar vijftiende verjaardag had gekregen, en dat hij zélf thuishoorde voor het executiepeloton. Het waren immers Stalins ministers geweest die Georgische functionarissen bevel hadden gegeven dat hout te leveren, en Stalin had dat bevel ondertekend en daarmee die totaal onschuldige Georgiër in Siberië doen belanden. Stalin had net als Hitler een angstwekkend staatssysteem in het leven geroepen. Maar daarvan hoefde papa haar niet eens te overtuigen. Ze wilde alleen maar weten of hij er net zo over dacht als zij. En dat deed hij. Dat was voor haar het belangrijkste. Het allerbelangrijkste.

De ouders van Hinnerk dachten helemaal niet. Dat zei Hinnerk tenminste, al geloofde ze hem niet. Zij vonden het nodig om op het juiste moment de vlag uit te hangen, opgewekt tegelijk met iedereen de rechterarm te heffen en de ramen wijd open te gooien om beter de uit de luidsprekers schetterende toespraak van de Führer te kunnen horen. Daarom hadden ze al voor Kerstmis al hun rantsoenbonnen voor steenkolen opgemaakt en zaten ze nu in hun jassen en dikke truien aan tafel. Hinnerk schaamde zich voor ze. Maar hij protesteerde nooit, hij klaagde niet en trok gehoorzaam een dikke trui aan. Misschien kwam hij daarom 's winters zo graag bij hen? Bij haar thuis gingen de ramen alleen laat in de lente en 's zomers open. De rest van de tijd bleven ze dicht. En mama deed ze extra grondig dicht als er een redevoering van de Führer werd uitgezonden. Zelfs 's zomers als het snikheet was.

Nee! Ze kon zichzelf er niet toe brengen om te bidden.

Lucas had zich tegen haar aan gedrukt. Om de paar minuten raakte hij met zijn hand haar heup aan om zich ervan te vergewissen dat ze nog steeds naast hem lag. Eindelijk werd het stil. Hij viel in slaap. In zijn slaap riep hij af en toe iets in het Jiddisj. Dan hield zij haar hand op zijn mond. Ze was als de dood dat ze zelf ook in slaap zou vallen. Koste wat kost moest ze voorkomen dat iemand hoorde dat Lucas iets in het Jiddisj zei, ook al was het in zijn droom. Ze drukte Lucas' gezichtje stevig tegen haar borst aan. Wat had ze graag willen slapen, even alles willen vergeten...

Om ongeveer één uur 's nachts maakte mama haar wakker. Lucas sliep nog steeds. Ze kwam overeind, stopte zorgvuldig de deken in en ging op de houten bank zitten. Naast mama stonden een man en een vrouw. De vrouw, een kleine gebogen gestalte in een grijze, op veel plaatsen verstelde jas, keek naar het slapende jongetje. De man wilde iets zeggen, maar kreeg geen woord over zijn lippen. Opeens viel hij voor mama op zijn knieën en sloeg hij zijn armen om haar kuiten. Anna begreep niet wat er aan de hand was. Mama trok de man met een ruk overeind.

'Mag ik je voorstellen aan mevrouw Maria Rootenberg en de heer Jacob Rootenberg? Zij zijn de ouders van Lucas,' zei mama rustig. En ze vervolgde: 'Dit is mijn dochter, Anna Marta Bleibtreu.'

De vrouw negeerde de ter begroeting naar haar uitgestoken hand. Ze sloeg een trillende hand voor haar mond. Een ogenblik aarzelde ze; toen haalde ze uit haar jaszak een leren, met een koordje dichtgesnoerd zakje tevoorschijn. Ze legde het zakje in de hand van mama en keek naar de man, alsof ze hem ergens toestemming voor vroeg.

'Ik heb een zeer hoge dunk van het werk van uw vader. We kwamen elkaar wel eens tegen op de universiteit. Dat was lang geleden, voor de oorlog. Ik ken niemand die beter Goethe vertaalt. En zijn Luther-vertaling is eenvoudigweg uniek. Wij zouden zeer vereerd zijn als u hem dit bescheiden blijk van dankbaarheid wilt overhandigen, tezamen met onze oprechte...'

Mama kapte hem af. 'Mijn man is dood,' zei ze gedecideerd en op emotieloze toon. 'Meneer en mevrouw, zullen wij samen een plekje opzoeken waar we wat minder in het oog lopen?'

Ze pakte de man bij zijn arm en trok hem mee. Toen ze zich in het donker bevonden, naast de slapende Lucas, haalde ze een mes uit haar tasje, knoopte zonder toestemming te vragen het colbert van de man open en sneed een van de revers er af waarop een davidster was vastgenaaid. Daarna sneed ze ook de andere lapel af en rukte alle knopen af. Het colbert moest er oud en afgedragen uitzien.

'Neemt u me niet kwalijk, maar het lijkt me beter zo,' zei ze glimlachend. 'Kunt u zelf de zakken eraf trekken? Nu meteen?'

De man stak gehoorzaam beide handen in de zakken van zijn colbert. Je hoorde de stof scheuren. Mama knoopte nu de jas van de vrouw open en betastte langzaam haar borst.

'Wat heeft u aan onder uw trui?' vroeg ze.

'Nog twee truien,' antwoordde de vrouw. 'En nog een onderjurk.'

'Wilt u de bovenste trui uittrekken?'

'Ik weet het niet,' zei de vrouw weifelend. 'Op de rest heb ik ze niet genaaid. U begrijpt het toch? We mogen niet rondlopen zonder die... Het is een bevel van Gauleiter Mutschmann...'

Anna zag dat mama nerveus begon te worden. Dat zag ze aan de opeengeklemde tanden, de gebalde vuisten, de rimpels in haar voorhoofd.

'Gauleiter Mutschmann is een lul. Neemt u mij niet kwalijk dat ik me zo grof uitdruk. Ik hoop dat u weet wat dat woord betekent? Ik weet niet hoe je dat in het Jiddisj zegt, maar dat leer ik vast nog wel een keer. Hij is de allerlaagste, allersmerigste rotzak die er is. Mijn schoonmoeder, een zeer fijngevoelige en welopgevoede vrouw, noemde hem nooit anders dan 'die lul'. Alleen dan op z'n Pools – *chuj*. Als ze zich opwond, begon ze altijd Pools te praten. Vandaar dat ik dat woord ken en het zelfs correct kan spellen. Van de twee grootste schoften die ik in mijn leven heb ontmoet, is Mutschmann er een,' fluisterde ze de vrouw in haar oor. 'Ik wil mij tegenover u beiden voor hem verontschuldigen. Ik vraag u uit naam van... Ik vraag u... ons alles te vergeven wat zij u hebben aangedaan... Vergeef het ons, als u kunt...'

De vrouw legde haar jas op de grond, trok zwijgend haar trui uit en gaf hem mama aan. Daarna liep ze naar de slapende Lucas en nam hem op de arm. De man raapte de jas op en legde hem over het jongetje heen. Even later waren ze opgelost in het duister van het straatje dat grensde aan de kerk.

Het was allemaal snel en onverwacht gebeurd. Anna had achter ze aan willen rennen. Ze tegenhouden. Hun vertellen dat Lucas ervan hield als ze hem sprookjes voorlazen van de gebroeders Grimm, en dat hij als hij hoestte hete melk met een theelepel honing kreeg en dat dat zo goed hielp, en dat hij zo mooi kon tekenen, en dat hij geen uien lustte, en dat hij op zijn rechterzij het snelste insliep, en dat hij ervan droomde dat hij een hondje kreeg. En dat hij dol was op kersen en dat oma Marta...

Mama versperde haar de weg. Ze dwong haar naast haar op de bank te gaan zitten en omhelsde haar stevig.

'Rustig maar! Voor ons zit de tijd met Lucas erop. Goed dat ik ze gevonden heb. Ik heb hun voorgesteld elkaar hier te ontmoeten. Waar moesten ze anders naartoe? Naar de schuilkelder? Daar mogen joden niet naar binnen. Dat hadden ze trouwens ook nooit gedurfd. In de kerk mogen ze ook niet komen, maar nu dit allemaal gebeurt...

Oma vertelde me dat ze al een paar jaar samen met vier andere gezinnen huizen in een kelder hier vlakbij. Ze moeten zwoegen als slaven voor die schurken Koch & Sterzel in Mickten. Voor voedselbonnen. Je weet wat die bonnen voorstellen en voor hoeveel eten joden bonnen krijgen...

Toen Lucas en jij sliepen, ben ik de hele kerk rond gelopen. Ik kwam de Landgrafs tegen. De kleine Marcus vroeg meteen naar jou. Ik heb tegen hem gezegd dat je hier niet was. Ik wilde niet dat hij Lucas zag. Hij zou nog jaloers worden. Hij is trouwens verliefd op je. Nog meer dan zijn broer misschien. Hinnerk heeft niet naar je gevraagd, maar toen hij me zag begon hij helemaal te stralen. Weet je dat ik nog nooit zulke grote blauwe ogen heb gezien als die van hem? Maar dat weet jij natuurlijk ook...

Toen trapte ik per ongeluk op een naar urine stinkende, doodsbange, vette, afzichtelijke rat. Weet je wie dat was? Albrecht von Zeiss. Kan je het je voorstellen? Ik herkende hem meteen. Nooit gedacht dat ik nog eens een rat tegen zou komen met een bandje om zijn oog.

De Rootenbergs stonden bij de deur naar de pastorie. In het allerdonkerste hoekje van de kerk. Ze stonden daar nederig te wachten naast hun koffers. Net beelden die iemand daar zolang had neergezet en vervolgens was vergeten. Zwijgend. Bewegingloos. Het leek of ze zelfs probeerden geen adem te halen. Wat denk jij, kan angst zó sterk zijn? Als dat zo is, heeft Mutschmann werkelijk een medaille van Goebbels verdiend. Hij heeft verwezenlijkt wat Goebbels heeft verzonnen tijdens zijn cocaïnetrips. "Joden moeten geschoren zijn en geen aandacht trekken. Ongeschoren joden worden doodgeschoten." Zo stond het in zijn laatste geschifte verordening die in Dresden op alle pilaren was aangeplakt. Jacob Rootenberg was gladgeschoren. Hij deed zijn uiterste best om geen aandacht te trekken.

Weet je, Anna, wat ik toen dacht? Het was afschuwelijk, weerzinwekkend zelfs wat ik dacht. Ik dacht... ik dacht: wat zou er gebeurd zijn als Jacob Rootenberg in de schoenen had gestaan van Albrecht von Zeiss? Als hij met al zijn angsten en onvoorwaardelijke plichtsgetrouwheid diezelfde macht had gekregen? Of nog erger: als hij nu eens een Mutschmann was geworden? Ik ben vreselijk onrechtvaardig. Maar ja, ik ben ook geen jodin in Duitsland...

Rootenberg heeft me maar één keer in zijn leven gezien. In die nacht toen ze Lucas bij ons brachten. Daarna nooit meer. Oma ging wel eens bij ze langs om ze wat brood of kwark te brengen, ingepakt in vellen papier met tekeningen van Lucas erop. Die tekeningen die jij soms meebracht uit de schuilplaats.

Ze herkenden me. Maria Rootenberg was de eerste die van een standbeeld in een mens veranderde. Ze viel voor me op haar knieën. Ik voelde me er erg ongemakkelijk bij. Maar ik probeerde me voor te stellen hoe het zou zijn als iemand jou, mijn enige dochter, van wie ik zoveel hou, naar de gaskamer wilde sturen, alleen maar omdat je Duitse bent, en ik je kon redden door je bij een stadgenoot onder de vloer te stoppen. Wat denk je, zou ik ook op mijn knieën vallen? Uit dankbaarheid? Nou? Ach, hoe kan jij dat nou weten. Jij hebt immers geen dochter. Nou ja, gelijk heb je.

Toen liet Rootenberg me een dagvaarding zien. Hij moest zich op 16 februari met zijn zoon, Rootenberg Lucas J., melden bij het bureau van de NSDAP in verband met hun "tijdelijke deportatie". Soms ben ik echt een bewonderaarster van Goebbels en zijn aan zijn – wat zeg ik? ons! – Derde Rijk toegewijde dienstkloppers. Zo elegant en waardig als die een doodvonnis kunnen formuleren: "tijdelijke deportatie". Het ontbreekt er nog aan dat ze een officiële uitnodiging sturen. Eerst naar het partijbureau, dan de wagon in en dan naar het crematorium.'

Mama zweeg even. 'Weet je wat ik dacht, Anna, toen Rootenberg me die dagvaarding liet zien?'

Ze wachtte het antwoord niet af; het was alsof ze tegen zichzelf praatte.

'Ik dacht: als die luchtaanvallen enige zin hebben, dan is die zin dat Rootenberg zich niet hoeft te melden. Op 16 februari 1945, overmorgen dus, is er in Dresden waarschijnlijk helemaal geen NSDAP-bureau meer. Dat hoop ik. Dat weet ik zeker! Misschien is het er nu al niet meer. Zou dat alles rechtvaardigen? Een hele stad van de aardbodem wegvagen, duizenden mensen doden, alleen om drie joden te redden? Een moeder met de naam Maria, haar man en hun zoon, een klein jongetje?

Onze Lucas... Hij is nooit van ons geweest. Het was voor hem alleen maar iets tijdelijks. Zo gaat het vaak in het leven, mijn dochtertje,' vervolgde mama, en ze gaf haar een kneepje in haar hand. 'Iemand kruist ons pad, volslagen toevallig, als een wandelaar in het park of een voorbijganger op straat, en we schenken hem alleen maar een blik of we schenken hem ons hele leven. Ik weet niet waarom het zo gaat, wie onze wegen doet kruisen en waarom. En waarom twee wegen opeens samengaan tot één weg. Wie maakt het zo dat twee volslagen vreemden ineens verder samen willen? Jouw papa noemde dat liefde, hij geloofde niet in toevallige blikken. Zelf geloofde hij in voorbeschikking. Niet in één, maar in een heleboel voorbeschikkingen. Misschien omdat hij zo in harmonie was met de wereld. Hij meende dat zelfs het kwaad voorbeschikt was, dat ooit het goede het evenwicht weer zou herstellen. Ergens was dat goede al verwekt, het wachtte alleen zijn uur af. Het leven was voor hem een cyclus, een cirkel. De cyclus van het kwaad dat werd geneutraliseerd door het goede. Er bestaan immers geen mensen die uitsluitend het kwaad in zich dragen; zelfs Von Zeiss bestaat immers niet alleen maar uit kwaad. Het goede heeft hem gewoon nog niet aangeraakt. Daarvan was je papa overtuigd.

Soms denk ik dat als hij over het lot van de wereld zou beslissen bij het Laatste Oordeel, je de hel gerust af kon schaffen.'

Opeens stond ze op. Ze wikkelde haar sjaal om de hals van haar dochter, maakte de knopen van haar jas dicht en zei: 'En nu moet je ophouden met huilen. Sta op! Ik ben aan een sigaret toe. Ik móét een sigaret hebben. Alleen niet hier, maar buiten. Ik weet niet eens of jij rookt. Rook jij, Anna?' vroeg mama glimlachend.

Ze liepen de kerk uit. Het pleintje bij de hoofdingang was leeg. Het oosten en zuiden van de stad brandden als een monsterachtige fakkel. Een reusachtige rode en gele gloed verlichtte daar de hemel.

'Denk jij niet' – Anna draaide zich om naar mama – 'dat de Grunaer Strasse, dat ons huis...'

Mama liet haar niet uitspreken.

'We moeten hiervandaan. Nu meteen! Wat doen die smeerlappen met ons Dresden!'

Ze greep haar dochter stevig bij de pols en trok haar haastig mee naar de zijmuur van de kerk, aan de kant van de Annenstrasse. Aan die kant was de hemel boven Dresden helder en bezaaid met sterren. Slechts op een paar plaatsen versluierden grijze slierten rook van smeulende vuren de hemel. Voor de rest zag het er net zo uit als altijd. De vuurtongen die uit de ruïnes rondom de kerk lekten leken lichtjes die op graven waren gezet. Er heerste stilte. Een angstwekkende stilte. De stilte van het graf. De stilte van een kerkhof.

Een hele tijd stonden ze daar, zonder iets te zeggen.

'Anna, wij gaan het redden! Je zult het zien!' riep mama ineens. 'Als ze niet terugkomen en deze nacht eindelijk voorbij is, dan gaan we eerst terug naar de Grunaer Strasse. Als die er niet meer is, dan verlaten we de stad en gaan we naar Keulen. Vlak bij Keulen, in Königsdorf, woont tante Annelise, papa's zus. Toen alles in elkaar begon te storten heeft ze zelf voorgesteld dat we naar haar toe zouden komen. Op het platteland overleef je tijden als deze makkelijker. Je hebt daar geen schuilkelders, maar je hebt er wel melk. Maar jouw papa wilde niet weg uit Dresden. Hier was hij op zijn plaats, vond hij. Hier was hij geboren en had hij gestudeerd, hier had hij mij voor het eerst gekust en hier heb ik hem jou geschonken, zijn kind. Alleen was het hem niet gegeven hier te sterven,' zuchtte mama. 'Tante Annelise is sinds oma is overleden nog een graadje excentrieker geworden. Maar ze is een goede, edelmoedige vrouw. Ik moet beslist haar adres voor je opschrijven, voor het geval dat...'

'Voor wat voor geval, mama?' onderbrak Anna haar nerveus, bijna hysterisch.

'Voor het geval dat er... eh... iets met mijn koffer gebeurt. Daar zit mijn notitieboekje in met alle adressen,' antwoordde mama glimlachend. 'Maar nu ben ik echt aan een sigaret toe.' Ze rolde twee sigaretten heen en weer tussen haar vingers, kneep de uiteinden samen met haar lippen en stak een ervan op.

'Weet je, je papa heeft me een keer een heel bijzonder verhaal over de hemel verteld,' begon ze. Ze inhaleerde diep en keek omhoog. 'Hij liet me de sterrenbeelden zien en gaf mij sterren cadeau. Sterren waarvan hij de naam niet kende of die nog geen naam hadden, noemde hij altijd naar mij, in combinatie met de naam van een godin. Maar toen jij geboren werd, werden ze allemaal Anna, Anja, Annuschka, Ännchen, Anetschka, Anjula, Anjuscha, Anielka, IA, IAI, IIANII, enzovoorts. Voor hem was jij alle melkwegstelsels, alle sterrennevels, alle sterren en alle planeten. Ik werd zelfs jaloers.

Jouw papa was een romanticus, hij was totaal niet toegerust voor dit leven. Hij is gewoon te laat geboren op een heel verkeerde plek voor hem.' Mama inhaleerde weer diep. 'Vaak begreep ik het zelf ook niet. Zijn dat nou zijn eigen gedichten over mij of declameert hij Goethe of Byron? Niemand hield zo van mij als hij. En niemand kon zijn liefde zo onder woorden brengen. Niemand. Begrijp je me? Niemand!

Maar jij moet niet gaan roken hoor!' Mama keek glimlachend naar haar dochter. 'Tenminste niet waar ik bij ben.' Ze glimlachte weer, ook al stonden de tranen in haar ogen. 'Jouw papa zou het me nooit vergeven. Kom, het wordt koud. We gaan de kerk weer in,' voegde ze er haastig aan toe.

Lucas zat daar, en zijn vader en moeder knielden bij hem neer en drukten hem tegen zich aan. Joodse ouders omhelsden en kusten het hoofdje van een joods jongetje dat was gekleed in het uniform van de Hitlerjugend. In een christelijke kerk, in een stervend Dresden. Op een paar meter afstand van Albrecht von Zeiss die, met zijn onveranderlijke zwarte das en rode armband met swastika, onder het kruisbeeld op zijn gemak zijn teennagels knipte. Naast twee groezelige, knappe blondjes die met hun ellebogen op de treden leunden van de trap naar het zwaar beschadigde altaar en peinzend naar een schilderij keken van de Madonna met het Kind.

De Sixtijnse Madonna van Rafaël Santi leek tot leven gekomen.

~

'Als Hitler naar Dresden komt, gaat hij altijd met zijn hele gevolg naar dat schilderij kijken. Geen notie waarom hij dat doet.'

Dat had papa tegen haar gezegd toen hij haar eens op een zaterdag had meegenomen naar het museum. Ze hadden er de hele dag zoekgebracht. Ze was er dol op om samen met hem schilderijen te bekijken. Hij zag dingen die ze zelf nooit zou hebben opgemerkt. Voor dat schilderij van Rafaël hadden ze heel lang gestaan.

'Weet je, soms doet Hitler me versteld staan door zijn gevoeligheid,' had papa opgemerkt nadat ze minutenlang in gepeins verzonken naar het enorme doek hadden staan kijken dat daar aan de muur hing. 'Zou het jaloezie zijn? Of zou hij werkelijk iets voelen? Ik weet het niet. Misschien begrijpt hij schoonheid en wil hij dat ook anderen ervan genieten? Anders had hij het schilderij toch meegenomen naar Berlijn of naar zijn Berghof in Obersalzberg? Maar dat heeft hij niet gedaan. Hoewel hij het kon. Hij kan immers alles doen in dit land.

Wist je dat Hitler kunstschilder had willen worden? Dat was ooit zijn obsessie. Een van zijn vele obsessies. Hoewel hij geen grein talent had. Twee keer heeft hij zijn gekladder naar de Weense kunstacademie gestuurd. In 1907 werden zijn schilderijen afgewezen en een jaar later probeerde hij het nog eens. Ook de tweede keer wees de commissie hem de deur. Die vernedering moet er bij Hitler flink hebben ingehakt. De Weense kunstprofessoren hadden met de kennis van nu de wereldgeschiedenis een andere draai kunnen geven. Als de man bij hen had mogen komen schilderen, dan had hij waarschijnlijk geen tijd gehad om *Mein Kampf* te schrijven... Veel mensen denken dat Hitlers antisemitisme te verklaren valt doordat een van de beslissende stemmen in die commissie toebehoorde aan een joodse professor. Mij lijkt dat een verregaande versimpeling. Dat is net zoiets als zeggen dat Hitler de Slaven uitkoos als zijn doodsvijanden omdat ooit een Pool hem zijn meisje heeft afgepikt. Maar dat doet er niet toe. Dat is niet wat ik wilde vertellen.

Hitler is in de ban van de schoonheid. Op zijn manier begrijpt hij haar, op een dilettantische manier vaak, maar toch. Zelf kan hij geen schoonheid scheppen, maar hij heeft haar wél nodig. Soms denk ik dat hij niets ter wereld méér nodig heeft. Het is een maniakale behoefte. Je kunt je haast niet voorstellen dat hij tegelijkertijd zo'n afstotelijk mens is. Amper heeft de apetrotse Goebbels op 14 juni 1940 uit alle luidsprekers gebalkt dat Parijs is gevallen, of Hitler maakt daar zijn opwachting. In een stad waarvan hij verrukt is, waar hij nooit geweest is en die hij nu heeft onderworpen. En weet je wat er volgens de verhalen toen gebeurde? Hij inspecteerde geen erewacht op de Champs-Élysées. Dat interesseerde hem geen zier. Hij ging liever naar de Opéra. Hij leidde zelfs persoonlijk een excursie voor een groepje verveelde generaals, sleepte ze mee naar allerlei uithoeken. Hij kende Parijs zo goed dat hij ze niet meenam naar het kunstmuseum waarvan hij wist dat het al jaren gesloten was vanwege een verbouwing. Op de dag van zijn grootste overwinning interesseerde hem maar één ding: architectuur.

Het is algemeen bekend dat Hitlers favoriete architect Albert Speer ook een intieme vriend van hem is. Samen hebben ze een ambitieus stedenbouwkundig plan voor Berlijn ontworpen. Hij wil van Berlijn een hoofdstad maken die en Parijs, en Londen, en Wenen in afmetingen overtreft en die zal doen denken aan de hoofdstad van het Romeinse Rijk. Alleen honderd keer groter, en dus honderd keer smakelozer. Geïnspireerd door Hitler heeft Speer voor Berlijn een monumentale Tempel van Licht verzonnen, zoals Hitlers bewonderaarster Leni Riefenstahl die heeft getoond in haar film. Hitler en Speer willen in het centrum van Berlijn een triomfboog oprichten die tweemaal zo groot is als die van Parijs, en Speer heeft Hitler enthousiast gemaakt voor een surrealistisch project, het zogeheten Volkspaleis, dat tegenover de triomfboog moet verrijzen en dat plaats biedt aan de complete bevolking van een stad als Leipzig!

Hitler is er dol op om door het monumentale Berlijn van zijn dromen te wandelen. Hij kent ieder gebouw van die stad en verwijst er vaak naar in zijn toespraken. Het interessante is dat hij daarbij praktisch Max Osborn citeert, een van de bekendste Duitse kunstcritici uit het begin van de twintigste eeuw. En laat die Osborn nou een jood zijn, wiens boeken verbrand werden toen Hitler in 1933 aan de macht kwam.

Maar dat is nog niet alles. In Hamburg moet een brug komen over de Elbe die grandiozer is dan de Golden Gate Bridge in San Francisco, en in Neurenberg moet een congrespaleis komen dat herinnert aan het Colosseum in Rome. Op bevel van Hitler heeft Speer de befaamde "wet van de ruïnes" geformuleerd. Die wet wil dat monumentale gebouwen zo worden ontworpen dat zelfs de ruïnes ervan na duizenden jaren een onvergetelijke indruk zullen maken en het nageslacht de grootsheid van het Duizendjarig Rijk in herinnering zullen brengen.

Gelukkig zal het blijven bij nooit te realiseren fantasieën van twee fanaten.

Architectuur is voor Hitler na de schilderkunst de tweede grote bron van inspiratie. Dat is een heel aantrekkelijk en uit propagandistisch oogpunt ideaal aspect van zijn persoonlijkheid. Is het niet aandoenlijk dat de almachtige leider van het Derde Rijk zo diepgaand geïnteresseerd is in kunst? Dat hij zo'n liefde heeft voor details? Dat hij beschikt over een verbluffende vakkennis die hem in staat stelt te converseren over façades, halftinten of de elegante eenvoud van een constructie? Des te vreemder is het dat juist Hitler beval of toestond dat zoveel werd vernietigd van wat anderen hebben geschapen. Maar dat weten niet veel mensen. Het volk weet daarentegen alles over de sympathieke menselijke zwakheden van de Führer. Dat hij bijvoorbeeld, zoals zovelen van ons, geen weerstand kan bieden aan zoetigheid en gek is op taart, dat hij kan huilen bij het zien van een sentimentele film, dat hij avonturenromans verslindt en vertederd kan raken door een larmoyante, melodramatische operette. Hij glimlacht het volk toe vanaf foto's met blonde kindertjes op de arm, is dol op een mooie zonsondergang in de bergen, kan in een peinzende stemming verkeren. En hij trekt zwarte sokken aan bij een licht zomerpak. Onze Führer is eigenlijk een heel gewone man. Hij is bijna huiselijk, die volksheld met zijn onhandig uitgekozen sokken. Zo'n man kán gewoon geen tiran zijn. Hij heeft niets van een monarch. Je moet wel vertederd raken als je in de krant de uitspraken leest van Rosa Mitterer, die in de jaren dertig tot het personeel behoorde in zijn vrijgezellen-residentie de Berghof: Hitler was een "charmante man, voor mij had hij altijd een vriendelijk woord over, en daarbij was hij een fantastische heer des huizes". Hij is zo eenvoudig gebleven. Zo goedmoedig, onze lichtelijk verstrooide Führer...

Maar zo is het, Anna, en het is waar tot het laatste woord. Ik weet zelf niet waarom ik me dat allemaal herinner, maar ik wilde het je vertellen voordat ik het zelf vergeten ben,' zei papa. 'Maar genoeg over de Führer. Kijk daar eens? Zie je die twee prachtige engeltjes onder aan het schilderij?' vroeg hij, en hij wees ze aan. 'Zoiets bewijst voor mij het genie van Rafaël. Hij vertelt de kern van de geschiedenis van Christus' geboorte. Er bestaan duizenden schilderijen van de Madonna met het Kind, maar alleen hier zien ze er allemaal zo... menselijk uit. Misschien komt Hitler daarom zo graag hier.

Waarom denk je dat die twee kindertjes met hun engelenvleugels er zo grappig uitzien? Omdat ze zich vreselijk vervelen. Ze mogen niet spelen. Ze voelen zich verwaarloosd en overbodig. En het derde kindje, op de arm van Maria, is in hun ogen net zo'n kind als zijzelf. Ze willen gewoon met hem spelen. Maar dat mag niet. Bovendien weten ze heel goed dat Jezus dat zelf niet wil. Ook al lijkt hij sprekend op hen, hij is heel anders, hij is afwezig, hij draagt een groot geheim in zich. De gevleugelde jochies hebben zich ermee verzoend, maar kunnen hun teleurstelling niet verbergen.

Met dat kleine detail vertelt Rafaël ons een prachtig verhaal. Alleen de verbeelding kan zoiets overbrengen. Woorden zijn hier krachteloos. Beschrijven wat je ziet is niet moeilijk. Maar er een volwaardig drama van maken, met een kop en een staart, dat lukt maar heel weinigen.

En weet je, ik ben heel blij dat je bent gaan fotograferen,' voegde papa eraan toe. Hij sloeg een arm om haar heen en kuste haar op haar voorhoofd. 'Het is toch wel heel gaaf dat dit schilderij hier is, in Dresden. De Poolse koning August de Derde, tevens keurvorst van Saksen, heeft het in 1754 meegebracht uit Rome. Je oma verzekert me dat de Polen altijd reuze pech hebben gehad met hun koningen. Volgens haar waren ze of dronkenlappen, of wellustelingen, of ze waren stapelgek. De vader van August de Derde – daar begint ze altijd over als ze een glaasje wijn te veel opheeft – had driehonderd buitenechtelijke kinderen en mocht graag op honden en katten schieten vanuit het raam van zijn paleis in Warschau. Wat oma Marta vergeet erbij te vertellen, is dat August de Derde net als zijn vader een rasechte Duitser was en dat hij voor de Poolse troon *gevraagd* was. Maar daar hing een prijskaartje aan. Om koning van Polen te worden moest de vader van August de Derde het katholieke geloof aannemen en moest hij op de koop toe in het lutherse Dresden een katholieke kerk bouwen. Aan die tweede voorwaarde werd pas voldaan tijdens het bewind van August de Derde. Zo verrees aan de Theaterplatz, tegenover de hoofdingang van het Zwinger-paleis, de Hofkirche. De kosten voor de bouw werden opgehoest door de bewoners van Dresden, en dat droegen ze August nog heel lang na. De Hofkirche noemden ze jarenlang de "stomme kerk": de Dresdenaren weigerden er klokken in te hangen. De kerk bleef hun lang een doorn in het oog. Rooms, en dan ook nog met het wapen van Polen boven de ingang.

Wij Duitsers hebben volgens mij een raar complex als het om de Polen gaat. In onze arrogantie zien we ze als ongelikte beren die 's avonds dronken in slaap vallen onder de tafels in joodse kroegen en wakker worden met een geweldige kater. Altijd zijn ze onder invloed, en ze zijn ook nog eens onbetrouwbaar, onvoorspelbaar, lastig, vol van een enorme en volslagen misplaatste eigendunk. Maar waarom de nazi's zo op ze gebeten zijn blijft me een raadsel.

Ik ben maar één keer in Polen geweest, Ännchen. Of nee, niet helemaal in Polen, maar er vlakbij. In Danzig. Op uitnodiging van de polytechnische universiteit daar. In augustus '39 was dat, een paar dagen voordat de oorlog begon. Toen wij Danzig van de Polen afpikten, werd de stad zogenaamd neutraal, onder protectoraat van de Volkenbond. Politiek gezien was het geen Duitsland, maar helemaal Pools was het ook niet. Alleen historisch gezien was het Polen. Toen ik met de trein terugkeerde naar Dresden, las ik in een Berlijnse krant deze absurde kop: WARSCHAU DREIGT MET BOMBARDEMENT DANZIG! EEUWIGE POOLSE DWAASHEID BEREIKT TOPPUNT! Maar ik was net in Danzig geweest en ik twijfelde er geen moment aan dat het juist andersom was. Het hotel waar ik verbleef zat bijna helemaal vol met Wehrmacht-soldaten, en door de straten van de zogenaamd neutrale stad patrouilleerden dag en nacht demonstratief Duitse legervoertuigen.

Duitsers verachten de Polen. En tegelijkertijd zijn ze jaloers op hun romantische aard, hun gevoeligheid, hun onstuimigheid en vrijheidsdrang. Dat laatste is het belangrijkste voor een Pool: de vrijheid. En meteen daarna komt God. Of misschien komt eerst God en dan de vrijheid. Jouw oma is half Pools. Daarom is ze zo gelovig en zo koppig.

En zo mooi. En daarom ben jij ook zo mooi. Weet je dat oma alleen in het Pools kan bidden? Hoewel, het Onzevader kent ze feilloos uit het hoofd in het Duits. Mij heeft ze natuurlijk wel in het Duits leren bidden, maar zelf bidt ze alleen in het Pools. Ik heb het haar vaak horen doen in de kerk. Oma denkt dat ook God alleen maar in het Pools bidt. Omdat God volgens haar alleen maar een Poolse jood kan zijn. Ik heb haar eens gevraagd, kortgeleden nog maar, tot welke God God zich in het Pools moet richten als hijzelf God is. En weet je wat je oma antwoordde, die zo streng in de leer is? "Tot eentje die beter is dan die we nu hebben en die Hem ooit Hitler zal vergeven." Zo zei ze het, Ännchen, volkomen spontaan...'

Anna was er verzot op om samen met papa te zijn. Altijd en overal. In de kamer bij de kachel, in haar eigen kamer, als hij op de rand van haar bed zat, tijdens wandelingen, in zijn propvolle werkkamer op de universiteit, in de bibliotheek, in de collegezaal waar hij de studenten aan het lachen maakte met zijn aanstekelijke verhalen die ze aandachtig in hun oren knoopten om ze later zelf te kunnen navertellen. Of zelfs in de keuken, als zij en papa samen afwasten of aardappels schilden. Het meest hield ze ervan om naar hem te luisteren. Papa was een heel wijs en uitzonderlijk goed mens. Jammer dat ze dat nooit tegen hem gezegd had toen hij nog leefde. Ze was er naïef van overtuigd dat hij heel, heel lang zou leven, en dat ze het hem later nog wel eens zou vertellen. Je denkt altijd dat je ouders nog heel lang zullen leven. En als ze er dan opeens niet meer zijn, is het belangrijkste ongezegd gebleven omdat we het telkens maar hebben uitgesteld. Ze had een traan uit zijn oog kunnen vegen, en hij zou onhandig net hebben gedaan alsof het kwam omdat hij een vuiltje in zijn oog had. Hij zou zich steviger tegen haar aan gedrukt hebben, en zij zou hem over zijn hoofd hebben gestreeld en ze zou verliefd op hem zijn geworden, telkens en telkens weer. Ja, ze hield niet gewoon van haar vader, ze werd onophoudelijk verliefd op hem. 'Papa, jij bent mijn grote voorbeeld. Ik wil net zo worden als jij.' Twee simpele en tegelijk zo belangrijke zinnen. Ze zei dat nu tegen hem, voor ze in slaap viel. En het leek alsof ze op haar samengeknepen vingers de sporen van zijn tranen voelde...

Het was de laatste zaterdag die ze samen met haar vader doorbracht. Kort daarna begon voor haar en mama het wachten op een bericht van hem.

Het leek alsof ze aan onzichtbare kabels in de lucht hing, vlak boven het toneel, en toekeek bij de generale repetitie voor een surrealistisch toneelstuk over het einde van de wereld. In haar opwinding vergat ze dat ze zelf meedeed aan dat toneelstuk. Hier, op die kansel in de Annenkirche, in het centrum van het stervende Dresden.

Ze fotografeerde en fotografeerde, en ze vond het jammer dat ze geen bewegingen, gebaren, de uitwisseling van blikken kon vastleggen, dat ze onherroepelijk faalde bij het vastleggen van ogenblikken die nooit meer terug zouden komen. De magie van de fotografie bestaat niet alleen in het spel van licht en donker, maar vooral in het culminatiepunt van de beweging. Zo noemde ze het. En ze was bang dat culminatiepunt te missen wanneer ze na elke klik van de sluiter de film transporteerde. Nerveus keek ze op het tellertje dat aangaf hoeveel foto's er nog op de film zaten. Bij de eerste foto die ze nam gaf de teller het cijfer 28 aan. Ze besloot te stoppen als het cijfer 8 verscheen. Ze wilde nog een paar foto's overhouden voor een latere gelegenheid. Wat die latere gelegenheid inhield en of die ooit zou komen, dat wist ze niet...

Het verbaasde haar dat Von Zeiss hier ineens was opgedoken. Het was moeilijk voor te stellen dat zo'n hoge ss'er niet was binnengelaten in de schuilkelder. Bovendien dacht ze dat de familie Von Zeiss wel een schuilkelder onder haar eigen villa had kunnen laten bouwen. Blijkbaar was dat toch niet het geval. Misschien had Von Zeiss te laat gehoord dat er een luchtaanval op til was en had hij gewoon geen tijd gehad een veilige plek te zoeken. Bij de ingangen van de schuilkelders, te midden van een verwilderde, radeloze menigte, had hij helemaal niets aan zijn onberispelijke ss-uniform. Eerder het tegendeel was het geval. Zijn uniform wekte latente agressie, haat, wraakzucht op. Iedereen in Dresden wist wiens schuld het was wat er gebeurde. En dat iedereen nog maar pasgeleden luidkeels en massaal 'Sieg Heil' en 'Heil Hitler' had geroepen, dat was die menigte al vergeten.

De menigte gedroeg zich zoals een menigte zich altijd had gedragen, in Griekenland en Rome en overal daarna. Er was niets nieuws onder de zon. Een menigte heeft geen hersens, daarom juicht zij zonder nadenken zodra zich iets geschikts aandient om voor te juichen. Een menigte is heel gemakkelijk te verleiden. Hitler, en meer nog Goebbels, waren voortreffelijke massapsychologen. Zonder de steun van de menigtes was de NSDAP een onbeduidende partij gebleven van een besnorde psychopaat uit Oostenrijk, een partij zonder politiek gewicht en zonder invloed. Zo dacht papa erover. Ze hadden het er vaak over gehad. Papa wilde altijd alles begrijpen. Ook wat een menigte dreef. En hij wilde altijd alles aan Anna uitleggen. Hij meende dat in iedere menigte iemand was die zich aan de zijkant opstelde en alles aandachtig observeerde. En dat diegene de juiste conclusies trok en zijn eigen menigte creëerde. Zonder menigte was Hitler niemand. Papa had haar verteld over een bijzondere foto die in november 1936 was afgedrukt in een Dresdense krant. Omdat voor haar een foto altijd het doorslaggevende argument was, was hij naar de kelder getogen en kwam hij terug met een oude, stoffige map. En hij liet haar de foto zien. Hij was gemaakt uit een vliegtuig of vanaf een hoge toren. Een uitstekende, haarscherpe foto. Je zag een compacte menigte op een van de pleinen van Dresden staan, met geheven arm. Een onmetelijk aantal lichamen, samengesmolten tot één. Het leek of ze één arm hieven. Eén man slechts stond er in gepeins verzonken bij, met de armen over elkaar. Het enige individu op die foto, ook al leek hij meer op een standbeeld dan op een levend mens. Het leek net een wat onhandige fotomontage, zo onnatuurlijk zag hij eruit. Papa was trots op die ene mens. 'Ik zou graag kennis met hem maken en hem bedanken,' zei hij, en hij deed de map weer dicht. 'Iedere menigte heeft iets wat haar absurditeit symboliseert. Die man is zo'n symbool.' En hij voegde eraan toe: 'Een menigte is onbetrouwbaar. Ze is een granaat waar de veiligheidspin uit is getrokken. En een menigte in doodsnood is al helemaal onvoorspelbaar.'

Albrecht von Zeiss wist dat allemaal heel goed. ss'ers werden speciaal geïnstrueerd hoe ze zich moesten gedragen in een menigte. Waarschijnlijk was Von Zeiss zélf instructeur geweest. Bij de poort van zijn villa hing een blinkend verguld bordje waarin stond gegraveerd: PROF. DR. ALBRECHT VON ZEISS. Dat moest zelfs de postbode met diepe eerbied vervullen. Als je in Duitsland geen 'von' voor je naam had staan, dan moest je toch op zijn minst 'Herr Doktor' zijn. Von Zeiss was én 'von' én 'Dr.', en daarvoor stond dan ook nog dat imposante 'Prof.'. Een triomf van de ijdelheid. Wat zou hij straks allemaal op zijn grafsteen laten beitelen? Het bordje op huize Von Zeiss werd iedere dag zorgvuldig gepoetst door de tuinman.

Ze kon er niet bij dat een professor ss'er werd. ss'ers waren immers luizen die alleen gedijen in de vieze haren van prollen die amper konden lezen en schrijven. 'Wat zijn dat, prollen?' had papa gevraagd. Ze was verbaasd geweest dat papa dat niet wist. Bij haar op school wist iedereen wat een prol was. Iedereen verachtte ze en was tegelijkertijd bang voor ze. Het waren hersenloze creaturen in lederhose, met gefiguurzaagde pistolen op hun heup, een met Oost-Indische inkt getekende swastika op hun schouder en het schuim op de lippen. ss'ers in de dop.

Papa had haar uitgelegd dat het net andersom was. De professor was geen ss'er geworden, maar de ss'er een professor. In een maatschappij die was aangetast door het kankergezwel van de dictatuur werden wetenschappelijke titels niet toegekend op grond van intelligentie, kennis en noeste vlijt, maar op grond van loyaliteit aan het regime.

Ze zag Von Zeiss onder het altaar zijn teennagels zitten knippen. Opeens zag ze dat mama op hem toe liep. Ze ging langzaam naar hem toe en ging naast hem op de treden zitten. Hun lichamen raakten elkaar bijna. Mama begon te praten. Een ogenblik later schoof Von Zeiss zonder op te kijken een stukje opzij. Mama bleef zitten waar ze zat. Ze riep iets naar Von Zeiss. Tilde haar hand op, balde haar vuisten, begon nerveus te gesticuleren. Ze sloeg met haar vlakke hand hard op de traptrede. Vanaf haar plaats op de kansel kon ze niet horen wat mama zei. Het was te ver weg. Bovendien klonken er buiten de kerk vreemde geluiden. Ze wist wat het was, ook al zwegen de sirenes. Na de eerste bominslag begreep ze het: een nieuwe luchtaanval...

Ze keek om zich heen. De altaartrappen waren in een oogwenk leeggestroomd. Alleen Von Zeiss en mama waren achtergebleven. Alsof het hen niet raakte wat er gebeurde. Mama bleef gesticuleren. Von Zeiss knipte zijn nagels. Mama schreeuwde iets naar hem, maar haar stem ging verloren in het geraas van de explosies.

Anna rende naar de andere kant van de kansel. Het meisje met het blauwe truitje lag op de grond, met haar hoofd op de schouder van de geüniformeerde man. Hij streelde teder en vredig haar haren. Soms tilde hij zijn hoofd wat op om ze te kussen. Ze ging naast hen liggen. Het meisje ging wat opzij om plaats voor haar te maken en drukte zich nog vaster tegen de man aan. Ze sloot haar ogen, maar bleef de lichten van de explosies zien, die door de gaten in het dak heen flitsten. Ze kroop tegen het meisje aan. De man sloeg zijn arm om hen beiden heen. Ze voelde zijn hand op haar schouders. En weer begon ze dichtregels van Rilke op te zeggen, haar gebed om stilte. De vorige keer was het immers stil geworden toen ze zo had gebeden, met Lucas tegen zich aan. Het meisje begon te beven en te huilen. 'Ik hou van je, ik hou van je, onthou dat: ik hou van je...' herhaalde ze telkens hardop. Anna hield ook van haar, op dit moment. Misschien wel voor altijd. Voor haar hele leven. Op ogenblikken van alles verslindende angst is de mens in staat van iedereen te houden die die angst met hem deelt. Je hoeft alleen maar naast hem te zijn. Het maakt niet uit wie het is.

Ze dacht aan oma Marta. Hoe die gestorven was.

~

Die middag zaten ze tegenover elkaar aan de keukentafel. Ze dronken 'thee'. Als er geen thee in je kopje zit en geen suiker, komen fantasie en gevoel voor humor je te hulp. Zelfs als het oorlog is. Misschien wel omdat het oorlog is. Daarom was ze ook zo dol op oma. Ook al was er geen ei in huis, oma Marta riep iedereen elke dag om drie uur 's middags naar de keuken voor *Kaffee und Kuchen*. Ze legde kanten servetten op tafel, zette daar haar porseleinen kopjes op en legde op schoteltjes een stukje brood met jam. Of soms alleen brood.

Die dag waren ze samen. Mama was de stad in om ergens iets eetbaars te bemachtigen. Opeens klonk bandengegier, en even later luid gebons op de deur. Ze rende naar het raam en zag daar twee motorfietsen en een auto staan. Op de trap klonk het gebonk van beslagen laarzen.

'*Aufmachen! Sofort!*'

Oma Marta stond langzaam op, liep rustig naar de spiegel en haalde een kam door haar haar, alsof dat op dat moment even het belangrijkste was. Ze draaide zich om en keek haar kleindochter aan. Toen liep ze zwijgend naar de deur.

'Jij verstopt hier een jood!' brulde een officier in een zwart uniform vanaf de drempel.

Vier met machinegeweren bewapende soldaten stormden de kamer in.

'U vergist zich. Wij verbergen hier niemand. We zijn hier alleen. Er bevinden zich op dit adres geen burgers van joodse afkomst.' Ze keek de officier met zijn schichtig heen en weer schietende ogen kalm aan.

Hij draaide zich even van haar af, deed een zwarte handschoen aan, streek hem zorgvuldig glad met zijn andere hand en haalde toen uit. Anna schreeuwde het uit. Maar het was al te laat. Oma's grijze haren waren losgeraakt en hingen voor haar gezicht. De punten van haar

haar waren bedekt met bloed. Ze zag hoe oma ineenzakte.

'Doorzoek het huis! Overal!' schreeuwde de officier. 'Waar zit die jood?'

Ze probeerde naar haar op de grond liggende oma te rennen, maar een soldaat versperde haar de weg en drukte haar met de kolf van zijn geweer tegen de muur. Ze voelde het koude staal tegen haar wang en zijn ademhaling in haar gezicht. Hij rook naar bier.

'Voor zover je het nog niet wist, ouwe teef: joden zijn geen burgers maar wandluizen. Wandluizen, begrepen?! Nou, waar is die jood?' siste de officier. Hij gaf de vrouw op de grond een schop. 'Zeg op!'

De jonge soldaat die het meisje tegen de wand gedrukt hield, trok haar jurk omhoog en greep haar tussen haar benen. Met een ruk trok hij haar onderbroekje kapot en duwde zijn vinger naar binnen. Ze voelde walging en pijn, maar vooral walging. Zo hard ze kon stootte ze de soldaat met haar knie in zijn kruis. Vloekend stompte hij haar tegen haar buik en haar borsten. Het deed erge pijn.

'Zoek die jood! Jij ook, Wolfgang!' schreeuwde de officier buiten zichzelf van woede.

Wolfgang liet haar met rust en ging gehoorzaam op zoek naar de jood. Hij liep naar het boekenrekje en smeet het omver. Op een van de planken stond een ingelijste foto van papa; het glas viel rinkelend aan scherven. Ze zag hem zijn hak op de foto zetten. Ze vloog hem aan en probeerde hem op zijn gezicht te timmeren. In het Engels, waarom dat wist ze zelf niet, schreeuwde ze: '*You fucking son of a bitch, you fucking less than nothing! I recognize you, you fucking minus zero! You could hardly spell your own fucking name without errors in the school! You are a fucking nobody, and you will always be!*' Uit alle macht timmerde ze hem op zijn gezicht.

Wolfgang, die er waarschijnlijk geen woord van had begrepen, sloeg haar van zich af alsof ze een lastig insect was. Ten slotte gaf hij haar een harde duw en ging rustig zijns weegs. Ze viel met haar hoofd tegen de muur. Ze proefde bloed in haar mond. Meteen probeerde ze naar haar oma te kruipen, die nog steeds op de grond lag, maar de officier gaf haar de kans niet. Hij stond tussen hen in en schopte haar ruw opzij met zijn laars. Hij stopte een sigaret tussen zijn lippen, boog zich over oma heen en siste:

'Joden zijn geen burgers, ouwe teef, onthou dat goed. Joden zijn luizen en wandluizen.'

Ze zag oma's gezicht tussen de zwarte laarzen van de wijdbeens

staande officier door. Oma keek de ss'er recht in zijn ogen en glimlachte. Waren dit de laatste ogenblikken van oma's leven? Dat wist ze
niet. Maar toen de kamer weer leeg en stil was, was oma dood.

~

Een mens is in staat om van iedereen te houden die zijn laatste ogenblikken met hem deelt. Wie het ook is.

Ze drukte zich stijf tegen het meisje in het blauwe truitje aan en
fluisterde haar in haar oor: 'Ik hou ook van jou.'

Nog altijd klonken het gehuil van de vliegtuigen en de donderende
explosies. Opeens voelde ze de vloer onder zich heftig schudden. Dat
moest een inslag vlakbij zijn. Het hele kerkgebouw stond te trillen.
Bijna meteen daarna kwam een stuk van het dak rondom het gat dat
bij de vorige aanval geslagen was, met donderend geraas omlaag. Toen
werd het stil. Je hoorde alleen het in de verte wegstervende gehuil van
de vliegtuigen. Ze sprong overeind en rende naar de balustrade. En ze
zag Von Zeiss, gebogen over een stuk van het kruisgewelf dat mama
getroffen had.

Ze vloog de trap af. Samen met Von Zeiss probeerde ze de stenen
balk op te tillen. Even later verschenen Rootenberg en Lucas, en even
later ook Von Zeiss' tuinman. Dezelfde die ze hadden gepest toen hij
kersen plukte. Von Zeiss riep wanhopig bevelen. Lucas' moeder lag op
haar knieën bij het hoofd van mama en probeerde een steen onder de
balk te wrikken, zodat ze die misschien een paar millimeter op kon tillen. De vader van Lucas keek werkeloos toe. De tuinman zei in het Jiddisj iets tegen de Rootenbergs. In het Jiddisj! Opeens gleed de balk van
een van de stutten af die Lucas' moeder eronder had geduwd. Von
Zeiss begon te tieren. De tuinman liep naar hem toe.

'Niet schreeuwen, vader, ze kon er niets aan doen. Hoort u mij? Niet
schreeuwen, alstublieft. Niet nu...' Hij ging tussen Von Zeiss en Rootenberg staan, pakte de balk met beide handen vast en zei: 'Laten we
het samen proberen. Uit alle macht. Omhoog!'

Zonder te aarzelen dook Lucas' moeder onder de balk en probeerde
hem met haar rug een stukje omhoog te drukken.

Anna was naast mama op haar knieën gevallen. Zachtjes veegde ze
het gele stof van haar gezicht en haren. Von Zeiss hurkte naast haar
en haalde uit de zak van zijn uniform een veldfles. Eerst besprenkelde
hij mama's gezicht, daarna bracht hij de fles naar haar mond en be-

vochtigde de opeengeklemde lippen. Met zijn vinger smeerde Von Zeiss het water uit.

'Mevrouw Bleibtreu! Beste mevrouw Bleibtreu, word wakker! Ik kan alles uitleggen... Ik heb een verzoek ingediend voor uw man... Ik heb me voor hem tot Berlijn gewend.' Hij streelde even haar gezicht. 'U mag niet overlijden zonder eerst naar me geluisterd te hebben. We waren nog niet klaar met ons gesprek. Alstublieft, mevrouw Bleibtreu. Ik smeek het u! Word wakker! Dit is een bevel!'

Na een paar minuten kwam er een nog jonge man aan lopen, gekleed in een zwarte soutane en met een zwart boekje in zijn handen. Rootenberg en de tuinman verwijderden zich. Von Zeiss wendde zich tot de man in de soutane en zei op gebiedende toon: 'Laat ogenblikkelijk een arts komen! Hoort u mij? Onmiddellijk! Dit is een bevel! Ik ben Albrecht von Zeiss. Professor Doktor Albrecht von Zeiss...'

De man in de soutane schonk geen aandacht aan hem. Hij pakte mama's hand, die slap afhing van de traptrede, nam haar bij haar pols en keek op zijn horloge. Daarna nam hij zijn bril en hield hem voor mama's lippen. Hij hield de bril omhoog in een lichtstraal die door een gat in het dak viel en bestudeerde aandachtig de glazen. Toen wendde hij zich tot Von Zeiss en zei rustig maar met een zweem van ironie:

'Waarde Professor Doktor, ik ben óók dokter. Helaas is deze vrouw dood. Ik laat de broeders meteen het lichaam weghalen. En ik zal de overlijdensakte opmaken. Ik heb daar duidelijke instructies over. Die heb ik van iemand die hoger in rang is dan u. Wij zijn verplicht ons onmiddellijk te ontdoen van lijken om te voorkomen dat er epidemieën uitbreken. We weten niet hoe lang de luchtaanvallen nog zullen duren. U zult hoop ik begrijpen, Herr Professor, dat het op dit moment niet anders kan. Gauleiter Mutschmann heeft instructies doen uitgaan die u naar ik aanneem welbekend zijn. Althans bekend zouden moeten zijn, gezien uw rang.'

De priester sloeg zijn zwarte boekje open en haalde een potlood uit een zak van zijn soutane.

'Bent u familie van de overledene, Herr Professor? Of bent u een kennis van deze ongelukkige vrouw? Ze is wellicht een dierbare van u?'

Albrecht von Zeiss stond op. Hij deed zijn das recht. Hij knoopte zorgvuldig zijn uniformjasje dicht. Hij klopte het stof er af. Hij rukte de band met de swastika van zijn mouw. Hij smeet die voor de priester

op de grond en liep weg. Hij besteeg de treden van het altaar en knielde. Hij haalde zijn pistool uit de holster. Hij stak zijn pistool in zijn
mond en schoot.

Anna keek naar het lichaam dat voor het altaar lag. Ze geloofde haar
ogen niet. Een straaltje bloed liep over de stenen. De tuinman vloog
ernaartoe.

'En u, juffrouw, bent u familie van deze persoon? Of misschien was
ze een dierbare van u?' hoorde ze de man in de soutane rustig vragen.
Alsof er niets gebeurd was.

'Deze "persoon", zoals jij het in jouw grenzeloze barmhartigheid
meent te moeten uitdrukken, was mij dierbaarder dan iemand jou
godverdomme ooit dierbaar zal zijn. Ik ben haar dochter,' siste ze hem
langzaam toe. 'En heb het lef niet mijn moeder nog een keer met je
poten aan te raken. En voor haar bidden moet je helemaal uit je kop
laten. God zit niet te springen om jouw huichelachtige gebedjes. Hij
hoort je toch niet en geloven doet Hij je al helemaal niet. Jij bent niks
anders dan een smerige nazi, een kwezel, een bureaucraat met een
zwarte blocnote. Lazer op met je potlood en val dood, vuile schoft in
je soutane.'

De man in de soutane schreef zwijgend en met een onbewogen gezicht alles wat ze zei op in zijn boekje, af en toe de bladzij omslaand.
Toen hij niet reageerde begon ze steeds harder te schreeuwen. Hij zette alleen maar af en toe zijn bril recht en keek even op zijn horloge.
Toen ze haar tirade beëindigde en uitbarstte in een hysterisch gesnik,
haalde hij ineens een puntenslijper uit zijn broekzak en begon zijn
potlood te slijpen. De houtkrulletjes dwarrelden omlaag en vielen op
mama's gezicht.

Ze stond op. Haar tranen hielden meteen op te stromen. Ze voelde
alleen haat. Een alles verterende haat. En wraakzucht. De dorst naar
wraak pulseerde in haar slapen. Ze ging rechtop staan. Deed haar haar
goed. Net als oma. Ze draaide de priester de rug toe, bukte zich en
zocht het grootste brok steen dat in haar hand paste. Daarna draaide
ze zich om en smeet het stuk steen zo hard ze kon weg. De steen stuiterde over de altaartrappen en bleef liggen bij een houten bank in de
oostelijke zijbeuk. Een groezelig ventje kwam onder een hoop stro uit
en rende naar de steen toe. Hij raapte hem op, liep op Anna af, legde
de steen glimlachend aan haar voeten en rende weg. Een eindje verder
bleef hij staan wachten tot ze de steen weer in zijn richting zou gooien.
Het drong tot haar door dat het voor hem een spelletje was. Het le-

venloze lichaam van haar moeder lag aan haar voeten, een paar meter verderop lag het lijk van Von Zeiss en zij smeet verwoed de steen weer naar het jongetje, alsof ze zich afschermde van de wereld om haar heen. Alsof alles wat een ogenblik geleden gebeurd was geen enkele betekenis had. Ze keilde de steen weg en keek hoe het jongetje hem oppakte met zijn magere handjes en naar haar toe rende. En ze gooide weer. De steen stuiterde. Het jongetje rende. De steen stuiterde. Het jongetje rende. Ze voelde haar razernij wegebben... De weemoed overmande haar, de wanhoop keerde terug.

Eindelijk had het jongetje er genoeg van. Hij rende haar voorbij en ze keek hem na.

Vier hospikken met bebloede witte jassen over hun legeruniform werkten zich door de mensenmassa naar het altaar. Ze liepen naar de priester, wisselden een paar woorden met hem en begaven zich in de richting van Von Zeiss, met een brancard de mensen die om het lijk heen stonden aan de kant stotend. Anna rende naar het altaar. Ze hurkte neer bij haar moeder, streelde haar hoofd. Ze huilde. Een hospik bevestigde met een elastiekje een geel label aan de pols van Von Zeiss en schreef er iets op. Daarna scheurde hij een gedeelte van het etiket af, hield het omhoog en riep: 'Is hier familie?'

De mensen zwegen. Niemand gaf antwoord. De hospik herhaalde zijn vraag. Met haar ogen zocht ze de tuinman, de zoon van Von Zeiss. Die stond in een donker hoekje achter het altaar, met de Rootenbergs. Ze kon zijn gezicht niet goed zien en wilde naar hem toe lopen, maar bedacht zich razendsnel. Die zoon was immers een jood! Ze stapte op de hospik af.

'Bij mijn weten was deze man hier alleen. Zonder zijn familie,' loog ze.

'En wie bent u? Een vriendin?' Een andere hospik, een dikke man, keek haar onderzoekend aan.

'Ik?!'

'Hij was ss-officier. Dat betekent dat wij rapport op moeten maken. Bent u bevriend met hem?'

'Ik? Bevriend? Laat me niet lachen. Ik haatte die vent,' zei ze verontwaardigd.

De hospikken laadden Von Zeiss' lijk op een brancard. Zijn door de uittredende kogel opengereten en met flarden hersenweefsel besmeurde hoofd bedekten ze met zijn eigen uniformjasje, dat ze hem hadden uitgetrokken. Twee andere hospikken legden zonder iets te zeggen mama's lichaam op een brancard. Ook zij kreeg een label aan haar pols. Een van hen wenkte Anna en gaf haar een geel papiertje.

Anna volgde de hospikken toen die zich met de brancard met mama's lichaam naar de uitgang van de kerk begaven. Buiten stond een open vrachtauto. 'Dit is de laatste hier,' riep een van de hospikken naar de chauffeur.

Iemand tilde het zeil over de laadbak op. Ze zag een stapel lijken. De hospikken tilden de brancard op. Een man in een witte jas die in de laadbak stond bukte zich en trok het lijk met een energieke zwaai naar binnen. Het zeil ging er weer overheen. De hospikken liepen naar de cabine. Het ging allemaal heel snel. Ze wilde schreeuwen, achter ze aan rennen, maar ze kon geen geluid uitbrengen. En ze had ook geen kracht om zich te bewegen. Alles draaide voor haar ogen. Ze verloor het bewustzijn.

Dresden, donderdag 15 februari 1945, rond het middaguur

Ze overtuigde zich ervan dat haar camera, die ze zorgvuldig in een trui had gewikkeld, nog in haar koffer lag en verliet door een zijuitgang de kerk. De zon gluurde door een gat in het donkere wolkendek. Een harde wind wierp grijze stofwolken op; ze kreeg het stof in haar ogen en in haar mond. Ze wikkelde haar sjaal om haar gezicht, knoopte haar jas helemaal dicht, trok haar wollen muts over haar oren en ging op weg naar de Grunaer Strasse. De vrieskou op deze februaridag en het verblindende licht hadden haar aanvankelijk weer wat energie gegeven, maar algauw voelde ze hoe moe ze was. Hijgend bleef ze staan, zette haar koffer neer en draaide zich om in de richting van de kerk, die als een half ingestort grafmonument te midden van de puinzee stond. Een bizarre, eenzame stomp op een door een tankcolonne platgewalst kerkhof. Met zijn blinde muren, het gapende gat in het dak, de lege oogkassen van de vensters en de wijd openstaande deuren deed het gebouw haar denken aan een zandkasteel op het strand dat door het opkomende water werd weggespoeld. Zij en papa bouwden de prachtigste kastelen op het Oostzeestrand, en bij elk daarvan wist hij een verhaal te vertellen. Over spoken, geesten, dames in witte gewaden die 's nachts door het kasteel dwaalden, folterkamers, geheime gangen, torens, over koene ridders en beeldschone prinsessen die erop wachtten om door hen bevrijd te worden. Soms voegde mama zich bij hen; dan keek ze naar papa's gezicht en luisterde ze naar hem alsof ze hem voor het eerst zag...

Anna tilde haar koffer op en liep verder. Met moeite herkende ze plekken waar gisteren nog straten en kruispunten waren geweest, waar huizen en bomen hadden gestaan. Ze herinnerde zich oma's voorspelling dat 'ooit de afrekening zou komen, omdat het kwaad nooit onbestraft blijft'. Tot haar ontsteltenis realiseerde ze zich dat het haar geen greintje speet van haar stad. Ze voelde geen spijt over de geblakerde muren, die bij de kleinste aanraking zouden verpulveren; ze voelde niets nu deze stad voor straf was vernietigd, zoals oma had voorspeld. Terwijl ze daar voortsjokte voelde ze geen pijn, kon ze geen traan uit haar ogen persen. Ze klom over steenhopen en daalde af in met vuil en stenen bezaaide kraters. Ze rook de stank van verbrand vlees die uit de ventilatieopeningen van schuilplaatsen en kelders kwam. Tijdens haar tocht zag ze verkoolde lijken, verbrande kinderwagens, opengevallen koffers waar zijden damesondergoed uit gevallen was, protheses die nog vastzaten aan afgerukte ledematen, kinderspeelgoed half onder het zand; ze zag afgerukte hoofden met opengesperde ogen of met lege oogkassen en handen die zich samenvouwden in een afscheidsgebaar een paar meter van de lichamen liggen waar ze ooit bij hadden gehoord.

Ze ging op haar koffer zitten en haalde diep adem om de zeurende pijn in haar borst te verlichten; ze was niet in staat om verder te lopen. Bij een ingestorte muur waarachter zich tot voor gisteren een keuken bevond, zakte ze op haar knieën. Ze gaf over. Toen de braakkrampen over waren, voelde ze zich wat beter. Ze kwam weer overeind. Tegen het enige stuk muur dat overgebleven was, was een wastafel bevestigd. Naast de wastafel stond een tafel met daarop een half leeggedronken mok thee. Op een wit porseleinen bordje lag een besmeerde boterham met een hap eruit; ernaast lag een homp kaas. Aan de muur boven de gootsteen hing een spiegel met roestvlekken erop. Op een glazen plankje onder de spiegel stonden drie aluminium bekertjes met tandenborstels erin. Twee ervan waren kennelijk van kinderen. Het was een afschuwwekkend gezicht, die resten van een normaal leven die hier, op deze plaats, bewaard waren gebleven op het moment dat de wereld verging. Het leek een surrealistische collage, zorgvuldig ontworpen door een gek geworden kunstenaar. Maar het was geen fictie voor kunstliefhebbers. Het was een stukje Dresden, zo echt als maar kon, rond het middaguur op donderdag de vijftiende februari 1945.

Ze rende terug naar haar koffer en haalde vlug haar camera eruit. Nog acht foto's had ze over. Langzaam liep ze naar de muur met de wastafel. Op een paar meter van de ruïne bleef ze staan. Geduldig wachtte ze tot de zon achter een rafelige, donkere wolk tevoorschijn kwam. Ze stelde zorgvuldig afstand, sluitertijd en diafragma in en drukte af. Ze voelde zweetdruppels op haar slapen en trok haar wollen muts van haar hoofd. Toen deed ze de camera terug in zijn leren foedraal en wilde teruglopen naar haar koffer. Ze deed een paar stappen maar bleef toen staan, getroffen door een ongerijmde gedachte die ineens bij haar opkwam. Langzaam liep ze naar de wastafel. Ze keek om zich heen, en toen ze niemand zag, draaide ze de kraan open. Er kwam eerst roestbruin vocht uit, maar al na een paar seconden veranderde dat in kristalhelder water. Ze stak haar gezicht onder de kraan en liet gulzig het water in haar mond stromen. De stad leefde nog...

Ze liep verder. De camera hing op haar borst, en af en toe pakte ze hem. Ze fotografeerde een door brokstukken verpletterde vrouw op een balkon met een dode baby in haar armen. Nog zes foto's...

Treuzelend, alsof ze het moment van de ontmoeting wilde uitstellen, naderde ze haar huis. Telkens bleef ze even stilstaan, zogenaamd om uit te rusten. Ze zag mensen zitten of liggen naast de overblijfselen van trappen, omgevallen deuren en hekjes, ingestorte muren: alles wat restte van wat ooit hun huis was. Het leek of ze met hun aanwezigheid wilden beklemtonen dat het hún terrein was, dat zíj het recht hadden daar te zitten en te liggen.

Ze liep en liep. Een marmeren toonbank: dat was slagerij Müller, waar oma altijd haar ham haalde. De marmeren plaat was bezaaid met stukjes pleisterwerk en er lag een omgevallen weegschaal met bloedplekken erop. Nog vijf foto's...

Eindelijk bereikte ze de Grunaer Strasse. Op het kruispunt verschenen legervrachtwagens die hier de lijken uit de omringende straten bijeenbrachten. Ze reden achteruit tot vlak bij een rechthoekige kuil met een lage stenen afscheiding eromheen. Soldaten laadden de lijken uit de wagens en legden ze overdwars in de kuil. Als de hele bodem bedekt was, legden ze er een volgende laag lijken overheen. Een nog jonge man in een witte bebloede jas zat met een sigaret in zijn mond op een houten stoel op een bult stenen midden in de kuil. De soldaten die de stoffelijke overschotten in de kuil legden liepen naar hem toe en hij maakte een paar aantekeningen in een schrift dat op zijn schoot lag. Nog vier foto's...

De kuil liep dwars over de volle breedte van de Grunaer Strasse. Ze moest daarom omlopen via de Zirkusstrasse en de Seidnitzerstrasse om via de andere kant de Grunaer Strasse in te gaan. De Seidnitzerstrasse was eigenlijk geen straat meer. In plaats van de gevels die er gestaan hadden, lagen er aan weerszijden een soort duinen van gemalen baksteen. Ze klom over de duinenrij heen en vervolgde haar weg. Opeens hoorde ze een kind huilen. Een klein meisje zat naast een oude man met een hoed op. Ze keek naar haar hand, die in een grijze flanellen doek was gewikkeld, en herhaalde aan één stuk door dezelfde zin: 'Ik heb nog maar zeven vingers, opa, ik heb nog maar zeven vingers.'

Toen hij Anna zag, kwam de oude man overeind van de steen waarop hij zat en liep in haar richting.

'Heeft u misschien morfine?' vroeg hij geagiteerd. 'Ik geef u er mijn trouwring voor. Echt goud. Van voor de oorlog. Toe, heeft u morfine?' Hij likte aan zijn vinger en probeerde de ring eraf te schuiven.

Ze bleef staan en legde voor de zekerheid haar hand op haar camera. 'Ik heb geen morfine. Maar aan het begin van de Grunaer Strasse zag ik een militaire verpleger. Hij heeft vast morfine. Ga maar naar hem toe, dan pas ik zolang op dat kleintje.'

'Bedoelt u die dikzak die daar lijken zit te tellen? Ik ben al honderd keer bij hem geweest. Die grafdelver heeft helemaal niks. Zelfs geen jodium. Hij joeg me gewoon weg. De rotzak. Zelfs schnaps heeft hij niet. Heeft u misschien schnaps? U krijgt mijn trouwring voor een fles schnaps. Dan voer ik de kleine meid én mezelf dronken. Dan voelen we de pijn niet meer...'

'Ik heb geen schnaps. Maar ik weet waar mama bij ons thuis de schnaps verstopte. Ik woon in de Grunaer Strasse, op nummer 18. Dat is hier vlakbij. Als ik schnaps vind, breng ik het u.'

'Dan krijgt u mijn trouwring. Echt goud. Van voor de oorlog,' hoorde ze hem achter haar rug zeggen toen ze verder liep.

Ze had geen zin meer om haar foto's te tellen. Iedereen was hier aan het tellen. De een lijken, de ander zijn vingers. En sommige dingen kan je toch onmogelijk laten zien. Ze deed de camera in het foedraal, borg hem zorgvuldig op in haar koffer en klauterde haastig een berg vuil op, om maar snel thuis te zijn.

Het eerste bewijs dat ze echt vlak bij haar huis was, was een stuk van de balustrade van het balkon van de familie Von Zeiss. Het lag op de takken van de omgevallen kersenboom in hun tuin. Dat balkon kende ze maar al te goed. Drie stukken krullend smeedijzer staken uit een rechthoekige plaat beton alsof iemand takken had geschikt in een mand. Ze had nooit gedacht dat ze nog eens zou voelen wat ze nu voelde, dat ze vol zou schieten bij de aanblik van de brokstukken van Von Zeiss' balkon...

Anna liep om de gevelde boom heen. Twee zwarte katten schoten weg; ze hadden de ingewanden van de dode herdershond van Von Zeiss aangevreten. Een stukje verderop wachtte een bonte kraai geduldig tot hij aan de beurt was.

Boven op de berg brokstukken, kapotte bakstenen en pleisterwerk keek ze om zich heen. Van het huis aan de Grunaer Strasse 18 stond het onderste gedeelte van één muur nog overeind; ter hoogte van de tweede verdieping vormde de bovenrand een onregelmatige lijn. Het was de linkermuur, gezien vanaf de kant van Von Zeiss' villa. Er zat een deur in die muur waarvan de kruk al jaren kapot was. Via die deur kon je vanaf de binnenplaats afdalen naar de kelder. Vlug rende ze naar beneden, om de muur heen. Op het trottoir aan de straatkant bleef ze staan. Tussen de stenen, stukken metalen dakbedekking, spijlen en betonbrokken zag ze de rand van een dikke bruine houten plaat. Ze herkende een eikenhouten paneel van het dressoir uit oma Marta's kamer. Ze zette haar koffer neer, deed haar jas uit, pakte het stuk hout en probeerde het uit alle macht naar zich toe te trekken. Op dat moment hoorde ze een hese stem achter zich.

'Ik help je wel even. Ja, brandhout is nu goud waard. Je hebt helemaal gelijk. Vooral 's nachts is het vreselijk koud.'

Met een ruk draaide ze zich om. Een paar meter van haar vandaan stond met zijn rug tegen een scheefgezakte straatlantaarn een jongen. Zijn Wehrmacht-uniformjas, om zijn middel vastgesnoerd met een stuk ijzerdraad, was hem zoveel te groot dat de panden ervan de stoep raakten. Zijn lange donkere haren vielen over zijn voorhoofd, dat was verbonden met een bebloede lap. Aan het draad om zijn middel hing een legerhelm. Aan zijn voeten lagen op een plunjebaal een viool en een strijkstok.

'Wat sta je daar nou? Help me dan!' riep ze boos.

Meteen stond de jongen naast haar. Hij gooide zich met zijn volle gewicht op de plank.

'Wacht, we doen het zo,' zei hij. 'Als jij nou aan die plank gaat hangen, dan probeer ik hem eruit te trekken. Jij bent zwaarder dan ik. Probeer hem heen en weer te wrikken, net als net. Alsof je hem in tweeën probeert te breken. Dan krijgen we hem wel los.'

Ze was beledigd door de opmerking over haar gewicht.

'Ik ben helemaal niet zwaarder dan jij! Doe niet zo bijdehand! Ben jij even een heer!' Ze trok tersluiks haar trui recht.

'Kom, we doen het samen. Nu!'

Beiden vielen ze tegelijk op de grond toen de plank losschoot. Zij kwam met haar hoofd terecht op een laagje ijs op een plas vuil water en voelde het ijskoude water in haar gezicht plenzen. De jongen viel naast haar op een bevroren stapel huisvuil naast de plas. Nijdig slingerde hij de plank weg, die hij niet had losgelaten, en kroop naar Anna toe. Hij knielde bij haar hoofd en vroeg:

'Alles oké?'

Hij haalde een rol verband uit zijn jaszak en veegde zorgvuldig het vuil uit haar gezicht. Glimlachend zei hij: 'Dat was die plank niet waard...'

Ze kwam met een ruk overeind en duwde zijn hand opzij.

'Wát was die plank niet waard?' vroeg ze uitdagend.

'Al die gymnastiek. Waardeloos brandhout, dat ding. Veel te dik...'

'Nou moet jij eens goed luisteren, wijsneus,' siste ze. Het kostte haar moeite om niet in tranen uit te barsten. 'Die plank is een deel van mijn huis. Het enige wat ik ervan heb teruggevonden. Hoor je me? Mijn huis! Als je het koud krijgt, gooi je die viool van je maar op het vuur.'

De jongen glimlachte niet meer. Zijn gezicht betrok en ze zag hoe zijn hand begon te trillen. Hij stond op, liep zwijgend terug naar de lantaarnpaal, raapte zijn viool op en zwaaide de plunjezak over zijn schouder. Langzaam sjokte hij over de puinhopen naar de overkant van de straat. Ze begon te huilen.

'Sorry!' riep ze hem na. 'Dat bedoelde ik niet zo. Ik had zelf ook zo graag viool willen spelen. Maar dat lukt me nooit. Ik weet niet eens hoe je heet! Kom nou terug! Eventjes maar! Ik wil je bedanken. Toe nou...'

Een ogenblik later was hij verdwenen achter een berg vuil.

Ze liep naar haar plank en schoof hem met haar voet naar haar koffer toe. Ze deed haar jas weer aan. Het verband dat de jongen had achtergelaten wikkelde ze om haar hand. Ze zakte neer op haar koffer, met haar rug naar datgene wat eergisteren nog een brede, drukke straat was en wat nu een enorme gapende kuil was, vol baksteengruis en aarde. Voor haar rees het stuk muur op met de deur erin. De deur met de kapotte kruk. Opeens voelde Anna dat ze verstijfd was van de kou. Ze trok haar jas strakker om zich heen en sloot haar ogen. Ze viel meteen in slaap...

~

Ze strekte haar arm uit, zoekend naar de hand van Lucas. Rootenberg declameerde een gedicht van Goethe; hij en papa rookten beiden een sigaret. Het meisje met de blauwe trui kamde oma Marta's haren en voerde haar kersen. Hinnerk diende, gekleed in soutane, mama de laatste sacramenten toe en schreef iets op een vel papier. Von Zeiss had een naakt kindje op zijn knieën met een bandje over zijn oog. Marcus knielde met een enorme helm vol kogelgaten op zijn hoofd voor het altaar. Hij drukte de herdershond van Von Zeiss tegen zich aan. Een hospik in bebloede jas bouwde samen met haar zandkastelen op het strand. De moeder van Lucas goot, gekleed in een rode habijt, met een grote gieter bruin water in een wijwatervat. De tuinman van Von Zeiss stond op een ladder onder de bogen van de kerk zijn lange baard te scheren; met één hand hield hij een spiegeltje vast. Zelf liep ze in haar witte communiejurk op een naar lavendel geurende weide vlinders te fotograferen. Eén vlinder vloog ineens op van een blad van een witte roos. Anna hoorde duidelijk het geluid van de fladderende vleugeltjes. De vlinder vloog op haar toe en werd steeds groter. Een sirene begon te janken. Ze rende weg, nog steeds haar arm uitstrekkend naar Lucas...

~

Iemand schudde aan haar schouder.

'Niks te danken,' hoorde ze iemand zeggen. 'Kom, pak je spullen. Ze komen er weer aan. Hier vlakbij is mijn catacombe. Er valt weliswaar niks meer kapot te bombarderen in deze woestenij, maar we kunnen ons toch maar beter onder de grond verstoppen...'

Nog even verbleef ze in haar droom. Toen sperde ze haar ogen open. Ze herkende hem.

'Je bent teruggekomen,' fluisterde ze. 'Je bent teruggekomen! Speel je straks iets voor me?'

Hij glimlachte en streelde haar haren.

'Ren maar achter me aan. Het is niet ver.'

Ze hoorde het gejank van de vliegtuigen aanzwellen, maar bleef telkens even staan. Hij liep terug om haar op te halen.

'Wacht hier maar even. Dan dump ik mijn plunjebaal en mijn viool in de catacombe en dan kom ik je halen. Hier blijven staan hoor, nergens naartoe gaan. Mijn catacombe is echt vlakbij. Is die koffer erg belangrijk?'

'Ja.'

Hij verdween uit het zicht en liet haar alleen achter. De vliegtuigen naderden. Ze was bang. Na een poosje verscheen hij weer, hijgend. Hij pakte de koffer en reikte haar de hand. Ze renden tot ze bleven staan bij een hoop stenen en takken onder aan een grijze muur. Eerst slingerde hij de koffer door het gat en daarna schoof hij met zijn voet een paar stenen opzij. Ze gleed via een lange glijbaan een soort grot in en belandde met haar gezicht in nat zand. Vlug stond ze op; ze rook een muffe, vochtige lucht. Ze keek om zich heen. Het was donker en ze kon bijna niets onderscheiden. Alsof hij haar gedachten kon lezen, streek de jongen een lucifer af. Hij liep naar een soort kandelaar, gevlochten van ijzerdraad en gevuld met aarde, waarin een paar kaarsen gestoken waren. Hij stak met de lucifer een kaars aan, en met die kaars de andere kaarsen. Ze zag dat ze zich in een soort gewelf bevond. Aan de andere kant van de ruimte onderscheidde ze een piramide van menselijke schedels. De kegelvormige constructie rustte aan de linkerkant op twee rijen grafkisten. Dichterbij stond nog een kist, met het deksel open. Er staken plukken stro uit.

'Welkom thuis,' zei de jongen ironisch. 'Let niet op de rommel, ik had geen gasten verwacht.' Hij liep naar de open kist en sloeg met een klap het deksel dicht.

Op dat moment klonken buiten weer de bomexplosies. Ze deed haar ogen dicht en strekte haar armen voor zich uit, alsof ze op de tast iets probeerde te vinden. De jongen drukte haar tegen zich aan, maar pas nadat hij de kaarsen had gedoofd. Hij spreidde zijn jas uit op de grond.

'Ga maar even liggen,' fluisterde hij in haar oor. 'Even de ingang weer dichtmaken. Zo terug.'

De luchtaanval duurde niet lang. Ze had trouwens het gevoel dat het zich allemaal ergens ver weg afspeelde. Alsof ze door een dikke muur heen geruzie van de buren hoorde. Al snel werd het weer stil.

'Wie is Lucas? Je verkering?' vroeg hij.

In het donker lagen ze naast elkaar. Zodra het weer stil was op straat liet hij haar los en ging hij een eindje van haar af liggen.

'Waar heb je het over?'

'Ik wilde alleen maar vragen of hij een goede vriend van je is. Eh... raak je hem aan? Je noemde zijn naam in je slaap.'

'Ja, ik raak hem aan. Alleen hem, de laatste tijd...'

'Hou je van hem?'

Ze dacht even na, in verwarring gebracht door zijn vraag. 'Dat weet ik niet. Maar ik mis hem.'

'Leeft hij nog?'

'Gisteren wel.'

Hij kwam overeind en stak een kaars aan die op een van de schedels was vastgesmolten. Toen liep hij naar de doodkist, haalde er een bruine fles uit en bracht die naar zijn lippen.

'Denk je dat ze ons haten?' vroeg hij. Hij ging weer naast haar liggen.

'Wie?'

'De Amerikanen en de Engelsen.'

'Die met die vliegtuigen?'

'Ja, die.'

'Jou en mij persoonlijk niet, denk ik. Ze haten de Duitsers.'

'Wij zijn toch ook Duitsers?'

'Ja, dat is waar. Maar zij vinden waarschijnlijk dat ze Duitsland bombarderen en niet de Duitsers. Ze denken er niet bij na dat ze mensen doodmaken. Ze willen Duitsland aan gruzelementen bombarderen. Papa heeft me verteld dat in de Eerste Wereldoorlog de loopgraven zo dicht bij elkaar lagen dat de soldaten elkaar soms in de ogen keken. Ze praatten wel eens, en het is zelfs gebeurd dat ze proviand uitwisselden. Maar zodra het bevel klonk, begonnen ze elkaar weer dood te schieten. Uit haat? Helemaal niet. Eerder uit zelfverdediging. Omdat hun buren uit de loopgraaf tegenover hen hetzelfde bevel hadden gekregen...'

'Wat denk jij, bestaat er een tweede volk dat zo gehaat wordt als de Duitsers?'

'Nu, op dit moment? Natuurlijk niet. We staan stijf boven aan de lijst van volken die in aanmerking komen voor vernietiging. Eerst komen wij en dan komt er een hele tijd niets, en dan waarschijnlijk de jappen. We hebben de hele wereld tegen ons in het harnas gejaagd. Als we deze rotoorlog eindelijk verloren hebben, blijven ze ons nog wel een eeuw of zo haten. Daarom vind ik het jammer dat ik zo'n ontzettend Duitse achternaam heb. Maar ik ga hem niet veranderen. Vanwege oma en papa.' Ze zweeg even. 'Waarom ben jij trouwens niet ergens aan het schieten? Dat hoort toch?'

'Dat is een heel simpel verhaal,' antwoordde hij. Hij veegde met zijn mouw zijn lippen af. 'Hier, drink maar.'

Ze nam de fles aan. 'Vertel!'

'Ik ben in '41 afgestudeerd aan het conservatorium van Breslau. Wrocław heet het in het Pools. Dat was ooit een mooie, grote stad. Ik ben daar geboren en mijn ouders en zus liggen er begraven,' begon hij zijn verhaal, terwijl hij naast haar op de jas ging liggen. 'Weet je waar Breslau ligt?'

'Natuurlijk! Mijn oma is in hetzelfde deel van Polen geboren, in Opole, en opa heeft in Breslau medicijnen gestudeerd. Oma heeft een heleboel mooie foto's van Breslau in haar album. Had...' verbeterde ze zichzelf na een korte pauze. 'Maar sorry, ga verder. Wat gebeurde er toen?' vroeg ze met gedempte stem.

Ze zag dat hij huilde. Hij zweeg, boog zich over haar heen en streek voorzichtig de haren van haar voorhoofd. Hij had warme handen. Hij knielde bij haar hoofd en speelde met haar lokken. Soms raakte hij even haar wangen aan. Met zijn vingertoppen streelde hij haar gezicht rond de ogen en de lippen. Hij hield op te huilen en fluisterde: 'Hoor eens, wil je je alsjeblieft niet meer verontschuldigen? Jij hoeft je nergens voor te verontschuldigen. Ik heb het allemaal al begrepen. Al toen we samen met die plank aan het hannesen waren. Heus, ik begrijp alles. Ik wilde ook een hoekje hebben. Voor mezelf alleen. Al is het nog zo klein. Dat heb ik niet. Misschien bouw ik ooit mijn eigen huis. Helemaal nieuw. En jij ook, dat zul je zien. Voel je je nu wat beter?'

Ze knikte.

Hij haalde zijn hand van haar gezicht. 'En vertel me nou eindelijk eens hoe je heet.'

'Anna.' En haastig voegde ze eraan toe: 'Maar jij moet me Marta noemen. Dat leg ik je nog wel eens uit. Maar vertel nou verder. En haal je hand niet weg. Als je kan. Als je wil...'

Ze kroop naar hem toe en legde haar hoofd op zijn knieën. Voorzichtig streelde hij weer met zijn vingertoppen haar gezicht. Ze luisterde.

'Als student verdiende ik wat bij met muzieklessen. Een van mijn leerlingen was de dochter van de Untergauleiter van Breslau. Ze had totaal geen muzikaal gehoor, geen greintje talent. Maar ze was een heel braaf en vlijtig meisje en ze moest beslist piano leren spelen. Dat moest van haar vader, en nog meer van haar moeder, en nóg meer van haar grootmoeder, de moeder van de Untergauleiter. Niemand vroeg het meisje of zij het zelf leuk vond en ze durfde niet te zeggen dat ze er niets aan vond. Ik zei ook niets, want ik had het geld hard nodig. Eind '42 moest iedereen het leger in: blinden, gekken en zelfs kunstenaars. Dus ik ook. Op een dag nam ik na de les eerst afscheid van mijn leerlinge en toen van haar vader. Ik had mazzel. De moeder van de Untergauleiter zat in de salon. "Max," zei ze tegen haar zoon, "ik hoop niet dat mijn kleindochter en jouw enig kind de muziek hoeft op te geven en zich niet verder kan ontwikkelen omdat een of andere ongeletterde bureaucraat op het idiote idee is gekomen haar leraar naar het front te sturen." En ze voegde eraan toe: "Breekt u zich er maar niet het hoofd over, mijn zoon maakt dit wel in orde. Komt u vrijdag gewoon terug op de gewone tijd." Dus kwam ik terug op vrijdag. Mijn documenten waren als bij toverslag in het niets verdwenen. Ik had een nieuw nummer en nieuwe documenten met de aantekening dat ik "om formele redenen was aangewezen als non-combattant", ondertekend door de Untergauleiter in eigen persoon en bekrachtigd met nog vier andere handtekeningen. Ik droeg dat papier altijd bij me. Nog steeds. Twee weken lang toog ik op woensdag en vrijdag naar het huis van de Untergauleiter, en bij elke gelegenheid die zich voordeed overstelpte zijn moeder mij met haar dankbetuigingen. In '43 gaf het dochtertje op kerstavond haar eerste huisconcert voor het hele gezin. Ik had nog nooit zoiets vreselijks gehoord. Maar zij waren allemaal in de zevende hemel en apetrots, en de grootmoeder huilde van vertedering. Alleen het Poolse dienstmeisje keek me een beetje eigenaardig aan en schudde even haar hoofd. Die avond vroeg de Untergauleiter me naar zijn kamer te komen. Hij bood me Franse cognac aan en overhandigde me een envelop met inhoud. In het vervolg moest ik na elke les naar zijn kamer komen en dan goten we ons vol met cognac of zijn geliefkoosde slivovitsj. Die man was heel ongelukkig. Heel eenzaam. Nog eenzamer dan ik. Toen naderden de Russen Breslau, je rook de brandlucht al. Ik nam net als iedereen die lopen kon de benen en vluchtte naar het westen. Zo ben ik hier in Dresden terechtgekomen. Ten eerste ligt dat niet ver van Breslau en ten tweede had ik hier altijd al naartoe willen verhuizen. Vanwege de musea, en vanwege het orkest hier, en omdat het vlak bij Breslau is. Nou, je ziet het, mijn droom is uitgekomen. Ik ben hiernaartoe verhuisd. Naar deze gezellige grafkelder. Alleen jammer dat er geen musea meer zijn en dat de orkestleden ervandoor of dood zijn. Maar het kerkhof van Breslau is nog steeds dichtbij.'

Hij zweeg.

'Ik vermoei je toch niet met mijn gepraat? Slaap je?' Hij raakte voorzichtig haar schouder aan. 'Geef me die fles eens aan? Ik heb een droge keel van al dat praten.'

Ze draaide zich met haar gezicht naar hem toe. Zonder iets te zeggen liet ze haar vingers door zijn haren glijden.

'Ik ben zo blij dat ik jou ontmoet heb,' fluisterde ze. Heel even beroerde ze zijn wang met haar lippen.

Anna bracht de fles naar haar mond en nam gulzig een slok. Ze verslikte zich en kreeg een hoestbui. De spetters vlogen hem in zijn gezicht en haren. Ze hapte naar adem.

'Allemachtig, wat is dat voor spul?'

'Echte Joegoslavische slivovitsj. Ik heb deze fles bewaard voor een bijzondere gelegenheid. Dit leek me zo'n gelegenheid en ik dacht...'

'Je had me wel even mogen waarschuwen. Ik dacht dat het water was! Ik heb nog nooit sterkedrank gehad.'

'Hoe kan je in deze hel nou overleven zonder drank?' zei hij met een vreugdeloos lachje.

Met opengesperde mond kwam ze langzaam weer op adem. Het brandende gevoel verdween geleidelijk. Ze kalmeerde. Hij verdween achter zijn wand van doodkisten en kwam terug met een metalen kroes water. Het water rook naar benzine.

'Ik bewaar mijn water in jerrycans. Maar wees gerust, het is schoon water. Spoel je mond maar.'

'Jij hebt echt alles,' glimlachte ze. 'Hoe lang zit je hier al?'

'Acht maanden. Ik heb met alle schedels al kennisgemaakt. De sympathiekste heb ik een naam gegeven...'

'Heb je nog meer drank? En een fles?'

'Waarom vraag je dat?'

'In de Seidnitzerstrasse ben ik een klein meisje tegengekomen. Ze mist aan één hand drie vingers. Haar opa vroeg...'

'Die met die trouwring van echt goud? Van voor de oorlog?'

'Hoe weet jij dat?'

'Ik heb hem gisteren verband en schnaps gegeven. En ik heb zijn trouwring gekregen. Inderdaad, van voor de oorlog. Origineel vooroorlogs roestig blik. Een uur later ging ik weer naar hem toe met wat biscuits. Een heel pakje uitstekende knapperige biscuits. Het was mijn avondmaaltijd. Die opa was al laveloos. En dat meisje zat naast hem te bibberen van de kou. Die vingers miste ze altijd al. Het is een aangeboren afwijking. Ze zegt alles wat ze van haar opa moet zeggen. Maar dat is niet aangeboren. Dat is een verworven eigenschap. Door de angst. Haar opa slaat haar beurs als ze niet tegen elke voorbijganger zegt dat ze maar zeven vingers heeft. Dat heeft ze me zelf verteld. Ze heeft trouwens acht vingers, geen zeven. Maar van haar opa moet ze zeggen dat het er zeven zijn. Die rotzak is een morfinist en een alcoholist...'

Ze hoorde het verbijsterd aan. Die jongen kon tegelijk ontzettend subtiel én ongelooflijk cynisch zijn. Zelf was ze naïef en onverbeterlijk gevoelig. Toen er vanuit het oosten een paar weken lang een eindeloze stroom vluchtelingen Dresden binnenkwam, was ze zonder onderbreking op straat en gaf ze hun alles wat ze bij hen thuis in de kelder kon vinden. Later, toen er niets meer in de kelder was, ging ze alleen nog de stad in als het echt nodig was. En elke keer als ze een bedelaar tegenkwam en hem niets kon geven, voelde ze haar geweten knagen. Het kwam niet bij haar op dat een bedelaar een bedrieger kon zijn.

De drank viel goed. Het was haar wat lichter te moede, ze was kalmer, voelde een aangename loomheid over zich komen. Ze ging met haar rug tegen de jongen aan op de jas liggen, trok haar benen op en sloot haar ogen. Hij streelde weer haar haren. Ze had zich sinds lang niet zo rustig gevoeld. De afgelopen dagen was 'rustig' wel het laatste woord geweest waarmee ze haar toestand zou beschrijven. De angst was weg. Ze dacht niet aan wat er over een kwartier kon gebeuren, dacht niet terug aan het verleden. Maar het belangrijkste was dat ze niet langer bang was voor de toekomst.

Hij legde voorzichtig zijn hoofd tegen haar aan en vertelde.

Hij vertelde dat hij zijn boeken miste. Dat de oorlog nu gauw voorbij zou zijn. Dat zijn zus op haar leek, ze was even mooi als zij. Dat hij ooit nog eens naar de zee wilde. Dat hij nog nooit zulke ogen had gezien als die van haar. Dat zonder de muziek alles voor hem allang zinloos was geweest. Dat hij als hij het bestierf van angst in dit graf, zijn viool pakte, de kaarsen uitblies en in het donker begon te spelen. Dat toen alles ophield te bestaan en dat de bomexplosies ineens leken op een begeleiding van reusachtige, betoverde trommels. Bij Chopin, Schumann, Beethoven en Mahler paste het het beste. Bij Vivaldi en Mozart paste het totaal niet. En dat toen het bombardement afgelopen was en hij doorspeelde, hij de begeleiding zelfs miste. En dat hij zich

iedere klank stuk voor stuk herinnerde en dat hij er ooit, als deze vervloekte oorlog voorbij was, een compositie van zou maken. Hij zou
een symfonie schrijven waarbij het publiek in paniek de concertzaal
uit zou rennen en de schuilkelder op zou zoeken. En die symfonie zou
hij elke dag uitvoeren, overal. Want niemand mocht dit ooit vergeten...

Met zijn vingertoppen masseerde hij haar hals, en hij vertelde verder.

Hij vertelde dat ze hun jeugd hadden gestolen. Het recht om zor-
geloos te zijn en fouten te maken. Dat ze hun jeugdige, naïeve enthousiasme hadden afgepakt en hun bewondering voor de wereld. Ze hadden hen gedwongen sommigen te haten en anderen onvoorwaardelijk
te aanbidden. Ze moesten opgroeien op bevel. Ze moesten doden op
bevel. En als het nodig was moesten ze eervol sterven, 'omdat er geen
groter geluk was dan zijn leven te offeren voor het volk en de natie'.
Ze kregen uit de duim gezogen legenden te horen over 'de eensgezindheid in de loopgraaf, waar vriendschap en broederschap alle sociale
verschillen overwonnen'. Veel van zijn vrienden geloofden in die legenden. Misschien geloofden ze er nog steeds in.

Hun jeugd kregen ze nooit meer terug, want zelfs als over vijf minuten op een mysterieuze manier een einde aan de oorlog kwam, zou
hij ondanks zijn achtentwintig jaren en zijn goede fysieke gesteldheid
psychisch een afgeleefde oude man zijn die alles in het leven al had
gezien en ondervonden. Wat hij de laatste jaren had gezien, liet hem
geen enkele hoop. Al was hij er eigenlijk nog goed van afgekomen. Hij
was zijn jeugd kwijt, anderen hadden ze zelfs hun kindertijd afgepakt.

Hij drukte zich tegen haar aan en vertelde verder.

Dat hij voor het eerste afspraakje met een meisje van opwinding
geen oog dicht had gedaan. Dat hij een boeketje viooltjes voor haar
mee had willen brengen, samen had willen wandelen in het park, heel
toevallig en per ongeluk haar hand had willen aanraken in een donkere
bioscoopzaal, dat hij haar had willen kussen als hij haar naar huis
bracht en zich ermee had willen verzoenen dat ze hem voorlopig verder niets toestond, en dat hij daar achteraf blij om had willen zijn en
dat hij naar haar had willen verlangen – al binnen vijf minuten nadat
ze achter de voordeur van haar huis was verdwenen. En dat hij vol ongeduld op de volgende dag had willen wachten, dat hij haar liefdes-
brieven had willen sturen met mooie, domme gedichten erin. Maar
ook het recht op liefde hadden ze hun afgestolen. Nog afgezien van

het feit dat niemand hun garandeerde dat er een 'morgen' zou zijn. Je moest vandaag leven, nu, hier en op dit moment.

Hij kuste haar ogen, haar wangen en vertelde.

Hij vertelde dat hij haar hier, op dit moment, zou willen uitkleden, dat dat verlangen heel sterk was. Haar helemaal uitkleden. En dat hij, zo zot als het mag klinken, nog nooit een naakte vrouw had gezien, anders dan in zijn dromen en op stomme nudistenfoto's. En dat hij haar wilde aanraken. En dat hij zich alles wilde blijven herinneren wat er dan gebeurde. En dat hij, als ze het hem toestond, het allemaal zou vergeten zodra de oorlog voorbij was, dat hij dan de tijd zou terugdraaien en haar het hof zou maken en niet zou kunnen slapen voor hun eerste afspraakje, dat hij bloemen zou meenemen en dat hij in plaats van gedichten een sonate voor haar wilde schrijven. En dat zij hem, 's avonds voor de deur van haar huis, niet zou toestaan haar te kussen en dat hij, ondanks dat of misschien wel juist daarom, de hele volgende dag blij zou zijn. En dat hij alles zou doen om haar te verleiden. Omdat hij haar heel graag wilde verleiden. Dat was wat hij het allerliefste wilde, nu, op dit moment. Hij praatte erover hoe graag hij haar borsten wilde kussen, haar rug, haar heupen, haar buik en haar billen, en dat hij haar – in deze uitzonderlijke situatie – durfde vragen of hij van haar de geschiedenis terug mocht draaien.

Hij kleedde haar uit en zei verder niets meer.

Nu vertelde zij. Met haar gedachten, met haar zwijgen. Ze legde zichzelf uit wat er gebeurde. Dat zij – hoewel dat vast en zeker zou moeten – zich absoluut niet schaamde, dat dat misschien ook wel een beetje kwam door de slivovitsj, maar waarschijnlijk toch vooral door zijn woorden en door het onweerstaanbare gevoel van 'hier, nu, nu we nog leven', dat het zo niet zou moeten gebeuren, dat het haar eerste keer was en dat als het dan toch gebeurde, het niet hier zou mogen gebeuren, naast doodkisten en schedels, in de aanwezigheid van de dood. Maar dat er geen andere plaats was, omdat de dood alomtegenwoordig was. Omdat ze samen met al het andere ook hun recht hadden afgepakt om hun plaats en tijd te kiezen. En dat ze het op dit moment heel fijn vond dat hij haar lippen aanraakte en dat ze zijn warme adem voelde in het kuiltje tussen haar rug en haar billen, dat ze wilde dat hij harder in haar lippen beet, tot bloedens toe. En dat ze niet snapte waarom hij haar rechterborst kuste terwijl ze wilde dat hij haar linkerborst kuste. Dat ze toen ze zijn gezicht tussen haar heupen voelde, bijna moest lachen omdat zijn haren zo kietelden. En dat ze zich niet kon voorstellen dat het onwennige voorwerp dat maar amper in haar mond paste in haar lichaam zou passen. Op een gegeven moment hield ze op te vertellen en verstarde ze, bang en gespannen, toen ze met gesloten ogen haar benen spreidde en haar tanden hard op elkaar beet. En meteen voelde ze zijn vingers op haar gezicht, voelde ze hoe hij haar toedekte met zijn trui, hoorde ze hem haar naam fluisteren.

Hij kuste haar handpalmen en vertelde.

Dat ze een prachtig moedervlekje op haar linkerbil had en dat het idee dat je de tijd kon terugdraaien dom en kinderachtig en brutaal was. Dat zoiets alleen in een sprookje kan. En dat hij wel dol was op sprookjes, maar er nooit in geloofd had. Dat hij haar ooit na de oorlog wilde ontmoeten, als de wereld tot zichzelf was gekomen en zij werd omringd door andere mannen. En dan zou hij ondanks hun aanwezigheid, of misschien wel juist dankzij hun aanwezigheid, zijn kans grijpen. Of vragen waarom hij geen kans kreeg.

Ze sidderde zonder te weten waarvan: van angst, van honger of van opwinding. Hij kleedde haar aan. Steunend op haar ellebogen keek ze ontroerd toe hoe zorgvuldig hij haar schoenveters strikte. De laatste die dat voor haar gedaan had was papa, toen ze voor het eerst gingen skiën in Oostenrijk. Ook hij had een dubbele strik gemaakt.

'Wat is er met jouw ouders gebeurd?' vroeg ze fluisterend.

Hij strikte de tweede veter. Toen hij klaar was, keek hij haar recht aan.

'Mama werd gek toen haar zus was verongelukt. Ze is van honger overleden, ze hield eenvoudigweg op met eten. En papa kon er niet meer tegen en heeft zich de polsen doorgesneden...'

Hij liep naar een van de kisten, pakte de schedel met de kaars erop, opende het deksel en haalde er een verfomfaaide pels uit. Hij wikkelde haar erin, schoof haar koffer naar de jas waarop ze lag, zette de schedel met de kaars op de koffer en zei glimlachend: ''s Avonds is het hier net zo koud als bij Stalingrad. Ga jij maar even lekker in het zonnetje liggen, dan maak ik wat te eten voor je. Wij serveren vandaag biscuitjes vooraf, biscuitjes als hoofdgerecht en biscuitjes als dessert. We schenken daarbij een exquise Joegoslavische slivovitsj in een limonadefles en water uit de jerrycan. Glazen hebben we niet, en ook geen porselein en tafellakens, maar we bieden u wel romantisch kaarslicht.'

Ze begon te lachen. Vrolijk en hartelijk te lachen. Hij verdween in een hoekje van het gewelf en zij staarde naar de kaars. Het was net als die avond toen ze met haar ouders aan zee was...

Ze vierden met zijn drieën vakantie op het eiland Sylt. Het was kort voor de oorlog. Papa verzekerde zijn vrouw en dochter dat Sylt, dat kleine en bizar gevormde waddeneiland, een Duitse kermis der ijdelheid was en dat je het beslist gezien moest hebben. Alleen was één keer genoeg en moest je er daarna nooit meer naartoe willen. Een hotel was te duur en ze kampeerden. Voor het ontbijt kochten ze bolletjes bij de bakker en voor zonsondergang maakten ze soep met vlees of worst klaar op de primus. 's Avonds maakten ze soms een wandeling door de lanen waaraan de luxehotels lagen. Door de hoge ramen zagen ze helverlichte zalen vol mannen in smoking en halfnaakte vrouwen in avondjurk. Het was een vreemde wereld, net zo kunstmatig als de opschik van die vrouwen. Een wereld die voor hen ontoegankelijk was. Papa verachtte die wereld. Niet uit jaloezie, omdat hij te arm was om er deel van uit te maken, maar vooral omdat de laatste tijd iedereen in Duitsland tot die wereld probeerde te behoren. Het avondlijke Sylt met zijn blinkende hotels en gelikte gasten was een soort reservaat voor de elite. De bruine Hitler-aristocratie, parvenu's, en dus per definitie met hart en ziel toegewijd aan de macht. Met al die gravinnen, dure hoeren die gravinnen wilden worden, met al die officieren die zichzelf heel opwindend vonden met hun insignes en medailles, met kooplieden uit Berlijn, München, Dresden, Keulen of Neurenberg die dachten dat ze door een paar cocktails te drinken met deftige mensen in een hotel op Sylt nieuwe relaties in de wacht sleepten en toegang zouden krijgen tot de hoogste kringen. Sylt gooide zijn naam te grabbel, en wat zich allemaal afspeelde in de lobby's en kamers was een favoriet thema voor de door Goebbels gecontroleerde boulevardpers. Daarom moest je Sylt één keer gezien hebben. Om het allemaal met eigen ogen te zien. En het voor eens en altijd te verafschuwen.

Op een dag gingen ze na hun wandeling naar het strand. Ze gingen aan de vloedlijn zitten en papa maakte een enorme zandtaart. Hij legde er vijftien schelpen op en stak bij elk ervan een brandend kaarsje in het zand. Toen omhelsde hij zijn dochter en fluisterde haar in haar oor dat ze zijn schat was en dat dankzij haar en mama de afgelopen vijftien jaren de belangrijkste en mooiste van zijn leven waren geweest. Hij vroeg haar hem te vergeven dat het alleen maar een zandtaart was. Toen gaf hij mama een wenk, en zij legde een grote doos voor haar dochter neer met een lint eromheen. Haar ouders keken toe terwijl zij ongeduldig het papier eraf scheurde. Ze gaf een gilletje van plezier. Papa zei: 'Ik hoop dat deze camera de wereld zal zien door jouw ogen.'

Daar zat ze, tussen papa en mama op het strand, vechtend tegen haar tranen.

~

'Waarom huil je? En waarom wacht je niet op mij? Ik wil graag even meehuilen.'

Vlug veegde ze haar tranen weg.

'Ik huil niet. Mijn ogen tranen. Je zonnetje heeft me verblind. Waar bleef je zo lang?' Ze probeerde haar verlegenheid te verbergen. 'Ik huil alleen nog maar als jij er te lang niet bent.'

'Ik was met het eten bezig. Hij zette een bekrast aluminium bordje met verkruimelde biscuitjes voor haar neer. Aan weerszijden ervan legde hij twee servetten neer, zo goed en zo kwaad als het ging gesneden uit een stuk verbandgaas.

'Geef me de fles slivovitsj eens aan, als je wil?' vroeg ze. 'Ik wil graag ophouden met huilen. Echt heel graag. Maar jij geeft me de kans niet. Toen eerst onze servetten op waren en daarna het witte toiletpapier, maakte oma Marta ze van haar brieven aan opa. Maar verbandgaas? Op dat idee is ze niet gekomen. Waar heb je dat nou weer vandaan? Nou? Waarom ben jij zo'n kei in alles?'

Ze werkte zich uit de pels, kroop op haar knieën naar hem toe en begon het verband om zijn hoofd los te maken.

Voor hem knielend wikkelde ze langzaam het grauwe verband los, dat hard was van geronnen bloed. Hij keek haar glimlachend aan. Af en toe beet hij op zijn lippen als ze voorzichtig verband losmaakte dat aan de huid zat vastgekleefd. Aan de rechterkant van zijn voorhoofd liepen van zijn wenkbrauw tot aan de haargrens twee elkaar kruisende, bloedende wonden. Ze pakte de beide servetten, maakte ze nat in haar kroes water en maakte voorzichtig de wonden schoon. Toen ze klaar was, kuste ze zijn voorhoofd en trok ze hem tegen zich aan.

'En schenk me nu maar een borrel in,' fluisterde ze hem in zijn oor.

Met haar ogen dicht nam ze een paar slokjes. Daarna gaf ze hem de fles aan en ging ze achter haar bord biscuitjes zitten. Hij liep naar de kandelaar van ijzerdraad en stak alle kaarsen aan. Ze zaten tegenover elkaar en knabbelden op hun biscuitjes, waarbij ze speelden dat ze genoten van een chic diner. Hij was de gedienstige ober die haar met een elegant buiginkje water inschonk in haar metalen kroes, zij was de lastige gast die zogenaamd van alles had aan te merken op de wijn. Hij haalde de bruine fles tevoorschijn en deed een paar druppels slivovitsj in het water, zij hief de kroes op en toonde zich opgetogen over de rijke neus van de wijn. Daarna savoureerden ze het dessert; bij het flakkerende kaarslicht waren ze vol lof over de 'verfijnde schoonheid van het Duitse biscuitje'.

Ze likte genotvol aan haar lippen en gaf hem knipoogjes, schudde met een speels gebaar haar haren uit haar gezicht en deed alsof ze koketterend haar lippen bijwerkte met rode lippenstift. Ze herinnerde hem eraan dat het hun tijd werd en verwachtte niet anders dan dat hij zogenaamd zijn servet op de grond liet vallen en zich moest bukken om het onder de tafel op te rapen. Hij raapte het op en raakte 'per ongeluk' onder de tafel haar knie aan. Na die aanraking bracht zij een aardbei of een framboos naar haar mond, bloosde even en liet haar schoentje van haar voet vallen. En onder de solide bescherming van het witte tafellaken reikte ze met haar voet naar zijn gulp. Hij keek onverstoorbaar om zich heen, deed zijn vlinderstrik of zijn das recht, of hij maakte de knopen van zijn jacquet of smoking dicht. In een roes gebracht door wat er gebeurde, boog hij zich zo ver mogelijk voorover en begon zachtjes haar voet te masseren, na eerst haar kous van haar been te hebben getrokken. En zij strekte om de aandacht van de omgeving af te leiden met een verveelde uitdrukking op haar rood geworden gezicht haar hand uit naar een aardbei of een stukje appeltaart, dat ze zorgvuldig op haar dessertbordje legde; ze deed er een schepje slagroom op en glimlachte met de onschuldigste en vriendelijkste gezichtsuitdrukking die ze in huis had naar een oudere dame met een afschuwelijke pruik op en een kilo goud om haar hals. Daarna ging ze behaaglijk achteroverzitten op haar met pluche beklede stoel en liet ze gespeeld nonchalant wat witte slagroom op haar rode lippen zitten en tilde ze onder de tafel haar been op om opnieuw haar blote voet in zijn schoot te vlijen.

'Marta, wat voor boeken las jij graag?' vroeg hij glimlachend terwijl hij haar voet streelde.

'Wereldliteratuur, vooral de grote Russen, en ik weet zeker dat ik ze veel aandachtiger las dan jij. Vrouwen lezen vooral tussen de regels. Mannen kunnen dat niet.'

En daarna vroeg ze hem opeens of hij iets voor haar wilde spelen.

'Na het dessert, maar vóór de kaasjes en de druiven,' voegde ze er met een lachje aan toe.

Zwijgend stond hij op. Hij liep langzaam naar iets wat leek op een klein altaar. Op een stuk van een marmeren zerk dat hij op twee schragen had gelegd, lagen zijn viool en strijkstok. Hij pakte ze en begon te spelen. Zij zag alleen zijn silhouet. In het donker was zijn gezicht niet te onderscheiden; alleen de bewegingen van zijn handen waren soms een moment te zien in het schijnsel van de kaarsen, wanneer hij zich met zijn viool abrupt naar voren boog. Ze liep naar de kandelaar. Ging op de grond zitten. Ze wilde dat hij haar kon zien. Hij moest heel duidelijk zien wat er met haar gebeurde. Op haar vingers bijtend keek ze naar de plek waar hij stond, en ze luisterde. Dat was het enige belangrijke. Als in een vreemde droom speelde hij hier, in een catacombe, in een kelder onder het niet langer bestaande Dresden een vioolconcert voor haar. Alleen dat telde. Deze muziek, deze bedwelming, deze opwinding die zij nu ervoer. Ze konden hun hun jeugd afpakken, hun vrijheid, ze konden hun bevelen om voortijdig volwassen te worden en zelfs om op commando te sterven, maar het belangrijkste, de emoties, kon niemand hun afnemen. Omdat gelukkig niemand wist waar en hoe het belangrijkste zou gebeuren. En dat belangrijkste gebeurde juist nu.

Zonder op te houden met spelen kwam hij langzaam naar haar toe. Ze herkende een van de Weense walsen van Johann Strauss junior. Ze stond op en omhelsde hem, en daarna wervelden ze rond in een dans. De was van een kaars druppelde op haar haren. Hij speelde verder. Ze drukten zich tegen elkaar aan en dansten, en ze voelde zich als een piepjong freuletje op haar eerste bal. Alles draaide voor haar ogen. De schedels, de doodkisten, de vlammen van de kaarsen, zijn gezicht, de viool. Toen was het opeens stil en de zweetdruppels van zijn gezicht vermengden zich op haar lippen met haar tranen. Ze boog zich naar hem over en keek om zich heen, alsof ze zocht naar de gezichten van haar ouders en van haar oma.

'Alles komt goed,' fluisterde hij, 'alles komt goed. Je zult het zien...'

Hij pakte haar hand en bracht haar naar de pels, bukte zich, kuste haar handpalm.

Ze ging liggen. Hij dekte haar toe met de pels, draaide zich om en blies de kaarsen uit. Voordat hij zich naast haar uitstrekte, bedekte hij zorgvuldig haar voeten met de pels. Ze maakte haar beha los, pakte zijn hand en stopte die onder haar trui. Een minuut later sliepen ze...

Ze voelde dat hij haar wang aanraakte en deed haar ogen open.

'Je gezicht draagt de sporen van de afgelopen nacht,' zei hij lachend. 'Ik wilde alleen maar een stukje kaarsvet van je wang plukken. Heb ik je wakker gemaakt? Sorry.'

'Ja. Je hebt me wakker gemaakt. En even niet zoenen alsjeblieft. Geef me eens wat water? Volgens mij heb ik een kater.' Ze rekte zich lui uit. 'Ik heb nog wel meer sporen overgehouden aan onze afgelopen nacht, trouwens. Als je nu een sigaret voor me had, zou het helemaal geweldig zijn.'

'Ik heb geen sigaretten. Ik rook niet meer sinds de oorlog is begonnen. Ik wilde niet aan nóg iets verslaafd zijn. Het is al erg genoeg dat ik drink. We hebben trouwens ook geen broodjes voor het ontbijt. De bakker op de hoek was gesloten...'

Zijn ironie was volmaakt. Met één zin, één woord soms, kon hij een heel verhaal vertellen, een verhaal waarvoor Hinnerk, bijvoorbeeld, wel een kwartier nodig had. Wat vond ze leuk aan een man? Ontwikkeling, intelligentie, moed, kunnen luisteren, mooie handen en – ze vond het zelf raar – mooie billen. Ironie en sarcasme hadden altijd ontbroken op haar lijst van mannelijke attracties. Maar sinds de wereld om haar heen razend, krankzinnig, smerig was geworden, moreel onderuit was gegaan; sinds een bruine stroom van gemeenheid en minachting voor je naasten over haar heen was uitgebraakt als door een riool en de wereld was bedekt met stinkende bruine nazidrek; sinds het laatste, verschrikkelijkste stadium van de doodsangst was aangebroken – sindsdien was sarcasme voor haar een prachtige, beeldende manier geworden om haar woedend protest te uiten tegen absurditeit, huichelarij, tegen de wanhoop en de zinloosheid van wat er allemaal gebeurde. Hij kon prachtig sarcastisch zijn. En hij had prachtige handen.

'Dan heb je niet genoeg je best gedaan. Je had het een straat verderop moeten proberen.' Ze deed alsof ze enorm teleurgesteld was.

'Heb ik geprobeerd. Maar er zijn in Dresden nou eenmaal geen hoeken van straten meer en dus ook geen bakkers op de hoek.'

'Wat is er eigenlijk nog wel?' Ze keek hem ongerust aan.

'Wat er nog is?' Hij wreef met zijn vinger over zijn neus, precies zoals papa wanneer die over iets nadacht. 'Tja, hoe moet je dat noemen. Heb jij wel eens as onder uit de oven geschept?'

'Heel vaak. Wij hadden in de Grunaer Strasse tegelkachels.'

'Dan weet je hoe de asla eruitzag. Er zaten toch van die nog gloei-ende stukjes kool in als je de as in de asemmer gooide?'

'Ja.'

'Zo ziet Dresden eruit. Het enige verschil is dat het hier veel kouder is en dat er een pak sneeuw op de as is gevallen.'

'En dan is de bakker ook nog eens door z'n broodjes heen. We heb-ben wel pech.'

Hij hielp haar overeind. Ze veegde de kruimels op haar bord bij el-kaar en stopte ze in haar mond. Oma Marta zei altijd dat je niet met een lege maag de deur uit moest gaan. Daarna trok ze haar jas aan en ging ze naast hem staan.

'Heb jij plannen voor vandaag?' vroeg hij.

'Ik wil mama opzoeken.'

'Oké, waar is ze?' vroeg hij. Hij draaide zich om en liep naar de uit-gang van de catacombe.

'In het mortuarium. Ergens in de buurt van de Annenkirche.' Ze probeerde laconiek te klinken.

'Praat niet zo tegen mij!' riep hij uit, ineens woedend. 'Begrepen? Praat nooit meer zo tegen mij! Bij mij mag je wanhopig zijn, begrepen? Bij mij mag je huilen en lijden. Waarom denk je dat ik dat niet zal be-grijpen?'

Ze keek hem aan, niet wetend wat ze moest antwoorden.

'Jij hebt jouw pijn en ik heb de mijne,' fluisterde ze, geschrokken van zijn reactie. 'Ik wilde niet... Ik dacht dat ik het recht niet had... Ik zei het zomaar... Het geeft niet. Sinds gisternacht weet ik heel goed dat jij alles begrijpt, maar ik wilde niet dat het weer zo zou gaan als toen met die plank. Ik wilde niet opnieuw...'

Hij sloeg zijn armen om haar heen en kuste haar haren.

'Ik weet niet hoe lang wij samen zullen zijn, maar als je weer iets denkt, hou er dan rekening mee dat je je kan vergissen. En vraag mij dan wat ik ervan denk. Sommige mannen begrijpen bij hoge uitzon-dering wel eens wat. Afgesproken?'

'Ik kan het moeilijk geloven.' Ze likte even zijn oorlelletje. 'Maar voor jou, bijzondere man, zal ik een uitzondering maken. Vergeef je me? En als je me vergeven hebt, wil je dan iets voor me doen?'

'Ja.'

'Pak dan je viool en ga bij die kaarsen staan. Net als gisternacht. En speel dan dat op een na laatste stuk, dat vóór Strauss kwam. Toen liepen de rillingen me over de rug.'

Hij was oprecht verbaasd. 'Ken je dat stuk niet? Dat is het vioolconcert in e-klein opus 64 van Mendelssohn-Bartholdy. Het was mijn examenstuk in Breslau. In het openbaar mocht je Mendelssohn toen al niet spelen. Vanwege zijn joodse afkomst hebben de bruinhemden hem geschrapt van de lijst van Duitse componisten. Hij was voortaan persona non grata. In 1934 voerde de dirigent van het plaatselijke orkest ergens in de buurt van Berlijn tijdens een jeugdconcert *Ein Sommernachtstraum* uit. De volgende dag werd hij ontslagen. Hij was een crimineel die de "reine zielen van de Duitse jeugd vergiftigde". En toen een Engels orkest tijdens een bezoek aan Leipzig in 1936 liet weten dat ze graag bloemen wilden neerleggen bij het standbeeld van Mendelssohn, was dat beeld de avond tevoren ineens op wonderbaarlijke wijze verdwenen. En dan was Mendelssohn nog maar een halfjood, van vaderskant.'

'Doe niet zo geleerd,' fluisterde ze hem in zijn oor terwijl ze zijn hoofd streelde. 'Ik heb geen idee wat e-klein is en dat opusnummer interesseert me geen barst. Bij Mendelssohn, als dat tenminste dezelfde is, denk ik alleen maar aan de *Bruiloftsmars*. Meer niet. Maar toen jij gisteren die muziek speelde was ik in het nirwana, in de hemel en zag ik daar de prachtigste schilderijen. Op een van die schilderijen stond jij. Hier, bij ons thuis, dat wil zeggen in deze catacombe. Jij was in de hemel en speelde daar je e-klein opus zoveel, en uit de ogen van de schedels stroomden de tranen. Zoiets ziet iemand maar één keer in zijn leven. Maar ik wil het een tweede keer meemaken.'

'Wat?'

'Dat schilderij. Dat ogenblik...'

'Waar heb je het over?'

'Wil je het nog eens spelen? Nu? En dan moet je gaan staan waar je gisteren stond.'

'Marta, waar heb je het over?'

'Speel je nou nog, of niet?' gilde ze.

'Nou oké. Mij best. Dat stuk kan ik eindeloos spelen. Maar waarom nu?'

'Niks meer vragen. Ga staan waar je gisteren stond en speel. Het is heel mooi licht nu. Van die verzadigde halftinten. Als ik een sigaret had zou ik er nog een paar rookslierten aan toevoegen. Tjonge, wat heb ik trek in een sigaret!'

Hij begreep nog steeds niet wat ze bedoelde, maar vroeg niets meer.

Gehoorzaam pakte hij zijn viool en begon te spelen. Anna vloog naar haar koffer en pakte haar camera. Ze ging achter een doodkist staan, zette de camera op het deksel en stelde het diafragma in. Ze wilde niet uit de hand fotograferen omdat ze een lange sluitertijd nodig had. Ze luisterde. Ditmaal voelde ze geen bedwelming. Ze luisterde gewoon naar muziek. Prachtige, bijzondere muziek, maar zonder de betovering van een paar uur eerder. 's Nachts had de muziek heel anders geklonken. Ze herinnerde zich zijn woorden: je moet hier leven, nu, op dit moment. Elk ogenblik is uniek. En zij ging dat moment vastleggen. Ze drukte af. Nog drie foto's...

Hij hield op te spelen, legde de viool opzij en bedekte hem zorgzaam met een stuk karton. Zij borg haar camera weer op in de koffer.

'Verzadigde halftinten, natuurlijk. Nu begrijp ik je. Laat je me je foto's nog eens zien? Ik wil de wereld graag zien door jouw ogen.'

'Is beloofd! Maar nu gaan we.'

Ze liepen naar het gat in de muur dat als ingang diende. Hij kroop in de smalle doorgang en klauterde omhoog. Ze keek aandachtig toe. Toen hij boven was, gooide hij haar een dik touw toe waarin aan het einde een knoop was gelegd. Ze hield het touw stevig vast en werkte zich, met haar voeten steun zoekend tegen de muren, meter voor meter omhoog. Het licht verblindde haar toen ze boven was. Ze liet het touw uit haar handen glippen en was bijna weer naar beneden gegleden. Op het laatste moment wist hij haar hand te grijpen en trok hij haar naar buiten. Ze viel voorover, met haar gezicht in de koude sneeuw. Met haar ogen dicht krabbelde ze overeind. Ze herinnerde zich wat mama gezegd had: 'Doe hem de blinddoek om voor hij uit de schuilplaats komt. Begrepen? Anders wordt hij blind! Herhaal wat je doen moet!'

Hij hielp haar op de been. Voorzichtig deed ze haar ogen open, op een kiertje. Hij legde takken en puin voor de ingang en camoufleerde het geheel zorgvuldig met hard bevroren sneeuwkluiten. Hij gaf Anna een hand en ze gingen op weg. Hij had gelijk: je zag alleen maar met sneeuw bedekte as.

Ze bereikten de Altmarkt. De Kreuzkirche was tot de grond toe afgebrand. Ziekenbroeders in witte jassen met een rood kruis op hun rug en met verbandgaas voor hun mond tilden lijken uit vrachtauto's en legden ze in rechte rijen neer. Op armen, benen, halzen, of op een ander overgebleven lichaamsdeel als dat alles er niet meer was, bevestigden ze gele labels met een nummer erop. Het hele plein lag vol lichamen. Uit de omringende straten kwamen mensen die handkarren voortduwden met doden erop. Ze legden ze naast de lijken die al op het plein lagen en vervoegden zich bij een jonge officier in een zwart uniform met een monocle die heen en weer liep in de nauwe doorgangen tussen de lichamen. Aan zijn linkerarm had hij een voorraadje gele labels hangen. Hij verstrekte een label en dan liepen de mensen terug naar de lijken die ze even daarvoor hadden neergelegd. Er heerste een doodse stilte. Je hoorde alleen het geknars van de karren en het geronk van de vrachtauto's. Niemand huilde. Algauw bleek waarom: het plein werd aan alle kanten omringd door soldaten. Die deelden aan iedereen mee dat de identificatie zondag zou plaatsvinden. Het was nu vrijdag. De bange mensen stemden er bij het zien van de met machinegeweren bewapende soldaten gehoorzaam mee in te wachten tot zondag. Dan werd het hun vanaf 11.30 uur toegestaan hun broer, zus, moeder, vader, man, vrouw of kind te herkennen. Zondag 18 februari vanaf 11.30 mocht men rouwen. Niet eerder.

Hoe kon dit? peinsde ze. Wanneer en hoe had het toch kunnen gebeuren dat juist de Duitsers zichzelf hadden toegestaan zo meegaand te worden? Zo gehoorzaam aan voorschriften, reglementen, verordeningen en bevelen? Wat was er gebeurd? Hoe konden in dit nu zieltogende land voor het eerst in een geschiedenis van duizend jaar de zielen en geesten zo geknecht worden? Was het angst? Een grenzeloze loyaliteit aan één gezamenlijke leider, zonder wie de Duitsers als natie niet konden?

Dat laatste leek waar te zijn. Op school was hun ingeprent dat de Germanen hun nationaal besef te danken hadden aan de slag met het Romeinse legioen in het Teutoburgerwoud, bij het tegenwoordige Osnabrück. Toen, bijna tweeduizend jaar geleden, negen jaar na de geboorte van Christus, was het tijdperk van het Eerste Rijk begonnen. De Germanen sloten zich aaneen en Arminius, de hoofdman der Cherusken, voerde hen als hun eerste 'onoverwinnelijke leider' naar roem en succes. Onder zijn leiding toonden de Germanen hun moed. Ze behaalden de overwinning en zwichtten niet voor de 'verderfelijke besmetting door de Romeinse decadentie'. Hitler verwees graag naar de Arminius-mythe, noemde hem 'de redder der Germanen' en 'de eerste bevrijder van de Duitsers'. De laatste tijd sprak hij, om Mussolini niet op zijn tenen te trappen, in meer versluierende bewoordingen over de strijd tussen Germanen en Romeinen. Maar hij sprak er wel over. En deed hij uit politieke overwegingen het zwijgen ertoe, dan begon

Goebbels wel namens hem te brullen.

Lag het misschien aan de maniakale voorliefde van de Duitsers voor orde? Of misschien was er helemaal geen oorzaak? Misschien was het gewoon een overgeërfde afwijking? Net zoiets als acht vingers in plaats van tien?

Een korte, dikke Wehrmacht-soldaat tilde zijn machinegeweer op om haar de weg te versperren.

'Meneer de soldaat, als u denkt dat ik ga wachten tot zondag voor ik afscheid neem van mijn moeder, dan vergist u zich schromelijk. U heeft drie mogelijkheden. Of u schiet mij ter plekke neer en legt me op dit plein met een geel label aan mijn pols, of u laat dat kanon zakken en laat mij erlangs, of...' Ze dempte haar stem.

'Of wat?' De soldaat liet zijn machinegeweer zakken.

'Dat zal ik u vertellen, maar alleen in uw oor. Kunt u die prachtige helm van u een stukje omhoogdoen?' fluisterde ze. Ze probeerde er koket bij te lachen.

De soldaat keek om. De officier met de monocle was een flink eind weg. Haastig tilde de soldaat zijn helm op en bracht zijn oor naar haar lippen. Ze fluisterde hem iets toe en streelde hem langzaam over zijn heup.

'Vanavond? Hier? En kom je echt?'

'Ja hoor. Vanavond, hier.'

'Ik geef je tien minuten. Als monoclemans je iets vraagt, zeg je maar dat je verpleegster bent. Dat je door het crematorium in Tolkewitz hiernaartoe bent gestuurd.'

Ze draaide zich om naar haar metgezel, die haar vol afschuw aankeek.

'Je vindt het toch niet erg?' fluisterde ze. Zonder zijn antwoord af te wachten rende ze langs de soldaat het plein op.

Langzaam bewoog ze zich langs de rijen lijken. Vier rijen bestonden uit kinderlijkjes. Ze probeerde er niet naar te kijken. Opeens stuitte ze op de officier met de monocle. Hij stond een sigaret te roken.

'Waar kom jij vandaan?' schalde hij.

'Uit Tolkewitz,' antwoordde ze kalm.

'O. Vanaf zondag werken jullie in vier ploegen.' Hij blies de rook recht in haar gezicht.

'Heeft u misschien een sigaret voor me?' vroeg ze.

De officier keek haar verwonderd aan. 'Hoezo, krijgen jullie daar geen sigaretten? Of heb je ze allemaal al opgerookt?' Hij stak zijn hand in zijn broekzak en haalde er een verfomfaaid pakje uit. Ze deed haar best haar hand niet te laten trillen en tikte er een sigaret uit. Haastig liep ze verder. Toen ze de laatste rechthoek bereikte, bij de verkoolde muur van de Kreuzkirche, was ze er al van overtuigd dat ze mama op dit plein niet zou vinden. Snel liep ze terug naar de soldaat die haar erdoor had gelaten.

'Vanavond! Niet vergeten!' riep hij haar na toen ze hem voorbijliep.

De jongen stond op haar te wachten. Hij pakte haar hand en samen renden ze weg. Toen ze in de verte de overblijfselen van het dak van de Annenkirche zag, bleef ze staan. Ze ging op het puin van een ingestorte muur zitten, pakte haar sigaret, stak die op en inhaleerde gulzig.

Hij zweeg even. 'Ze is dood, hè?' vroeg hij toen.

'Ja, ze is dood...'

'Een graf krijgt ze toch niet. Er is in Dresden geen ruimte meer op de kerkhoven. Wat wil je eigenlijk?'

'Dat het op een menswaardige manier gaat. Ik wil niet dat ze uit rij 4, rechthoek 8 gesleept wordt en dat ze haar verbranden in crematorium 5A of 19B in Tolkewitz.'

'Denk je dat je je beter voelt als je haar begraaft?!'

'Precies. Net zoals jij je beter voelt wanneer je aan Breslau denkt.'

Anna maakte haar sigaret uit en stopte de peuk in haar jaszak. Ze liepen in de richting van de kerk. Het was er verlaten. Alleen de wind joeg plukken stro en stukjes papier voor zich uit. Ze liep naar het altaar. Naast de stenen balk die uit het dak was gevallen en haar moeder had gedood, zag ze een helm met een kaarsstomp erop. Ze liep verder naar de kansel. De trap ervan was bedekt met verkreukelde stukken krantenpapier en peuken. Boven, bij de balustrade, herkende ze een schoen van het meisje met het blauwe truitje. Ze keek naar het altaar. Van het kruisbeeld was alleen een fragment over: Christus' gekruiste voeten. Op de gebarsten marmeren plaat van het altaar lag een met uitwerpselen besmeurde kinderpo op zijn kant. Bij de voet van het altaar waren hier en daar nog roodbruine vegen opgedroogd bloed te zien. Ze zag weer voor zich hoe Von Zeiss zijn pistool uit de holster haalde...

Ze rende de trappen af, zo hard ze kon.

'Ik wil hier weg!' riep ze. Ze pakte de jongen bij zijn hand en trok hem mee naar de uitgang.

Veel pleinen waren in gebruik als plekken om de lijken bijeen te brengen. Bijna elk stukje grond dat niet met puin bedekt was, diende als een soort openbaar mortuarium. Maar vlak naast zulke vreselijke plekken hernam het leven alweer zijn loop. Alsof men zich ermee had verzoend, alsof het zo moest zijn. Weinigen waren nog bang voor nieuwe luchtaanvallen. Mensen waren bezig om van stenen en brokstukken omheiningen te improviseren rond de plek waar ooit hun huis had gestaan. Ze schermden zich af. Perkten hun territorium af. Een paar geluksvogels hadden een tent op de kop getikt. Die zetten ze op, ze sleepten er kolenkacheltjes naartoe en maakten eten klaar. Of ze zaten gewoon te wachten op de dag van morgen. Mensen die minder geluk hadden, legden houtvuren aan waaraan ze zich warmden. In de weinige straten waar je nog doorheen kon rijden, verschenen legerauto's, motorfietsen of paard-en-wagens uit de omliggende dorpen. Vanuit de legerauto's werden de mensen met megafoons gewaarschuwd dat ze geen open vuur mochten maken in de kelders van huizen met gasleidingen, werden plunderaars met strenge straffen gedreigd en werd op straffe van standrechtelijke executie verboden om hulp te bieden aan 'personen van niet-arische herkomst'. Maar vooral werden er propagandaleuzen geschreeuwd: 'niemand kon de onwrikbare Duitse trots overwinnen, en de wraak zou een triomf worden voor het Rijk, de Führer en het volk'.

Hand in hand liepen ze, samen met vele anderen, van plein tot plein. Elke keer weer haalde ze de talon tevoorschijn die ze had gekregen van de hospik die mama de kerk uit droeg en liet hem zien aan degene die toezicht hield, of deed alsof hij toezicht hield, op de gang van zaken op zo'n plein. De meesten wierpen zelfs geen blik op de talon. Anna inspecteerde nauwgezet de eindeloze rijen lijken en keerde dan weer naar de jongen terug. Ze liepen verder. Naar alweer een plein.

Toen het donker werd, gingen ze terug naar hun catacombe.

Dresden, zondagochtend 25 februari 1945

Opeens was het alsof Anna kerkklokken hoorde. Ze sprong op van de jas en schudde de jongen heen en weer om hem wakker te maken.

'Hoor je dat?' riep ze. 'Hoor je dat?'

'Ja,' bromde hij zonder zijn ogen open te doen. 'De kerk begint zo. Wat is daar voor raars aan? Het is toch zondag? Kom liggen, dan slapen we nog een poosje.'

'Wat daar voor raars aan is? Hoe kan je zoiets zeggen! De klokken luiden weer! Net als ze vroeger deden, voor 13 februari. Vlug, sta op, we gaan ernaartoe...'

Ze rende naar de ingang van de catacombe en luisterde aandachtig. 'Ja hoor, ze luiden! Echte kerkklokken! In Dresden! Net als vroeger!'

~

De afgelopen tien dagen waren er geen luchtaanvallen geweest. Het had vier etmalen gekost om de branden te blussen die waren uitgebroken na het laatste bombardement. Een verdoofde stad kwam langzaam tot zichzelf.

Elke dag gingen ze naar buiten, soms samen, soms alleen. 's Avonds keerden ze terug naar de catacombe. Naar mama zocht ze niet langer. Op een avond begreep ze nadat hij voor haar gemusiceerd had ineens dat ze zich had neergelegd bij de gedachte dat ze mama in zichzelf te ruste moest leggen. Hoe ver dat ook was van Dresden. Hij had helemaal gelijk: de graven van je dierbaren zijn daar waar je om ze treurt.

Als ze nu iemand zocht in de ruïnes van Dresden, dan was dat Lucas. Ze keek alle jongetjes met blauwzwart haar die ze tegenkwam aandachtig in het gezicht. En ze keek ook uit naar Marcus en Hinnerk. Soms kwam ze uit bij de eenzaam oprijzende halve muur in de Grunaer Strasse nummer 18. Dan ging ze op de drempel zitten en wachtte ze. Het was de enige en belangrijkste plek, naast de Annenkirche, die hen verbond. Dat gaf haar hoop: als ze nog leefden, zouden ze ook naar die plek getrokken worden. Soms liet ze op de drempel een bladzijde achter die ze uit haar schrift had gescheurd. Daarop schreef ze de tijd en plaats waar ze elkaar zouden ontmoeten, en dan legde ze een steen op het stuk papier om te voorkomen dat het wegwaaide. Maar de volgende dag trof ze het vel papier altijd onaangeraakt aan.

Ze leefden niet gewoon in de catacombe, ze vochten er elke dag voor hun bestaan. Dat was het belangrijkste: overleven. De dag doorkomen, de nacht volhouden. Zonder honger te lijden en zonder te sterven van angst, in de warmte. Honger leden ze niet. En ze hadden het warm sinds ze een gietijzeren kolenkachel op de kop hadden getikt met een lange pijp die ze lieten uitkomen in de tunnel die diende als in- en uitgang. Anna dacht zelden aan een toekomst die verder weg lag dan één dag. De laatste keer was dat drie dagen geleden gebeurd, laat in de avond. Een bijzondere avond na een bijzondere dag. Ze hadden wat zelfgemaakte wijn gedronken die ze hadden verdiend door ergens te helpen bij het uit een kelder ruimen van puin. Alle werk in Dresden werd op dit moment vooral uitbetaald in natura – met levensmiddelen, alcohol of sigaretten. Of soms met kolen of brandhout. Anders dan anderen accepteerden ze ook boeken als betaling. Een van de kisten in hun catacombe zat al vol boeken. 'Onze huisbibliotheek' noemde hij het. Een week geleden had hij de halve dag gewerkt aan het storten van een fundament voor een nieuw huis. Daarvoor had hij een matras, beddengoed en een dekbed gekregen. Toen hij die avond terugkwam was hij zo trots als een holbewoner die een mammoet verschalkt heeft. Voordat hij naar beneden gleed moest ze eerst haar ogen dichtdoen. Hij legde de deken en de lakens op een krukje dat leek op een klein altaar. Daarna liep hij naar haar toe, kuste haar oogleden en bracht haar naar het 'altaar'. Ze vlijde zich tegen hem aan en bedankte hem. Voortaan zou ze slapen als een prinses. Op echte lakens! Op een echte matras, gewikkeld in een echt donzen dekbed! Net als bij oma Marta.

Een week later begoten ze dit succes met een fles huisgemaakte bessenwijn.

'Nu moet je iets bijzonders voor me spelen. Iets feestelijks, een symfonie of zo, ter ere van het dekbed en de lakens...'

Hij pakte zijn viool, eerbiedig als altijd. Een poosje keek hij naar zijn instrument, alsof hij het voor het eerst zag. Hij had dan een heel ongewone blik in zijn ogen. Soms keek hij ook zo naar Anna. Dan liet hij zijn vingers over het bovenblad glijden, alsof hij de viool opnieuw bestudeerde. Alsof hij zo meteen het belangrijkste concert van zijn leven ging spelen. Eerst hoorde ze zijn ademhaling en dan het geluid van de strijkstok die een snaar beroerde.

Hij speelde...

Ze luisterde zonder haar ogen van hem los te maken. De muziek verstomde, maar hij bleef staan, met gebogen hoofd; hij leek zelf verbaasd dat het was afgelopen. Hij zei niets, en zijn zwijgen duurde even voort, alsof hij elders was. Op dat moment was hij voor haar onbereikbaar.

'Zou jij deze muziek kunnen vertellen?' vroeg hij nadat hij op aarde was teruggekeerd.

'Kan je muziek dan vertellen?'

'Ik vertel je haar voortdurend. Zelfs als we slapen...'

'Wil je echt dat ik het je vertel? Dat wat ik zonet heb gehoord?'

Anna stak een sigaret op. Ze trok haar benen onder zich en legde haar kin op haar knieën.

En ze vertelde...

'Een ongewone monoloog van gevoelens. Een dialoog misschien... De hoge tonen dringen door in je hart, ze bekruipen je en omhullen je als een warme sjaal, als iets teers, en ze vloeien als tranen of regendruppels. Of misschien is het meer een mist... Je voelt eenzaamheid, je bent met iemand maar tegelijk op jezelf, je omgeving is schemerig maar nog niet helemaal donker, het is de grijsheid van een herfstdag voor zonsondergang, als de lichten nog niet ontstoken zijn en men hete thee drinkt, en de avond legt over alles een lome slaap. En dan, onverwacht, van de ene seconde op de andere, verandert alles. Onstuimige gevoelens botsen op elkaar, je hoort straatrumoer en de cadans van treinwielen. In die wereld bevind ik me. Ik heb het koud, maar de huivering verdwijnt. Wat blijft zijn weemoed en hartstocht, blijheid, spontaniteit, vochtige kussen, gevoeligheid, een haastige ademhaling, het kloppen van een hart, van twee harten, daar zijn zij beiden, hij en zij, duisternis, diep in de nacht, ze rennen en lachen, hun kleren en haren zijn doornat geregend, ze schuilen ergens, locomotieven fluiten, het water druipt van hun gezichten, ineens springen er vonken over, aanrakingen, hartstocht, kussen, een minuut, een ogenblik, druipnatte gezichten, druipnatte haren, natte lippen, een vervlochten levenslot, verwarrende gedachten en nog verwarrender gevoelens. En een wereld die pulseert van leven, gewekt door de lente, dronken van mei, alles leeft, rent, stormt verder, maar zij zijn hier en nu. Ze verliezen zich zonder iets te verliezen. Ze smelten, lossen op in dit ogenblik...'

Ze reikte naar nog een sigaret. Hij hield haar hand tegen.

'Dat was Paganini,' zei hij verbaasd. 'Niemand heeft me hem ooit zo verteld. Ik dacht altijd dat muziek, en vooral zijn muziek, begon waar woorden machteloos zijn. Maar kennelijk heb ik me vergist. En daarom moet je nu niet roken, ik smeek het je.'

'Waarom niet?'

'Omdat ik je iets wil vragen. Nu meteen. Doe je het?'

'Ik weet niet of...'

'Wil je een jurk voor me aantrekken? Ik wil nu, in februari, zien hoe jij er in mei uitziet. Ik wil de betovering doen voortduren.' Het laatste fluisterde hij.

'Je bent gek...' lachte ze, en ze gaf hem een tikje op zijn hoofd met zijn strijkstok.

Ze deed haar koffer open, rommelde erin en vond het vel papier dat uit het notitieblok van haar moeder was gescheurd. Het adres van tante Annelise stond erop. Ze herinnerde zich mama's woorden: 'Op het platteland overleef je tijden als deze makkelijker. Je hebt daar geen schuilkelders, maar je hebt er wel melk...'

'Hoe ver is het van Dresden naar Keulen?' Ze trok een witte zijden jurk met groene bloemetjes aan. 'En je zou je tenminste om kunnen draaien als ik me verkleed. We hebben immers afgesproken...'

Deze keer draaide hij zich niet om. Ze kon in haar koffer geen geschikt onderbroekje vinden, en ook geen beha naar haar zin. Een onderjurk had ze niet meegenomen. Onder deze jurk droeg ze gewoonlijk een onderjurk. Het was erg dunne stof, bijna doorzichtig. Ze draaide hem haar rug toe en kleedde zich helemaal uit. En trok toen snel over haar hoofd de jurk aan. Als ze niet zulke stevige borsten had gehad, zou de jurk om haar heen hebben geslobberd alsof ze een kleerhanger was. Tot haar vreugde merkte ze dat ze enorm was afgevallen. Ze ging op haar tenen staan. Bij deze jurk droeg ze altijd hakjes. En ze deed altijd haar haar in een staart, en van mama mocht ze dan haar witte tasje lenen.

'En kan je nu wat dichter bij de kachel gaan staan? Daar heb je van die mooie verzadigde halftinten, om met jou te spreken. Ik hoop dat het licht precies op je borsten valt.'

Van halftinten had hij totaal geen verstand. Bovendien wist ze precies waar hij op uit was. Mannen beminnen met hun ogen. Zelfs zulke dankbare luisteraars als hij. Op haar tenen, bijna als een ballerina, trippelde ze naar de doodkist waarop hij de kaarsen had aangestoken. Bij het kaarslicht werd de jurk zo goed als doorzichtig.

'Hoe heb je dat zo geraden?' vroeg hij. Hij keek naar haar en likte nerveus langs zijn lippen.

'Laten we zeggen dat ik een beetje verstand heb van... fotografie,' antwoordde ze koket.

'Je bent een schoonheid. Het is onmogelijk om niet naar jou te verlangen,' zei hij vlug, en hij strekte zijn hand uit naar de fles wijn.

Anna kwam terug en ging in kleermakerszit naast hem zitten. Ze trok de zoom van haar jurk over haar knieën. Hij reikte haar de fles aan.

'Vertel me nou toch eens hoe ver het is naar Keulen?' vroeg ze. Ze nam een slok uit de fles.

'Ik word langzaam verliefd op je,' fluisterde hij, haar recht aankijkend.

'Dat is omdat het zojuist mei was. In mei wordt iedereen verliefd. Maar in november zijn ze dat doorgaans allang weer vergeten.'

'Weet je, je hebt me nog altijd niet gevraagd hoe ik heet. Voor jou ben ik of "jongen" of gewoon "jij".'

'Dat weet ik, jongen. Ik zal je ernaar vragen wanneer... wanneer je voor mij de allerbelangrijkste bent geworden. Maar voorlopig wil ik van niemand de voornaam weten.'

Hij stond zwijgend op en liep naar het ijzeren kacheltje, controleerde of de pijp precies midden in de tunnel stak, gooide wat kolen op het vuur en zette een ketel water op.

'Ga je me vandaag wassen?' vroeg hij zachtjes.

Het 'badderen', zoals ze het noemden, was een van hun avondrituelen geworden. Net als zijn vioolconcerten en haar voorlezen. Hij bracht het water aan de kook en goot koud water in een tweede ketel. Ze ging op het bed liggen. Eerst waste hij haar gezicht; daarna kleedde hij haar uit en wreef haar hele lijf af met een flanellen lap. Haar borsten, buik, handen. De lap was nooit te heet of te koud. Daarna ging ze op haar buik liggen en waste hij haar hals, rug, billen, dijen, kuiten en voeten. En als laatste kuste hij haar langzaam op dat wonderbaarlijkste plekje, het kuiltje tussen haar rug en billen. Soms masseerde hij na het badderen voorzichtig de plekken op haar lichaam waar nog bloeduitstortingen te zien waren. Die smeerde hij in met gesmolten vet. Maar niet één keer gebeurde tussen hen dat wat in die eerste nacht samen was gebeurd. Ze spraken er zelfs niet meer over.

Hij stond bij de kachel te wachten tot het water warm genoeg was.

'Keulen is zo'n zeshonderd kilometer hiervandaan. Iets minder misschien. In elk geval is het een heel eind. Waarom vraag je dat?'

'Omdat ik je wil voorstellen aan mijn familie. Ga je met me mee?'

'Je kunt daar nu niet naartoe. Of je moet lopend gaan... Hoe dan ook zijn de Amerikanen en Engelsen er eerder dan wij.'

'En hier in Dresden zitten straks de Russen. Wie heb je liever?'

'Moeilijk te zeggen. Wat ik in elk geval wel kan zeggen, is dat de Russen Dresden niet gebombardeerd hebben. Die slachting is aangericht door de Engelsen. De Amerikanen hebben hen alleen geholpen. In Dresden wonen – woonden, vóór 13 februari – ongeveer driehonderdduizend mensen. Nog eens driehonderdduizend mensen waren hier de laatste maanden naartoe gevlucht uit het oosten, vooral uit Breslau.

Vooral ouden van dagen en vrouwen en kinderen, want de mannen zitten aan het front. Vóór de dertiende deed Dresden me denken aan een mudvolle tram in de spits. En Churchill besloot die tram in de fik te steken. In één nacht heeft hij tienduizenden mensen verbrand. Hoeveel zouden het er zijn? Vijftigduizend? Tachtigduizend? Honderdduizend misschien? Overdag op de dertiende en in de nacht erna werd hier in mijn catacombe de aarden vloer zo heet dat ik niet op blote voeten kon lopen. Op een gegeven moment werd ik naar buiten gejaagd, ik kwam liever om door een bomscherf dan dat ik levend geroosterd werd. Weet je wat ik zag toen ik mijn hoofd naar buiten stak? Ik dacht eerst dat ik van angst mijn verstand verloren was en hallucineerde. Maar het was geen fata morgana. Ik zag een kudde koeien door de lucht vliegen! Het temperatuurverschil tussen Dresden en de dorpen in de omtrek was zo groot dat er een tornado ontstond, of een cycloon, of een orkaan, of weet ik wat, die die koeien de lucht in zoog en ze in de stad weer neersmeet.[2] Maar dat was voor Churchill nog niet genoeg. Woensdagochtend, op 14 februari, was mijn water op. Ik liep door wat er van Dresden overgebleven was en belandde aan de oever van de Elbe, waar het krioelde van de vrouwen en kinderen. En met mijn eigen ogen heb ik gezien dat laagvliegende gevechtsvliegtuigen die vrouwen en kinderen met hun boordmitrailleurs afschoten alsof het eenden waren. Nee, het zijn niet de Russen die Dresden gebombardeerd hebben!' besloot hij woedend.

'Dat is een feit. Russen bombarderen niet. Misschien hebben ze niet genoeg vliegtuigen, of misschien hebben ze dat afgesproken met Churchill en Roosevelt. Dat laatste lijkt het geval te zijn. Maar heb jij gehoord wat vluchtelingen, vooral vrouwen, vertellen over de Russen die door het dolle heen de verwoeste steden binnentrekken? Jouw Breslau bijvoorbeeld?'

'Denk je dat Amerikanen en Engelsen anders zijn?'

'Ja,' zei Anna. 'In elk geval de Amerikanen. Zij hebben geen Stalin gekend, geen terreur, geen massale hongersnood. Zij koesteren niet zoveel haat. De Amerikanen zijn pas kortgeleden aan deze oorlog mee gaan doen. Niemand heeft hen gebombardeerd. Niemand heeft alle mannen van een dorp doodgeschoten. Niemand heeft alle mensen, bejaarden en baby's incluis, een synagoge of kerk in gejaagd en daarna de deuren gebarricadeerd en hen levend verbrand. Zij hebben niet hun eigen graf hoeven delven, waarna ze aan de rand ervan moesten knielen en met een nekschot werden afgemaakt, stuk voor stuk. Zoiets hebben de Duitsers niet gedaan met de Amerikanen. Ze deden het met joden, Polen en later ook met Russen. En daarom hebben de Russen het recht ons te haten zoals ze ons haten. Als ik een Russische vrouw was of een Russische soldaat en je kruiste mijn pad en je droeg een Duits legeruniform, dan zou ik je doden. Zonder een grein gewetenswroeging. Alleen maar omdat je eruitzag als een Duitser.'

Hij keek haar aan, zwijgend, ontsteld. Daarna nam hij de ketel van het vuur en zette hem naast het kacheltje op de grond. Hij blies alle kaarsen uit en kwam naast haar liggen.

Ze konden niet slapen. Ze kroop dichter naar hem toe, pakte zijn hand en legde die op haar borst.

'Vertel me eens wat?' fluisterde ze.

'Mag het iets droevigs zijn?'

'Ja, maar alleen als het over de liefde gaat.' Ze pakte zijn hand en kuste die.

'Twee jaar geleden werd ik verliefd op een meisje. Platonisch. Ze had bruin haar.'

'Was ze mooi? Hoe oud was ze? Hoe heet ze?'

'Mooi? Nee, helemaal niet. Ik val trouwens meer op blond. Maar dat weet je al,' fluisterde hij haar in haar oor. 'Sophie heette ze, en ze was net zo oud als jij. Sophie Scholl. Je hebt vast wel van haar gehoord.'

'Nee. Waarom zeg je "heette" en "was"?'

'Omdat ze dood is. Ze is onthoofd onder de guillotine. Twee jaar geleden.'

'Wat?! Onthoofd? Waarom? Geef me alsjeblieft een sigaret.'

Hij pakte twee sigaretten, stak ze aan en nam van allebei een trekje. Daarna gaf hij haar een van de sigaretten en begon te vertellen.

'Op de dag af twee jaar geleden, op 18 februari 1943, deelde Sophie samen met haar broer Hans pamfletten uit bij de ingang van de Ludwig-Maximilians-universiteit in München. In dat pamflet riepen ze ertoe op de nazi's ten val te brengen. En ze protesteerden tegen de oorlog. Bij de ingang van de universiteit, in februari '43! Kan je het je voorstellen? Het hele Rijk deed het in zijn broek voor de Gestapo, ondanks een reeks nederlagen, en zij deelden op klaarlichte dag pamfletten uit. Een bewaker hield hen aan en bracht hen naar de rector magnificus van de universiteit, Walter Wüst. Hij was gespecialiseerd in de arische cultuur en een hoge ss-officier. Binnen een kwartier was de Gestapo ter plaatse. Ze kwamen in vier auto's. Na twee dagen verhoren en martelingen in het hoofdkwartier van de ss in het Wittelsbachpaleis werden ze schuldig verklaard. Nog eens twee dagen later, in de middag van 22 februari 1943, sprak de volksrechtbank het doodvonnis uit over Sophie en Hans. Zonder recht op hoger beroep, zonder advocaten. Ook Christoph Probst, die samen met Sophie en Hans de pamfletten opstelde en die door de Gestapo was opgespoord, werd ter dood veroordeeld. Vijf uur later, om 17.00 uur, werd het vonnis ten uitvoer gebracht. Met de guillotine.'

Hij zweeg en stak nog twee sigaretten aan.

'Hebben we nog een beetje wijn? Wil jij die pakken?' vroeg ze met trillende stem.

Hij stond op en kwam terug met een brandende kaars en het staartje wijn.

'Er is nog maar een heel klein beetje. Laat je een slokje voor mij over?'

'Hoe weet je dat allemaal? Over Sophie? Waarom weet ik daar verdomme niets van?'

'Het is zorgvuldig uit de pers gehouden. Zoiets kan schadelijk zijn voor het moreel van de jeugd. Vooral na Stalingrad. Ik weet dit van Ralph, een vriend van me. De laatste tijd woonde hij in München. Net als ik is hij geboren in Breslau, maar toen we in de laatste klas van het gymnasium zaten, is hij met zijn ouders verhuisd naar Neurenberg en daarna naar München. Hij was een medestudent van Sophies broer Hans aan de medische faculteit. Ze zaten in hetzelfde jaar en hij heeft alles uit de eerste hand gehoord. We schreven elkaar wel eens. Ralph is geen lid geworden van Die Weisse Rose, al heeft hij het wel overwogen. Gelukkig maar, voor hem. En misschien gelukkig maar voor mij. Alle brieven van en aan leden van Die Weisse Rose werden door de Gestapo opengestoomd.'

'Wat is "Die Weisse Rose"?'

'Een oppositiegroep tegen het regime die Sophie in München had opgericht. Hij hield op te bestaan nadat de Scholls en Probst terecht waren gesteld. Ralph verafgoodde dat meisje. Hij heeft me zelfs een keer haar foto gestuurd. Ik werd ook verliefd, alleen niet op Sophie maar op haar vermetelheid. Ik was helemaal weg van haar...'

'Heb je die foto nog?'

'Nee. Toen ik hoorde over dat proces en over de terechtstelling van Sophie en Hans, heb ik alle brieven van Ralph verbrand. Ik was zo bang dat ik hem zelfs vroeg me voorlopig niet meer te schrijven. Soms vind ik mezelf alleen maar een lafaard.' Hij zuchtte.

Daarna doofde hij de kaars en voegde eraan toe: 'Kom, we proberen wat te slapen. Morgenochtend ga ik helpen puinruimen, dat heb ik al afgesproken. We hebben geen wijn meer en geen kolen en geen kaarsen. En ik wil de kachel niet stoken met boeken.'

'Waag het niet! Dat sta ik nooit toe. Dan kunnen we beter die rotkisten klein hakken en opstoken.' Ze ging dicht tegen hem aan liggen. 'Wat denk jij, huilt God vaak?'

'Als God bestaat moet Hij aan één stuk door huilen. In snikken uitbarsten moet Hij, godverdomme. En Hij moet op zijn knieën vallen voor Sophie en haar om vergeving smeken.'

Ze deed die nacht geen oog meer dicht. Ze was geagiteerd en verdrietig. Het meest leed ze onder haar eigen machteloosheid. De geschiedenis van Sophie Scholl had haar doen inzien dat het verzet in de afgelopen jaren van haarzelf, van mama, van oma en van papa tegen alle verschrikkingen, tegen beestachtigheid, huichelarij, dwaasheid en perversie geen enkele betekenis had gehad. Het had niet de grenzen overschreden van passiviteit en stille verzoening met hun lot. Niemand had er iets aan gehad. Omdat zij en iedereen die het met hen eens was bleef zeggen dat ze niets konden uitrichten. Dat het zinloos was, dat niemand het zou opmerken, dat ze met te weinigen waren. Het was als de beet van een piranha. Een klein, onschuldig visje. Onschuldig zolang het alleen is, maar dodelijk wanneer het toebijt samen met duizenden andere visjes die rond het slachtoffer zwermen. Maar daarvoor moet één piranha als eerste durven bijten. Zodat er bloed tevoorschijn komt waarvan de geur de andere visjes aantrekt. Sophie Scholl had zich er, anders dan zij, Anna, niet bij neergelegd. Zij had het geheim van de piranha begrepen en had met haar leven betaald. Zij was niet bang geweest haar leven te offeren.

Was haar offer zinloos geweest? Nee! Alleen al het feit dat zij nu aan haar dacht betekende iets – niet veel, maar toch iets. Er zou een tijd komen dat alle Duitsers van Sophie hadden gehoord. Ze zouden zo ontsteld en beschaamd zijn dat ze scholen naar haar zouden noemen, monumenten voor haar zouden oprichten. Daarin geloofde Anna...

Nu ze gehoord had over de heldendood van broer en zus Scholl, keek ze anders aan tegen de onophoudelijke mededelingen van Goebbels afgelopen zomer over de mislukte aanslag op de Führer in diens geheime schuilplaats, de Wolfsschanze. Ze herinnerde zich dat ze eind juli '44 helemaal in de ban was geweest van al dat nieuws. Hoe vaker en met hoe meer verachting Von Stauffenberg, het brein achter de aanslag, werd uitgemaakt voor 'een vuige verrader van volk en Führer, een trouweloze luis in Wehrmacht-uniform', hoe meer ze hem bewonderde. Mama deelde haar geestdrift allerminst. Zij vond kolonel Claus Schenk graaf von Stauffenberg, een telg uit een oud aristocratisch geslacht, iemand die gewoon uit was op het plegen van een staatsgreep. Een op zichzelf verliefde, egocentrische figuur. Ze beweerde dat Von Stauffenberg nooit een geheim had gemaakt van zijn chauvinisme, dat de man zich altijd had uitgeput in lofzangen op de militaire successen van het Derde Rijk. Hij moest wel een toonbeeld zijn van toewijding aan het nazisme om al op zo'n jonge leeftijd de rang van kolonel te krijgen en om met Hitler aan één tafel te mogen zitten in zijn meest geheime, zwaarst bewaakte bunker, zijn hoofdkwartier. Er was niets heldhaftigs aan datgene waartoe Von Stauffenberg en het groepje officieren om hem heen zich verstoutten. Het was een doodgewone poging tot een paleisrevolutie met het doel Hitler, die het vertrouwen van het volk begon te verliezen, door iemand anders te vervangen. En het was allemaal zo amateuristisch en zozeer tot mislukken gedoemd dat het, zoals mama het noemde, 'gewoon gênant was'. De nieuwe machthebber hoefde niet per se beter te zijn dan zijn voorganger. Het kon best zijn dat hij nog erger was. Omdat hij nieuw was, nog hongerig, en omdat hij zo snel mogelijk doorslaggevende successen wilde boeken op weg naar de 'eindoverwinning van het Duizendjarig Rijk'. Von Stauffenberg was helemaal geen held, vond mama. Hij was net zo'n stuk nazigeboefte als Hitler. En aan het einde van hun verhitte discussie had mama eraan toegevoegd: 'Als papa nog geleefd had, zou hij hetzelfde tegen je gezegd hebben. Alleen had hij het veel kalmer en veel overtuigender gedaan dan ik het kan.'

Anna besefte dat ze net zo'n lafaard was als de jongen die naast haar sliep. De blijdschap om het geschenk dat hij had meegebracht, de verrukkelijke bedwelming door zijn muziek, het verzaligde gevoel bij het badderen, de opwinding als ze met hem praatte – het was allemaal weg, spoorloos verdwenen. Ze voelde zich leeg, in zichzelf teleurgesteld. Dat gevoel maakte haar altijd zenuwachtig en bang. En als ze zich zo voelde, kon ze nooit slapen.

Voorzichtig, om hem niet wakker te maken, glipte ze onder het dekbed uit. Op haar blote voeten liep ze naar de tunnel die de ingang vormde van de catacombe. Ze ging op de grond zitten, met haar rug tegen de nog lauwe kachel. Ze miste mama. Ach, was die nu maar bij haar! Als ze zich nu eens tegen mama aan kon drukken, met haar kon praten, haar honderduit vragen stellen, over zichzelf vertellen, huilen. In deze slapeloze nacht, de eerste sinds mama was omgekomen in de Annenkirche, voelde ze zich klein en verweesd, alleen op de wereld. Hulpeloos, vergeten, in de steek gelaten. Ze deed haar ogen dicht en stak weer een sigaret op. Die blikken uit de lege oogkassen van die afgrijselijke schedels verdroeg ze niet meer. In het flauwe licht van de lucifer die ze afstreek waren het net de zorgvuldig gevilde personages op tekeningen van Dürer. Ze vond ze nu nog griezeliger dan bij kaarslicht of in de schemer overdag in de catacombe. Een paar minuten later ging ze terug naar het bed en dekte de jongen toe met de pels. Hij sliep niet. Hij trok haar naar zich toe en kuste haar voorhoofd.

'We gaan naar Keulen. Wanneer je maar wil,' fluisterde hij.

~

Wat was dit fijn! Kerkklokken. Net als ooit...

Ze waste zich met ijskoud water uit een kom. Maakte haar haar vast met een elastiekje. Vette haar lippen in. Pakte de camera. Drie opnamen had ze nog. Deze dag was het waard ze te gebruiken!

De klokken luidden onophoudelijk. Op een gegeven moment klonk het haar niet meer in de oren als het naar de kerk roepen van de gelovigen. Het klonk eerder als een alarmsignaal. Ze keek op haar horloge. Kwart voor elf. De klokken luidden al meer dan een halfuur.

'Opstaan!' zei ze tegen de jongen. 'Nu meteen! Er is iets aan de hand in de stad. Volgens mij is er iets gebeurd...'

Hij sprong overeind, dronk een paar slokken uit een kroes die naast de kom stond en schoot in zijn jas. Ze werkten zich naar buiten en liepen in de richting van de Rathausplatz. Een hotel aan de Prager Strasse stond nog overeind, als door een wonder bijna ongeschonden. Ze kwamen langs het tot de grond toe afgebrande Hauptbahnhof. Toen hoorden ze het gedender van langsrijdende treinen. Het leek onvoorstelbaar. Wat had de Amerikanen en Engelsen bewogen om kleuterscholen, crèches en ziekenhuizen te bombarderen en de spoorlijnen intact te laten? Twee dagen na de alles verwoestende luchtaanvallen op Dresden reden legertreinen gewoon weer naar het oosten, de ene na de andere.

Voor hen lagen de ruïnes van Renner. Tot 13 februari was dat het grootste warenhuis van Dresden geweest. De Rathausplatz was omsingeld door de Gestapo. De klokken luidden nog steeds. Ze rook benzine. Uit een legervrachtauto hoorde ze een door een megafoon versterkte hese, blaffende stem: 'Op bevel van Martin Mutschmann, Gauleiter van Dresden, moeten ter voorkoming van de uitbraak van besmettelijke ziekten alle zich op het plein bevindende lichamen van omgekomen burgers worden gecremeerd. Krachtens dit bevel dienen alle burgers...'

Ze luisterde niet verder en keek naar het plein. Op een hoge piramide van lichamen die reikte tot de tweede verdieping klauterden soldaten. Ze goten benzine uit jerrycans. Daarna daalden ze weer af en renden ze in de richting van de beroete muur van de Kreuzkirche. Te midden van de mannen die in het gelid stonden bij de muur herkende ze de officier met de monocle. Hij bukte zich en hield zijn sigaret bij een bickfordlont. De vonken vlogen langs de lont en een ogenblik later hoorden ze de explosie. Een oranjegele muur van vlammen onttrok de lijkenpiramide aan het gezicht.

Daar stonden ze, dicht tegen elkaar aan gedrukt. Soms rukte ze haar hoofd los van zijn schouder en keek ze naar het plein. Toen boven de piramide een eerst grijze en toen zwarte rookkolom opsteeg, liet ze hem los en verloor ze het bewustzijn.

Laat in de middag, vlak voor zonsondergang, waren ze weer terug in de catacombe. Ze pakten alles in wat in haar koffer en zijn plunjebaal paste. Ze namen de kaarsen mee en stopten twee katoenen zakken vol met de proviand die ze bewaarden in een met stro en stenen afgedekte kuil bij de ingang van de tunnel. Hun koelkast. De flessen sterkedrank en wijn wikkelden ze in stevig papier. Het was al middernacht toen ze klaar waren om te vertrekken. Als ze naast hem wakker lag luisterde Anna altijd naar de geluiden van de straat. Ze herinnerde zich dat de meeste militaire treinen tegen middernacht door de stad reden.

Hij keek de catacombe rond. 'Ik zal deze plek nooit vergeten,' zei hij. 'Het is moeilijk te geloven, maar ik was hier gelukkig...'

Hij werkte zich door de tunnel naar buiten, trok de ijzeren kachelpijp eruit en liet die omlaag zakken. Daarna trok hij met de dikke kabel hun bagage naar buiten. Ten slotte wierp hij haar de kabel toe. Ze camoufleerden de ingang, als altijd wanneer ze hun schuilplaats verlieten.

Langzaam liepen ze naar de puinhopen van het station.

Dresden, 26 februari 1945, even na middernacht

Ze liepen langs het talud van het spoor. Aan de kant van de Bayrische Strasse was het station afgegrendeld door Wehrmacht-soldaten en spoorwegmedewerkers. De ingang aan de Wienerplatz durfden ze daarom niet te nemen. Het was al link genoeg dat hij, een jongeman met armen en benen in de dienstplichtige leeftijd, zonder uniform rondliep. Een officiële controle van zijn papieren moest hij koste wat kost zien te vermijden.

Aan het eind van een perron bleven ze staan bij een bakstenen gebouwtje met getraliede ramen, een wachthuisje zo te zien. Ernaast was een betonnen put waaruit een lange verzinkte pijp stak. In het wachthuisje brandde licht. Anna zag de gestalte van een soldaat. Ze haalde twee flessen drank uit haar koffer en stopte ze in haar jaszakken. Daarna liep ze naar de wijd openstaande deur. Een man in uniform schrok op toen ze opeens op de drempel verscheen en greep naar zijn machinegeweer. Zijn hand was verbonden. Ze verstijfde.

'Luister,' begon ze. 'Mijn broer en ik moeten morgen in Keulen zijn. Onze moeder ligt op sterven. Begrijp je wat dat betekent? Onze moeder!'

De soldaat liep op haar af. 'Wat moet jij hier?' schreeuwde hij.

'Ik vraag je me te helpen. Ik wil zelf de ogen van mijn moeder toedrukken. Help je me?'

De jonge soldaat keek haar even aan. Toen trok hij haar het huisje in en sloeg de deur dicht.

'Ik geef je deze schnaps ervoor,' zei ze. Ze zette de twee flessen op de vensterbank van het getraliede raam.

Hij gluurde naar de flessen. 'Dat is niet zo makkelijk. Kom morgen maar terug. Dan weet ik hoe laat de treinen vertrekken.'

'Morgen? Maar dan is het misschien al te laat! Heb je erge pijn?' Ze liep naar hem toe en raakte voorzichtig de verbonden arm aan. 'Moet ik je verband verwisselen?' Ze keek hem aan.

De soldaat grinnikte. Hij rommelde in een leren tas die om zijn schouder hing en haalde er een kreukelig stuk papier uit. Toen liep hij naar een houten tafeltje met een kaars erop.

'Om twee uur verwacht ik een transport naar Dortmund. Ze nemen hier water in. Aan het eind van de trein zijn een paar personenwagons. Heb je nog meer schnaps?' Hij keek op van het vel papier.

'Ja.'

'Je hebt nog twee flessen nodig.'

'Hoezo dat?'

'Een voor de baanwachter en een voor de sergeant in de wagon. Die is de lastigste.'

'Waar stoppen die wagons?'

'Vlak bij de Budapester Strasse.'

'Moet ik je arm verzorgen?'

'Nee. Ik heb liever dat je een ander lichaamsdeel verzorgt.' Hij lachte hinnikend.

'Dank je,' zei ze, en ze gaf hem een zoen op zijn wang.

De soldaat hield haar tegen. 'Wacht even.' Hij gaf haar een stukje papier. 'Geef dit bonnetje maar samen met de schnaps aan de baanwachter. Dat is je treinkaartje...'

Het transport naar Dortmund liep tegen drieën binnen. De wachter bleek een kaal mannetje met een enorme buik. Hij bestudeerde eerst aandachtig het bonnetje en toen de fles drank. Hij trok de kurk er uit en nam voorzichtig een slokje. En daarna een wat grotere slok. Toen pas nam hij Anna's koffer over en pakte hij haar hand.

De personenwagon was met schotten in coupés verdeeld. Ze liepen langs soldaten die op de grond lagen. De spoorwegman wees hun een vrij hoekje bij de wand, helemaal aan het eind van de wagon. Ze gingen zitten. De jongen drukte zich tegen haar aan.

Ze voelde hoe gespannen hij was. Sinds ze de catacombe verlaten hadden, had hij geen woord gezegd. Als die trein nou maar eindelijk vertrok. Ook zij was bang.

Een ss'er kwam de wagon binnen. Ze zag hoe hij de slapende soldaten op hun benen trapte. Toen zag hij hen beiden. Hij bleef even staan; toen kwam hij naar hen toe en pakte de vioolkist. Hij maakte hem open en streelde even eerbiedig het bovenblad.

'Een prachtig instrument. Werkelijk prachtig!'

De spoorwegman, die achter de ss'er aan liep, fluisterde iets tegen hem. De ss'er trok zijn jas uit en ging op de grond zitten. Hij pakte de strijkstok. Op dat moment zette de trein zich in beweging. De ss'er begon te spelen. Het kedeng van de wielen en de muziek vloeiden samen tot één geheel.

'Zo zou Bruch het nooit spelen. Nooit!' zei de jongen ineens.

'En hoe zou hij het dan wel spelen, wijsneus?'

De jongen stond op. Hij nam de strijkstok over van de ss'er.

'Zó,' riep hij uit.

En hij begon te spelen. De ss'er zat op de grond. De soldaten, wakker geworden, dromden om hen heen. De jongen bleef spelen, en terwijl hij speelde, liep hij door de wagon heen en weer.

'Zó speel je Bruch, meneer de ss'er. Zo! En niet anders!' Hij liet de viool zakken.

De soldaten barstten in lachen uit. De ss'er kwam overeind. Op zijn gezicht was woede te lezen. De spoorwegman gaf hem gedienstig zijn jas aan.

Anna werd wakker van de kou, liggend op de vloer van de wagon, tegen de jongen aan gedrukt. Ze tilde haar hoofd op en keek om zich heen. De wagon was leeg. Ze stond op en liep naar het raam. De soldaten stonden langs de spoordijk. Vlug haalde ze haar camera uit haar koffer. De jongen lag met zijn verbonden hoofd op zijn vioolkist. Ze maakte een foto van hem, dekte hem toe met zijn jas en ging naar buiten.

Ze kneep haar ogen dicht tegen de het felle zonlicht dat werd weerkaatst door de sneeuwhopen. Langzaam liep ze langs de trein, die bij de oprit van een viaduct stond. In de verte, achter het viaduct, zag ze het silhouet van een stad. Opeens hoorde ze luid geroep. Ze zag een rij grijnzende soldaten naast een goederenwagon die plasten op de sneeuw onder de wagon.

Anna pakte haar camera. De soldaten zagen haar.

'Kom een beetje dichterbij, Fräulein. We willen onze lullen er graag scherp op hebben!' riep een van hen onder bulderend gelach.

Anna draaide zich om en liep terug. De dikke spoorwegman schreeuwde dat de trein vertrok. Toen ze naar haar wagon liep, zag ze de jongen naar buiten springen, in de sneeuw. Zonder jas, met alleen zijn trui vol gaten aan.

'Hoi Marta,' zei hij glimlachend. 'Zo terug. Er is geen wc in deze trein.'

Hij liep naar een wijdvertakte boom langs de weg die naar het viaduct leidde. Ze kreeg het koud en beklom de treeplanken naar de wagon. De soldaten die op de grond zaten, keken nieuwsgierig naar haar. Ze ging tegen de wand zitten en stak een sigaret op. Toen floot de locomotief. Ze voelde een schok en de trein zette zich in beweging. Met een kreet sprong ze overeind en vloog naar het raam. Met moeite duwde ze het raam omlaag en leunde naar buiten. Op de weg stond een legerjeep. Ernaast stond een ss'er die iets zei tegen twee soldaten. De jongen stond met gebogen hoofd tussen hen in. Anna rende naar de deur van de wagon en probeerde hem open te krijgen. De deur was geblokkeerd. De trein maakte snelheid. Ze ging weer naar het raam en begon wanhopig te roepen.

'O mijn god. O mijn god. Hoe heet je?!' riep ze toen het raam waaruit ze leunde zich ter hoogte van de jeep bevond.

Hij zag haar, probeerde naar haar toe te rennen, maar de soldaten versperden hem de weg.

'Pas goed op mijn viool! Ik hou van je, Marta! Ik heet...'

Zijn stem ging verloren in het gedender van de treinwielen. Ze zag hoe de ss'er hem een duw gaf in de richting van de jeep. Als verlamd stond ze daar, met haar hoofd uit het raam. Ze pakte de metalen rand van het raam, maar kreeg het niet van zijn plaats. Een van de soldaten riep verontwaardigd: 'Doe verdomme dat raam dicht. Mijn ballen vriezen eraf!'

Ze reageerde niet. De soldaat trok haar hand van het raam en sloeg het met een klap dicht.

Aan het eind van de wagon lag de vioolkist, bedekt met de jas van de jongen. Anna pakte de viool uit de kist, omhelsde hem, drukte hem tegen haar borst. Ze huilde.


New York, Verenigde Staten, woensdag 14 februari 1945,
vroeg in de ochtend


Hij werd wakker van het gerinkel van de wekker. Werktuiglijk reikte hij met zijn hand naar het ding. Iets van glas viel op de grond aan scherven. Hij drukte de knop in, kwam op zijn elleboog steunend overeind en ging toen op de rand van het bed zitten, zoals altijd wanneer de wekker afging. Hij zette hem expres altijd vijf minuten te laat. Dan kwam hij niet in de verleiding zich nog even om te draaien. Die truc hadden hij en zijn broer van hun vader geleerd. Op de tast vond hij de schakelaar van de lamp. Hij wreef zijn ogen uit en keek naar de vloer. Glasscherven in een rode plas die uitliep in een grote, grillig gevormde vlek waarvan de rand onder het karpetje verdween. In de wijnplas lag een slipje dat wit was geweest en nu een roze kleur aannam. Zijn kater Mefistofeles besnuffelde voorzichtig, om geen wijn aan zijn pootjes te krijgen, een zwarte kous die naast een beha lag. Een totale ravage...

Hij keek op de wekker. Drie uur 's nachts. Hij had hem toch op halfzeven gezet? Hij moest om een uur of negen op de redactie zijn, dat wist hij zeker. Nog één keer zoiets en hij gooide die wekker weg. In wat voor tijd leefde je als je zelfs de wekker niet meer kon geloven? Opeens hoorde hij zacht gefluister aan de andere kant van het bed: 'Stanley, ik heb het koud. Maak me eens warm.'

Hij draaide zich om. Een naakt meisje lag met haar rug naar hem toe. Haar lange, zwarte haren waaierden uit over haar kussen. Even moest hij nadenken. Doris? Ja, het was Doris. Je moest nooit hun namen door elkaar halen, dat was heel belangrijk. Doris. Uit journalistieke macht der gewoonte probeerde hij de gebeurtenissen van de afgelopen dag op een rijtje te krijgen.

Eerst had ze gebeld en haar naam en telefoonnummer achtergelaten bij Lisa, zijn secretaresse. Daarna had hij haar gebeld en geboeid naar haar stem geluisterd. Nog nooit had hij een vrouw ontmoet met zo'n lage en zinnelijke stem. Hij besloot dat hij haar wilde zien, al had hij de zaak ook prima telefonisch kunnen afhandelen, en vroeg haar naar de redactie te komen. Toen ze even na twaalven binnenkwam, had Lisa haar van haar hoofd tot haar voeten opgenomen en haar op een bank in de 'wachtkamer' laten plaatsnemen. Dat laatste was de weidse benaming voor het speciale plekje waar je vanuit alle kamers goed zicht op had, zodat je de gast discreet kon observeren en alvast wist wat voor vlees je in de kuip had voor je hem naar je kamer liet komen. Die gast voelde zich intussen verloren en overbodig in die gonzende bijenkorf vol verslaggevers en redactiemedewerkers. Kijk, daar werden ze meegaand en kneedbaar van. Gasten marineerde je eerst in de wachtkamer: aan die ongeschreven regel werd op de redactie strikt de hand gehouden. Dat was traditie. *The New York Times* was vermaard om zijn tradities. Dat was een van de redenen waarom iedereen daar zo graag werkte, waarom de medewerkers met plezier 's ochtends vroeg of desnoods 's nachts naar de redactie kwamen.

Daarna had Lisa hem gebeld om te zeggen dat een zekere Doris P. in de wachtkamer zat en hem wilde spreken. Aan de toon van zijn secretaresse hoorde hij dat ze die Doris P. niet mocht. Dat was een goed teken. Een heel goed teken! Lisa had een hekel aan vrouwen die haar deden denken aan de vlam van haar ex. En Stanley kende die ex van Lisa redelijk goed, en zijn vlam kende hij nog veel beter. Die kende hij zelfs héél goed. Zo goed, dat hij uitstekend begreep waarom Lisa's ex zijn keuze op juist die vlam had laten vallen. Terwijl hij Lisa aan de telefoon had, keek hij door de glazen wand van zijn kamer naar de wachtkamer. Doris' zwarte jas lag op de grond bij haar voeten. Ze had een olijfgroene wollen jurk aan met een hele rij knopen, die begon bij het decolleté, haar heup rondde en eindigde bij de zoom. Doris P. droeg zwarte kousen. Ze had één been over het andere geslagen, rookte een sigaret en las in haar aantekeningen. Hij legde de hoorn neer en strekte zijn hand uit naar de onderste la van zijn bureau. Hij deed wat eau de cologne op zijn hand en streek ermee over zijn gezicht en haren. Even later rinkelde de telefoon weer. Het was Matthew van de sportredactie.

'Hé Stanley, als dat snoepie niet in je plannen past, val ik wel voor je in. Gewoon, omdat ik je zo hoog heb zitten. We zijn tenslotte op de wereld om elkaar te helpen. Ik ben óók geïnteresseerd in de oorlog, en ik krijg alles uit dat grietje wat je maar wil. En ook wat je niet wil. Als ik klaar ben krijg je je materiaal én haar weer terug. Zo goed als nieuw. Hé ouwe jongen, ik wist niet dat jij ook al meisjes van de *Vogue* aan de haak sloeg...'

Stanley stond op en liep met de telefoon in zijn hand naar de glazen wand. Matthew stond met zijn neus tegen de ruit van zijn eigen kamer, demonstratief likkebaardend.

'Bedankt, Matthew,' zei Stanley opgewekt. 'Ik wist dat ik altijd op je kan rekenen. Maar ja, miss Doris P. past uitstekend in mijn plannen en ik zal met alle genoegen tijd voor haar vrijmaken. Dat is goed voor jou en dat is goed voor jouw Mary. Als je haar vandaag nou eens verraste en eens bijtijds naar huis ging? Dat stellen vrouwen erg op prijs, weet je. Je zult het zien: Mary zal je erg dankbaar zijn. Misschien vannacht al...'

Tuut-tuut-tuut: Matthew had opgehangen. Hij besloot samen met Doris P. aan de slag te gaan, maar ergens anders, niet hier op de redactie. Veel te druk hier, je kon je niet fatsoenlijk concentreren. Hij keek in zijn spiegel, trok zijn buik in en bedacht dat hij nu toch nodig moest afvallen. Toen liep hij van zijn kamer naar de wachtkamer. Hij ging achter de bank staan, boog zich voorover en beroerde voorzichtig met zijn lippen de haren van Doris P.

'Hallo, ik ben Stanley. Bedankt dat u mij uw kostbare tijd schenkt. Vanaf dit moment sta ik volledig tot uw beschikking. Ik denk alleen dat we beter ergens anders aan het werk kunnen gaan dan in deze heksenketel. Wat vindt u daarvan?'

Met een nonchalant gebaar, zonder haar hoofd om te draaien, reikte Doris P. hem haar sigaret aan. Er zat rode lippenstift aan de filter. Hij nam een trek. Intussen stond Doris op, raapte langzaam haar jas op van de grond en gooide hem achteloos op de bank. Ze zette een voet op de bank, tilde de zoom van haar jurk een stukje op, waarbij ze haar dijbeen onthulde, en deed de naad van haar kous recht. Daarna deed ze hetzelfde met haar andere been. Uit zijn ooghoek zag Stanley dat Matthew zijn gezicht tegen de ruit drukte. Doris draaide zich om en strekte haar hand naar hem uit. Hij haalde de sigaret uit zijn mond en drukte galant een kus op de rug van haar hand. Bij de benzinepomp van zijn ouders werkte jarenlang een Pool, Marek. Die gaf alle vrouwen een handkus. Een groot deel van hun vrouwelijke clientèle kwam speciaal bij hen tanken vanwege 'mister Marek'. Stanley moest daar altijd aan terugdenken als hij zich over de hand van een vrouw boog.

Vervolgens waren ze met zijn auto naar Greenwich Village gereden. Hij had geparkeerd bij het gebouw dat in zijn kelder de fameuze jazzclub Village Vanguard huisvestte. Ze waren algauw klaar met hun werk en dronken een paar cocktails. En toen op het kleine podium een saxofonist was verschenen, dronken ze er elk nog een paar. In de taxi hielp ze hem ijverig met het zoeken naar zijn huissleutel. Ze zocht overal, enthousiaster nog dan hijzelf. Al zoekend knoopte ze zijn gulp open. De taxichauffeur deed zijn best om niet te kijken en Stanley deed zijn best om geen geluid te maken. Toen ze arriveerden bij zijn flat aan Park Avenue, glinsterde er sperma op Doris' wang en had hij zijn huissleutel in zijn hand. Die had gewoon net als altijd in de linkerzak van zijn colbert gezeten. De chauffeur kreeg een gulle fooi, gaf zwijgend een knipoog en reed weg. Ze waren nog niet in de lift of Doris knielde en knoopte opnieuw zijn gulp open. Tussen de tweede en de vierde verdieping was hij niets anders dan een penis in haar mond. Ze drukte op de rode knop en de lift kwam met een schok tot stilstand. Ze kwam overeind, deed haar jas uit, gooide haar olijfgroene jurk op de grond, rukte haar beha van haar lijf en duwde zwijgend zijn rechterhand tussen haar benen. Hij trok haar slipje omlaag, duwde haar met haar gezicht tegen de spiegel aan de wand van de lift en bewonderde haar billen. Doris leunde met één hand tegen de spiegel en liet met de andere hand voorzichtig zijn penis naar binnen glijden. Toen drukte ze op de knop, en omhoog ging het weer. De lift was al boven, maar Stanley had nog even tijd nodig. Doris raapte haar spullen op, pakte zijn sleutel en nam hem mee naar zijn flat. Hand in hand liepen ze door de donkere gang. Ze deed de deur open en smeet hem achter hen weer dicht. Een paar tellen later waren ze in zijn slaapkamer. Naakt zat ze schrijlings op hem en hij streelde haar borsten. Daarna ging hij op zijn knieën zitten, nam haar achterlangs en vergat alles. Ze gooide hem op het bed en boeide met haar beha zijn handen. Hij voelde haar haren op zijn buik kietelen. Sidderend fluisterde hij haar naam. Hij voelde zich geweldig. Toen hij even zijn ogen opendeed, zag hij Mefistofeles op zijn gewone plekje op de radio zitten. De kater scherpte zijn nagels aan de houten behuizing van het toestel en keek hoofdschuddend en met een meesmuilende uitdrukking op zijn gezicht naar zijn baasje. Maar goed dat katten niet kunnen praten, ging het door Stanley heen.

En nu had die stomme wekker van hem midden in de nacht de kolder gekregen. En de vrouw naast hem had het koud. Zelf had hij het juist warm. Ja, het is Doris. Dat kan niet anders, dacht hij, en hij duwde zijn gezicht tegen haar wang.

'Ik zal je warm maken' – hij aarzelde even – 'Doris.'

Ze legde zijn hand op haar borst. 'Weet je dat jij praat in je slaap?' zei ze. 'Bijna net zo duidelijk als wanneer je wakker bent.'

'Nee, dat wist ik niet,' zei hij geschrokken. 'Wat zeg ik dan allemaal?'

Ze pakte zijn hand en kuste zijn vingers. Daarna ging ze op hem zitten en verloor hij opnieuw al zijn denkvermogen.

'Stanley, je moet even je mond houden en rustig naar me luisteren. Ik ben inderdaad Doris, je vergist je niet. En over een paar seconden ga je me neuken. Of ik ga jou neuken. Ja, dat ga ik doen, jou neuken. Wees maar gerust. Mannen worden heel anders als ze daar eenmaal zeker van zijn. Dus dat is dan geregeld.

Stanley, jij bent een heel gevoelige man. Toen je in je droom over Pearl Harbor begon te praten, ben ik opgestaan en naar de bank gelopen, naar je kat. We hebben samen naar je gekeken en geluisterd. Daarna ben ik je hele flat door gelopen. Ik heb alle foto's bekeken die je aan de muur hebt hangen. Je kat liep met me mee en streek langs mijn benen. Door die foto's ben ik meer over je aan de weet gekomen dan je me gisteren hebt verteld in de Village Vanguard. Die ene foto, in de inbouwkast... Je weet welke ik bedoel, hè. Daar was ik ondersteboven van. Je hebt het wezen van de wanhoop en de pijn zichtbaar weten te maken. Zoiets knaps heb ik nog nooit gezien.

Waarom verstop je zo'n foto in een kast? Wil je hem niet zien? Kan je het niet? Wil je niet naar die foto kijken als je van je werk komt en naar de keuken loopt, of naar de slaapkamer, of naar de badkamer? Ik durf te wedden dat dat het is. Anders zou je elke dag huilen, net zoals ik daarstraks heb gehuild. Ik ben teruggegaan naar bed en heb heel voorzichtig je ogen gekust. Ik wilde je ogen aanraken, ogen die zoiets eerst hebben opgemerkt en het toen op een foto hebben vastgelegd.

Stanley, jij bent een bijzondere man, ook al snurk je, praat je in je slaap, kom je te snel klaar en kan je de namen niet uit elkaar houden van de vrouwen die vóór mij in dit bed hebben gelegen. Over Pearl Harbor heb je het gehad met ene Jacqueline. Maar dat maakt me helemaal niet uit. Voorlopig niet, tenminste. We zijn toch gewoon kennissen, sinds gisteren? Bovendien heb ik jou versierd, en niet jij mij. Ik heb je in die taxi gepijpt omdat ik daar zin in had. En in de lift heb ik je nog een keer gepijpt omdat ik daar zin in had. En zo meteen ga ik je wéér pijpen, want ik krijg alwéér ontzettende zin. Maar je hoeft me echt niet te bellen omdat dit allemaal gebeurd is, hoor. Niet vandaag, en morgen ook niet. Het was de moeite waard dat we elkaar leerden kennen, alleen al omdat ik nu weet dat er op de wereld ogen bestaan als die van jou. En nu moet je me heel stevig omhelzen.'

Hij deed zijn ogen dicht. Hij schaamde zich. Hij deed altijd zijn ogen dicht als hij zich schaamde. Of hij ging ervandoor. Zoals die keer dat zijn vader hem betrapte toen hij geld gapte uit de kassa. Hij schaamde zich voor de gedachte die een seconde eerder bij hem was opgekomen. Hij schaamde zich omdat hij even niet op haar naam had kunnen komen en omdat ze dat meteen doorhad. Heel zacht raakte hij met zijn lippen haar voorhoofd aan.

'Doris, het spijt me...' fluisterde hij in haar oor.

'Neem me. Nu,' antwoordde ze zachtjes, en ze kuste hem op zijn ogen.

Op dat moment ging de telefoon. Hij ging een heleboel keren over. Toen glipte Doris uit zijn armen, pakte de hoorn en hield die bij zijn oor.

'Stanley, waarom neem je niet op als ik je bel?' klonk een verontwaardigde stem. 'Als je niet 's nachts wil werken, moet je postbode worden! Je werkt bij *The New York Times*, en bij *The New York Times* werk je vierentwintig uur. Zelfs als je op de plee zit.'

Stanley herkende de stem van Arthur, zijn baas. 'Ik dacht dat het de wekker was,' zei hij bij wijze van verontschuldiging.

'Flikker het kreng weg en koop een nieuwe! Je hebt trouwens net opslag gekregen, of ben je dat al vergeten? Dus een nieuwe wekker moet eraf kunnen. Maar luister, Stanley. Zit je? Dit is vertrouwelijke informatie, dus je moet gaan zitten en net doen of het vriendinnetje dat je daar ongetwijfeld bij je hebt niks gehoord heeft. Zit je?'

'Ik zit.'

'Waar zit je?'

'Op mijn bed. Arthur, waar zou ik anders zitten om halfvier 's nachts...'

'Ben je alleen?'

'Nee.'

'Is ze mooi?'

'Ja.'

'Goed. Kom overeind en ga een paar meter verderop staan.'

'Oké.'

'Heb je gedaan wat ik zei, Stanley?'

'Ja,' antwoordde hij. Hij liep langzaam met het toestel naar het raam. Gelukkig zat er een heel lang snoer aan.

'Kan ze je zo horen?'

'Ja. Eh... nee.'

'Luister, Stanley. Churchill is gek geworden. Of die chef-staf van hem, die Harris. Gisteren hebben ze Dresden van de aardbodem weggevaagd. Waarom mag God weten. Ik heb onze jongens erop gezet. Onze bron in Dresden heeft het allemaal bevestigd. Stanley, waar was dat verdomme goed voor? Dresden! Een fabriek waar ze fototoestellen maken, een stel musea, twee schoenmakers en een massa vluchtelingen uit het oosten die ervandoor zijn gegaan voor de Russen. Ik heb hier een telex van de BBC. Er zijn daar in Dresden in een paar uur tijd ongeveer honderdduizend mensen omgekomen. Het is een massaslachting. Ze zeggen dat je de vlammen op tachtig kilometer van de stad kan zien. Die Engelse klootzak van een Harris is een monster en een psychopaat. Stanley, heb jij morgen iets dringends te doen?'

'De gebeurtenissen in Azië en in de Pacific. Eerst op de redactie en dan in Washington.'

'Goed. Vergeet Azië, oké?'

'Ik ben het al vergeten.'

'Zeg "sorry" tegen die dame van je en kleed je aan. Voor de deur staat een auto op je te wachten. Pak je camera's en iets warms om aan te trekken en ga naar beneden.'

'Waarom?' Hij keek uit het raam. Beneden stond een legerauto.

'Je vliegt naar België. De chauffeur brengt je naar het vliegveld. Welk, dat weet ik nog niet. Daar ontfermt het leger zich over je en dan hup, de lucht in.'

'Hoezo, "het leger ontfermt zich over me"?'

'Stanley, zit me verdomme niet te ondervragen. Ze ontfermen zich over je en daarmee uit. Je vliegt naar België. Als je eens wist hoeveel moeite het me gekost had voor ik die debielen in het Pentagon zover had dat ze deze excursie voor je wilden organiseren! Je fotografeert daar zoveel je kan. Nee, zoals jíj dat kan. En je schrijft ook wat. Als je daar niet aan toekomt, schrijven wij het wel op. Het is niet uitgesloten dat ze na Dresden nog ergens anders een massamoord op touw zetten. Duidelijk, Stanley?'

'Arthur, luister...'

De stem aan de andere kant van de lijn liet hem niet uitpraten.

'Heb je kamerplanten?'

'Zie ik er verdomme uit als iemand die kamerplanten heeft?'

'Als je kamerplanten hebt moet je zorgen dat iemand ze water geeft, want je blijft op z'n minst een maand weg. Zeg maar tegen de chauffeur dat hij langs *The New York Times* rijdt en leg je huissleutel in je postvak. Dan vraag ik Lisa of ze voor je planten wil zorgen. Ze krijgt als beloning een paar dagen verlof. Betaald verlof!'

'Arthur, ik heb geen planten!' Stanley schoot in de lach, vertederd door zoveel zorgzaamheid. 'En bel alsjeblieft Lisa niet midden in de nacht uit haar bed. Wat ik wél heb, is een kat.'

'Jezus! Een kat? Hm, dan hebben we wel een probleem. Als het moet, kom ik zelf wel langs om dat beest eten te geven. Vergeet alleen alsjeblieft niet de sleutels in je postvak te leggen.'

Nu schaterde Stanley het uit. De uitgever en hoofdredacteur van de grootste Amerikaanse krant die elke dag trouw langskwam om Mefistofeles eten te geven. Typisch Arthur. En hij meende het serieus! 'Luister, Arthur. Met die kat komt het wel goed. Vertel me liever meer over Dresden en over mijn reis, want...'

'Ik vertel je helemaal niks. De chauffeur heeft een grote envelop voor je. Lees alles maar onderweg naar het vliegveld. Maar hoe doen we dat nou echt met je kat?'

'Heb je een momentje?' Hij legde zijn hand op de hoorn van de telefoon en draaide zich om in de richting van het bed.

Doris had twee kussens in haar rug gezet en rookte een sigaret. Mefistofeles had het zich gemakkelijk gemaakt op haar buik en duwde met zijn snuit tegen haar hand, telkens als ze ophield hem te aaien. Het getemperde licht van de staande lamp viel door een sliert rook heen op haar borst. Het zou een mooie foto opleveren, dacht Stanley.

'Doris,' zei hij zachtjes. 'Ik moet een poosje op reis. Kan jij misschien voor Mefistofeles zorgen als ik weg ben? Ik heb simpelweg geen tijd om hem naar mijn broer te brengen. Dan geef ik jou mijn huissleutel.'

'Tuurlijk! Mag ik dan af en toe in jouw bed slapen?' glimlachte ze.

Hij liep naar haar toe en kuste haar hand. 'En mag ik je dan gezelschap houden als ik weer terug ben?'

Ze stond op, gooide hem zijn overhemd toe en begaf zich naar de keuken. 'Ik maak even een paar boterhammen voor je voor onderweg.' Mefistofeles sprong van het bed en rende achter haar aan.

Hij ging weer naar het raam. Naast de auto stond nu een man in een legeruniform.

'Arthur, maak je geen zorgen over mijn kat. Dat is geregeld. Ik ga zo naar beneden.'

Geen antwoord.

'Arthur, hoor je me?'

'Jazeker hoor ik je. Luister Stanley, wat ik nog wilde zeggen... Nou ja, eh... bedankt! En zorg dat je heelhuids terugkomt! Hou je hoofd erbij, vergeet niet wat er met Harold en Otto is gebeurd.³ Alsjeblieft! In de envelop zit geld. Als het te weinig is, sturen we meer vanuit Londen. Ik heb daar een rekening voor je geopend. Breng mijn excuses over aan die dame van je. Wil je dat doen, Stanley?'

'Zeer zeker wil ik dat doen, Arthur...'

'O, en Stanley... Je hebt nog even de tijd. Die chauffeur gaat niet weg zonder jou, dus je kunt op je eigen manier afscheid nemen.'

Arthur hing op. Stanley knikte glimlachend.

Hij ging naar het bed en trok zijn koffer eronderuit. Hij schoof de koffer met zijn voet naar de kast, maakte hem open en gooide er kleren in. Daarna liep hij naar een dressoir dat bij het raam stond. Uit de la ervan pakte hij twee camera's, die hij zorgvuldig in truien wikkelde en zorgzaam in de koffer neervlijde. Hij liep naar de keuken en haalde vier pakjes met fotorolletjes uit de koelkast. Mefistofeles zat op een keukenstoel en peuzelde aan kleine stukjes gesneden boterhamworst op. Doris had een stapel boterhammen in vetvrij papier gewikkeld. Hij ging achter haar staan en sloeg zijn armen om haar middel. Ze pakte zijn handen en legde ze op haar heupen, maar maakte zich meteen daarop los uit zijn omhelzing en liep zonder iets te zeggen de keuken uit. Hij hoorde water kletteren in de badkamer. Met de zakjes vol fotorolletjes ging hij terug naar de kamer en gooide ze in zijn koffer. Daarna ging hij naar de badkamer. Doris stond met haar rug naar hem toe onder de douche, met haar handen in haar haren. Hij ging naast haar staan, onder de douche. Toen zakte hij op zijn knieën en begon hij haar billen te kussen.

Ze sloeg haar jas om haar schouders en ze gingen de lift in. Grinnikend poetste Doris een veeg rode lippenstift van de spiegel. Beneden zette hij zijn koffer op het trottoir. Ze gingen op de stenen treden van de buitentrap zitten. Hij moest aan zijn moeder denken. Toen hij aan de universiteit van Princeton ging studeren, hadden ze bij zijn vertrek precies zo naast elkaar gezeten en had zijn moeder hem zwijgend een gewijd medaillon gegeven. Dat medaillon zou hij altijd bewaren...

Doris wikkelde een sjaal om zijn hals en knoopte zijn jack dicht. Vervolgens knoopte ze het weer los en wikkelde de sjaal van zijn hals.

'Je moet terugkomen, Stanley,' zei ze opeens. 'Ik zal op je wachten. En breng een heleboel foto's mee. Er zit geen boter op je boterhammen. Er lag geen boter in de koelkast.' Ze gaf hem het papieren pakje. 'Je komt echt terug, hè? Dan doe ik wel de boodschappen. Dan zorg ik dat er boter is.'

Hij raakte even haar gezicht aan en stond op. Snel liep hij naar de auto. De soldaat stond tegen de motorkap geleund. Hij schrok op, gooide haastig zijn peuk weg, zette zijn hak erop en ging in de houding staan.

'Hoi. Ik ben Stanley Bredford. Ik werk bij *The New York Times*,' zei hij, en hij wilde de soldaat een hand geven.

De soldaat knikte zwijgend. Hij pakte de koffer op en legde hem voorzichtig in de bagageruimte. Een paar seconden later reden ze weg. Doris zat op de trap. Ze keek hem niet na. Hij draaide zich om en keek zo lang hij kon naar haar door de achterruit. Bij het eerste kruispunt sloeg de auto rechts af. Hij drukte het pakje boterhammen tegen zijn lippen...


Namen, België, donderdag 15 februari 1945, rond het middaguur

Hij schrok wakker van een harde schok. Hij rook de scherpe lucht van een sigaret en voelde iets pijnlijk in zijn wang prikken. Met een bruuske beweging duwde hij de loop van het machinepistool uit zijn gezicht. Ook de soldaat die naast hem op de metalen vloer van het vliegtuig zat, werd wakker. Hij vloekte en sloeg meteen een kruis, legde het machinepistool op zijn knieën en reikte naar zijn veldfles met water.

Het vliegtuig was geland. Ze waren opgestegen van een klein vlieg-veld op Long Island en hadden een tussenlanding gemaakt om brand-stof in te nemen op een legerbasis in Gander, in de Canadese provincie Newfoundland. Daarna waren ze in één ruk de Atlantische Oceaan overgevlogen naar Namen in België.

Stanley zat op zijn knieën naast zijn koffer, met zijn rug naar de sol-daten, die allemaal druk in de weer waren. Hij keek door een beslagen raampje en zag het zwaar gehavende dak van een grote hangar, dat was bedekt met vastgevroren sneeuw waaruit hier en daar dennen-takken staken. Hij las het verbleekte opschrift op een roestig ovaal bord boven de deuren van de hangar: AÉROPORT NAMUR. De deur van het vliegtuig ging piepend open; even later hoorde hij het gestamp van soldatenkistjes op een metalen trap. Hij gespte de riem van zijn jas vast, pakte zijn koffer en liep naar de deur. Op de trap kneep hij zijn ogen dicht, verblind door het helle licht. Hij voelde een koude wind langs zijn wangen waaien.

Europa. Hij was in Europa...

~

De naam 'Europa' had hij altijd geassocieerd met kastelen en konink-lijke paleizen. En met cultuur. Daar hingen de mooiste schilderijen aan de muren. Daar componeerden ze uitsluitend klassieke muziek. Daar bepaalden ze de loop van de wereldgeschiedenis. Amerika was voor hem meer een markt, waar gehandeld werd in aardappels en mais, en de laatste tijd ook in staal, aardolie, auto's, wapens en ijdel-heid. Europa had geen tijd voor markthandel. Europa keek alleen maar met verbazing toe hoe het in Amerika allemaal werkte. En soms droe-gen ze ideeën aan en observeerden ze belangstellend wat de Amerika-nen daarvan zouden maken. Neem de Franse Revolutie. De Amerika-nen hadden dat allemaal gretig overgenomen en het opgeschreven in hun grondwet en het geheel de trotse benaming: 'Democratie' gege-ven. Met een hoofdletter. Gelijke kansen voor iedereen, allen waren vrij, allen waren gelijk. Op het moment van hun geboorte. Daarna wa-ren ze niet meer zo gelijk. Iedereen was gelijk, maar sommigen waren gelijker dan anderen. Het scheelde nogal of je was geboren in een wel-gesteld gezin. En of je huid niet al te veel pigment bevatte. En zulke mensen waren er niet zoveel. Ongeveer één procent van alle families bezat meer dan vijftig procent van de productiemiddelen van het land.

De andere helft was voor de overige negenennegentig procent. Noch hijzelf, noch zijn jongere broer Andrew waren onder zo'n gelukkig gesternte geboren dat ze deel uitmaakten van dat ene procent. Hun ouders pachtten een benzinepomp van iemand die geen tijd en geen zin had om zelf aan die pomp te gaan staan. Nooit van hun leven zouden hun ouders erin slagen de pacht af te lossen, nooit zou die pomp hun eigendom worden. Maar ze konden er tenminste van leven.

En toch was Stanley een geluksvogel. Zijn opa, naar wie hij genoemd was, gaf hem voor zijn verjaardag een fototoestel. De oude man zag dat zijn kleinzoon mooi kon tekenen en dolgraag albums met oude foto's bekeek en meende dat hij dan vast ook wel een goede fotograaf zou worden. Een jaar later verkrachtten en vermoordden vijf dronken boeren niet ver van het benzinestation een negerin. Stanley was toen achttien. Voor de sheriff die het onderzoek leidde, was dat heel belangrijk. In Pennsylvania was je meerderjarig op de dag dat je achttien werd. In bijvoorbeeld New York moest je dan nog drie jaar wachten. Stanley was nog helemaal niet volwassen – vond hij nu, achteraf bezien – maar ze woonden in Pennsylvania. En hij bezat een fototoestel. Samen met de sheriff begaf hij zich naar het veld langs de weg waar het misdrijf gepleegd was. Bij het hoofd van het beblode lijk van de negerin lag een nog jonge man geknield. De sheriff negeerde de man, prikte rond het lichaam van de vrouw kleine genummerde bordjes in de grond en gaf Stanley opdracht foto's van de plaats delict te maken. Stanley drukte braaf op de sluiterknop van zijn camera, maar het enige wat hij fotografeerde was de wanhoop van die man. Toen de sheriff hem beval het bloed tussen en op de dijen van de vrouw te fotograferen, hield hij heimelijk zijn hand voor de lens. En dat deed hij elke keer als hij detailopnamen moest maken, zoals van haar afgesneden keel, of van het mes dat in de oogkas stak. Er zijn dingen die je niet mag laten zien. Nooit. Voor geen geld.

Die avond ontwikkelde hij de foto's in zijn hokje achter de wc bij de benzinepomp. Zijn moeder had na lang aandringen zijn vader zover gekregen dat Stanley dat hokje mocht inrichten als donkere kamer. De volgende ochtend kwam de sheriff de negatieven afhalen en tekende hij voor ontvangst. Stanley werd niet opgeroepen voor de rechtszitting. Er kwam namelijk helemaal geen rechtszitting. Een jaar later, toen de meeste mensen die moord allang vergeten waren, stuurde Stanley toelatingsformulieren naar de universiteit van Princeton. Hij gaf aan dat hij 'zich interesseerde voor fotografie' en deed er twee foto's bij van die man in het veld. Een maand later overhandigde de postbode een grote oranje envelop aan Stanleys moeder. Hij kwam uit Princeton en was geadresseerd aan Stanley. 'Bij besluit van de toelatingscommissie van onze universiteit... U wordt een studiebeurs toegekend vanaf het begin van het studiejaar...' Hij las de brief een paar keer, om het tot zich te laten doordringen dat het er echt stond. Na het avondeten, meteen na het gebed, vertelde hij het nieuws aan zijn ouders. Zijn vader stond op en verliet zwijgend de kamer. Zijn moeder barstte in tranen uit. Zijn broer legde zijn lepel in zijn soep en hief zijn gebalde vuist op. 'Dat was onze eerste overwinning,' zou hij later zeggen. Die avond, heel laat, stapte Stanley in de auto van zijn vader en reed hij naar de begraafplaats. Hij ging op de zanderige rand van het graf zitten en vertelde alles aan zijn opa.

Doris vergiste zich. Hij wierp wel degelijk soms een blik in die muurkast. Als zijn leven één grote puinhoop leek, of als hij geen idee meer had waar hij mee bezig was of als iemand hem heel erg gekwetst had, of als hij een heel belangrijke beslissing moest nemen of een nieuwe uitdaging van het lot moest aangaan, dan ging hij naar die kast. Met evenveel hoop als hij destijds had gekoesterd in dat stinkende dokaatje bij de benzinepomp van zijn vader. Met zijn vingertoppen raakte hij dan langzaam die eerste foto aan. Hij hoefde er niet eens meer naar te kijken. Elke vierkante millimeter ervan kende hij uit zijn hoofd. Juist daarom was deze foto, die tot op de dag van vandaag de belangrijkste van zijn leven was, niet ingelijst achter glas. Ook gisterochtend was hij naar die kast gegaan voordat Doris en hij met de lift naar beneden waren gegaan en voordat zij zijn jas had dichtgeknoopt en weer losgeknoopt...

~

Hier begon Europa.

Het begroette hem met de haveloze hangar van een klein, verwaarloosd vliegveldje waar het allergemeenst koud was.

~

Misschien had Andrew gelijk wanneer hij zei dat Europa niet meer was dan de ruïne van een paleis. In de vertrekken van monarchen hadden zich ratten genesteld, zei Andrew: Hitler en Mussolini. Die ratten zaten nu op de troon. Europa had het klaargespeeld om in goed twintig jaar de ene bloedige wereldoorlog te beëindigen en een nieuwe te beginnen, die nog bloediger was. Geen cultuur die Europa gered had. Schilders, dichters, filosofen: die worden als eersten geëlimineerd. Behalve natuurlijk als ze net zo schilderen, dichten en filosoferen als de ratten. Daarom waren ze allang scheep gegaan naar Amerika, voor zover ze al niet de gaskamer in waren gedreven.

Op de Amerikaanse markt golden duidelijke spelregels: wie het meeste bezat, wie vroeg opstond en hard werkte, wie talent had, wie zo gelukkig was om geboren te worden in een rijk gezin en zelfs iemand die uitblonk bij het basketballen, die had het beter dan een ander. Maar, zei Andrew, de koninklijke paleizen van Europa waren niet alleen ten prooi gevallen aan ratten, maar ook aan de verpestende stank van het socialisme. Het had de zwakken dronken gemaakt met een lucht die door die zwakken werd verward met de geur van parfum. Hier in Amerika, zei Andrew, ging die vlieger niet op. Hier rook zweet naar zweet en parfum naar luxe, luxe waar je hard voor moest werken. Hier stonken ratten gewoon. Zijn broer Andrew hield er een heel eenvoudige levensfilosofie op na: de besten moeten het het beste hebben. De besten door afkomst en geboorte, of de besten door de vruchten van hun arbeid. En zelfs degenen die gewoon een engel op hun schouder hadden gehad. Neem henzelf, Stanley en Andrew. Als opa geen fototoestel had gegeven, als vlak bij de benzinepomp die negerin niet overhoop was gestoken, als Andrew niet met een koppigheid een betere zaak waardig was blijven proberen een voddenbal te mikken in een emmer waar de bodem uitgezaagd was, dan waren ze nog steeds bezig geweest om het krediet af te betalen voor vaders benzinepomp in Pennsylvania, aan de rand van een stadje dat alleen te vinden was op de stafkaarten van het leger. Maar opa had een Leica voor hem gekocht, en zijn broer was als een bezetene op die emmer blijven mikken. Soms honderd keer achter elkaar raak. En hij had een jonge neger zo gefotografeerd dat geen mens het droog hield als hij naar die foto's keek. Echt, de tranen stroomden je over de wangen. En daarom was de ene broer toegelaten tot Harvard en de andere tot Princeton. Het was niet meer dan rechtvaardig. En als ergens in Harlem een jonge zwarte betere gedichten schrijft dan Edgar Allan Poe en hij heeft geen geld voor een postzegel om inschrijvingsformulieren naar een universiteit te sturen, dan moet hij er iets anders op verzinnen. Desnoods brengt hij ze er zelf naartoe, lopend. 'Hij hoeft verdomme alleen zijn kont van zijn stoel te verheffen en de benenwagen te pakken,' zei Andrew, 'om voor elkaar te krijgen waartoe hij is voorbestemd. Manhattan moet hij kunnen halen, zelfs al heeft hij maar één been. Natuurlijk is het klote om arm te zijn, maar een arme heeft één voordeel dat een rijke niet heeft: hij heeft tijd zat. Als hij zijn tijd kon verkopen, zou die arme binnen de kortste keren binnen zijn. Maar de meesten verspillen liever hun tijd.'

Dat had zijn jongere broer een keer allemaal zitten oreren in een pub in Boston, toen hij te veel bier ophad. En als uitsmijter had hij eraan toegevoegd: 'In dat roemruchte Europa van jou met zijn koninklijke paleizen en rooie kranten zouden ze van zo'n jongen een martelaar maken. Voor één dag, alleen maar om een vette krantenkop te scoren. En de volgende dag zou geen mens zich zijn naam meer herinneren. Maar dat hoef ik jou niet te vertellen, van sensatie heb je meer verstand dan ik. Dat is je vak.'

Zijn broer hield er wat hijzelf noemde een 'supersimpele kwantumtheorie van de wereld' op na. 'Of je bent een elektron dat eindeloos rond dezelfde kern draait tot aan het einde van de wereld. Of je slokt je kwantumenergie op en komt in een hogere baan. Maar om die energie op te slokken, is het noodzakelijk dat je je op een bepaald moment op een bepaalde plek bevindt. Na het opslokken is het elektron in een enthousiaste stemming en is het ineens in staat een hogere baan op te zoeken. Dat zie je bij de orbitalen van Niels Bohr, maar net zo goed hier in Boston of bij jou op de redactie van *The New York Times*. Het enige wat je moet doen is geen tijd verspillen aan flauwekul. Die energie moet je uitstralen, zodat anderen haar opmerken. Dan onderscheid je je van de rest. En vervolgens moet je steeds nieuwe kwanta opslokken en overspringen naar hogere banen. Dat is strijdig met fysische vergelijkingen maar het is in ideale overeenstemming met het leven,' voegde hij eraan toe.

Stanley kon dat niet, maar zijn broer Andrew leefde volmaakt volgens zijn eigen theorie. De eerste drie jaren bekostigde hij zijn studie door uit te komen in het basketbalteam van Harvard. En dat deed hij zo goed, dat velen een rijzende ster in hem zagen. Massa's studentes gingen alleen maar naar de sporthal om hem te zien. Of om hem aan te raken. En om na de wedstrijd zijn doorzwete shirt te kopen. Maar dat was niet alles. Wat van Andrew Bredford echt een fenomeen maakte, was dat ze aan de andere kant van de rivier, bij de eeuwige rivaal van Harvard, het Massachusetts Institute of Technology, al even dol op hem waren. Misschien niet het hele MIT, maar in elk geval het grootste deel van de vrouwelijke studentenpopulatie. Een redacteur van de universiteitskrant schreef een keer met onverholen afgunst: 'Als op een kwade dag de brug over de Charles River instort, zul je zien dat onze studentes de rivier overzwemmen, alleen om Andrew Bredford te zien spelen. En de meesten doen dat zonder slip aan hun kont.'

Als derdejaars, meteen na de zomervakantie, ging Andrew met zijn hoogleraar naar Washington om daar samen een gastcollege te geven. In de zaal in het Pentagon zaten uitsluitend militairen. De hoogleraar deed de presentatie, maar na afloop waren alle felicitaties voor Andrew. Daar in Washington begreep hij dat er mensen waren die veel meer over hem wisten dan hijzelf had gedacht. Vooral mannen in uniformen met veel sterren. Na die lezing stroomde er op zijn bankrekening geld binnen van een bank op de Bahama's. De professor legde uit dat het ging om een 'aanvullend stipendium, en dat het van de Bahama's kwam was vanwege het gunstige belastingklimaat aldaar'. Het aanvullende stipendium was precies achttien keer zo hoog als zijn basketbalbeurs. Achttien keer! Andrew gaf het basketballen eraan. De maand daarop bleek het bedrag dat op zijn rekening werd gestort verdubbeld. Zesendertig basketbalbeurzen. Nog steeds van de Bahama's. Vanaf dat moment hield hij zich uitsluitend bezig met natuurkunde. Hij verhuisde naar een ander appartement, een flink stuk buiten Cambridge, Massachusetts, zodat hij niet de kans liep medestudenten tegen het lijf te lopen. Na twee weken trof hij in zijn brievenbus een ongefrankeerde envelop aan met een sleutel die paste op alle laboratoria van de natuurkundefaculteit van Harvard. En op de ingang van het hoofdgebouw. Als hij thuiskwam, meestal diep in de nacht, zag hij regelmatig een zwarte auto die vlak bij zijn huis geparkeerd stond, bij de ingang van het park. Eerst vond hij dat een onbehaaglijk idee. Later vond hij het onbehaaglijk als de auto er níét stond.

Hij had nog wel een poosje heimwee naar het basketballen. En hij vond het jammer dat hij geen tijd had om zijn geld uit te geven. Later dacht hij niet meer aan basketbal of aan geld. Hij dacht alleen nog maar aan kernreacties en aan zijn vergelijkingen. Na zijn afstuderen verhuisde hij naar Washington. Een jaar later verdedigde hij zijn proefschrift. Hij had niet eens tijd om naar Harvard te gaan en daar zijn bul in ontvangst te nemen. Hij had er trouwens ook geen behoefte aan. Waar hij werkte, waren ze niet geïnteresseerd in diploma's. Ze waren alleen geïnteresseerd in je capaciteiten.

Als de broers elkaar zagen, was dat bijna altijd in Boston. Een keer of twee, drie per jaar. In november 1942 verhuisde Andrew naar Chicago, zonder dat hij dat aan iemand had verteld. Ze liepen elkaar toevallig tegen het lijf in een nachtclub in de zwarte wijk. Stanley was bezig met een serie artikelen over de geschiedenis van de jazz. Die avond had hij zichzelf vrijaf gegeven. Hij zat daar, met zijn camera op zijn knieën en met een pul bier voor zich, in een dromerige stemming te luisteren naar de saxofoon waaraan een jonge negerin op het houten podiumpje bekoorlijke klanken ontlokte. De muziek was ongewoon, en het was al even ongewoon dat het instrument bespeeld werd door een meisje. Op een gegeven moment kwamen drie mannen het zaaltje binnen, dat blauw stond van de rook. In hun strakke pakken zagen ze eruit als bezoekers van een andere planeet. Een van de mannen was zijn broer. Hij was mager geworden. Zijn overhemd had hij losgeknoopt en zijn das had hij achteloos in het borstzakje van zijn colbert gepropt. Hij had een sigaret tussen zijn tanden; zijn ogen traanden van de bijtende rook. De drie mannen gingen aan een tafeltje bij de keuken zitten, een beetje apart van het podium en de andere bezoekers. Kennelijk waren ze hier stamgasten, want de ober bracht ze meteen naar hun tafeltje en voorzag ze even later van drie koppen koffie. Stanley liep naar hen toe. Andrew zat met zijn rug naar hem toe en zag hem niet. Toen Stanley bij hun tafel was, onderbraken de andere twee mannen abrupt hun gesprek. Andrew keek om, schrok zich zichtbaar een ongeluk en sprong op.

'Stanley!' Zijn broer omhelsde hem en sloeg hem op zijn schouders. 'Kom, ik stel jullie aan elkaar voor. Dit is professor Enrico Fermi.' Hij wees naar een glimlachende, kalende man met bruine ogen en iets afstaande oren. De man stond op en gaf Stanley een hand.

'Fermi,' zei hij. Hij had een heel zachte stem.

De man naast hem stond ook op. Hij veegde zijn mond af met zijn servet en stelde zich voor:

'Leó Szilárd.'

'En dit is mijn broer, Stanley Bredford. Sorry mannen, ik laat jullie een ogenblikje in de steek.'

In plaats van Stanley uit te nodigen om plaats te nemen, sloeg Andrew zijn arm om de schouders van zijn broer en nam hem mee in de richting van de bar.

'Je moet deze ontmoeting vergeten,' zei Andrew. Hij keek onrustig om zich heen. 'Beloof me dat. En je mag natuurlijk niets tegen papa en mama zeggen. Ik ben hier maar tijdelijk. Alleen maar voor de duur van ons project.'

Hij was het nooit vergeten. Maar hij herinnerde zich altijd dat hij het móést vergeten.

Andrew kwam alleen op kerstavond naar Pennsylvania. Of nee, ze brachten hem. De auto wachtte op hem, een flink eind van het pompstation. Officieel was Andrew wetenschappelijk medewerker aan de universiteit van Harvard. Onofficieel werkte hij voor het Pentagon. Arthur, die heel goede connecties had in Washington, vroeg Stanley een keer 's avonds laat naar zijn kamer op de redactie te komen. Hij deed de deur op slot en liet hem een document zien. Het was een lijst met namen van mensen die voor het Pentagon 'zeer belangrijk' waren. Ook doctor Andrew B. Bredford stond op de lijst. Achternaam, voornaam, geboortedatum, geboorteplaats: het klopte allemaal. Ja, dat was Andrew. Zijn jongere broer. Geen twijfel mogelijk. Andrews tweede voornaam was Bronislaw, naar de vader van zijn oma. Het gezin van zijn oma was ooit van Polen naar Ierland geëmigreerd. Bronisław was destijds een populaire naam in Polen.

Daarna hadden ze zich geïnstalleerd in twee fauteuils. Arthur pakte uit een in de boekenkast ingebouwde bar een fles Canadese whisky, vulde twee glazen tot de rand, hield zijn aansteker bij het document en legde het in een grote kristallen asbak.

'Stanley, jouw broertje is een van de mensen die het lot van de wereld in hun handen hebben. Dat groepje geleerden van die lijst brouwt een cocktail die voor ons allemaal heel gevaarlijk is. Nu, op dit moment, in Chicago. Vraag me niet hoe ik dat weet. Ik weet het, en daarmee uit. Wij joden weten altijd alles eerder dan anderen. En wat je broertje betreft: bel hem niet te vaak. En als je hem belt, denk dan goed na over wat je zegt...'

Hij belde Andrew niet vaak. Dat kon ook niet: Andrew was in Chicago niet telefonisch bereikbaar. Eén keer wilde Stanley zijn broer bellen om hem eraan te herinneren dat papa jarig was. Andrew wist heel goed wanneer zijn vader jarig was, maar je moest hem wel helpen herinneren dat hij zijn vader dan opbelde. Op zijn verjaardag werkte papa niet. En de dag erna ook niet. Het waren de twee dagen per jaar dat hij niet zijn blauwe, naar benzine stinkende overall aantrok en niet naar zijn winkeltje bij de benzinepomp ging. De avond voor zijn feestdag ging hij naar het stadje en liet hij zich bij de kapper scheren.

's Ochtends op zijn verjaardag trok hij zijn witte overhemd aan en zat hij thuis. Dat had mama een keer aan Stanley verteld. Hij dronk whisky en wachtte op de telefoontjes van zijn beide zonen. Of liever gezegd, hij wachtte op het telefoontje van Andrew. De telefoon ging: Andrew. Hij praatte even met mama. Ze loog tegen papa dat Andrew hem hartelijk gefeliciteerd had. En papa loog dat hij erg blij was, liep naar de slaapkamer, maakte nog een fles open, ging met die fles op de veranda zitten en begon te huilen. De volgende dag moest hij bijkomen, eerst van de kater en daarna van het verdriet. De dag daarna was alles weer normaal. Tot zijn volgende verjaardag.

De achternaam van zijn broer zei de telefoniste van de universiteit van Chicago niets. Fermi kende ze ook niet. De derde naam kon hij niet uitspreken, laat staan spellen, dus was hij genoodzaakt het gesprek te beëindigen. Volgens de telefoniste had aan de universiteit van Chicago nooit een doctor Bredford gewerkt, en ook geen professor Fermi. Stanley gaf het niet op. Lisa zorgde dat hij de decaan van de natuurkundefaculteit aan de lijn kreeg. De woorden 'New York Times' openden vele deuren. Hij praatte even met de decaan. Ook die had noch van Fermi, noch van Bredford gehoord. Hoewel zelfs Stanley, die volgens Andrew totaal geen sjoege had van natuurkunde, zich toch wel een voorstelling kon maken bij de naam Enrico Fermi. En in Chicago wist niemand iets over die man, inclusief de man die de titel 'decaan' droeg. Wanneer een geheim al te geheimzinnig wordt, houdt het op een geheim te zijn en wordt het een onmiskenbaar feit. Het leek Stanley hoogst onaannemelijk dat de Duitse of de Japanse inlichtingendienst naar de decanaten van natuurkundefaculteiten van Amerikaanse universiteiten ging bellen... Arthur had gelijk: zijn broertje Andrew 'zat aan erg belangrijke knoppen'.

~

Langzaam liep hij de trap af en stapte hij op het beton van het vliegveld. Er was niemand om hem af te halen. Hij ging op zijn koffer zitten en stak een sigaret op. Het was doodstil. Je kon moeilijk geloven dat vlakbij een oorlog woedde. Een wereldoorlog. In de verte, achter de bomen, zag hij de omtrekken van gebouwen. Er stak een wind op die stuifsneeuw meevoerde. Stanley drukte zijn hoed wat vaster op zijn hoofd. Algauw zag hij een donker silhouet langzaam zijn richting uit komen. Even later zag hij dat het een legervrachtauto was met een zwarte ster op het groen met bruine zeil over de laadruimte.

De vrachtauto stopte vlak bij het vliegtuig. De chauffeur sprong uit de cabine. 'Zo, vriend!' riep hij opgewekt. 'Dus jij komt aan de oorlog ruiken. Hé Stanley, waarom blijf je niet lekker thuis over Broadway schrijven? Als ik geld had gehad om door te leren, zette ik geen voet in deze teringzooi.'

Hij liep naar Stanley toe, salueerde en stak grijnzend zijn hand uit.

'Ik ben Bill. Soldaat Bill McCormick. Heb je toevallig sigaretten meegenomen? Die Franse stinkshit is niet te roken. En heb je Amerikaanse kranten? Die vodden die ze hier uitdelen, komen me de strot uit.'

Zonder op antwoord te wachten tilde Bill de koffer op. 'Kom Stanley, instappen. Het is een heel eind rijden. De luitenant uit Antwerpen die over de propaganda gaat, zei dat je naar het front wil om onze successen te fotograferen voor *The New York Times*. Ik moet je tot aan de eerste loopgraven brengen. Ze hebben me papieren gegeven waarmee ze me overal doorlaten. We zijn hartstikke in onze sas met je, reporter Stanley Bredford!' Bill sloeg hem grinnikend op zijn schouder.

Ze klauterden in de vrachtauto en reden weg. Na een poosje gooide Bill een stapeltje landkaarten op Stanleys schoot.

'Ik probeer je naar Trier brengen. De moffen zitten daar nog steeds. Twee dagen geleden wel, tenminste. Dat is maar tweehonderdveertig kilometer hiervandaan, maar soms doe je tien uur over twee kilometer. We zien wel hoe ver we komen. Halen we Trier niet, dan laat ik je achter bij onze jongens in Luxemburg. Dan kan je desnoods daar wachten. Patton heeft de Duitsers daar een week geleden weggejaagd en ligt met zijn troepen aan de Sûre. Vandaar is het nog maar een kippeneindje naar Trier. Intussen kan jij vast de kaart bestuderen. Mee eens?' Ze passeerden de laatste huizen van Namen en reden een modderig weggetje op dat vol kraters zat van bomexplosies en artilleriebeschietingen.

Stanley was het nergens mee eens of oneens. Hij had het koud, hij had honger en dorst, hij verlangde naar zijn bed, en bovendien had hij totaal geen verstand van kaarten. En hij werd misselijk van de stinkende dieselmotor van de vrachtauto. Stanley dommelde telkens in. De chauffeur zag het. Hij remde even af, trok met zijn rechterhand een legergroene plaid onder zijn zitting vandaan en legde die over Stanleys knieën.

'Jij hebt natuurlijk last van het tijdsverschil. Tenslotte is het in New

York nu zes uur 's ochtends. Ga maar even pitten, Stanley. Dan rij ik je intussen naar de oorlog toe!'


Luxemburg, zondagavond 25 februari 1945

Het lukte Bill inderdaad niet om Stanley naar Trier te brengen, hoe hij ook zijn best deed. Terwijl ze samen 'naar de oorlog' reden, slaagde Patton er niet in met zijn leger de Duitse grens te overschrijden. Daarom had Bill hem – dat was tien dagen geleden – uit zijn warme vracht-auto laten stappen en hem afgezet bij een bevroren fontein op het plein in het centrum van een stadje waarvan Stanley niet eens de naam kon uitspreken.

Daarna was Stanley in de stad Luxemburg beland. 's Middags nog hadden ze zo traag als een schildpad over de door de oorlog verwoeste Belgische wegen gekropen, en diezelfde dag waren ze in een ander land. Europa was erg klein. Andrew zei dat Europa 'een gebied was ter grootte van Texas, of nog kleiner zelfs, dat in de loop der eeuwen was opgedeeld door bakkeleiende indianenstammen die ook nog eens allerlei lachwekkende talen spraken'. Wat de grootte betrof, had Andrew in elk geval gelijk.

Stanley had geen enkele voorstelling van dit land. Hij wist alleen dat het bestond. Hij had niet kunnen vertellen hoe de hoofdstad heette, of welke rivieren er door het land heen stroomden. Hoeveel mensen er woonden? Geen idee. Honderdduizend? Een paar miljoen? Wat hem heel wat meer verontrustte, was het totaal ontbreken van iedere actuele informatie. Was de plaatselijke bevolking blij dat de Amerikanen hen bevrijd hadden, of zagen ze hen als bezetters? Daar moest hij allereerst achter zien te komen.

Bij de fontein hing een heel stel Amerikaanse soldaten rond. De meesten waren dronken; ze schreeuwden en scholden, met hun helm op hun rug en met hemden die uit hun losgeknoopte uniformen puilden. Van Bill had hij begrepen dat er ook hier iemand was die zich 'over hem zou ontfermen'. Maar vooralsnog schonk niemand enige aandacht aan hem.

De missie die Arthur had verzonnen, begon hem zinloos voor te komen. Hij had onderweg een paar foto's gemaakt, maar veel bijzonders was het niet. Verwoeste steden, bomkraters en zelfs paardenkadavers die in de velden lagen te ontbinden: daar keken ze in Amerika allang niet meer van op. Van zulke foto's kregen ze bij *The New York Times* hele ladingen binnen van de amateurfotografen die als hoeren achter het leger aan trokken.

Hij ging bij de getraliede deur van een winkeltje staan en stak een sigaret op. Even later dook voor hem een lange, nog jonge man op in een Brits uniform.

'Heb ik de eer redacteur Stanley Bredford te begroeten?' vroeg de officier in zijn Britse Engels. Stanley kon hem amper verstaan door het geschreeuw bij de fontein.

'Ik ben geen redacteur. Ik ben gewoon een fotocorrespondent van *The New York Times*. Schreeuwen die soldaten altijd zo?' Het kostte hem moeite boven de herrie uit te komen.

De officier glimlachte en gaf hem een hand. Eerst stelde hij zich voor en daarna gaf hij antwoord:

'Als ze daar toestemming toe krijgen wel, ja. En vandaag is er een bijzondere aanleiding. Op 17 februari, acht dagen geleden, heeft generaal Patton bekendgemaakt dat Luxemburg bevrijd is. Voor de tweede keer, en deze keer definitief. Daarom vieren ze sinds gisteren opnieuw de overwinning.'

'Hoezo "opnieuw"?' vroeg Stanley verbaasd.

'Ze hebben Luxemburg september vorig jaar voor de eerste keer bevrijd, maar in december '44 hebben de Duitsers een offensief ingezet en het land heroverd. En nu hebben wij het weer veroverd. En ik denk niet dat wat in december gebeurde nog eens zal voorkomen. Een deel van die soldaten daar moest opnieuw na zware gevechten de stad innemen. En ze leven nog, dat is nog meer reden om feest te vieren. Bovendien heeft Luxemburg nu een bijzondere rol gekregen. Patton en zijn staf zijn in de hoofdstad neergestreken en zullen van daaruit leidinggeven aan het overtrekken van de Rijn en de invasie in Duitsland. Ook dat is reden voor feestvreugde voor die Amerikaanse soldaten: juist zij hebben het immers mogelijk gemaakt dat een strategisch heel belangrijk stukje Europa is bevrijd.'

'Is dit land ons welgezind?' vroeg Stanley een beetje ongerust.

'Natuurlijk. In de omgeving zwerven nog collaborateurs rond, maar zeker niet in de stad. U hoeft nergens bang voor te zijn.' De officier glimlachte met een zweem van geringschatting. 'De mensen hier haten de Duitsers. Ze hebben veel te verduren gehad. In België, nee, in heel Europa golden de bevelen van Hitler. Voor een gedode Duitser werden honderd burgers terechtgesteld, voor een gewonde Duitser vijftig. Spreekt u Frans of Duits?'

'Helaas niet. Ik ben een Amerikaan. Wij leren geen vreemde talen omdat we vinden dat iedereen Engels hoort te spreken. Ik begrijp dat dat knap arrogant is. Maar ja, zo zijn we nu eenmaal. Denken jullie er in het Britse rijk ook zo over?'

'Ik vrees dat u gelijk heeft, hoewel ikzelf toevallig Frans, Italiaans, Spaans en Duits spreek. Ik ben gepromoveerd in de germanistiek. Nederlands versta ik ook. Mijn vader is joods, en we hebben in al die landen gewoond. Ik vroeg dat omdat ik met een probleempje zit: ik weet niet waar ik u vannacht moet onderbrengen. Als u een van die talen sprak, kon ik u naar een pension in een buitenwijk brengen dat wordt gedreven door plaatselijke bewoners. Het is bescheiden maar heel gezellig. Alleen vrees ik dat ze geen Engels spreken, ziet u. Goed, dan kan ik u beter meenemen naar ons hoofdkwartier in het paleis.'

'Ik hoef helemaal met niemand te praten. Ik ben doodop en wil alleen maar slapen. Wilt u mij alstublieft naar dat pension brengen als het niet te lastig is? Als ik niet kan slapen, ga ik vreemde talen zitten leren. Ik ben echt jaloers op u...'

'Dat hoeft niet. Ik zou mijn talenkennis graag cadeau doen als ik in plaats daarvan gewoon in één land kon wonen. Als u even hier wilt wachten? Mijn adjudant brengt uw koffer naar de auto. Die staat vlak achter het plein.' De militair liep meteen weg.

Stanley vond het jammer dat hij geen verstand had van rangtekens op uniformen. Het verbaasde hem dat de jonge officier, zo te zien van dezelfde leeftijd als hijzelf, een adjudant had. Tjonge, een doctorstitel en een adjudant. Stel je voor! Nee Andrew, je had het bij het verkeerde eind. Europeanen lijken helemaal niet op indianen en hun positie in de stam wordt helemaal niet alleen bepaald door hun leeftijd...

Even later kwam de Engelsman terug in gezelschap van zijn jeugdige adjudant. Snel liepen ze naar een straatje dat uitkwam op het plein. Er stond een auto met Britse vlaggen en emblemen.

'Ik dacht dat hier alleen maar Amerikanen waren,' merkte Stanley op toen ze waren ingestapt.

'Voor het grootste deel is dat helaas inderdaad waar. Maar deze regio valt onder het commando van de Britse generaal Bernard Montgomery. Sinds het drama bij Arnhem heeft Montgomery het niet erg begrepen op de Amerikanen. En zeker niet op Patton. Die ligt trouwens sowieso niet goed bij de Europese opperbevelhebbers. Ten eerste omdat hij een verklaarde antisemiet is, en ten tweede omdat hij zo'n ongelooflijk onbeschofte vlegel is. De Amerikanen hebben toch al de reputatie dat ze onbehouwen zijn, en generaal Patton doet weinig om daar verandering in te brengen. Kortgeleden deed onder de soldaten het gerucht de ronde dat hij de Fransen weer eens ongelooflijk geschoffeerd had. Hij zou beweerd hebben dat hij liever een Duitse divisie in de voorhoede had dan het complete Franse leger in de achterhoede. De Fransen zullen hem dat nooit vergeven, ze betichten Patton ervan dat die geen geheim maakt van zijn bewondering voor Hitler, en voor het leger en de generaals van de nazi's. En dat is helaas maar al te waar. Patton heeft meermalen bij officiële bijeenkomsten en tijdens toespraken uitgebreid de lof gezongen van de Duitse soldaten. En zijn oordeel over de Fransen stemt overeen met dat van Hitler: die betitelt de Fransen ook als een stelletje lafaards. Uit wraak citeren de Fransen uit-en-te-na Hitlers laatdunkende woorden over de Amerikanen: in één symfonie van Beethoven zit meer cultuur dan in de hele Amerikaanse geschiedenis. U begrijpt dat dit alles niet erg bevorderlijk is voor het moreel van de troepen. Daarom zijn hier niet alleen Amerikanen, maar zijn ook wij hier. En Fransen. En Canadezen.

'Met "wij" bedoelt u de Britten, neem ik aan? U bent toch een Brit?'

'Ja, ik bedoel de Britten. En nee, ik ben geen Brit maar een jood met een Brits paspoort. Ik heb trouwens ook een Duits paspoort, en een Nederlands paspoort. Ik heb zelfs een Pools paspoort.'

'Pools? Hoezo dat?'

'Mijn vader is geboren in Kraków.'

'Is het eigenlijk waar dat alle joden uit Polen komen? Die indruk krijg ik soms als New Yorker.'

'Dat lijkt me niet. Maar de joden die iets met uw land te maken hebben, komen wel vooral uit Polen.'

'Waarom spreekt u dan geen Pools?'

'Omdat de Polen na de Duitsers de meest rabiate antisemieten zijn. Voordat we naar Nederland vluchtten, was mijn vader hoogleraar wiskunde aan de universiteit van Kraków. In '37 is hij door "onbekenden" na afloop van een college finaal in elkaar geslagen. Vier maanden heeft hij in het ziekenhuis gelegen met een gebroken kaak en een gescheurde milt.' De Engelsman raakte nu duidelijk geëmotioneerd. 'Wist u dat Hitler, Himmler en Heydrich oorspronkelijk van plan waren om alle joden naar de omgeving van Lublin in Oost-Polen te deporteren? Dat was niet toevallig. Later kwam het in zijn hoofd op om ze allemaal naar Madagaskar te sturen. U begrijpt dat Europa geen enkele mogelijkheid zou hebben gehad om te zien wat daar gebeurde, laat staan om ertegen te protesteren.'

'Wie is Heydrich?'

'Reinhard Heydrich? Heeft u werkelijk niet van hem gehoord?'

Stanley voelde dat hij nijdig werd. 'Tja, ik ben nu eenmaal zo'n brutale en cynische Amerikaan. En ik wíl het niet eens weten ook,' gromde hij er binnensmonds achteraan. 'En u, weet u wat er pasgeleden in Queens is gebeurd? Dat is een wijk in New York, voor het geval u dat niet wist.'

'Natuurlijk heb ik van Queens gehoord!'

'Gefeliciteerd. Welnu, in Queens, in Kew Gardens, een rustige buurt naar onze maatstaven, heeft iemand zwaar lichamelijk letsel toegebracht aan een "donkere burger van de Verenigde Staten", zoals dat bij ons in *The New York Times* heet. Ik heb er een fotoreportage over gemaakt. Hij had bijna geen gezicht meer en zijn hele lichaam zat onder het bloed. Alle kranten behalve die van ons wisten de volgende dag te melden wie het misdrijf gepleegd hadden. Zonder dat ze de resultaten van het politiconderzoek hoefden af te wachten. Joden natuurlijk! Omdat de bevolking van Kew Gardens voor de overgrote meerderheid uit joden bestaat. Juist zij, en dat is voor niemand in New York een geheim, zijn tot alles bereid om te voorkomen dat zich negers in hun wijk vestigen. De joden uit Kew Gardens zagen en zien negers op z'n best als pestlijders en melaatsen. Ik ben er pas geweest, dus ik heb het niet van horen zeggen. Geloof me, als het aan hen lag gingen alle negers linea recta de Atlantische Oceaan over naar Afrika. Liefst zwemmend. Inclusief Madagaskar. Madagaskar ligt bij Afrika – valt u niets tegen hè, dat ik dat weet. En toch komt het niet in mijn hoofd op om de joden de ergste Amerikaanse racisten op de Ku-Klux-Klan na te noemen,' voegde hij er opgewonden aan toe.

'Toch begrijp ik niet wat u daarmee wilt zeggen, ben ik bang,' viel de Engelsman hem in de rede. 'Ik weet dat niet alle Amerikanen liefhebbers zijn van de Ku-Klux-Klan, maar u moet toegeven dat het Amerikaanse racisme, om zo te zeggen, "officieel" is. Negers dienen bij jullie immers gescheiden van blanken!'

'Echt waar? Dat wist ik niet,' zei Stanley verbaasd.

'Dan weet u het nu. Het was zelfs de oorzaak van een flinke rel in Groot-Brittannië. Onze legerleiding tolereerde het niet dat officieren blanke en zwarte Amerikaanse soldaten verschillend bejegenden.

Maar op dat punt is het Amerikaanse leger tot geen enkel compromis bereid, ben ik bang.'

Dat idiote 'ben ik bang' dat zijn gesprekspartner om het andere woord zei begon Stanley knap te irriteren. Die Engelsen waren waarschijnlijk zelfs bang om bij een begrafenis toe te geven dat het lijk in de kist werkelijk dood was.

'Mag ik even mijn verhaal afmaken?' vroeg hij. 'Anders begrijpt u me verkeerd – ben ík bang. In werkelijkheid bleek dat die neger in elkaar geslagen was door andere negers. Iemand kreeg nog geld van hem. Hij kwam uit Jackson Heights en wilde ertussenuit knijpen. Jackson Heights is de zwartste buurt van Queens. Maar hij kwam niet verder dan Kew Gardens. Daar namen ze hem te grazen op een grasveld voor het gebouw op de hoek van 84th Street en Atlantic Avenue. Midden in Kew Gardens, waar haast alleen maar joden wonen. 84th Street en Atlantic Avenue, weet u waar dat is?'

'Helaas niet.'

'Daar was ik verdomme al bang voor. Maar het maakt niet uit. Die neger werd niet afgetuigd door joden, maar door zijn eigen mensen. Arthur, de nummer één bij *The New York Times*, mijn chef en naar ik durf te hopen ook een goede vriend, is honderd procent joods. Hij stond niemand op onze redactie toe om commentaar op deze zaak te leveren voordat we beschikten over alle feiten. En dat was echt niet omdat hij zich wilde indekken. Toen na zorgvuldig politieonderzoek de waarheid boven water kwam, was Arthur zelf het meest verbaasd dat die neger door zijn eigen rasgenoten was afgetuigd. Hij was er voor tweehonderd procent van overtuigd geweest dat joden hem het ziekenhuis in hadden gemept. Is het nog ver naar dat pension van u? Ik ben toe aan een glas whisky,' onderbrak Stanley zijn eigen verhaal.

'Ze hebben geen whisky, ben ik bang. Daar valt hier niet aan te komen. Maar ze hebben denk ik wel schnaps. Illegaal weliswaar, zelfgestookt. Dat kan niet anders in deze tijd. En wijn hebben ze vast en zeker ook wel, daar kunt u gerust op zijn.'

'Fantastisch. En weet u, meneer de Britse generaal? Vlak naast mij in Manhattan woont een Pools gezin. Ze zijn schatrijk. De man heeft scheve tanden, hij draagt schoenen uit de vorige eeuw die altijd onder de modder zitten en hij heeft een lange rooie snor die in geen jaren is bijgeknipt. Zijn vrouw vertegenwoordigt het klassieke schoonheidsideaal. Echt, een beauty. Dat is nogal karakteristiek voor Polen. Een man ziet er meestal uit als een bediende, ook al is hij van oude adel, en een vrouw ziet eruit als een nobele dame, ook al is ze dienstbode bij een gravin. Die dame komt op een dag bij me met een brief die ze van een familielid heeft gekregen. De brief was Polen uit gesmokkeld, naar Zwitserland, en verstuurd vanuit Zürich. Dat familielid woonde vlak bij een plaats met een moeilijke Poolse naam die in het Duits Auschwitz heet. Ze wilde erg graag dat *The New York Times* die brief publiceerde. Over de schoorstenen en de crematoria, over mannen die in gestreepte kleren naar de steenhouwerij werden gedreven. Over de spoorwegperrons waar moeders van hun kinderen werden gescheiden. Maar vooral over de massale vernietiging van joden, een geïndustrialiseerde vernietiging, als een fabriek met continudienst. Het lukte me niet die brief gepubliceerd te krijgen, hoe ik ook mijn best deed – niet voor die vrouw, maar voor de goede zaak. Arthur wilde eerst meer feiten. En foto's wilde hij, al was het er maar één. Mijn hoofdredacteur heeft een tic als het gaat om aanschouwelijke berichtgeving. Hij denkt dat alleen een foto de informatie die een krant publiceert kan bevestigen of ontzenuwen. Dat je zonder foto's erbij op z'n best de koersen van Wall Street kan publiceren. Al zetten we daar ook liefst een kiekje bij van een gestreste aandelenhandelaar. Arthur wil zich niet laten meeslepen. Dat is voor hem belangrijk. Hij was bang dat ze hem voor zionist zouden uitmaken als hij niet met onweerlegbare bewijzen kwam. Dat ze hem, een jood naar afkomst en naar religieuze opvattingen, vaak aanzien voor een antisemiet, daar was hij al aan gewend. Maar dit was mijn beeldschone buurvrouw. Een honderd procent Poolse. Zonder één druppel joods bloed. Dat was het eerste waarvan ik me had overtuigd. Haar vader, ook honderd procent Pools, doceerde iets, wat weet ik niet precies, maar aan de universiteit van Kraków. Dat herinner ik me in elk geval heel goed. Kraków! Wat een rare samenloop van omstandigheden. Of misschien is het geen toeval? Hebben ze in Polen verdomme maar één universiteit of zo?'

De Engelse officier kwam er niet aan toe antwoord te geven. De auto remde ineens abrupt. Ze stopten bij een laan met wijdvertakte lindebomen die naar een groot, houten huis met twee verdiepingen voerde. De adjudant opende haastig het portier voor Stanley.

Ze gingen een donkere hal in van waaruit je een reusachtige, helder verlichte kamer zag met houten tafels waaraan lange banken stonden. Bij een haard in de zijmuur stond op de lichte grenen vloerplanken een ijzeren badkuip. Een oude vrouw met een gebloemd schort over haar bruine blouse en rok waste de benen van een man die in het bad lag. Alleen zijn voeten en zijn hoofd staken boven het water uit.

De officier ging de kamer binnen. '*Bonsoir, madame Calmes. Guten Abend, Herr Reuter*,' zei hij.

Madame Calmes keek op, glimlachte en antwoordde iets zonder haar bezigheid te onderbreken. De naakte Herr Reuter in zijn bad schonk geen enkele aandacht aan de nieuwkomers. De Engelsman liep naar een lage buffetkast naast de deur naar het toilet. Hij pakte een karaf rode wijn en vier glazen. De mannen gingen aan een van de tafels zitten.

Stanley kon het niet laten om vol bewondering naar madame Calmes te kijken, die over het blote lichaam van Herr Reuter gebogen stond. Hij vroeg zich af of zoiets denkbaar was in een Amerikaans huis. Een naakte man die in aanwezigheid van wildvreemden – nu ja, hij was een wildvreemde, de officier en zijn adjudant kwamen hier kennelijk vaker – werd gewassen door een vrouw. En beiden waren ze zo te zien dik in de zeventig. Zelfs losbandige Hollywoodacteurs konden zich iets dergelijks niet permitteren! En als ze het zich permitteerden dan was die vrouw geen zeventig maar hooguit vijfentwintig, en de man net zoiets, maar te zien kreeg je het niet, want de censuur zou het gegarandeerd uit de film knippen. Amerika was zo preuts. En tegelijkertijd zo hypocriet. Op Times Square kon je 's avonds niet rustig lopen zonder dat je werd lastiggevallen door minstens een van de tippelaarsters die daar in hele horden rondhingen. De klinieken, vooral die in Harlem, puilden uit van mensen die syfilis of een druiper hadden opgelopen en in Central Park werd haast iedere dag wel een vrouw verkracht, maar bij modeshows diende ten minste driekwart van de borst bedekt te zijn en een rok mocht niet korter zijn dan tien centimeter boven de knie. Anders mocht je geen foto's van zo'n show in de krant publiceren. Wat je wel gerust mocht laten zien, was de met kogels doorzeefde buik van het slachtoffer van een roofoverval – mits boven de navel – of een verminkt gezicht, of een detailopname van een mes dat onder een schouderblad tot aan het heft in iemands rug gedreven was.

De stem van de Engelsman haalde hem uit zijn overpeinzingen. 'Doet u met ons mee? Dit is voortreffelijke wijn. Madame Calmes verbouwde voor de oorlog wijn. Dit is wijn uit '39. Een heel goed jaar.'

'Een heel goed jaar? '39? Als u het wijnjaar bedoelt, dan wil ik die wijn heel graag proeven.'

Ze dronken vijf karaffen leeg. Madame Calmes, die zich na de eerste karaf bij hen had gevoegd, verdunde haar wijn met water. Inderdaad, dacht Stanley, die Engelsman had gelijk. Prima jaar, '39, als je het over wijn had.

Bij de derde karaf lag Herr Reuter al te snurken, maar toen ze de vierde bijna ophadden, werd hij wakker, waarschijnlijk doordat er met steeds meer stemverheffing werd gesproken. Hij stond op in zijn bad en begon zijn ogen uit te wrijven als een jongetje dat uit zijn bedje werd gehaald. Madame Calmes dronk rustig haar glas leeg en zei lachend iets tegen hem, zonder van tafel op te staan.

Stanley hoorde dat het noch Frans, noch Duits was wat ze sprak. Toch begreep iedereen haar. Iedereen, behalve hij. In Europa kunnen ze in elke taal met elkaar van gedachten wisselen, dacht hij. Hij voelde zich dom. Vergeleken bij madame Calmes en die Engelse officier en zijn adjudant was hij een ongeletterde kinkel. Iedereen aan tafel begreep de ander, behalve hij. Hoe kon dat? Hij was afgestudeerd aan Princeton. Een uitstekende onderwijsinstelling, naar Amerikaanse maatstaven. Een van de beste van het land. Hij was bepaald niet de stomste. En hij had altijd ijverig gewerkt. Hij had altijd de lessen geleerd die ze hem opgaven, en nog wat meer, als het hem niet genoeg leek. Maar dat was Amerika. Daar had je het niet nodig om vreemde talen te leren. Dat werd niet van je geëist. Niet door je ouders, niet door de school, niet door de universiteit. Je werd niet gestimuleerd om met buitenlanders en hun talen om te gaan, de noodzaak deed zich niet voor. Als iets niet in het Engels was vertaald, was het blijkbaar de moeite niet waard. Amerika was in hevige mate 'americanocentrisch', op zichzelf gefixeerd, vol van zijn eigen grootheid en zijn eigen kracht. De rest van de wereld was maar achterlijk, kon de vooruitgang niet bijsloffen. De Amerikaanse elite stikte in haar eigen grootheid en huidige macht als in een visgraat die in haar keel was blijven steken en haar het ademen belette, zodat de hersenen niet voldoende zuurstof kregen. En het volk? Het volk, van wie de overgrootvaders, grootvaders of vaders paradoxaal genoeg in meerderheid zelf uit Europa afkomstig waren, bekeek Europa als flets geworden sepiakleurige foto's in familiealbums, of als foto's van een openluchtmuseum. Hoe vaak keek je naar zulke foto's? Tien keer, twintig keer, dan had je het wel gezien. En het volk? Het volk was het allemaal *ganz egal* of *complètement égal* – die woorden had hij inmiddels geleerd toen ze de tweede karaf wijn uit het uitstekende wijnjaar '39 soldaat hadden gemaakt – zolang aan het eind van de maand het geld waar je recht op had maar was bijgeschreven op je bankrekening. En dat was het geval, ook al omdat de oorlog prima was voor de conjunctuur – al zouden de meeste Amerikanen als je hun vroeg wat 'conjunctuur' betekende, antwoorden dat dat iets uit de architectuur was, of een Frans scheldwoord. Voor Amerika volstond het dat de elite dat woord snapte. Zei de elite dat het een Frans scheldwoord was, dan geloofde het volk het. En zei de elite dat het een zegenwens was, dan geloofde het volk het ook. Stanley dankte God op zijn blote knieën dat Hitler in Oostenrijk geboren was en niet in Texas.

In Europa lag dat heel anders. Daar geloofde bijna geen sterveling de elite. Europeanen zagen de elite als een zwarte wolk zomerse muggen boven een meer. Dat kwam voor een deel door de Franse Revolutie, dacht Stanley. Stanley was een groot fan van de Franse Revolutie, al was die voorliefde eerder kunstzinnig dan historisch. Zijn afstudeerwerkstuk – een scriptie met foto's – was getiteld 'De Franse Revolutie voor de camera. Een visuele reconstructie'. Zijn onderwerp was een theatrale en fotogenieke historische daad. Drie kleuren. Drie welluidende maar leugenachtige woorden. Galgen. Guillotines. Een mooie, halfnaakte vrouw die met geheven vaandel de revolutionairen voerde naar de eindoverwinning van Vrijheid, Gelijkheid en Broederschap. Veel helderrood. Veel bloed. En een Jongste Gericht dat, als bij alle revoluties, continudienst draaide. Dag in, dag uit. Zo'n onderwerp mocht hij niet laten schieten. Hij kreeg een vriend van hem zover dat hij een pruik opzette die Stanley had gehuurd bij een theater aan Broadway. De vriend moest eruitzien als Danton die bij het Jongste Gericht op zijn troon zat en als God de Vader de mensen naar het paradijs, het vagevuur of de hel verwees. De vriend vond het best. Hij zette de pruik op, nam plaats op een eikenhouten troon en sprak recht voor de camera, ten profijte van Stanleys werkstuk en van de kunst van de fotografie. De foto's werden prachtig. Ze waren geweldig in technisch en kunstzinnig opzicht. Maar niet in politiek opzicht. De vriend aan wie Stanley had gevraagd Danton te spelen, was niet als iedereen. Hij had het downsyndroom. Stanley vond hem trouwens helemaal niet zo anders dan iedereen.

Stanleys scriptiebegeleider keurde het werkstuk af. Dat was niet omdat Danton was uitgebeeld als een mongool. Integendeel, voor de professor waren alle leiders van de Franse Revolutie getikt, en Down leek hem nog niet zo'n gekke diagnose. Alleen dat al verbijsterde Stanley. Hoe kon een hoogleraar aan een Amerikaanse universiteit, een vertegenwoordiger van de intellectuele elite van het land, niet begrijpen dat de Franse Revolutie de wereld als eerste een model had geleverd voor een liberale democratie, een model dat niet alleen was gekopieerd door Europa maar ook door Amerika? Maar nee, wat voor de professor absoluut te ver ging, was het afbeelden van God als een mongool. Terwijl dat voor Stanley juist het belangrijkste was: God met het downsyndroom als rechter op de Jongste Dag. Juist die informatie wilde hij overbrengen aan de lezer. Zijn scriptiebegeleider hamerde er altijd op dat zijn studenten zich moesten concentreren op het visueel overbrengen van informatie. En nu deugde juist de informatie niet. Een geestelijk onvolwaardige God die als een bespotting van de geschiedenis en tegen onweerlegbare waarheden in rechtspreekt op de Jongste Dag, tijdens een revolutie die misschien niet rood was, maar dan toch wel op z'n minst knalroze – dat paste niet in het politiek correcte denken van een Amerika dat de mond vol had over vrijheid en het recht van iedereen om vrijelijk voor zijn mening uit te komen.

Stanley trok zijn werkstuk terug. Jong, naïef en radicaal als hij was, vertikte hij het om in te gaan op de compromissen die zijn begeleider hem voorstelde. Hij maakte een nieuw werkstuk. En hij maakte andere foto's. Uit recalcitrantie en om zijn begeleider een beetje te stangen koos hij een triviaal thema: de onwaarschijnlijk slanke taille van het fotomodel Dorian Leigh. Ze was populair in Amerika en ver daarbuiten. In de gezellige cabine van de vrachtauto waarmee Bill hem naar Luxemburg had gereden, hingen kleurenfoto's van haar, geknipt uit tijdschriften. In zijn nieuwe werkstuk ontmaskerde Stanley de manipulatieve fotografie van *Life* en *Vogue*, die met speciale verlichting, bewerkingen in het laboratorium en met gebruikmaking van allerlei effecten Leighs taille tot de droom hadden gemaakt van alle meisjes en jonge vrouwen van Amerika. Ook dit werkstuk was nou niet direct politiek correct. Het was zelfs niet helemaal legaal. Stanley fotografeerde miss Leigh zonder haar toestemming. Hij volgde haar, gluurde in haar privéleven, gebruikte een verborgen camera. Dát vond zijn scriptiebegeleider allemaal geen enkel bezwaar.

In Europa behoorde iedereen tot de elite, bedacht hij zich. Madame Calmes, de Engelsman en zijn adjudant en zelfs de als een os snurkende Herr Reuter. Hij begreep dat in Europa, anders dan in Amerika, het volk bestond uit persoonlijkheden, hoewel juist in de Amerikaanse grondwet en al zijn aanvullingen en amendementen uitvoerig gepraat werd over de uniciteit van ieder mens, over zijn recht op zelfbeschikking en geluk. Amerika was misschien wel het enige land waar het recht op geluk in de wet stond.

De geschiedenis van de democratie leek ineens ontzettend simpel in de ogen van een dronken Amerikaanse fotograaf die aan zijn vierde karaf wijn bezig was.

Terwijl Stanley zijn gedachten liet gaan over de invloed van de Franse Revolutie op het leven in Europa, kwam Herr Reuter zijn bad uit. Hij keerde de aanwezigen zijn achterste toe en toonde hun en de geschiedenis zijn reusachtige blote, bleke, harige billen. Toen pakte hij een handdoek van de schoorsteenmantel en verdween zwijgend door de deur. Herr Reuter hoorde duidelijk tot de elite: hij had schijt aan alles en iedereen. Tja, zo kon je ook uitdrukking geven aan je visie op de dingen, dacht Stanley.

Toen karaf nummer vijf leeg was, verliet ook madame Calmes de kamer. Een kwartiertje later kwam ze terug. Ze legde twee sleutels op de tafel. Het was duidelijk dat de stomdronken adjudant geen auto meer kon besturen. Hij haalde amper zonder hulp de wc. Kennelijk had hij dat zelf ook door, want hij pakte een van de sleutels, deed zijn best om glimlachend 'goedenacht' te zeggen, hoewel het inmiddels ochtend was, en stevende met onvaste tred en tegen tafels stotend in de richting van de deur naar de gastenkamers.

Madame Calmes legde inmiddels, dankbaar gebruikmakend van de talenknobbel van de Engelse officier, aan Stanley uit dat die zou slapen in een van de beste appartementen, op de tweede verdieping. Ze had het bed opgemaakt met zijden lakens, de lampetkom was gevuld met warm water en in de vensterbank stond een kan koud water. Helaas hadden ze alleen huishoudzeep, waarvoor zij zich verontschuldigde. In de haard had Herr Reuter vuur gemaakt en in de kast lag nog een donzen dekbed voor het geval hij het koud kreeg. Er werd pas om elf uur ontbeten, omdat vanwege de oorlog de enig overgebleven bakker in de stad niet voor tienen openging. Mocht hij de slaap niet kunnen vatten, dan lagen er een paar boeken voor hem op het nachttafeltje. Engelse boeken, die ze in het berghok had gevonden. O, en een heel enkele keer kwam het voor dat Colette de kat 's nachts over het dak wandelde. Als die hem wakker maakte met haar gemauw en haar gekrabbel aan het raamkozijn, dan mocht hij haar gerust binnenlaten en op de gang zetten. Mocht hij dorst krijgen, dan kon hij naar de salon beneden gaan. Ze zou meteen een fles water brengen, of twee flessen, en de karaf vullen met wijn. En ze zou nog wat hout in de haard leggen, zodat de salon warm bleef. Op zijn kamer stond een oude slingerklok. Sommige gasten hadden last van het getik. Dan moest hij gewoon even de slinger tegenhouden, dan hield het tikken op en stopte de tijd.

'Dan stopte de tijd...'

Stanley vroeg zich af of ze het echt zo gezegd had, of dat het aan de vertaling van de Engelsman lag. Nee, ze had het vast inderdaad zo gezegd. Die zin intrigeerde hem: 'Dan stopt de tijd.' Uit de meeste boeken die hij gelezen had, herinnerde hij zich maar één zin. Soms dacht hij dat dat geen toeval was, dat auteurs hun boek alleen maar schreven vanwege die ene zin. Dat de overige duizenden regels alleen maar vulling waren, dat ze een plot bedachten en al die hoofdstukken en alinea's alleen maar schreven om er die ene zin in te verstoppen. Zelf verschoot hij toch ook tientallen meters film voor één geslaagde opname?

Ook veel mensen in het boek van zijn leven bestonden alleen dankzij één zin, die ze hadden uitgesproken toen ze geëmotioneerd waren of woedend, of die ze er toevallig uit hadden geflapt, of die ze welbewust zo hadden geformuleerd.

Terwijl hij luisterde, keek hij naar madame Calmes' lippen. Zijn moeder had net zulke lippen. Oud, niet zozeer door de tijd maar doordat er zo vaak op gebeten was. En precies dezelfde rimpeltjes rond de ogen. Hoe zwaar het leven ook geweest was, de lach had meer rimpels achtergelaten dan de tranen. En zijn moeder had net zulke lichtblauwe, altijd wat vochtige, in het licht schitterende ogen. En dezelfde werkhanden. En dezelfde op de huid liggende aderen tussen hand en elleboog. En dezelfde dikke grijze haren, glad naar achteren geborsteld. En dezelfde blik. 'Ik heb al warm water in de lampetkom gedaan' – precies mama met haar: 'Stan, ik heb een warm bad gemaakt. Ga maar vlug in bad en vergeet niet je voeten goed af te boenen. Het water niet weg laten lopen, want Andrew gaat na jou in bad. En je doet geen plasje in het water, begrepen! Ik kom je straks welterusten zeggen.'

'Heeft madame Calmes u ergens mee gekwetst?' vroeg de Engelsman ineens.

Stanley schrok op uit zijn gepeins. 'Nee, waarom denkt u dat?'

'U huilt.'

'Huil ik? Echt?' zei hij verlegen. Met het vertrouwde gebaar van die avond stak hij zijn hand uit naar zijn lege glas. 'Eh... ja, dat zou kunnen. Ik huil wel eens. Huilt u nooit?'

Ook de Engelsman reikte naar zijn glas. Ook zijn glas was leeg. Beiden staarden ze naar de bodem van hun glas, om elkaar niet aan te hoeven kijken.

Hij stond op, pakte zijn sleutel, maakte een buiginkje voor madame Calmes en liep de salon uit. Ik ga Frans leren, dacht hij terwijl hij de trap op liep. En dan vertel ik haar alles wat ik nu wilde vertellen. Ik speel het zelf wel klaar, zonder die geleerde Engelsman.

Op de tweede verdieping zocht hij zijn kamerdeur op. Hij draaide zachtjes de sleutel om en ging naar binnen. Op de vensterbank van het zolderraam flakkerde een kaars in het glas van een olielamp. Hij rook lavendel. Het water in de kom was nog warm. Hij bevochtigde zijn gezicht. Zonder zich uit te kleden liet hij zich op het bed vallen. De klok tikte. Nee, ik ga de tijd niet stilzetten, besloot hij. Niet nu. Hij glimlachte bij de gedachte aan de vochtige ogen van madame Calmes. Algauw viel hij in slaap.

Hij werd gewekt door vreemde geluiden. Werktuiglijk strekte hij zijn hand uit naar de wekker. Meteen viel er iets zwaars op de grond.

'Blijf lekker slapen, Doris. Het was gewoon die stomme wekker,' fluisterde hij. 'Vergeten weg te gooien. Slaap lekker, schatje.'

Toen schoot hem iets te binnen. Hij ging zitten, wreef zijn ogen uit en keek naar de grond. De lichtvlek van het raam viel op een paar over de vloer verspreide boeken. Hij herinnerde zich de woorden van de oude dame: 'Engelse boeken, die ik in het berghok heb gevonden.' Opnieuw hoorde hij het merkwaardige geluid. Hij draaide zich om en keek door het raam. Een rode, half kale kat met één oor krabde aan de ruit. Aha, daar hebben we Colette, begreep hij. Hij deed het raam open. De kat mauwde en hij voelde op zijn wang de aanraking van een vacht die nat was van de sneeuw. Vlug ging hij terug naar zijn bed. Hij wilde verdergaan met zijn droom...

... Hij voelde dat hij dorst had en duwde zijn gezicht in de lampetkom. IJzige sneeuwvlokken vlogen uit een bevroren fontein, recht in zijn mond. Ze waren aangenaam koud en ze roken naar lavendel, kaneel en rozenwater. Colette en Mefistofeles zaten op de radio eensgezind met hun kop te knikken. Een paar ogenblikken later bracht Doris hem met de taxi naar de oorlog. Ze reden een verlaten Brooklyn Bridge over. Uit de radio klonken flarden van een redevoering van Adolf Hitler. Hij keek door het portierraampje. Naast hen rende een paard met de ogen van de Engelse officier. Doris liet de auto stoppen vlak voor de liftdeuren. Op de marmeren vloer van de liftcabine stond tussen een heel stel kamerplanten een slingerklok de tijd weg te tikken als een tijdbom. In de spiegel zag hij zichzelf Doris' naakte rug en billen aanraken. Hij stond achter haar en boog zich voorover om haar hals te kussen, maar elke keer stootte hij zijn voorhoofd tegen de spiegel. Een veeg rode lippenstift op de spiegel bewoog zich en zei: 'Ik zal boter kopen voor ons beiden.' Ineens hield de klok op te tikken. Het werd helemaal stil. Even later hoorde hij dat er op de deur van de lift werd geklopt.

Luxemburg, maandag 26 februari 1945, vroeg in de ochtend

Hij werd wakker. Het kloppen hield niet op. Colette krabde aan de deur en probeerde al springend de kruk te bereiken. Hij stond op, liep naar de deur en draaide de sleutel om. Toen hij de deur opendeed, schoot Colette meteen langs hem heen de gang op.

'Wilt u niet ontbijten? Het is al twaalf uur geweest. We willen graag om twee uur naar de stad vertrekken,' zei de Engelse officier vriendelijk glimlachend. 'Madame Calmes is haar specialiteit aan het klaarmaken: spiegeleieren met tomaten en bacon. Het is een meesterwerk, neemt u dat van mij aan.'

'Naar wat voor stad?' vroeg hij nerveus.

'Luxemburg. U wilde toch uw foto's ontwikkelen? Gezien de omstandigheden kunt u dat alleen daar doen, ben ik bang.'

'We zijn toch al in Luxemburg? Of haal ik nou dingen door elkaar? De laatste tijd gaat er geen dag voorbij of ik ben alweer in een ander land.'

De Engelsman moest lachen. 'Dat klopt. Maar ik bedoel de hoofd-stad. Die heet ook Luxemburg. Komt u naar de salon of moeten we niet op u wachten? We wilden niet aan de maaltijd beginnen zonder u.'

'Natuurlijk, ik ben zo beneden. Alleen ben ik waarschijnlijk al ge-storven van de dorst voor ik aan eten toe ben. We hebben het wel flink op een zuipen gezet gisteren. Momentje graag, ik kom zo.'

Hij kon zich niet heugen dat hij ooit iemand het ontbijt 'de maaltijd' had horen noemen. Het klonk behoorlijk exotisch. Een enkele keer moest hij echt ontbijten. Op zondagochtend bijvoorbeeld, als er een vrouw bij hem was blijven slapen. Meestal slokte hij een zwartgeblakerd stuk toast met jam naar binnen, dat hij wegspoelde met een paar slokken koffie terwijl hij zich met zijn andere hand stond te scheren. 'De maaltijd...' Of Brits Engels was heel anders dan Amerikaans Engels, of die officier mocht het graag mooi zeggen. Dan was hij een uitzondering. De meeste militairen die hij ontmoette waren totaal anders dan deze Engelsman.

Hoe het ook zij, het was erg aardig dat ze niet zonder hem aan 'de maaltijd' wilden beginnen. Alleen hoopte hij dat er niet zou worden gebeden voor het eten. Hij kende niet één gebed. Niet in een vreemde taal en zelfs niet in het Engels. Hij vond dat de wereld God niet nodig had. Gesteld dat Hij deze wereld geschapen had – wat uit wetenschappelijk oogpunt bezien hoogst onwaarschijnlijk was, had zijn alwetende broertje Andrew hem een keer uitgelegd – dan had Hij duidelijk geen tijd meer om zich verder te bemoeien met de planeet en de mensen die erop woonden. Hij liet het allemaal graag op zijn beloop...

Hij plensde water over zijn gezicht, poetste zijn tanden, schoot in zijn jasje, deed wat eau de cologne op zijn hals en rende de trap af. In de salon rook het precies zoals in zijn favoriete Franse croissanterie op de hoek van Madison Avenue en 48th Street. Dit was niet zomaar een bakkertje...

~

Als hij langs die croissanterie liep, kreeg hij altijd zin in een ontbijt. Ook al was het middernacht. Gelukkig kon je er dag en nacht terecht. De bakker wist kennelijk dat het in New York stikte van de excentriekelingen die hun dagindeling overhoopgooiden. Die lui werkten 's nachts en sliepen overdag, en het ontbijt was hun avondeten. Stanley vond dat helemaal niet raar. Zelf belde hij, als hij tot diep in de nacht moest doorwerken op de redactie en ineens merkte dat hij rammelde, wel eens die croissanterie om zijn geliefde croissants te bestellen: een met smeerkaas en een met frambozenconfiture. Een kwartiertje later ging dan de nachtbel en dan ging hij met de lift naar beneden om zijn ontbijt in ontvangst te nemen.

Eens, een klein jaar geleden, werd de papieren zak met warme nachtelijke croissants langs gebracht door Jacqueline, de dochter van de bakker. Hij had haar wel eens achter de toonbank zien staan in het weekend. Had je Jacqueline gezien, dan vergat je haar niet meer. Vooral niet als je een man was. Hij stond haar te bestuderen terwijl hij aan een tafeltje in de hoek van de croissanterie zijn koffie dronk en zijn ontbijt naar binnen werkte. Welke stommeling stond haar toe op dat uur van de dag haar bed te verlaten?

Die nacht begon het een paar minuten nadat hij zijn bestelling bij de croissanterie had opgegeven keihard te gieten. Het was de eerste echte lenteregen. Het meisje had geen droge draad meer aan haar lijf. Hij vroeg haar naar boven te komen, naar zijn kamer, bracht haar een beker hete citroenthee, vond ergens een schone handdoek, installeerde haar in een makkelijke stoel en begon haar glanzende lange zwarte haren droog te wrijven. Daarna ging hij op zijn knieën voor haar zitten en probeerde hij haar kletsnatte schoenen uit te trekken. Op het moment dat hij haar voet aanraakte, kreeg ze hevige kramp in haar been.

Jacqueline sprak vloeiend Engels, zij het met een flink Frans accent. Voor hem bestond er niets mooiers dan onberispelijk Engels met een Frans accent. Vooral als dat Engels werd gesproken door een vrouw en als de woorden over lippen kwamen als die van Jacqueline.

Ze studeerde literatuurwetenschap aan King's College in New York, ze was drieëntwintig, ze interesseerde zich voor schilderkunst, speelde piano en haar hobby was sterrenkunde. Haar schoonheid had iets Aziatisch en ook iets Slavisch. Mollige wangen, donkerblauwe ogen, een hoog voorhoofd, een klein beetje een wipneus, grote borsten. Haar vader kwam uit Algiers en was via Marokko, Gibraltar en Spanje in Frankrijk beland, in Lyon. Daar had hij haar moeder leren kennen, een gescheiden immigrante uit Rusland, en daar was ze geboren. Toen ze vier was, emigreerden haar ouders naar de Verenigde Staten. Ze was moslima, net als haar moeder, die jodin was maar het islamitische geloof had aangenomen, 'uitsluitend uit liefde voor haar man'.

Hij liet haar een paar foto's zien van zijn schilderijen. Jacqueline was naast Andrew de enige met wie hij zijn grootste geheim deelde: dat hij schilderde. Zo gaat dat vaker. Niet zelden vertrouwen we een voorbijganger, bijvoorbeeld een medereiziger in de trein of de bus, dingen toe die we onze dierbaren niet durven vertellen. Een anonieme passant, een onbekende die geen enkele bedreiging vormt omdat hij of zij bij de volgende halte of op het volgende station uitstapt en uit ons leven verdwijnt.

Ze verorberden samen de croissants. Hij vertelde haar over zijn werk, zij vertelde hem over haar dromen. Toen Jacquelines haren opgedroogd waren, bracht hij haar met zijn auto thuis.

Een paar dagen later werkte hij weer door tot diep in de nacht. Weer kreeg hij honger. Beneden bij de ingang stond even later Jacqueline met een papieren zak in haar hand. Ze namen samen de lift naar boven. Hij ging koffiezetten in de keuken. Toen hij terugkwam, zat Jacqueline op zijn stoel aan zijn bureau. Haar haren waren kletsnat.

'Wil je me afdrogen? Net als de vorige keer?' Ze maakte de knoopjes van haar blouse los.

Hij zette de koppen koffie op de vensterbank en reikte naar de bureaulamp om hem uit te knippen. Ze hield zijn hand tegen.

'Nee, laat het licht aan. Ik wil alles zien...' fluisterde ze.

De volgende dag belde zijn secretaresse Lisa hem zodra hij op zijn werk verscheen. Te laat, naar bleek.

'Stanley, hoe is het met je? Had je afgelopen nacht weer een aanval van onbedwingbare werklust? Hoe komt je bureau zo leeg en schoon? Het glimt als de ijsbaan bij het Rockefeller Center. Heb je op de grond gewerkt, op handen en voeten? Er zit een enorme schroeiplek op het tapijt, van je bureaulamp. Gelukkig hebben je papieren geen vlam gevat. Dat zou zonde zijn geweest, want er zaten een paar lang niet slechte foto's bij. Dat zei Arthur. Die heeft twee foto's meegenomen. Dan weet je dat en zoek je er niet naar. Jammer genoeg was Arthur er vandaag eerder dan ik. Daardoor kon ik de vloer niet opruimen en de gewone chaos aanrichten op je bureau. En Matthew, onze casanova van de sportredactie, was er nog vroeger dan Arthur. Hij heeft die ordinaire griet die stage loopt bij de boekhouding erbij gehaald, dat blondje dat nooit kousen draagt. Ze hebben samen je bureau onderzocht op de aanwezigheid van organische vloeistoffen. Dat zei die gore viespeuk tegen me! Blijkbaar vonden ze iets, want dat idiote mokkel gedroeg zich alsof ze zich ter plekke aan Matthew wilde geven.'

'Lisa, welke van mijn gebruikelijke uitvluchten wil je vandaag horen?' voeg Stanley verbouwereerd. Hij beet nerveus op zijn lip.

'Laat maar, doe geen moeite. Stanley, ik wil je niet kwijt hier. Als jij weggaat, hou ik het hier ook voor gezien. Dus vraag ik je één ding. Als je hier 's nachts eh... werkt, maak dan niet je bureau zo netjes leeg. Of eh... werk op de vloer.'

'Bedankt Lisa. Ik knoop het in mijn oren.'

Zoals te verwachten viel, belde Arthur even later. Bij het horen van diens stem pakte Stanley met een gewoontegebaar zijn sigaret die op de rand van de asbak lag te smeulen.

'Stanley, ik liep vanochtend langs je kamer en stomtoevallig zag ik op de grond twee magistrale foto's liggen. Ze lagen naast je portefeuille en je zakkammetje. Ik wist niet dat je een kam bezat, want je ziet er altijd uit alsof je net uit je bed komt. Maar talent heb je. We zetten ze op de voorpagina. Allebei. Alleen jouw foto's, de rest kan Lisa weer meenemen.'

'Ik zal het aan haar doorgeven, Arthur,' bracht hij met duidelijk hoorbare opluchting uit.

'Ik wil je alleen één ding vragen, Stanley. Zorg alsjeblieft dat de hele tent niet afbrandt. Van mij mag je doen wat je wil op het redactiebureau, maar doe volgende keer als alle Amerikanen. Doe het licht erbij uit.'

'Arthur, ik kan het uitleggen. Die lamp is gewoon op de grond gegleden...'

Er was al opgehangen. Hij pakte nog een sigaret.

Klotelamp! Dat kreng was echt per ongeluk op de grond gelazerd. Hij had alles van zijn bureau geveegd, dat klopt. Alles, behalve die lamp. Zij wou immers 'alles zien'. Toen Jacqueline al onder hem lag op het bureau had hij kennelijk per ongeluk tegen de lamp geschopt. Hij had het niet eens gemerkt. Toen hij al helemaal niet meer in staat was om te denken, had Jacqueline ineens gezegd dat hij moest stoppen. Hij snapte niet wat er gebeurde. 'Nee, niet daar, schat. Daar... Dat vind je óók lekker en ik ben moslima...' Achteraf, toen hij niet meer trilde en tegen haar aan lag, nog verbaasd over wat er gebeurd was, voor het eerst in zijn leven, had ze opeens op haar horloge gekeken. Haastig had ze haar kleren aangetrokken en hem met paniek in haar stem gevraagd haar vlug naar huis te rijden.

Zo ging het elke keer, tot half december. Hij werd nog een slag abnormaler dan alle andere abnormale mensen in deze gekke stad. Overdag moest hij werken, 's nachts sliep hij niet. Hij ontbeet voortaan tweemaal per etmaal. De eerste keer 's ochtends, met één hand onder het scheren in de badkamer, en de tweede keer na middernacht. Verder at hij geen hap. Hij wachtte tot de laatste medewerker van de krant het pand verlaten had en belde dan de croissanterie voor 'het gewone recept'. Dan had hij geen honger maar was hij uitgehongerd, dan luisterde hij niet naar haar maar verzwolg hij haar woorden, dan keek hij niet naar haar maar verslond hij haar met zijn ogen. Ze praatten over schilderkunst, over sterrenkunde, over fotografie, over boeken, over haar godsdienst en haar overtuigingen. Ze hadden het erover hoe knellend de banden van het geloof en de opvattingen over eer in het gezin waar ze was opgegroeid voor haar geworden waren. Opvattingen die haar van kindsbeen af waren ingeprent, maar waarmee ze zich niet langer kon verzoenen – ze leefde nu immers midden in een andere cultuur. Hij kreeg er nooit genoeg van met haar te praten. Voor haar gold kennelijk hetzelfde. Maar zij hield altijd haar hoofd erbij en keek regelmatig op haar horloge. Onder het praten begon ze zich uit te kleden als ze het tijd daarvoor vond. Ook van wat er dan volgde, kreeg hij nooit genoeg.

Als moslima mocht ze niet alleen zijn met een andere man dan haar vader, broer of een ander direct lid van de familie. Maar Stanley was voor haar vader en broer geen man. Voorlopig niet. Hij was alleen maar een vaste klant die gulle fooien gaf, die zij thuis netjes in de fooienpot deed. Ze rende halsoverkop naar hem toe, hij haalde haar buiten adem beneden op, ze begonnen meteen te praten en waren nog niet uitgepraat tijdens de dollemansrit naar de hoek van Madison Avenue en 48th Street, waar hij haar moest afzetten. Wat er gebeurde in de korte tijd die Jacqueline hem schonk was zo wonderbaarlijk, dat hij alles ervoor overhad.

Nooit wilde ze naar zijn huis komen, nooit maakten ze een wandelingetje, nooit nam hij haar mee uit eten of naar de film. Niet één keer durfde ze zich samen met hem in het openbaar te vertonen. Niet één keer accepteerde ze de bloemen die hij voor haar kocht. Ze raakte hem met een teder gebaar aan als hij haar de bloemen wilde geven, rook eraan en drukte ze tegen zich aan, maar accepteren deed ze ze niet. Niet op de manier waarop een vrouw bloemen van een man accepteert. Ze was niet zijn vrouw, niet zijn vriendin. Ze was alleen degene die hem zijn croissants bracht en hem heel even vergezelde op zijn reis door dit leven. Als een kortstondige medepassagier.

Op 16 december, haar verjaardag, nam hij beneden bij de ingang van het redactiebureau zijn laatste papieren zak in ontvangst. Uit de handen van haar broer. Hij leek sprekend op Jacqueline; zelfs hun stemmen leken op elkaar. Dezelfde intelligente blik, een en al belangstelling voor de wereld. Op de naar rozenwater geurende servet die Stanley onder in de zak vond, had ze geschreven: *Over twee weken ga ik trouwen. Hij is een goede man. Ooit zal ik van hem houden. Jacqueline. PS Gisteren heb ik mijn haren natgemaakt en ze daarna afgeknipt. Ik bewaar die haren, maar zal ze nooit, nooit meer aanraken...*

~

Met een opgewekt *'Bonjour, madame Calmes, guten Morgen, Herr Reuter, good morning, gentlemen!'* liep hij naar de ontbijttafel.

Madame Calmes legde warme croissants in een gevlochten mandje. Herr Reuter krauwelde Colette, die zich op zijn knieën had neergevlijd, achter zijn ene oor. De Engelse officier zat kaarsrecht op zijn stoel, als een doodsbange tolk tijdens de conferentie van Jalta – als je 'in de houding kon zitten', was dat precies wat hij deed – en de jonge adjudant leek op iemand die geen waswater in zijn lampetkom had aangetroffen.

Ze begonnen aan de 'maaltijd'. Niemand nam de moeite eerst te bidden, iedereen reikte meteen naar de porseleinen schaal met gebakken eieren. Stanley keek heimelijk naar madame Calmes. Zijn moeder had precies dezelfde blije blik in haar ogen als Andrew en hij aanvielen op het eten dat ze op tafel had gezet. Als er wat te weinig eten was, at ze zelf niet. 'Ik heb niet zo'n trek,' loog ze dan blijmoedig. Papa klaagde nooit over gebrek aan eetlust. En hij had de langste armen.

Ze vertrokken niet om twee uur, zoals de Engelsman van plan was geweest. Stanley vond het best. Hij zag helemaal geen reden om zich te haasten. Die foto's kon hij morgen ook ontwikkelen. Een dag oponthoud tijdens zijn verblijf hier, voor hem maakte het niks uit. Hij was niet een van de talrijke oorlogscorrespondenten die het leger op de voet volgden om het thuisfront kond te doen van de overwinningen van 'onze jongens'. Wat Arthur van hem wilde en verwachtte – bleek uit de brief die Stanley samen met zijn geld in de envelop had gevonden – was iets anders. De officiële, duidelijk geïdealiseerde Amerikaanse visie op de oorlog stuitte hem tegen de borst. Een visie die te vinden was op de voorpagina's van de kranten, *The New York Times* niet uitgezonderd. Als je afging op die foto's, was er niks paradoxaals aan de oorlog. De hele oorlog al cultiveerden de Amerikanen stevig de patriottische gevoelens. Patriottisme en censuur, die combinatie leidde ertoe dat de Amerikaanse kranten alleen verhalen en foto's afdrukten met een positieve lading. Arthur was het daarmee volstrekt oneens. Hij vond dat leugenachtige en uiteindelijk schadelijke praktijken. Net als de hoofdredacteuren van *Life* en *National Geographic* wilde hij zijn onafhankelijke fotoreporters het heetst van de strijd in sturen, en wenste hij geen gebruik te maken van de officiële legerfoto's, geautoriseerd door de fotospecialisten van de regering. De door de censuur goedgekeurde foto's kwamen Arthur de strot uit. Hij wist heel goed dat er ook andere foto's waren. Zoals bijvoorbeeld de stomtoevallig gepubliceerde, politiek incorrecte foto's van het florerende voor-oorlogse Berlijn onder het nazibewind. Die Duitsers zagen er beter doorvoed uit dan de vooroorlogse New Yorkers. Uiteindelijk was Arthur erin geslaagd een hoge pief van het State Department te overtuigen of, wat meer waarschijnlijk was, om te kopen, waarna hij gewapend met zijn volmacht Stanley had kunnen bellen in die gedenkwaardige nacht waarin deze voor het eerst met Doris naar bed was geweest. Hij had hem gebeld en naar de oorlog gestuurd.

Arthur wist niets over legers, bataljons, legerkorpsen, divisies, fronten, offensieven, afgeslagen aanvallen, troepenverplaatsingen, samentrekkingen, overgestoken rivieren, operaties, veldslagen, verzetshaarden, hoofdkwartieren, chefs van staven, bruggenhoofden en wat dies meer zij. Hij wilde er ook niets over weten. Wat hij wilde laten zien was de werkelijkheid van de oorlog in Europa, gezien door de ogen van de gewone Europeaan. Die werkelijkheid was amper voorstelbaar voor de Amerikanen, die de gebeurtenissen volgden op veilige afstand, en zou hen juist daarom interesseren. Stanley wist dat Arthur gelijk had. Hij kende zijn hoofdredacteur en zijn beste vriend, en had een onwrikbaar vertrouwen in diens journalistieke fingerspitzengefühl. Arthur wilde de alledaagsheid van de oorlog tonen, de wreedheid en de zinloosheid ervan, de volle omvang van het lijden dat de oorlog over mensen uitstortte. Daarbij ging het er hem niet om medelijden op te wekken. Op zijn leeftijd en dankzij zijn joodse afkomst wist hij dat de oorlog niet alleen maar een leven was in één reusachtige loopgraaf. Hij wist dat zelfs in de oorlog de aardbeien rijp werden, dat mensen van elkaar hielden en plannen maakten voor de toekomst. Natuurlijk ging dat allemaal anders dan in vredestijd. Vooral vanwege de alomtegenwoordige dood die iedereen ongeacht zijn leeftijd bedreigde. In de oorlog hou je op de dood alleen maar te associëren met de ouderdom, met rouwstoeten, verkeersongevallen en moord. Het zijn niet langer alleen maar in memoriams in de kranten en zwart-witte biljetten met een rijtje namen erop die op de muren van kerken en woonhuizen zijn geplakt. De dood houdt op een angstvallig betracht taboe te zijn. Mensen dromen ervan, mensen denken en praten erover. Ze houden er rekening mee als ze hun plannen maken. Dat alles gebeurt zelden bewust, maar onbewust gebeurt het bijna overal. Als het oorlog is, zet niemand zijn geld op de bank en laat niemand – wat een paradox! – een testament opmaken. Omdat niemand gelooft dat een stuk papier, ook al zitten er mooie rode zegels op en ook al staan er fraai krullende handtekeningen onder, in de toekomst enige betekenis kan hebben. Je weet niet wat die toekomst zal zijn – óf er een toekomst zal zijn. In de oorlog bewaren meisjes hun kuisheid niet, hoogstens als de datum voor de bruiloft al vaststaat; ze voelen dat de mannen geen tijd hebben om op een bruiloft te wachten. En mannen willen van nature toch al nooit wachten, of het nu oorlog is of vrede. Trouwens, de vrouwen – althans de vrouwen die Stanley had ontmoet – waren ook niet erg geneigd tot wachten...

Dit alles ging door Stanley heen tijdens dat late ontbijt op maandag 26 februari 1945, in de salon van madame Calmes, in het negen dagen daarvoor bevrijde Luxemburg. Hoe had die 'alledaagse' oorlog er hier uitgezien, in dit pension? Wie hadden hier zoal ontbeten in die dagen? Hij wilde het allemaal horen van madame Calmes, en zij vertelde het hem graag. Op een gegeven moment merkte hij dat de Engelsman een beetje genoeg kreeg van zijn tolkwerk. Een gedachtewisseling duurde wel erg lang als alles twee kanten uit vertaald moest worden. De arme adjudant zat zich duidelijk te vervelen en at alle borden leeg. Toen hij afscheid nam van madame Calmes, zag hij er weer helemaal opgekikkerd uit.

Het schemerde al toen ze in de auto zaten. Het sneeuwde. Herr Reuter keek uit het raam, Colette zat naast hem op de vensterbank aan de ficus te knabbelen, madame Calmes stond op de drempel en plukte een beetje nerveus aan haar hoofddoek. Stanleys moeder deed ook altijd een hoofddoek om als er bezoek was of bij bijzondere gelegenheden.

Ineens draaide madame Calmes zich om en verdween achter de deur. De adjudant trapte op de rem. De Engelsman leek niet te begrijpen wat er aan de hand was. Even later rende madame Calmes naar de auto. De adjudant sprong uit de auto en hield het portier open. De oude dame keek de auto in en duwde Stanley zonder iets te zeggen een linnen tasje in zijn handen. Eindelijk gingen ze op weg.

'Dank je!' zei Stanley vanaf de achterbank tegen de adjudant, en gaf hem een mep op zijn schouder. 'Hartstikke bedankt.'

Ze reden over smalle bochtige wegen door uitgestrekte bossen. Soms was de weg zo smal dat de takken de natte sneeuw van de voorruit veegden. Af en toe leken ze niet verder te kunnen, als er een greppel dwars over de weg liep of als er een boom was omgevallen. Dan ging de adjudant simpelweg van de weg af, reed een stukje door de struiken, om het obstakel heen, en ging weer de weg op.

De Engelsman, die samen met Stanley achterin zat, zei niets. Hij leunde met zijn hoofd tegen het portierraampje. Tussen hen in lag een grote leren aktetas.

'Heeft u misschien een sigaret voor me?' vroeg hij ineens.

'Natuurlijk! Sorry, ik dacht dat u niet rookte.' Stanley haalde een pakje sigaretten uit de zak van zijn colbert en reikte het de Engelsman aan.

De Engelsman stak een sigaret op. 'Heeft u toevallig Slavische voorouders?' vroeg hij.

'Waarom vraagt u dat?'

'Zomaar. Ik herinnerde me ineens iets. Alleen Slaven geven je het hele pakje sigaretten, zoals u daarnet deed. Amerikanen halen er één sigaret uit, die ze vasthouden bij de filter, en geven je hem aan. Nederlanders liegen dat ze nog maar één sigaret hebben en Engelsen doen net of ze je vraag niet gehoord hebben. Fransen bekennen hoffelijk dat ze helaas geen sigaretten meer hebben – wat haast altijd de waarheid is – en dat ze je er anders graag een zouden geven en zelf ook zouden opsteken. Italianen en Spanjaarden halen hun sigaret uit hun mond en laten je een trekje nemen. Alleen Russen – en ik heb er heel wat ontmoet in uw stad New York – geven je het hele pakje, net als andere Slavische volken. En als ze geen sigaretten meer hebben, gaan ze er ergens een voor je bietsen. Maar uitsluitend bij een landgenoot.'

'En Duitsers?'

'Duitsers? Ik weet het niet zeker, maar ik denk wel dat die je een sigaret aanbieden. Het is een zeer gedisciplineerd volk. Als in een of andere instructie of wet staat dat dat moet, dan bieden ze degene die ze gaan executeren beslist een laatste sigaret aan. Die ze dan later inboeken onder "diverse executiekosten".'

'Zou u ze het liefst allemaal ombrengen, die Duitsers?'

'U simplificeert vreselijk door het op die manier te vragen. Anderen doen dat meestal opzettelijk. U niet. U bent niet als anderen. Anders had de oude madame Calmes u geen rijst met kaneel en suiker te eten gegeven. U viel dat niet eens op, hè? Maar mij wel. En Herr Reuter ook. Weet u nog dat Herr Reuter toen meteen opstond en de salon uit liep? Dat heeft u natuurlijk gezien, maar u zocht er verder niets achter. Maar Herr Reuters reactie was heel begrijpelijk. Het is namelijk zo dat de oude dame die rijst met kaneel en suiker alleen maakte voor haar zoon als hij uit Brussel overkwam om haar op te zoeken. Haar enige zoon. Hij was journalist, net als u; hij werkte voor een Belgische krant.

Een jaar na het begin van de oorlog werd hij als correspondent naar Engeland gestuurd. Op 14 november 1940 is hij omgekomen bij het bombardement van Coventry. Die dag hebben de Duitsers de stad Coventry met de grond gelijkgemaakt. Dat weet u, uw eigen *New York Times* heeft erover geschreven. Maar om terug te komen op uw vraag...' De Engelsman draaide zich om naar Stanley – 'dat wilde u toch voor uzelf weten? Niet voor een van jullie kranten daar?'

'Nee, het is niet voor de kranten. En als dat wel zo was, dan was het maar voor één krant. Die van mij. En dat is niet "een van die kranten daar". Anders zou ik daar niet werken, en anders zat ik lekker in New York en niet hier. U heeft gelijk, ik vroeg het alleen maar voor mezelf. Ik wil heel graag weten of u, als Britse officier van joodse afkomst, alle Duitsers dood zou maken als u daar de mogelijkheid toe had.'

De Engelsman nam een trek van zijn sigaret. 'Weet u, u moet het me niet kwalijk nemen, maar uw vraag is die van een journalist van een boulevardkrant. Dat soort kranten biedt je altijd maar de keus uit twee mogelijkheden, uit zwart en wit. Aan halftinten en nuances doen ze niet. Dat is ook het geheim van hun succes. "Ja of nee?" Dat is een kop voor een krant die mensen op de wc lezen. Je gaat even schijten, sorry voor mijn woordkeus, en je hebt tijd genoeg om intussen zonder enige inspanning iets op te steken over de wereld om je heen. Meestal is dat iets wat je allang wist en wat precies samenvalt met je eigen opvattingen. Eén zo'n opvatting wil dat een jood in deze situatie het liefst alle Duitsers eigenhandig zou wurgen. Dat spreekt verdomme toch vanzelf? Dat zou hij zelf toch ook doen als hij een jood was? Hij trekt door, gooit zijn krantje in de prullenbak en verlaat zonder zijn handen te wassen opgelucht de plee, vervuld van een volledig, zij het kortstondig begrip voor de joden. Niet voor de joden als zodanig misschien, maar wel voor hun recht op wraak. Maar zo is het niet! Ik kan u geen simpel en eenduidig antwoord geven. Mijn vrouw is geboren in Hamburg. De Duitsers noemden haar raszuiver. Een echte Duitse, zonder een druppel verkeerd bloed. Ik ken geen beter mens dan zij. Ze is de beste, de allerbeste. Kortom, ik zou niet één Duitser doden, alleen uit wraakgevoelens. Die gevoelens cultiveer ik niet in mezelf. Evenmin als haat. Ik weet het: de meeste mensen haten graag. Zulke mensen vinden dat ze er stevige en duidelijke standpunten op na houden. Maar tot die mensen behoor ik niet. Dat is toch wat u wilde weten?'

Stanley hoorde hem aan zonder iets te zeggen. Hij kauwde nerveus op een paar tabakssliertjes die in zijn mond waren achtergebleven. De

Engelsman had gelijk. Dit was precies waarnaar hij had willen vragen: haat en wraakgevoelens. Alleen had hij zo'n beknopt en duidelijk antwoord niet verwacht. Misschien had hij een verkeerde indruk gewekt, maar hij was helemaal niet uit geweest op een 'ja' of 'nee'. Waarom ja, waarom nee – dát interesseerde hem.

'Dat is precies wat ik bedoelde. Overigens wilde ik u volstrekt niet kwetsen met mijn vraag.'

De Engelsman glimlachte.

'U heeft mij niet gekwetst. Eerlijk gezegd ben ik u zelfs erkentelijk. Ik heb me mezelf hiervan eigenlijk nooit rekenschap gegeven, ben ik bang. Ik ben geen militair geworden om te doden; het interesseert me veel meer waaróm militairen doden. Maar nu wil ik het graag over iets anders hebben. Wanneer er niets onvoorziens gebeurt, zijn we er over een uur. Ik heb geregeld dat ik u toevertrouw aan een Amerikaanse propagandaofficier in Bonnevoie. Dat is een wijk in het zuidoosten van de stad Luxemburg. U bent daar ingekwartierd bij stafofficieren van Patton, dus u bevindt zich onder landgenoten. Het is een rustig en veilig gedeelte van de stad.'

De Engelsman wendde zich tot zijn adjudant: 'Martin, we rijden eerst naar Bonnevoie-Noord. Ik vertel je straks wel waar we precies moeten zijn.'

Een paar minuten lang zei niemand iets. Stanley voelde iets van teleurstelling en ongeduld. Vanaf het moment dat hij in het vliegtuig naar Newark was gestapt, had hij praktisch niets over zijn eigen leven te vertellen gehad. Dat verdroeg hij niet langer. Hij ging alleen maar naar plekken die anderen voor hem uitkozen. Aan de ene kant was het geruststellend om zo 'embedded' te zijn, maar het was ook iets wat hij nooit eerder had meegemaakt en wat hem frustreerde. Hij hoefde niet naar de plekken waar een oorlog zich doorgaans afspeelt. In een loopgraaf te zitten tussen het bloed en de kruitdampen was niets voor hem. Wat hij wél wilde, was naar 'bevrijd' gebied – hij betwijfelde of de Duitsers zelf dat woord zouden gebruiken – gaan en daar in contact komen met heel gewone Duitsers, modale Duitsers in modale huizen. Duitsers, díe waren zijn prioriteit.

De weledelgeboren madame Calmes mocht zich dan 'bevrijd' voelen, het leek hem onwaarschijnlijk dat ene Frau Schmidt die enkele tientallen kilometers ten oosten van madame Calmes' pension woonde, aan de andere kant van de Rijn, het net zo voelde. Als dat zo was, dan leed Frau Schmidt aan geheugenverlies, ofwel acute amnesie. Als je aan amnesie lijdt, vergeet je alles, en allereerst je eigen doen en laten...

Stanley wilde graag berouwvolle Duitsers fotograferen, die wachtten op de nog onbekende straf die hun boven het hoofd hing. Arthur, met zijn herinneringen aan de Eerste Wereldoorlog en aan de gebeurtenissen van september 1939, geloofde geen snars van dat Duitse berouw. Straf, de belofte om hun leven te beteren: het zou allemaal niets veranderen. Toch verwachtte Stanley dat hij de Duitsers op hun knieën zou zien liggen, verslagen, vernederd. Ach, als hij maar mooi materiaal scoorde voor de voorpagina. Iets waarop de op wraak beluste massa wachtte. Zonder massa immers geen krant. Oké, de *New York Times*-lezers vormden een bijzonder soort massa: veeleisender en intellectueler, of in elk geval behept met intellectuele pretenties. Maar een massa bleven ze. Als die massa zijn eerste honger gestild had, wilde Arthur – en Stanley deelde die wens – ook Duitsers laten zien die zich tijdelijk bij de nederlaag hadden neergelegd maar die er in werkelijkheid vast van overtuigd waren dat hun kans om revanche te nemen zou komen. En zelf wilde hij, Stanley, nog een derde categorie Duitsers laten zien. Duitsers die oprecht blij waren met de 'bevrijding'. Ook die hoopte hij te vinden.

Het enige wat hij pertinent niet wilde, was dat de Duitsers de kans kregen met hun berouw te koop te lopen. Bijvoorbeeld op de pagina's van zijn krant. Daaraan ging hij niet meewerken. Dat zou al te naïef zijn, gezien de mentaliteit van de Amerikanen. Die hoefde je alleen maar een ongelooflijke ploert te laten zien die zijn hoofd met as bedekte en huilde, en zijn excuses aanbood, en zijn fouten erkende, en een riedel afstak over het menselijk tekort en de verleidingen van Satan en over zijn verlangen om de wereld te bevrijden van het kwaad et cetera et cetera, en dat hij zo graag weer door de mensheid in genade zou worden aangenomen. Amerikanen kicken er geweldig op als een bekend iemand net zo'n zondaar blijkt te zijn als zijzelf. Dan vergeven ze hem meteen alles.

Amnesie, dat ging er niet in bij de Amerikanen. Maar amnestie, dat vonden ze geen probleem. Persoonlijk was Stanley mordicus tegen die amnestie. Arthur daarentegen leek zich in dit geval achter de massa te scharen. Het zou wel een weldoordachte strategie van hem zijn, een van de vele die hij in zijn mouw had, want normaal gesproken verafschuwde Arthur de massa nog erger dan kakkerlakken. En hij moest toch weten wat de Duitsers de joden hadden aangedaan. Stanley vond het verontrustend dat de invloedrijkste hoofdredacteur van Amerika, een opiniemaker als geen ander, de ongekend wrede massamoord op de joden onder het tapijt leek te vegen. Terwijl hijzelf een jood was. Hij moest er zijn redenen voor hebben. Arthur deed nooit iets zonder reden.

∼

Hij had er maar één keer met Arthur over gepraat. In december 1943, tijdens het traditionele kerstfeest op de redactie. Dat was de enige dag van het jaar waarop de burelen van die eerbiedwaardige krant veranderden in een soort speeltuin voor de kinderen van de *New York Times*-medewerkers. Ze vierden dat feest nog voordat de kerstboom op het plein voor het Rockefeller Center werd neergezet. Arthur vond dat de kerstboom van zijn krant de eerste moest zijn. Daarna mocht Rockefeller doen waar hij zin in had. Arthur had de pest aan de Rockefeller-clan. Iedereen op de redactie wist dat. En daarbuiten wist ook iedereen het. Hij negeerde alle uitnodigingen van die familie. Rockefeller was volgens hem een gevaarlijke, meedogenloze haai die alles en iedereen om hem heen opvrat. Stanley herinnerde zich dat op een maandag bij de deuren van het redactiebureau ineens een joekel van een aquarium stond. Er zwom een haai in. Een kleintje, maar toch. Op het aquarium was een papiertje geplakt met ROCKEFELLER erop.

Het was in de tweede week van december. Arthur was net terug uit Teheran, waar hij de enige vertegenwoordiger van de Amerikaanse pers was. Hij was ernaartoe gevlogen in hetzelfde toestel als Roosevelt, wat hij niet naliet met grote letters op de voorpagina te vermelden. Er werd in die tijd veel over geschreven dat de 'Conferentie te Teheran een demonstratie was van de eensgezindheid van de Grote Drie en dat die conferentie de val van het Derde Rijk dichterbij bracht'. Geen woord over het feit dat Roosevelt in het kader van die eensgezindheid zonder met zijn ogen te knipperen Polen cadeau had gedaan aan Stalin. Daarover schrijven was onfatsoenlijk en politiek ongewenst. In elk geval gezien de situatie op dat moment. Er zouden in 1943 presidentsverkiezingen plaatsvinden. Op dringend verzoek van Roosevelt, die rekende op de stemmen van de Poolse immigranten in Amerika, werd de manier waarop de Grote Drie de kwestie-Polen hadden geregeld voor het publiek verborgen gehouden. Arthur was naast de tolken een van de zeer weinige burgers die op de hoogte waren. Ondanks alle zogenaamde persvrijheid zweeg ook hij erover. En dat terwijl *The New York Times* sinds zijn oprichting onveranderlijk op de voorpagina zijn trotse devies afdrukte: 'All the News That's Fit to Print'. Iedereen die de journalistiek een warm hart toedroeg, kende die woorden vanbuiten, zelfs buiten de Engelstalige wereld. *Alle* nieuws? Bullshit! Nog zo'n woord dat ze overal op de wereld snapten.

Was de pers werkelijk objectief? Daar dacht Stanley vaak over na. Natuurlijk kende hij de definitie: de overdracht van informatie, onafhankelijk van persoonlijke voorkeuren, emoties en gezichtspunten. Maar hoe langer hij in de journalistiek actief was, hoe vaker hij opmerkte dat de informatie in de pers afhing van persoonlijke smaak en dus subjectief was – érg subjectief. Toen hij Arthur ernaar vroeg, antwoordde die zonder een moment te aarzelen: 'Stanley, van ons hele gilde zijn wij als enigen werkelijk objectief. Moet je eens kijken, of liever gezegd luisteren, wat CBC en NBC ervan bakken. Met hen vergeleken zijn wij kristalzuiver. Maar ook op kristal zitten krasjes en barstjes. Journalisten schrijven heus de waarheid, maar voordat het naar de drukker gaat, werken ze die waarheid een klein beetje bij. Dat weet je zelf toch ook...'

Ze waren een stukje bij de kerstboom en de kinderen die opgewonden en luidruchtig hun cadeautjes uitpakten vandaan gaan staan. Arthur was ongewoon zwijgzaam. Hij had een glas wijn in zijn hand maar dronk er niet van. Hij zag er terneergeslagen uit. Arthur uitte zijn gevoelens zelden, en al helemaal niet in het bijzijn van buitenstaanders. Haast niemand kon zien dat hij verdrietig was. Op de redactie was hij, Stanley, waarschijnlijk de enige. Dat was zijn privilege: Arthur zag hem niet als een buitenstaander. Voor hem was Stanley een soort pleegzoon. In Amerika toonde je je ware gevoelens doorgaans alleen aan de psychoanalyticus, die daarvoor een vet honorarium opstreek.

Voordat hij verder praatte, overtuigde Arthur zich ervan dat er niemand bij hen in de buurt stond.

'Stanley, als er iemand is aan wie ik niet hoef uit te leggen dat persvrijheid iets anders is dan dat je alles maar kunt schrijven, dan ben jij het. Onder ons gezegd: Hitler is een psychopaat en een moordenaar, maar de echte slager is niet hij maar Stalin. In Teheran is het me gelukt een Russische tolk mee de stad uit te nemen en dronken te voeren. Of nee, dronken voeren lukt natuurlijk niet met een Rus. Maar ik kreeg hem toch zover dat hij niet meer te bang was om zijn mond open te doen. Al keek hij eerst wel angstvallig om zich heen. Wat hij me vertelde over de verschrikkingen van de Siberische kampen is niet te bevatten. Mijn vrouw zou het niet verdragen het aan te horen. Als je dat alles hoort, ga je anders aan kijken tegen het bestaan van Dachau. Maar over Siberië kunnen we niet schrijven, want dan wordt Stalin zenuwachtig, en dat wil Roosevelt beslist niet hebben. Niet nu, tenminste. Begrijp je me? Niet nu! Als Stalin niest, maken hele brigades van het Rode Leger pas op de plaats. Als Stalin een scheet laat, zijn het divisies. En als Stalin echt de zenuwen krijgt, kan hij zijn hele leger halt laten houden. Voor een hele tijd. En daar heeft niemand iets aan, behalve de Duitsers. Dus Roosevelt stuurt hem wat hij wil. Frankie D. wil geen ruzie met Stalin. Hij heeft het veel liever aan de stok met Churchill. Voor Roosevelt is Churchill een praatzieke imperialist met een sigaar in z'n hoofd en is Stalin een sympathieke democraat op z'n sovjets. Bovendien heeft hij dankzij Stalin geen omkijken naar het oostfront. Roosevelt is dolblij dat het Sovjetleger daar vecht en aan het langste eind trekt. Voor al dat bloedvergieten komt hem wel een beloning toe, of niet? Roosevelt beseft niet dat hij een pact met de duivel heeft gesloten. Kan je het je voorstellen, Stanley? Ik hoef me niks voor te stellen. Ik weet het. Als de oorlog voorbij is en jouw broertje en zijn vrienden hebben daar in Chicago met Gods hulp iets in elkaar geknutseld, staan de sterren heel anders. En dan hebben we misschien een nieuwe president. Eentje met ballen.' Arthur deed zijn das wat losser en veegde het zweet van zijn voorhoofd.

'Arthur, denk je echt dat de verkiezingen iets veranderen?' vroeg Stanley verbaasd.

Arthur keek hem aan, nog verbaasder. Met een cynische glimlach antwoordde hij:

'Jongen, onthou één ding. Voor eens en altijd. Voor de rest van je leven. Als verkiezingen echt iets zouden veranderen, dan waren ze allang verboden. Maar serieus: vóór de verkiezing houden de grote concerns de vinger aan de pols. Met één hand. Met de andere hand hebben ze Roosevelt bij zijn kloten.' En op ernstiger toon voegde hij eraan toe: 'Wat die verkiezingen betreft moet je me geloven, Stanley. Politiek is het minste van twee kwaden kiezen. Nu, in de oorlog, is het een keus tussen tuberculose en longkanker. Trouwens, over longen gesproken: als jij zoveel blijft roken, ga je eerder dood dan ik en kom je nooit te weten wat wij gaan schrijven. Want wij gaan schrijven over Dachau, en vooral ook over Auschwitz. Alleen niet nu. We schrijven als de tijd gekomen is. Dat beloof ik je. En ik vraag je echt om niet zoveel te roken, dat meen ik. Kom, laten we samen met de anderen feest gaan vieren. Het is vandaag niet de beste dag om over politiek en over het kwaad in de wereld te praten...' Arthur pakte hem bij zijn schouder en voerde hem mee, de hal in van het redactiebureau, die vol vrolijke mensen was.

'Arthur, nog één momentje. Vertel me hoe je weet dat Andrew in Chicago zit.'

'Is dat dan niet zo?' fluisterde Arthur glimlachend. 'Toen ik naar Teheran ging, zat hij daar in elk geval wel.'

～

Dat gesprek met Arthur had hem niets duidelijk gemaakt. Integendeel, het was nog verwarrender geworden. Stanley zag geen enkel verband tussen het zwijgen over de uitroeiing van de Europese joden en het zwijgen over Stalins misdaden. Maar misschien wist hij niet alles? Misschien wilde Arthur hem juist dát vertellen? Alles kon...

'Kunt u me misschien helpen?' Hij draaide zich om naar de Engelsman, haalde een verkreukelde kaart uit zijn zak en vouwde die uit op zijn knieën. 'Ik wil graag zo snel mogelijk naar Duitsland. Niet sneller dan Patton natuurlijk. Bill, die me naar u toe heeft gebracht, dacht dat Trier als eerste zou vallen. Denkt u dat ook?'

De Engelsman knipte de binnenverlichting van de auto aan en boog zich over de kaart. Juist op dat moment reden ze weer de weg af en het bos in. Door de schok stootte de Engelsman zijn neus tegen zijn knie. Een paar druppels bloed vielen van zijn neus op de kaart.

'Martin,' zei hij rustig. 'Kan je heel even stoppen?'

De adjudant deed wat werd gevraagd. De Engelsman haalde een zakdoek uit zijn broekzak, depte zijn neus en veegde daarna zorgvuldig het bloed van de kaart.

'Trier gaan we heel binnenkort innemen,' zei hij. Hij drukte de zakdoek weer tegen zijn neus. 'Vandaag is het maandag de zesentwintigste. Langer dan een week gaat het niet duren. Trier is voor ons niet zo heel belangrijk. Het Roergebied is veel belangrijker. We moeten de Rijn over en dan Keulen en Dortmund innemen. Ik verwacht dat de Duitsers al hun troepen zullen concentreren bij de Rijnbrug bij Remagen en dat ze Trier bijna zonder slag of stoot zullen opgeven. Er valt daar trouwens niet veel meer op te geven. Eind december hebben we meer dan tweeduizend ton aan bommen gegooid. Met napalm. Komende maandag kunt u daar denk ik al foto's maken en uw commentaren schrijven. Van de stad Luxemburg naar Trier is het maar zevenendertig mijl, oftewel zestig kilometer.'

'Dus Trier ziet er nu net zo uit als Dresden? Want dáár wil ik het allerliefste heen.'

De Engelsman haalde een ogenblik de zakdoek weg van zijn gehavende neus. Hij bloedde nog steeds en een dikke druppel viel op de kaart. Hij merkte het niet.

'U maakt een grapje, mag ik hopen?' vroeg de Engelsman verbaasd. En zonder een antwoord af te wachten voegde hij eraan toe: 'Er is op dit moment op de hele wereld geen plaats zoals Dresden. Als u zich specialiseert in het fotograferen van kerkhoven, dan is dat uw kans om uw beste foto's te maken. Een indrukwekkender kerkhof zult u nergens aantreffen. Zelfs niet in uw enorme Amerika. Maar ik zou het u niet aanraden om naar Dresden te gaan. Als dat al zou lukken, wat puur theoretisch is. Ten eerste zitten ze daar echt niet te wachten op u, als Amerikaan. De overlevenden daar weten heel goed wie hun stad in een kerkhof hebben veranderd. En ten tweede zijn de Russen daar bijna. Het wordt hun zone. Dat is besloten in Teheran en bekrachtigd in Jalta.'

'Maar weet u, ik zou graag Russen ontmoeten. Juist daar in Dresden.'

De Engelsman barstte in lachen uit, net als de adjudant, die naar hun gesprek had geluisterd.

'Rijden, Martin. Het wordt al donker,' commandeerde de Engelsman gedecideerd.

Pas toen ze weer reden en het geraas van de motor zijn woorden overstemde, ging hij dichter bij Stanley zitten. Zacht, zodat de adjudant hem niet kon horen, zei hij: 'U blijft me verbazen. U moet het me maar niet kwalijk nemen, maar ik krijg het idee dat u hetzelfde soort foto's wil als van de politieoperaties in The Bronx in de tijd van de drooglegging. De Cosa Nostra tegen de politie! Oorlog, rechtstreeks in onze uitzending! Dat gaat hier niet lukken. Op een tank zitten geen zwaailichten en sirenes. Oorlog is niet interessant. Ik heb een keer een luitenant begeleid bij een tripje naar het zogenaamde Rijnfront. Hij had detectives van Agatha Christie in zijn bagage gestopt. Zo saai was het! De Engelsen hebben het niet voor niets over de *phoney war*, de "nepoorlog", en de Fransen over de *drôle de guerre*, de "rare oorlog".

Bovendien zou ik u omgang met de Russen op dit moment met

klem afraden. Stalin heeft daar de complete elite uitgemoord – die zal weer herrijzen hoor, het is een heel cultureel volk – en de gewone soldaten met wie u te maken zou krijgen, hebben alle recht om bloeddorstig en wraaklustig te zijn. Wat de Duitsers in Rusland hebben uitgevreten, is onvoorstelbaar. Stalin heeft het in geuren en kleuren aan de wereld verteld, en dat is nu eens geen propaganda maar de waarheid.

Heeft u gehoord van het plaatsje Babi Jar, onder Kiëv? Ik vraag u dat omdat u journalist bent. Nee? Onze inlichtingendienst werkt samen met de uwe. Ik heb deze informatie van onze agenten. En zij hebben het van de Duitsers. Bij uw krant onderhoudt ongetwijfeld iemand het contact met de Amerikaanse inlichtingendienst. Dus als ik u dingen vertel die u al gehoord heeft, moet u me onderbreken.

In het bos bij Babi Jar is een groot ravijn. Vijftig meter breed en dertig meter diep. En een paar kilometer lang. Onder in dat ravijn stroomt een riviertje. Eind september '41, op 29 september om precies te zijn, stroomde het daar nog. Gedurende tweeënhalve dag werden eindeloze stoeten mensen naar dat ravijn toe gedreven. Telkens als een nieuwe stoet bij het ravijn aankwam, zonderden de Oekraïense helpers van de ss een groep mensen af en dwongen hen af te dalen in het ravijn. Steeds vijftig tegelijk. Vervolgens traden ss'ers aan en maakten die vijftig mensen met een pistoolschot in het achterhoofd af, waarna ze een nieuwe laag lijken in het ravijn vormden. In zesendertig uur werden zo bij Babi Jar 33.771 mensen vermoord. Vijftien per minuut dus; ik hoop dat u mijn rekensom niet ongepast vindt. Al na een kwartier was het riviertje afgedamd met lijken. Dat rapporteerde onze inlichtingenman. Stalin was minder exact dan die agent. Hij deelde mee dat bij Babi Jar "de fascisten in de loop van twee dagen op beestachtige wijze, met een schot in het hoofd, ongeveer veertigduizend ongewapende burgers van de Sovjet-Unie hebben vermoord". Afgezien van deze onnauwkeurigheid werd in niet één Sovjetkrant met een woord gerept over het feit dat alle slachtoffers joden waren. Babi Jar was de eerste massale gruweldaad van de nazi's, en Stalin maakte hem wereldkundig.

Let wel, dat was in '41, toen de Duitsers concentratiekampen in Polen nog geen praktischer oplossing vonden dan massa-executies aan het oostfront. Dat schieten vonden ze niet efficiënt. Wat heb je aan vijftien man per minuut, als je miljoenen moet vernietigen? En dan moet je ook nog de lijken ergens laten. Ze verzonnen toen iets wat primitief was, maar wel effectief: gasvrachtauto's. Geen kamers, nee, auto's. Ze joegen een maximale hoeveelheid mensen de laadruimte van zo'n auto in en vergasten ze. Volgens rapporten waarop de Britse inlichtingendienst in december 1941 de hand wist te leggen, werden met maar drie van die gasauto's ongeveer "zevenennegentigduizend lichamen" – ik citeer het rapport – "verwerkt zonder zichtbare technische aanpassingen aan de auto's". Een van de Duitse ingenieurs merkte op dat "de productiviteit het grootst was bij toepassing op zieken, bejaarden, invaliden, vrouwen en kinderen". Maar ook dat was niet voldoende. Toen ontstond het idee van de zogenaamde dodenkampen. Eerst kwam er een kamp in Bełżec, daarna volgden Sobibór, Treblinka, Majdanek en ten slotte Auschwitz, de Duitse naam van de nabijgelegen Poolse stad Oświęcim. Die kampen maakten het mogelijk om een maximaal aantal mensen om te brengen binnen zeer korte tijd. En men kon zich er heel snel ontdoen van de lijken. Daarvoor werden crematoria gebouwd. In Auschwitz werd het ontwerpen van de crematoria toevertrouwd aan een Duitse bakker uit Leipzig. De man had immers verstand van ovens. De Russen hebben nog maar een paar van die kampen bereikt. Een maand geleden, op 27 januari, trokken ze Auschwitz binnen. Ze weten nu precies wat zich daar heeft afgespeeld. Na zoiets kan je alleen nog haten. Wat je overtuigingen verder ook zijn... Daarom zou ik u niet aanraden in de nabije toekomst in de buurt van Russen te komen. Voordat u ze hebt uitgelegd dat u geen Duitser bent, bent u al een lijk.

Als ik u was, zou ik wachten tot beslist is over het lot van Trier en dan zou ik een rechte lijn op de kaart tekenen, van west naar oost, en ik zou beneden die lijn blijven. Dat lijkt me rustiger en een stuk veiliger. Hoe lang denkt u hier nog te blijven?' De Engelsman keek hem recht in zijn ogen.

Stanley realiseerde zich dat hij daarover nog niet had nagedacht. Inderdaad, hoe lang wilde hij hier blijven? Hoe lang *moest* hij hier blijven? Wat wilde hij vastleggen en opsturen of mee naar huis nemen? Wat moest hij fotograferen voor Arthur en wat voor zichzelf? Wat moest er gebeuren, wilde hij besluiten dat hij klaar was met zijn werk en dat hij met een gerust geweten terug kon naar huis? Terug naar huis?! Hij was hier net! Stanley verzonk in gedachten. Hij pakte het pakje sigaretten dat naast hem op de zitting lag en bood de Engelsman een sigaret aan. Hij zocht in zijn zakken naar lucifers. Het doosje viel op de stalen vloer van de auto, naast het linnen tasje van madame Calmes. Stanley betastte het tasje. Hij pakte het op en zette het op de kaart die nog uitgespreid op zijn knieën lag. Uit het tasje haalde hij een karaf wijn met een glazen stop die was omwikkeld met leukoplast. Er bleek ook nog een wit porseleinen schaaltje in de tas te zitten, gewikkeld in een bonte linnen doek met een zwart elastiek eromheen. Hij haalde het elastiek eraf en wikkelde de doek los. In het schaaltje zat een portie rijst. De auto vulde zich met de geur van kaneel. Stanley kreeg een brok in zijn keel; zijn hart ging wild tekeer.

'Wat is madame Calmes' voornaam?' vroeg hij aan de Engelsman.

'Dat weet ik niet, ik heb het haar niet gevraagd. Volgende keer zal ik het haar vragen. Is dat belangrijk voor u?'

'Ja. Ik kende altijd de voornamen van vrouwen die belangrijk voor me waren.'

Hij trok de pleister van de stop en reikte de Engelsman de karaf aan.

'Zullen we drinken op haar gezondheid? Alleen hebben we geen glazen, ben ik bang.' Dat laatste zei hij met ironie in zijn stem.

'Graag.'

Zwijgend gaven ze elkaar de karaf aan. Opeens vroeg de Engelsman: 'Welke vrouw betekent voor u het meest van iedereen? Naar wie verlangt u?'

Stanley voelde zich in verwarring gebracht. In Amerika zou niemand, een nieuwsgierige journalist uitgezonderd natuurlijk, zoiets durven vragen. Naar welke vrouw hij verlangde? Dat iemand dat vroeg was even ondenkbaar als een nieuwsgierig doorvragende priester bij de biecht. Niets aan te doen, de vraag was gesteld.

Hij dacht even na. Het woord 'verlangen' was de laatste tijd vervaagd, versleten doordat de Amerikanen het te pas en te onpas gebruikten. Ze 'verlangden' naar de krant op zondagochtend, naar een filevrije weg, naar een schoongeveegd trottoir 's winters. En niet alleen het woord, ook de emotie was halverwege de twintigste eeuw gedevalueerd. Daarom gebruikte Stanley het woord zelden. Bijna nooit. Voor hem betekende het dat hij echt om iets – of iemand – zat te springen. En die emotie ging gepaard met frustratie, ergernis, soms slapeloosheid. Kortom, met je rot voelen. Dat scala aan gevoelens had hij maar heel zelden. Soms verlangde hij in deze betekenis naar Andrew en naar zijn moeder. En soms naar zijn vader. Het gebeurde wel dat hij 'verlangde', om dat woord toch maar te gebruiken, naar een vrouw die in zijn leven was opgedoken. Als ze onbereikbaar was, omdat ze te ver weg was of omdat hij te ver weg was. Maar dat was geen echt heimwee. Het was meer dat er niet voldaan werd aan zijn wens. Echt verlangen deed hij niet naar ze. Hij had gewoon seks nodig. Alleen met Jacqueline was het meer geweest, en nu met Doris.

Die episode met Doris was onverwacht en vreemd. Ze kenden elkaar amper. Ze was op dezelfde manier in zijn leven opgedoken als een heleboel andere vrouwen: een toevallige ontmoeting, praten, eten, flirten met een glas wijn erbij, een taxi of zijn auto, uitstappen, een smoes bij de portiekdeur om even mee naar boven te gaan, een aarzelende kus in de lift, grammofoonmuziek en de eerste echte kus, wat aftastend gepraat op de bank, de eerste aanraking, gesloten ogen, een versnelde ademhaling, zijn hand onder haar jurk of blouse, dan naaktheid en het tapijt in zijn kamer of zijn bed, en achteraf het meesmuilende koppetje van Mefistofeles op zijn warme radio.

Met Doris was het anders geweest, heel anders zelfs, vanaf het eerste moment. Hij had haar niet hoeven uit te nodigen om mee naar boven te gaan met de lift, en in de lift deed ze wat hij haar nooit had durven vragen, en ook daarna hoefde hij haar niet zijn bed in te praten. Nooit had hij een vrouw ontmoet die zo gedecideerd bereikte wat ze wilde. Zijzelf had het draaiboek van die ongewone nacht bedacht en uitgevoerd, zij had de touwtjes in handen. Alleen dat al boeide hem. Meteen al, op de redactie, had hij haar superioriteit gevoeld. Hij had zich aan haar onderworpen. Daarna had niet de wekker maar Arthur hem wakker gemaakt, en binnen een paar minuten had zijn leven een andere wending genomen. Doris was erbij geweest. Ze had hem uitgeleide gedaan, met hem op de stoep gezeten. Ze hadden zo weinig tijd gehad om te praten. Als hij in zijn geheugen terugging, besefte hij ineens, waren de vrouwen met wie hij graag praatte en die hem iets te zeggen hadden degenen geweest met wie hij het het langste had uitgehouden. Vrouwen die hem boeiden vonden communicatie belangrijker dan hun make-up. Hij had heimwee naar gesprekken die nooit hadden plaatsgevonden, of die onderbroken waren. Dát was voor hem naar iemand 'verlangen'. Hij verlangde naar Doris.

'Weet u, ik verlang naar de gesprekken met die vrouw. Dat overkomt me voor het eerst. Praten met haar, dat mis ik nog meer dan haarzelf. Waarschijnlijk begin ik oud te worden.' Dat laatste was een grapje, maar vrolijk klonk het niet. Hij reikte naar de karaf in de hand van de Engelsman.

'En kinderen dan? Mist u die niet? Ik verlang het meest naar Yaron, mijn zoon.'

'Ik heb geen kinderen. Ik vind dat ik het recht niet heb ze te verwekken. Niet nu in elk geval. Als je kinderen hebt, kan je niet meer alleen voor jezelf leven. Als ik ze ooit krijg, zal ik mijn leven drastisch moeten omgooien.'

Ze naderden de stad, die er nogal vreemd uitzag. Het was overal aardedonker. Niet één straatlantaarn brandde. Zonder het vage licht achter sommige ramen had Stanley niet eens doorgehad dat ze al in de stad waren. De Engelsman wendde zich tot de adjudant.

'Martin, stop maar bij de bibliotheek, achter het gemeentehuis, aan de zuidkant.'

De auto hield stil op een groot, met kasseien geplaveid plein, voor de trappen van een groot, paleisachtig gebouw. De enige stad waar hij net zo'n plein had gezien met net zo'n paleis was Boston.

De Engelsman stapte haastig uit en verdween in het gebouw. Ook Stanley stapte uit, met de karaf in zijn hand. Hij bracht hem naar zijn lippen en dronk hem op een bodempje na leeg. Op je gezondheid, Doris! dacht hij. Hij bukte zich en raakte even de kasseien aan, die nat waren van de smeltende sneeuw. Hij zette de karaf neer, liep naar de auto en opende de achterklep. Vlug haalde hij zijn camera uit zijn koffer. Hij trok zijn jas uit en spreidde die uit op de grond. Daarna ging hij op zijn jas liggen en keek door de zoeker van zijn camera. Door de karaf heen zag hij in het licht dat door een van de ramen viel het rood-wit-lichtblauw van de Luxemburgse vlag die wapperde op het gebouw. De vlag werd vervormd en gefragmenteerd door de facetten van het geslepen glas van de karaf, net als een plakkaat met een swastika dat voor een raam hing en waar een kruis dwars overheen was getrokken. In het objectief van de camera lag de vlag over het plakkaat heen, helder afstekend tegen het zwart van de doorgekraste swastika – en dat allemaal tegen de roodpurperen achtergrond van het restje wijn, die het in een gloed zette alsof er brand was. Het was schitterend. Stanley zag de grijstinten op het negatief al voor zich. Hij drukte af.

'Kan ik u helpen?' klonk ineens een vrouwenstem.

Alsof hij uit een lethargische slaap gerukt was, tilde Stanley zijn hoofd op en keek in de richting vanwaar de stem kwam. Hij was even niet hier en nu. Hij bekeek de wereld nog door het objectief van zijn camera. Wat hij waarnam waren twee benen in zwarte wollen kousen, met de voeten een stukje van elkaar; de zoom van een donkerblauwe uniformrok, iets boven de knie; een losgeknoopt uniformjasje met gouden stiksels; lange vingers met kersenrood gelakte nagels; brede heupen; een hagelwitte, in de rok gestopte blouse die een platte buik en volle borsten strak omhulde en die vanboven was vastgemaakt met een bruin riempje waaraan een metalig glanzende barnsteen hing; een lok haar die over een mollige wang heen naar helderrode lippen liep waarboven een kruimel plakte; een wipneus; enorme helderblauwe ogen; een littekentje boven de linkerwenkbrauw; een hoog voorhoofd met rimpeltjes; blond, naar achteren gekamd haar. Zonder zijn camera los te laten draaide hij zich op zijn rug. De vrouw glimlachte. Hij nam nog een foto, krabbelde overeind en vroeg verbaasd: 'Mij helpen? Waarmee?'

Toen pas zag Stanley de Engelsman, die met een schalks lachje op zijn gezicht naast de vrouw stond. Zodra Stanley stond, zei de Engelsman: 'Mag ik u voorstellen aan luitenant Cécile Gallay?'

De vrouw gaf Stanley een stevige hand.

'Ik ben blij dat er niets met u aan de hand is,' zei ze glimlachend, 'en dat u hier veilig bent gearriveerd.' Ze veegde een lok haar opzij, keek hem recht aan en maakte toen langzaam de knopen van haar uniformjasje vast. Ze sprak onberispelijk Engels met een licht accent dat hem deed denken aan dat van de Franstalige Canadezen uit Québec. Hij kon zich niet weerhouden, strekte zijn hand uit en plukte voorzichtig de kruimel boven haar mond weg.

'Sorry,' zei hij, 'die kruimel verstoorde de harmonie van uw gezicht.'

Even was ze te verbaasd om iets te zeggen. Toen overwon ze haar verwarring en zei: 'Ik heb post voor u uit New York. Die zal ik u straks geven, als we u geïnstalleerd hebben. Maar nu moet ik u helaas even alleen laten, heren.'

Ze draaide zich om en rende de trap op naar de openstaande deur van het gebouw. Stanley kon zijn ogen niet afhouden van haar veerkrachtige billen. De Engelsman wachtte beleefd tot ze in de deuropening was verdwenen.

'Luitenant Gallay is een stafmedewerker van generaal Patton. Ze spreekt uitstekend Duits en Engels. En Frans natuurlijk, ze is Française. De enige Franse staatsburger in Pattons staf. De enige vrouw ook, trouwens. Ze is een heel bijzonder iemand, en niet alleen vanwege haar schoonheid waarvan u zojuist zichtbaar genoot. Een héél bijzondere persoonlijkheid. In vele opzichten.'

'Wat bedoelt u precies?'

'Daar komt u vanzelf achter,' antwoordde de Engelsman cryptisch.

'Luitenant Gallay neemt u de eerstkomende dagen onder haar hoede. Maar kom, we gaan naar het huis waar u bent ingekwartierd.'

In de auto instrueerde de Engelsman de adjudant hoe hij moest rijden. 'Ingekwartierd', wat een vreemde benaming. Dat woord associeerde Stanley met rokerige ruimtes vol nerveuze ordonnansen die af en aan renden met telegrammen en bevelen. Kaarten aan de muren, kaarten op grote tafels, onophoudelijk ratelende zwarte telefoons met rode knoppen, krakende radio's. Algauw bleek het hoofdkwartier een grote jugendstil-villa met een prachtige tuin eromheen. Als er geen schildwacht bij de poort had gestaan, had Stanley zich in een kopie van Arthurs villa op Long Island gewaand. Alleen was die nóg veel groter.

De Engelsman wist te vertellen dat de villa had toebehoord aan een Duitse aristocratische nazi die er een paar dagen voor de komst van de geallieerden in paniek vandoor was gegaan naar Duitsland. De aristocraat in kwestie was een intieme vriend van Cosima Wagner, de om haar antisemitisme beruchte weduwe van de componist. Zij verafgoodde Hitler, die zelf zo'n veertig keer *Die Meistersinger von Nürnberg* had gezien en Goebbels had geadviseerd het bezoeken van die opera verplicht te stellen voor de Duitse jeugd. Hitler bewierookte zijn held Wagner. Als hij in een redevoering weer eens kwam aanzetten met zijn geliefkoosde Wagner-citaat: '*Ich glaube an Gott, Mozart und Beethoven...*' voegde hij er steevast aan toe: '*... und an Richard Wagner.*' 'Daardoor,' vertelde de Engelsman, 'bevinden zich in de villa veel muziekinstrumenten en zelfs een paar handschriften van Wagner. Waaronder een paar heel beruchte. Zo hangt in de salon ingelijst achter glas het manuscript van Wagners verhandeling "Das Judenthum in der Musik". Helaas beperkte de man zich niet tot componeren maar klom hij ook in de pen. Dat geschrift is één grote hetze tegen de joden. Natuurlijk is het in het Duits geschreven. De Amerikanen hier hebben het of niet begrepen, of ze vinden deze villa ideaal om er hun officieren onder te brengen en het zal ze worst zijn wat er aan de muren hangt.'

Ze betraden een grote zaal waar geen kaart te bekennen was. Telefoons zag Stanley ook niet. In plaats van kaarten hingen er aan de muren schilderijen in vergulde lijsten waarop halfnaakte rubensvrouwen waren afgebeeld. Op twee eikenhouten tafels en op een vleugel midden in de zaal stond een hele batterij lege bierflessen. Het enige waaraan je zag dat dit het hoofdkwartier was, was de aanwezigheid van militairen. Geen spoor van hectiek, integendeel. Officieren hadden het zich met losgeknoopte uniformen makkelijk gemaakt op divans bij een reusachtige haard waarin een laaiend en knappend vuur brandde. De marmeren vloer lag bezaaid met peuken. Het was er warm en behaaglijk, als een après-ski in een duur hotel in het wintersportoord Aspen, Colorado. Er was geen radiotelefonist te bekennen, maar wel hoorde je in de verte grammofoonmuziek. Stanley herkende The Andrew Sisters. Hun nieuwe hit 'Rum and Coca-Cola' paste precies in de sfeer hier. Hij was meteen weer in New York. Precies dezelfde klanken kwamen 's ochtends uit zijn autoradio. Hij kon dat gekweel niet uitstaan en zocht altijd meteen een andere zender op. Hier kon dat niet. Stanley keek naar het vreedzame tafereeltje en betrapte zich weer op de gedachte dat hij niet kon geloven dat dit de realiteit was, dat hij 'in de oorlog' was.

Een jong meisje met een zwart jurkje aan en een kanten schortje voor bracht hem naar zijn kamer, die gelijkvloers lag. Toen hij zijn koffer wilde overnemen, protesteerde ze in het Frans. Hij verstond er geen woord van en glimlachte maar wat. Bij de deur van zijn kamer drukte hij haar werktuiglijk een bankbiljet in de hand, zonder goed te kijken hoeveel het was. Honderd dollar, of twintig, of één: het had op dit moment geen betekenis. Het meisje stopte het bankbiljet vlug weg in haar schortzak, koos een sleutel uit een bos die aan een metalen ring zat en maakte de deur open. De Engelsman pakte zijn koffer op en ze gingen naar binnen. De kamer was pas geverfd, rook Stanley. Dwars op de muur stond een bed, erachter stond een witte vleugel. Aan de muur achter de vleugel hing een grote kristallen spiegel. Tegen de muur ertegenover stond in de hoek een knots van een porseleinen badkuip met vergulde banden eromheen. Een bed, een vleugel en een bad – zo'n rare combinatie had hij nog nooit gezien.

Hij liep naar het raam, gooide het open en draaide zich om naar de Engelsman.

'Als u ooit naar New York komt, en als ik dan nog leef, dan... Ik weet niet goed hoe ik het zeggen moet. Dan moet u het me beslist laten weten. U vertelt me de voornaam van madame Calmes en ik zal niet weer over haat beginnen, dat beloof ik u. U komt me toch opzoeken? Stanley Bredford is mijn naam. Als het moet vertellen ze u bij *The New York Times* wel waar u me kunt vinden. Zelfs als ik al op het kerkhof lig. New York is lang zo groot niet als het lijkt. Komt u me opzoeken?'

De Engelsman stak hem zijn hand toe. Dat vond Stanley een te formeel gebaar, en ze omhelsden elkaar.

'Dat doe ik...' fluisterde de Engelsman.

Daarna ging hij in de houding staan en salueerde. Stanley meende dat hij tranen in zijn ogen zag. Zelf hield hij het ook niet droog...

Luxemburg, dinsdag 27 februari 1945, omstreeks het middaguur

Hij werd wakker van muziek die buiten klonk, en van ramen die tegen de muur bonkten. Hij had het koud; het dekbed was van hem af gegleden en lag op de grond. Hij raapte het op en legde het weer over zich heen. Chopin, begeleid door klapperende ramen! Onverdraaglijk: je kon niet naar de muziek luisteren en je kon er ook niet doorheen slapen. Hij stond nijdig op, deed de ramen dicht en sloot ze af met de spanjolet. Toen hij terugliep naar zijn bed zag hij bij de deur twee enveloppen op de vloer liggen. Hij kroop weer onder het warme dekbed maar kon de slaap niet meer vatten. De muziek was opgehouden. Het was doodstil nu. Hij voelde een vreemde onrust, stond op, liep naar de deur en raapte de enveloppen op. De ene was groot en oranje. *From Lt. Cécile Gallay to Stanley Bredford. Strictly confidential* stond erop. De andere envelop was wit. Er was niets op geschreven, maar hij was met was verzegeld. Die envelop maakte Stanley het eerste open. Op een uit een notitieblok gescheurd papiertje stond:

*Madame Calmes heet Irène en haar tweede voornaam is Sophie. In onze rapporten is ze één keer Irène Sophie Calmes en één keer Sophie Irène Calmes. Een slordigheidje van MI5 in Londen, ben ik bang. Ik probeer het uit te zoeken. Yours truly, JBL.*

De initialen J.B.L. waren Stanley onbekend, maar hij begreep dat de notitie afkomstig was van de Engelsman. Pas nu realiseerde hij zich dat hij helemaal niet wist hoe de officier heette. Hij had zich wel voorgesteld, daar bij die fontein in het stadje waar soldaat Bill hem had afgezet, maar daar was het zo'n herrie geweest dat Stanley niets kon verstaan, en hij had het later niet gevraagd.

Wauw! dacht Stanley. Dus madame Calmes komt zelfs voor in de rapporten van de Britse inlichtingendienst. Twee keer nog wel. Misschien vanwege al die gesprekken die daar plaatsvinden als er alweer een karaf wijn geleegd is. Oké. Valt te begrijpen. Het is tenslotte oorlog. Je moet alles en iedereen controleren. Zelfs die schat van een madame Calmes. Onwillekeurig vroeg Stanley zich af in welke categorie en sinds wanneer hijzelf figureerde in de 'rapporten' van MI5. Mij best, dacht hij. Zolang het maar is omdat ik contact heb gehad met Irène Sophie Calmes. Daar zou ik verdomme trots op zijn!

Hij maakte de 'strikt vertrouwelijke' oranje envelop van Cécile open. Alleen haar naam al klonk sexy. Zelfs zonder haar platte buik, fraaie boezem, volle lippen, blonde haren en onvergelijkelijke billen onder haar strakke donkerblauwe legerrok. Er zaten twee andere enveloppen in de grote oranje envelop. Een kleine witte zakelijke envelop met het stempel van *The New York Times* erop, en een wat grotere grijze, zonder stempel en met een zwartleren bandje eromheen. Even staarde Stanley er verbaasd naar, toen zag hij het. Verrek, dat was het halsbandje van Mefistofeles! Stanley ging in de fauteuil naast de vleugel zitten en scheurde de witte envelop open. Hij herkende Arthurs hoekige handschrift:

*Stanley,*

*Die kat van jou wordt moddervet. Hij is nog dikker dan jij.*

*Gisteren ben ik bij je langs geweest om hem eten te geven. Het lekkerste rundvlees van heel Manhattan had ik meegenomen. Maar vreten, ho maar! Hij ging met me in de leunstoel zitten en spinde toen ik hem achter zijn oren kriebelde. Ik wist niet dat jij naar Schumann luistert. Er lag een plaat van hem op je grammofoon. We hebben er samen naar geluisterd. De laatste keer dat ik naar Schumann luisterde was toen ik vijfentwintig en een half jaar geleden met Adrienne trouwde.*

*Ik wist niet dat jij thuis foto's van ons had. Ik heb er eentje meegenomen, die waarop Adrienne naar de Niagarawatervallen kijkt. Ik wist niet dat je daar een foto van gemaakt had en dat ze zo mooi was. Al zou ik dat natuurlijk moeten weten. Of het me op z'n minst moeten herinneren. Je krijgt de foto van me terug, maar eerst laat ik er op de redactie een kopie van maken.*

*Lisa is verdrietig. Al sinds je weg bent. Ze lacht niet meer en eergisteren begon ze te huilen toen ze iemand aan jouw bureau lieten zitten. Ze rende naar binnen, pakte de nietsvermoedende stakker bij zijn nekvel en smeet hem er uit. Je weet hoe Lisa is als ze boos wordt. De hele redactie is er nog steeds vol van. Geen idee wie die man was, ze doen van alles achter mijn rug om. Maar er gaat niemand meer aan jouw bureau zitten. Dat mag niet van mij. En reken maar dat Lisa het in de gaten houdt.*

*Arthur*

*PS Stanley, kom vooral terug als je er daar genoeg van hebt. En haal geen stomme streken uit s.v.p.*

Hij was hard toe aan een sigaret. Hij stond op, vond een pakje in de zak van zijn colbert, ging weer zitten, zette een kristallen asbak op de toetsen van de vleugel, gespte het halsbandje los, gooide het op het bed en scheurde de envelop open.

*Bredford,*

*Ik heb boter gekocht. We hebben een heleboel boter nu.*
*'s Morgens sta ik een uur eerder op dan anders, trek iets aan wat jij mooi vindt, pak de metro en ga naar je huis. De conciërge van jullie flat bestudeert aandachtig mijn rijbewijs en controleert iets in zijn dikke schrift. Hij doet er een hele tijd over. Hij kent me toch wel, zo langzamerhand? Maar elke keer doet hij net of hij me niet herkent. Kortom, jullie hebben een erg gewetensvolle conciërge. Of misschien vindt hij mijn parfum gewoon lekker ruiken. Dan glimlacht hij en geeft hij me toestemming om naar de lift te lopen. Ik weet zeker dat hij naar mijn kont zit te staren. Dat snap ik. Ik heb best een mooie kont.*
*Als ik de deur van je flat opendoe, mauwt Mefistofeles om me te begroeten. Niet uit blijheid, denk ik, maar omdat hij weet dat hij eten krijgt. Dan rent hij naar de keuken en wrijft tegen alle vier de poten van de tafel. Ik leg eten op een bordje en doe melk in een kommetje. Daarna leun ik tegen de koelkast en vertel ik hem dat ik je mis. Niet dat dat veel indruk op hem maakt, geloof ik. Mefistofeles is een beetje een huichelaar. Hij mist je ook wel, maar 's avonds meer dan 's ochtends. Net als ik. Ik mis jou 's avonds ook meer dan 's morgens. En vooral 's nachts. Daarom ga ik 's avonds ook niet terug naar Brooklyn, maar naar jouw huis. Daar tref ik dan de andere conciërge. Die kale, oude, magere man die me toen toeliet in jouw leven en in jouw bed, die eerste keer. Hij bestudeert mijn rijbewijs niet maar kijkt me recht aan. Daarom probeer ik zo sierlijk mogelijk met mijn heupen te wiegen als ik naar de lift loop.*
*'s Avonds mauwt Mefistofeles heel anders. Hij rent dan ook niet naar de*

keuken maar springt op je radio en gaat naar me zitten kijken. Eerst loop ik naar hem toe en fluister ik je naam in zijn oor. Daar wordt hij rustig van. Dan ga ik in je leunstoel zitten en doe ik de schemerlamp aan. Ik zet een plaat van Schumann op en lees de krant. Ik wil alles weten over die oorlog van jou. Wat ik vooral wil lezen, is dat hij voorbij is en dat je naar huis komt. Soms lees ik hardop voor, voor Mefistofeles. Hij wil ook dat de oorlog afgelopen is, geloof ik.

Tweemaal per week ga ik na mijn werk met de taxi naar de Village Vanguard. Daar bestel ik twee glazen wijn, en daarna nog twee. En soms nog meer. Ik luister samen met je naar de jazzmuziek en ga pas daarna naar je toe, meestal een beetje in de olie. Ik druk mijn lippen op de spiegel in onze lift. En ik ren door de smalle gang naar je flat. Ik neem een douche, ook samen met jou. Soms ga ik met mijn kleren aan onder de douche staan, zodat jij mij uit kunt kleden. Bredford, daar ben ik zo dol op, als jij me uit-kleedt. Ook al heb je dat maar één keertje gedaan...

Dan ga ik naakt in je bed liggen. Ik zet de wekker op drie of vier uur (ik ben vergeten hoe laat het was toen hij je 's nachts belde), en als hij afgaat sta ik op en ga ik boterhammen voor je maken in de keuken. Die doe ik 's ochtends in mijn tas en dan neem ik ze mee. Mijn jurk is 's morgens soms nog een beetje nat. Daarom heb ik twee reservejurken bij je in de kast hangen. 's Middags zit ik op een bank in Central Park. Ik eet je boterhammen en vertel de bomen over je. Ik geloof dat je dat op een of andere mystieke manier hoort en dat je dan mijn aanwezigheid voelt. Ik loop het park uit en ga terug naar mijn werk. Ik kijk naar een kaart van Europa die ik uit een atlas heb geknipt en met punaises aan de muur heb geprikt. Ik probeer te raden waar jouw bomen groeien.

Eergisteren ben ik me rot geschrokken. Midden in de nacht kwam een oudere heer je flat binnen. Ik wilde al de conciërge waarschuwen. Maar hij liep linea recta naar de keuken, en toen bedacht ik me. Mefistofeles was een en al opwinding. De man ging foto's zitten bekijken aan je bureau. Hij deed je grammofoon aan en ging in je leunstoel zitten. Hij had niet door dat ik in je bed lag en ik durfde geen adem te halen. Ik trok de deken over mijn hoofd en toen de muziek heel luid was keek ik voorzichtig. Op dat moment begon de man te huilen. Toen stond hij op, deed het licht uit en ging weg. Mefistofeles rende meteen naar me toe, we drukten ons stevig te-gen elkaar aan en ik was niet langer bang.

's Ochtends heb ik Mefistofeles zijn halsbandje afgedaan. Ik zal een nieu-we voor hem kopen. Deze zat te strak. Ik ga hem meesturen met deze brief. Mefistofeles was blij, dat zag ik aan de manier waarop hij zijn staart be-

*woog. Waarschijnlijk houdt hij niet van halsbanden, net als jij. Ik zal jou nooit aan de lijn doen. Mannen die aan de lijn gehouden worden, gaan er altijd vandoor en gaan nooit terug naar hun vrouw. En ik wil dat jij terugkomt. Naar mij. Wees vrij en doe wat je wil, als je maar 's morgens naast mij wakker wordt. En dat hoeft echt niet om drie uur te zijn. Of om vier uur...*

*Gisteren ben ik in mijn lunchpauze bij jouw redactie langsgegaan. Dat leek me een gezonde wandeling. Ik wilde aan jou denken en daarbij door niemand worden afgeleid. New York wordt een andere stad zodra ik aan jou denk. Het sneeuwde, maar tussen de donkere wolken door scheen de zon, en ik moest eraan denken wat voor sneeuw en wat voor zon jij op dat moment zou zien.*

*Toen ik mijn naam noemde, kwam er meteen een dikke dame de wachtkamer in. Lisa heet ze geloof ik. Zoiets in elk geval. Toen ik mijn envelop in de wachtkamer op tafel legde, greep Lisa hem meteen en drukte hem tegen haar reusachtige borsten. Ze wilde geloof ik niet dat de jonge secretaresse die envelop aanraakte. Hoe het kan weet ik niet, maar Lisa wist hoe ik heette. Redacteur Stanley Bredford verbleef momenteel in Europa, zei ze, maar er lag een heleboel post klaar voor verzending naar hem. Ze beloofde mijn brief bij die post te doen. Ze lijkt me een schat.*

*Als Lisa inderdaad ervoor zorgt dat mijn brief je bereikt, samen met al die andere post, dan moet je haar namens mij bedanken. Want ik wil heel erg graag dat je weet dat ik aan je denk. Bijna voortdurend.*

*Doris*

*PS Bredford, ik heb ontzettende zin in je. Ook voortdurend.*

Hij stak nog een sigaret op, zonder er acht op te slaan dat de vorige nog lag te smeulen in de asbak. Twee sigaretten tegelijk roken, dat betekende dat hij de controle over zichzelf kwijtraakte. Dan hielp het als hij actief werd. Hij moest zich concentreren op eenvoudige, heel gewone dingen. Van die dingen die je automatisch deed. Hij draaide de vergulde badkranen open, maakte zijn haren nat met warm water, poetste zijn tanden boven de wastafel, droogde zijn haar af met een handdoek, kleedde zich aan, stopte de beide enveloppen in zijn jasje en hing de camera om zijn hals. In de gang kwam hij het meisje met het zwarte jurkje en het kanten schortje van de vorige dag tegen. Ze glimlachte gul naar hem en duwde haar kar met schoon beddengoed aan de kant, zodat hij erlangs kon. De grote zaal zat weer vol militairen. Stanley deed of hij niemand zag. Uit de grammofoon droop weer het gekweel van The Andrew Sisters, in de haard brandde een groot vuur en de tafel stond vol bierflessen. Godallemachtig, dacht hij. Als Patton en zijn staf zó oorlog voeren, zitten we hier met Thanksgiving Day nog. Hij ging naar buiten en sloeg de deur achter zich dicht.

Over de brede, met grind bedekte oprijlaan liep hij naar de poort. De schildwacht negeerde hem. Een smalle straat met aan weerszijden nog bladloze platanen eindigde bij een klein plein met een bloemperk in het midden. Stanley bleef daar even staan en bedacht welke richting hij uit zou lopen. Hij had trek in koffie met een broodje smeerkaas en een sigaret. Alleen wist hij niet of zo'n bescheiden genoegen haalbaar was, zo dicht bij de oorlog. Hij wilde het liefst omringd zijn door mensen en dan net als Doris naar de bomen en de zon kijken en haar daarover schrijven. Hier en daar zag hij een snipper blauw tussen de sneeuwwolken en soms piepte even de zon tevoorschijn.

Tussen de huizen door zag Stanley mensen lopen en auto's rijden. Hij liep verder en bereikte een kruispunt met een bredere straat. Op een blauw bordje met een paar gaten van granaatscherven stond met witte letters RUE DES GAULOIS. Die naam deed hem denken aan sigaretten die hij erg lekker vond. Hij liep die straat in. Hij liep langs gesloten vensterluiken en keek naar de schaarse voorbijgangers. Op een enkele legerauto en een paar fietsers die zich niet lieten afschrikken door de februarikou na, was de straat uitgestorven.

Zijn aandacht werd getrokken door de etalage van een kleine winkel. Achter de brandschone ruit hingen aan metalen haken een paar worsten en stukken vlees. Midden in de winkel stonden twee rechthoekige tafeltjes. Door de gesloten deur heen rook hij de heerlijke geur van gekookte worst. In twee tegen de muur geschroefde houten kisten lagen broodjes. Hij kreeg ineens razende honger en ging naar binnen. Een vriendelijk ogende, blozende vrouw met een kraakheldere witte voorschoot om kwam achter de toonbank vandaan en legde zwijgend een zeiltje over een van de tafeltjes. Ze zette een vaasje kunstbloemen neer en legde een mes en vork neer, strak in een gesteven servet gerold. Even later bracht ze hem, hoewel hij nog geen woord had gezegd, een kopje geurige koffie, een wit bordje en een asbak. Hij liep naar een van de muurkisten en pakte een broodje. Hij sneed het aan plakjes en ging naar de toonbank. Nog altijd zwijgend. Hij wilde beslist geen 'brutale, cynische Amerikaan' zijn. Hij wilde gewoon een voorbijganger zijn die binnen was gekomen omdat hij trek had. Zonder te weten waarom, moest hij aan The Bronx denken...

~

Als hij in New York in een onbekende wijk verzeild raakte, probeerde hij ook niets te zeggen. Terwijl hij toch vlak bij huis was en bepaald niet in de jungle van het Amazonegebied. Hij wilde niet dat ze hem in Harlem of – wat vaker voorkwam – The Bronx aan zijn uitspraak herkenden als een inwoner van Midtown Manhattan. Omdat de bewoners van The Bronx, ook al woonden ze maar een paar metrostations verderop, minstens evenveel van de bewoners van Manhattan verschilden als van Luxemburgers. Hoewel ze toch zo'n beetje dezelfde taal spraken en in één land leefden, met één vlag, één volkslied, één geschiedenis. Eén land? Eén stad! Maar Amerika werd net zo goed door grenzen verdeeld als Europa. Die grenzen stonden weliswaar niet op de kaart, maar ze bestonden wel degelijk. Bijvoorbeeld in het hoofd van een anafalbete man die het woord 'aardrijkskunde' niet kende en die nooit geld zou hebben om een atlas te kopen. Een Porto Ricaan bijvoorbeeld die de met sperma besmeurde en naar pis stinkende toiletten schoonmaakte in een gore bar in The Bronx. Stanley was één keer zo'n toilet binnengelopen en hij had er geen behoefte aan dat nog een keer te doen, ook al stond hij op knappen. Dan rekende hij nog liever af, nam een taxi en ging naar huis. Hij kon niet eens pissen in The Bronx, en voor die Porto Ricaan was het zijn wereld. Het decadente Midtown Manhattan met limousines die voorreden bij paleizen was ver weg. Achter de bergen, achter de bossen, in een land hier ver vandaan... Even onbereikbaar als Luxemburg, al hoefde je alleen voor maar vijfentwintig cent een kaartje te kopen en een paar stations zuidwaarts te reizen, en ook al spraken ze er Engels. 'Maar' vijfentwintig cent? In 1945 kon je in New York voor vijfentwintig cent een ontbijt kopen. Voor je hele gezin...

~

Hij probeerde met gebaren de blozende vrouw duidelijk te maken dat hij graag smeerkaas op zijn brood wilde. Glimlachend smeerde hij met zijn mes denkbeeldig beleg op zijn sneetje brood. De vrouw vroeg hem iets in het Frans. En daarna in het Duits. Toen ze even later het hopeloze van haar pogingen inzag, verliet ze haar toonbank en verdween ze in de ruimte achter haar winkel. Ze kwam terug met een gevlochten mandje. Op de toonbank legde ze op een paar schoteltjes boter, marmelade, cottagecheese, filet americain, stukjes kaas, sinaasappelgelei, geurige vis en chocolademousse. Hij wees de boter en de cottagecheese aan. Hij ging terug naar zijn tafeltje, schoof zijn kopje koffie naar zich toe en scheurde een paar schone velletjes uit zijn blocnote. Hij begon te schrijven...

*Madame D.,*

*Ik heb het idee dat ik ben doorgedrongen tot de streken waarvan de oude cartografen in de marges van hun kaarten schreven: 'Verder slechts draken.' Ik zou die draken graag ontmoeten en ze fotograferen. Maar een Britse officier die erg goed weet wat oorlog is, raadt het mij met klem af. Hij denkt dat het wel eens mijn laatste foto's zouden kunnen worden, en dat ik ze zelf niet meer kan bekijken. En ik wil ze niet alleen bekijken, ik wil ze samen met jou bekijken. Dat is trouwens het enige wat me weerhoudt. Ik wil erg graag terug. Naar jou. Om ons gesprek af te maken. En nog heel veel nieuwe gesprekken te beginnen. Daarom wacht ik hier tot de cartografen de draken een stukje verder naar het oosten hebben gejaagd.*

*Vanochtend las ik je brief. Lisa wist dat ik wachtte op brieven van jou. Ze weet altijd op welke brieven ik wacht. En welke me opmonteren. Al heeft ze reden om niet te houden van vrouwen als jij. Je bent te mooi en te vrijgevochten...*

*Ik ben jaloers op Mefistofeles, omdat hij bij je is. Toen ik voor de vierde keer die regels las over jezelf in de badkamer, werd ik gek van verlangen. Ik wilde je aanraken, schaamteloos en wanhopig. Ik wilde alle remmen losgooien.*

*Op dit moment eet ik een sneetje brood met boter, met koffie erbij. Ik voel me behaaglijk en veilig. Het is hier veiliger dan soms in The Bronx of 's avonds in Central Park. Soms een beetje al te veilig, misschien. Niet dat ik er enige behoefte aan heb een held te zijn, hoor. De oorlog die hier gaande is, schuift traag voor me uit en ziet er een stuk minder dramatisch uit dan op de voorpagina's van The New York Times. Sinds ik in Namen geland ben, voel ik me net een blinde die door barmhartige zielen geholpen wordt bij het oversteken. Ik hoor auto's voorbijrijden, maar iemand pakt me zorgzaam bij de schouder en zorgt dat ik heelhuids de overkant haal. De oorlog ken ik vooralsnog alleen uit de verhalen van die mensen. Maar dat zijn* verhalen, en zoals je weet ben ik een illustrator.

Ik weet niet of ik hier nog lang blijf. Over een week trek ik met een legerkorps of een divisie of zoiets – ik heb eerlijk gezegd geen notie wat groter en belangrijker is – mee en dan ben ik in Duitsland. Eerst wil ik naar Trier en dan, als de cartografen hun kaarten veranderd en de draken weggejaagd hebben, naar Keulen. En vandaar verder naar het oosten, misschien wel helemaal naar Frankfurt. Daarna wil ik zo snel mogelijk naar huis, met een pak foto's en negatieven die nog ontwikkeld moeten worden. Of dat nog lang duurt, hangt in de eerste plaats van de generaals af en niet van mij. Ik begin al bang te worden dat Mefistofeles me niet meer herkent als ik terugkom. Vertel hem maar zo vaak mogelijk over me en blijf hem vooral de krant voorlezen. Hij is een heel intelligente kat. Hij begrijpt dat Keulen en Frankfurt te maken hebben met mijn terugkeer en als hij hoort dat die steden zijn ingenomen, gaat hij op de radio liggen en maakt hij een plekje voor me vrij naast je. In bed.

Over mijn bed gesproken. De laatste tijd droom ik veel. Haast iedere nacht heb ik dezelfde droom. De droom bevat veel meer klanken dan beelden. Dat is op zich al raar, want doorgaans droom ik in beelden. De droom houdt op als ik wakker word. Ik word wakker van verdriet. Heb jij dat ook wel eens? Dat je wakker wordt van een knagend, onbedwingbaar verdriet? Het meisje in mijn droom heet Anna. Ze bemint en wordt bemind. Maar Anna bemint ook de oceaan. Op een dag gaat haar beminde de zee op om te vissen, en de oceaan doodt hem uit jaloezie. Anna staat nietsvermoedend op het strand; ze huilt en wacht tot haar beminde terugkomt. Ze wacht zo lang dat ze verandert in een rots, en de oceaangolven beuken woest tegen die rots: ze willen haar verzwelgen. Het zal wel voer zijn voor de psychotherapeut, maar ik hoor werkelijk in mijn droom Anna huilen, en ik hoor het niet-aflatende gebrul van de golven. Maar zelfs als ze een rots geworden is, geeft ze zich nooit definitief aan de oceaan. Ik zie – dan wordt de droom ineens wél beeldend – haar gezicht heel duidelijk voor me. Die droom is behoorlijk verontrustend...

De oudere man die je aan het schrikken heeft gemaakt, is dezelfde man die me toen opbelde, in onze eerste en enige nacht samen. Hij is behalve jij de enige die mijn sleutel heeft en de enige die wordt doorgelaten door de conciërge. Hij kijkt niet eens, hij loopt gewoon door naar de lift. Die man is Arthur, mijn beste vriend en de eigenaar van The New York Times. Hij kan beter overweg met katten dan met mensen. In het bijzijn van mensen zou hij voor geen geld laten zien dat hij in staat is te huilen. Alleen al omdat hij Rockefeller die lol niet gunt. Als een Rockefeller hem zag huilen, zou dat *de genadeslag voor hem zijn. Als Arthur huilt om een dierbare, doet hij dat in eenzaamheid. Daarna, in het openbaar, bij de begrafenis, is zijn gezicht weer van steen.*

*Jij bent – afgezien van zijn vrouw Adrienne natuurlijk – de enige die Arthur heeft zien huilen. Ik zal hem schrijven dat Mefistofeles genoeg eten krijgt en dat hij volgende keer eerst even moet bellen voor hij komt. En dat hij dan niet Mefistofeles aan de lijn krijgt. Neem gerust op als je er bent. En wees niet verbaasd als er zonder een woord wordt opgehangen als je 'Hallo?' zegt. Zelfs als Arthur belt vanuit de telefooncel beneden bij de voordeur, zal hij ophangen en wegrijden. Ik denk niet dat hij je nog een keer zal laten schrikken. Wordt de telefoon niet opgenomen, dan komt hij beslist binnen om Mefistofeles op te zoeken...*

*Als ik mijn late ontbijt opheb, ga ik naar de bomen luisteren, en daarna ga ik de stad grondig verkennen. Op eigen houtje. Ik heb geen zin om vandaag weer een blinde te zijn die ze helpen met oversteken.*

*Ik ben in Luxemburg. Dat is een klein Europees landje. Als je het niet kan vinden op de kaart op je kamer deugt de schaal van de kaart niet. Of je moet gewoon beter zoeken. Het is een vlekje rechts boven Parijs. Je kijkt er zo overheen, maar in dat kleine landje dat tegen de Duitse grens aan geplakt ligt, spelen zich gebeurtenissen af die erg belangrijk zijn voor Europa. Wat mij betreft zouden die gebeurtenissen wel wat sneller mogen gaan, maar misschien lijkt het allemaal alleen maar langzaam omdat ik jou zo mis. Toen ik je brief las, wilde ik niets anders dan samen zijn met jou. Of misschien begrijp ik gewoon niet alles.*

*Bredford*

*PS Doris, als ik terug ben, wil ik samen met jou in de lift. Het hoeft niet eens die in mijn flat te zijn. En dan moet je hem weer stopzetten tussen twee verdiepingen in. En later doen we dat dan nog een keer in onze eigen lift.*

Hij vouwde de blaadjes dubbel en legde ze in zijn blocnote. Hij was zo in gedachten verzonken dat hij niet eens merkte dat er op zijn tafeltje een kan koffie was neergezet met een soort puntig flanellen hoedje eroverheen en een schoteltje met stukjes pure chocola. Ernaast lag een boek met geruit groen kaftpapier eromheen. Hij sloeg het boek open en las: *Dictionnaire Français-Anglais/ Anglais-Français.* Hij draaide zijn hoofd om, glimlachte naar de vrouw achter de toonbank en gebaarde dat hij wilde afrekenen.

De vrouw verdween weer in de ruimte achter de winkel. Even later kwam ze terug, samen met een klein meisje. Haar dochtertje ongetwijfeld, want ze leken sprekend op elkaar. Hij kwam overeind en haalde zijn portefeuille tevoorschijn. De vrouw, die een katoenen tasje in haar hand had, duwde haar dochtertje naar voren. Blozend van verlegenheid begon het meisje langzaam iets op te lezen van een papiertje. Woord voor woord, langzaam en duidelijk, in het Engels:

'Thank... you... very... much... for... freedom...'

Terwijl het meisje dat zei, gaf haar moeder hem het tasje en vroeg hem met een gebaar zijn portefeuille weg te doen. Het meisje rende opgelucht weg. Heel even was Stanley te ontroerd om te reageren. Toen boog hij zich voorover en kuste de hand van de vrouw. De vrouw zei met tranen in haar ogen iets in het Frans tegen hem, waarbij ze wees naar het tasje. Toen liep ze met hem mee naar de deur.

Weer buiten dacht hij terug aan de woorden van de Engelsman: 'De mensen hier zijn de Amerikaanse bevrijders dankbaar...' Hij vond niet dat hijzelf die vrouw reden had gegeven tot dankbaarheid. Persoonlijk had hij immers part noch deel gehad aan die bevrijding. Haar dankbaarheid ging uit naar iemand anders. En ze had ervoor gezorgd dat hij met andere ogen keek naar de Engelsman, en naar soldaat Bill, en naar de soldaten die bij de haard naar het gekwinkeleer van The Andrew Sisters zaten te luisteren.

Hij stak de straat over en liep in de richting van een paar gebouwen die zich in de verte aftekenden tegen de lucht. Ineens hoorde hij een kinderstem. Hij draaide zich om. Het meisje uit de bakkerij dat 'bedankt voor de vrijheid' had gezegd, was naar hem toe gehold en reikte hem het boek aan dat op het tafeltje had gelegen. Het woordenboek Frans-Engels/Engels-Frans was een uiting van dankbaarheid geweest, net als het tasje met worsten en fijne vleeswaren.

Stanley sjouwde de hele stad af. Hij liep kerken binnen, nam een kijkje op de binnenplaatsen die verscholen lagen achter de gevels, keek in oude putten, dronk water uit openbare pompen, raapte vlugschriften op van de straat en probeerde ze met behulp van zijn woordenboek te ontcijferen. Als hij moe werd, ging hij op een bankje zitten en keek hij naar de bomen. Als hij honger kreeg, maakte hij het tasje open.

Overal zag hij de sporen van wat zich onlangs had afgespeeld. Door explosies verwoeste huizen. De lege oogkassen van ramen zonder glas. Door rupsbanden omgewoeld plaveisel. Bordjes op muren die de weg wezen naar de dichtstbijzijnde schuilkelder. Maar wat de nabijheid van de oorlog het meest voelbaar maakte, waren de vele Franse, Amerikaanse, Britse en Canadese legervoertuigen en de patriottische muziek die uit luidsprekers schalde. Tegen zonsondergang kwam hij bij een kleine begraafplaats achter een evangelische kerk. Achter de hekken bevonden zich, op een speciaal daartoe ingericht gedeelte van de begraafplaats, verse graven. Om het oorlogskerkhofje heen waren touwen gespannen tussen in de grond geslagen palen. Aan de touwen hingen vlaggen; bij elk graf brandde een kaars en lag een krans met een rood-wit-lichtblauw lint eraan. Stanley liep langs de graven. Witte opschriften op zwart geëmailleerde metalen bordjes. Achternaam, voornaam, leeftijd en sterfdatum – bijna steeds recent, in de afgelopen maanden. JEAN, 21 JAAR; HORST, 25 JAAR; PAUL, 19 JAAR... De kleine begraafplaats greep Stanley aan.

Laat in de avond kocht hij in een krantenkiosk van onder de toonbank – dat moest je in New York proberen! – een fles Ierse whisky, tien keer zo duur als in New York, en een pakje Gauloises.

Om een uur of elf was Stanley Bredford weer terug in de villa. Hij liep de rumoerige zaal door, ging zijn kamer binnen en gooide zijn kleren op de grond. Daarna schonk hij zich een glas whisky in en draaide hij de vergulde kranen van het bad open. Hij liet zich in het water zakken en voelde de aangename warmte ervan. In de verte klonk muziek. Hij deed zijn ogen dicht en nam een slok van de whisky. Even later werd er aangeklopt. Hij had de deur niet op slot gedaan, dat wist hij zeker want dat deed hij nooit, en dus hoefde hij niet uit het bad te komen. 'Come in,' riep hij, en hij hoorde de deur piepend opengaan. Hij keek op en zag op ooghoogte de ronde dijen van luitenant Cécile Gallay. Ze stond daar in de deuropening alsof ze hem niet had opgemerkt en keek om zich heen. Hij tilde zijn hoofd wat verder op, legde zijn hand op de rand van het bad en zei: 'Komt u verder, als u het tenminste niet erg vindt dat ik niet ben aangekleed. Een minuutje, dan ben ik tot uw beschikking.'

'Niet aangekleed? En tot mijn beschikking?' Ze liep de kamer in en ging op het bed zitten. 'Nee hoor, dat vind ik helemaal niet erg.'

Vervolgens stond ze op, liep weer naar de deur en draaide de sleutel om in het slot.

'We hebben ons erg ongerust gemaakt over u. Echt heel ongerust. De Engelsman die op u moet passen was zo bang dat hij zijn adjudant en twee auto's met soldaten eropuit heeft gestuurd om u te zoeken.

Hij moet echt weg van u zijn, want gewoonlijk laat hij nooit enige emotie blijken. Arme jongen, die adjudant bedoel ik. Hij is de hele stad afgereden. U had toch in elk geval een berichtje achter moeten laten. Al was het maar een briefje dat u schoon genoeg heeft van de oorlog en terug naar huis wilt. Maar in elk geval is het heel mooi dat u zich hier niet verveelt,' voegde ze er glimlachend aan toe.

Ze had gelijk. Hij had zich inderdaad gedragen als een kwajongen. Net een toerist die zich stiekem losmaakt van zijn groep om op eigen houtje de stad te gaan verkennen. Maar hij was hier niet op excursie. Het was dom.

'Wat drinkt u?' vroeg ze, kennelijk om over iets anders te beginnen toen ze zag dat hij het een pijnlijk onderwerp vond. Ze ging achterover zitten en steunde met haar handpalmen op het bed. Even later schopte ze haar pumps uit, liep naar het bad en pakte het glas dat op de rand stond. Ze tilde het glas op en rook eraan. Daarna stak ze het puntje van haar tong in de vloeistof en likte langzaam haar lippen af.

'Iers zeker? Een goede oude whisky, als ik me niet vergis. Echte Paddy Whiskey, rechtstreeks hiernaartoe gesmokkeld uit Cork. Waar heeft u die opgeduikeld?' vroeg ze belangstellend.

Hij keek haar verbaasd aan. Dit was de eerste keer in zijn leven dat hij een vrouw ontmoette die een whiskymerk kon herkennen aan de smaak en de geur.

'Stomtoevallig. In een tijdschriftenwinkeltje,' antwoordde hij glimlachend. 'Ik weet niet zeker of het Paddy is hoor, maar het is in elk geval wel Iers.'

'Ik zal u bijschenken. Waar staat de fles?' Ze keek naar hem en begon langzaam de knopen van haar uniformjasje los te maken.

Ze deed haar jasje uit en legde het op de toetsen van de vleugel. Daarna tilde ze haar hand op en maakte haar haren los. Haar witte blouse leek nog strakker om haar borsten te spannen dan gisteren. En hij besloot zich, ondanks de wat ongebruikelijke situatie, te gedragen alsof hij aangekleed in het bad lag en zij zijn naakte lichaam niet zag.

'De fles?' Hij keek haar recht in de ogen. 'Hier, op de grond, vlak voor uw voeten. Ik wilde hem bij de hand hebben.'

Ze boog zich voorover om de fles te pakken en hij draaide zich om in het bad. Hij wilde niet dat ze getuige was van een fysieke reactie die zich aan zijn beheersing onttrok. Ze bracht het volle glas naar zijn lippen. Hij pakte het aan en ze liep naar een klein dressoir. Ze kwam terug met een tweede glas, schonk zichzelf in en ging op de rand van het bad zitten.

'En, waar heeft u de hele dag uitgehangen?' Ze stak haar hand in het water en sprenkelde water over zijn nek en schouders.

De Engelsman had gelijk, bedacht hij. Luitenant Cécile Gallay is anders dan anderen.

'Eerst hebben ze me aangenaam verrast in een slagerij. Ontzettend aardige mensen daar. Vervolgens ben ik op zoek gegaan naar sporen van het oorlogsgeweld. En daarna... Daarna dacht ik: wanneer kan ik eindelijk naar het land van de draken?'

Ze masseerde zijn rug en nek. Zwijgend. Hij kwam iets overeind en vertrouwde zijn lichaam toe aan haar handen. Eerst de rug en de nek, daarna zijn hoofd. Ze stak haar vingers in zijn haren en masseerde zachtjes, centimeter voor centimeter, zijn hoofdhuid, nog steeds zonder een woord te zeggen. Ze beroerde zijn voorhoofd, en daarna zijn lippen. Ze duwde zijn lippen een stukje uit elkaar. Bevochtigde haar vingers in het glas en smeerde de whisky langzaam uit over zijn lippen. Hij wilde haar vinger aanraken met zijn tong, maar juist op dat moment haalde ze haar hand weg en begon weer zijn rug te masseren.

'U wilt naar het land van de draken? Hm, dat zou nog wel even kunnen duren. Ik zal proberen een beeld te schetsen van de situatie,' zei ze, zonder dat ze ophield hem te masseren. 'Generaal Millikin van het derde legerkorps van het derde leger van de Verenigde Staten bereikt binnenkort de Rijn, dat kan niet missen. George... generaal Patton, bedoel ik, heeft na zijn ontmoeting met generaal Hodges verklaard dat er geen twijfel meer mogelijk is. Ik masseer toch niet te stevig zo? Uw spieren zijn ontzettend gespannen. Bent u ergens bang voor? Of moet het juist wat harder?

Generaal Leonard moet met zijn tankeenheden van de negende divisie de Ludendorffbrug bij Remagen innemen. Die is van groot strategisch belang. Als de Duitsers hem niet al voor die tijd opblazen, natuurlijk. Maar stel dat ze dat niet doen, dan zal Leonard zich ingraven aan de oostelijke rivieroever en koste wat kost zijn bruggenhoofd verdedigen.

U heeft een littekentje in uw nek. Vlak onder de haargrens. Net een flinke insectenbeet. Maar je ziet hem bijna niet, hoor.

De Engelsen moeten helpen de Rijn te forceren. De Royal Air Force heeft beloofd dat ze het spoorwegviaduct bij Bielefeld zullen vernietigen met hele speciale bommen. Patton rekent daar vast op. Ik was bij het overleg tussen Patton en majoor Calder, de commandant van de Dam Busters, het 617e squadron van de RAF. Bielefeld is een belangrijk transportknooppunt. Dat moeten we vernietigen. Calder verzekert ons dat hun Lancasters dat viaduct kapot gaan gooien met een reusachtige geheimzinnige bom waar de Engelsen al een hele tijd aan werken.

Heeft u zich bezeerd? Boven uw rechterbil zit een joekel van een oude bloeduitstorting. Doet het niet te zeer als ik eraan kom? Ik zal heel voorzichtig zijn.

Daarna wil Patton met het twaalfde legerkorps van het derde leger de regio Oppenheim aanvallen en oprukken naar de Main. Waarom weet ik niet, maar Patton vindt de Main ontzettend belangrijk.

Weet u dat u echt prachtige billen heeft? Hebben vrouwen dat al vaker tegen u gezegd?

En intussen moet generaal Dempsey met het tweede Britse en het eerste Canadese leger de Rijn forceren bij de stad Wesel. Daar moet het negende leger van de VS onder generaal Simpson zich bij hen voegen. Patton heeft de bevelen al ondertekend. Vanuit Wesel omsingelen we het Roergebied en zo bereiken we de benedenloop van de Elbe. Dat zal niet meevallen, want de Duitsers zullen zich daar uit alle macht verzetten. Het Roergebied is heel belangrijk voor ze, belangrijker dan wat ook. Op Berlijn na, natuurlijk. Maar dat is gelukkig niet ons operatiegebied. Daarom denk ik dat de Duitsers het gebied ten zuiden van de Rijn zullen opgeven en zich met man en macht op het noorden zullen richten. Onze inlichtingendienst denkt op grond van onderschepte berichten dat veldmaarschalk Rundstedt generaal Von Zangen, de opperbevelhebber van het vijftiende leger van de Duitsers, al heeft geïnformeerd over de onvermijdelijkheid van deze troepenverplaatsing.

Mag ik uw billen aanraken? Daar heb ik een ontzettende zin in.

Het gebied ten zuiden van de Rijn moet binnenkort zijn bevrijd van de draken, zoals u het noemt. J.B.L. vertelde dat u naar Trier wilt. Ik denk dat we op zijn laatst over een dag of tien Trier in handen hebben, en dan kunt u daar rustig naartoe. We zouden die stad al eerder in kunnen nemen, maar we zitten met logistieke problemen. Ik heb Patton zelf woedend tegen Eisenhower horen uitvaren: "Mijn soldaten kunnen op hun riemen kauwen, maar mijn tanks kunnen niet zonder benzine!" Nou wil Patton nog wel eens overdrijven, maar deze keer heeft hij helemaal gelijk. Zou u zich nu om kunnen draaien?'

Hij luisterde met zijn ogen dicht, zich onvoorwaardelijk overgevend aan haar handen. De plannen voor de verplaatsingen van hele legers waarover ze vertelde terwijl ze zijn billen masseerde kwamen hem voor als de regels van het een of andere gezelschapsspel voor volwassenen. En als hij een paar uur geleden de bordjes op dat kerkhof niet had gezien, dan had hij het misschien allemaal niet geloofd. Maar hij was er wél geweest en hij herinnerde het zich maar al te goed. JEAN, 21 JAAR; HORST, 25 JAAR; PAUL, 19 JAAR...

Hij probeerde niet eens de namen te onthouden van al die steden, bruggen, generaals, legerkorpsen, divisies, legers. Militaire strategie, op deze manier uitgelegd, deed hem denken aan een schaker die zich, gezellig thuis, onder het genot van een kopje thee mentaal voorbereidt op zijn volgende partij. Het was of al die legers, divisies en legerkorpsen niet bestonden uit echte mensen, soldaten van vlees en bloed met een geboortedatum. Het waren pionnen op het schaakbord, die als het nodig was geofferd werden. Maar misschien vergiste hij zich. Misschien vertelde alleen luitenant Cécile Gallay erover alsof ze een project uit de doeken deed. Of wás oorlog voor haar alleen maar een project? Als dat zo was, was het niet verbazingwekkend dat de wereld van soldaat Bill McCormick lichtjaren verwijderd was van die van luitenant Cécile Gallay. Bovendien bracht luitenant Cécile Gallay een allercharmantste afwisseling aan in haar gespreksonderwerpen. Eigenlijk moest hij zich concentreren op legers als hij naar haar luisterde, maar hij hoorde alleen de andere helft van haar discours. De journalist in hem dreigde het in het bijzijn van Cécile Gallay voortdurend af te leggen tegen de man in hem.

Hij opende zijn ogen en dacht eraan wat er zou gebeuren als hij zich omdraaide. Eerlijk gezegd durfde hij niet te voorspellen hoe Cécile Gallay zou reageren. Hij voelde geen schaamte. Dat beslist niet. Integendeel, hij wilde dat ze opmerkte wat er met hem gebeurde. Hoe dat bij andere mannen was wist hij niet, maar zelf kreeg hij in een zeker stadium van opwinding een onoverwinnelijke lust om zich letterlijk bloot te geven. Het wond hem op, of nee, het versterkte zijn opwinding als hij voelde dat een vrouw op zo'n moment naar hem keek. Typisch geval van exhibitionisme, zo weggelopen uit Freud. Of Jung, daar wilde hij af wezen. Allebei, waarschijnlijk. Ooit had hij er een hele verhandeling over gelezen die ze bij *The New York Times* toegestuurd hadden gekregen. Hij wist niet precies onder welk nummer die professor in de psychiatrie deze afwijking had geclassificeerd in zijn lijst van 'seksuele aberraties'. En het was geen obscuur geschriftje geweest, maar een bloedserieus handboek van de Amerikaanse Psychiatrische Associatie dat over de hele wereld werd geraadpleegd. Een complete lijst, met alle namen en alle nummers. Hartstikke wetenschappelijk en hartstikke officieel. Toen Arthur en hij een keer de hele lijst hadden gelezen, had hij bekend dat hij aan twaalf afwijkingen leed en Arthur kwam voor zichzelf na zijn vierde bel cognac op vierentwintig. Moet ook, had Arthur gezegd, een hoofdredacteur hoort tweemaal zo pervers te zijn als zijn ondergeschikten. Alleen dan floreerde de firma. Die hooggeleerde psychiaters schetsten anders wel een erg zondig en somber beeld van het seksuele leven van de Amerikanen. Het deed aan de middeleeuwen denken, of aan de grimmige regel van een strenge kloosterorde. Van genot werd in de hele opsomming niet gerept, laat staan van liefde.

Hij zette het glas neer bij Céciles dij en draaide zich op zijn rug. Het moment van de waarheid was aangebroken; hij kon zich niet aan haar blik onttrekken. Maar ze was barmhartig: ze keek hem niet in het gezicht maar richtte haar ogen op een lager punt. Hij trok vlug zijn buik in.

'Dat heb ik nog nooit gezien, een tatoeage op die plek,' lispelde ze. 'Deed behoorlijk pijn zeker?'

Ze bewoog vluchtig en zacht haar vingertoppen over het oranjezwarte patroon dat te zien was onder zijn schaamhaar, vlak boven de penis. Een jeugdzonde, een herinnering aan ruige studentenjaren en talrijke zuippartijen. Het wapen van de universiteit van Princeton, bijna op de voor een man belangrijkste plaats. De belangrijkste plaats had hij toch niet aangedurfd, in tegenstelling tot sommige doldrieste vrienden. Soms had hij daar spijt van. Nu bijvoorbeeld. Want als het wapen van Princeton op zijn penis had gezeten, had luitenant Cécile Gallay hem daar gestreeld. Maar misschien ging ze dat toch doen?

Ze deed het niet. Ze stond op, pakte een handdoek van een houten krukje naast het bad en wachtte tot hij uit het bad kwam. Daarna wreef ze hem droog. Hij tilde zijn armen op en liet haar begaan. Af en toe beroerde hij met zijn lippen haar haren. Hij had nooit iets meegemaakt wat hier ook maar enigszins op leek. Schaamte voelde hij totaal niet, en ook geen teleurstelling. Hij was alleen maar verbaasd, meer over wat er niet gebeurd was dan over wat er wel gebeurd was.

Hij kleedde zich aan. Liep naar het raam. Stak een sigaret op. Cécile – opengeknoopte blouse, losse haren, glas whisky in de hand – liep naar de achterkant van de kamer. Ze drentelde langs de muren en bekeek de schilderijen en foto's. Af en toe keek ze hem ineens aan.

'Houdt u van Rachmaninov?' vroeg ze. 'Wat, u heeft nog nooit van hem gehoord? Echt niet?' Ze liep naar hem toe, pakte de sigaret uit zijn mond en nam er een trek van, diep inhalerend. 'Dat is een Russische componist, maar hij woont al heel lang in uw land. Een fenomenale pianist bovendien. Rachmaninov zegt dat muziek genoeg is voor een heel leven, maar dat een heel leven niet genoeg is voor de muziek. U weet dus ook niet dat hij het Amerikaanse staatsburgerschap heeft gekregen. Hij is overleden in zijn huis in Beverly Hills, nog maar kortgeleden, in 1943. Hij wilde in Zwitserland begraven worden, maar dat ging op dat moment niet. Ik verafgood hem, vooral om zijn Russische melancholie. Al vond hijzelf dat alleen Poolse melancholie echt kon zijn. Ik zie hier ook een portret van Chopin aan de muur hangen. Bij zijn laatste concert speelde Rachmaninov die sonate van Chopin met de *Marche funèbre* erin. Alsof hij voelde dat hij spoedig zou sterven.'

Ze knoopte haar blouse weer dicht, deed haar haar in een knotje en trok haar jasje aan, en haar pumps. Ze ging achter de vleugel zitten en begon te spelen. Hij stond bij het raam en keek naar haar. Even later deed hij zijn ogen dicht. Hij wilde alleen maar luisteren. Inderdaad, hij wist niet wie Rachmaninov was! En nu luisterde hij naar zijn muziek. En op dat moment deed het er niets toe dat hij een ongeletterde pummel was met zijn diploma van de humaniorafaculteit van Princeton en zijn achterlijke tatoeage die dat feit vereeuwigde.

Zij speelde...

Hij deed zijn ogen weer open. Keek naar haar vingers die over de toetsen gleden. Dezelfde vingers die een minuut geleden nog zijn lichaam aanraakten. Hij voelde hoe een gewijde stemming geleidelijk de kamer vulde. Eén keer maar had muziek zulke gevoelens bij hem losgemaakt. Terwijl hij toch vaak naar muziek luisterde, ook klassieke. Heel vaak zelfs. Het was al wel heel lang geleden, die ene keer...

∾

Op een avond had papa, toen ze gebeden hadden na het avondeten, gezegd dat ze aanstaande vrijdag naar New York gingen. Het was precies twee weken nadat Stanley de brief van Princeton had gekregen waarin stond dat hij een beurs kreeg. Papa had er in die twee weken geen woord over gezegd. Tot die avond. Andrew waagde te vragen: 'Wat gaan we daar doen, dan?' Papa had geen antwoord gegeven. Mama deed er als altijd het zwijgen toe, en hij ook. Toen legde papa een stapeltje bankbiljetten op tafel. Van dat geld moesten ze 'zich fatsoenlijk aankleden, en zich bij de kapper laten knippen en scheren'. Zo had hij het gezegd. Donderdag, de dag voordat ze zouden gaan, waste papa zijn auto. Het was voor het eerst dat Stanley dat zijn vader zelf zag doen. Vrijdagavond laat kwamen ze aan. Ze namen voor één nacht een kamer in een armoedig motel in Queens. De volgende ochtend vroeg stonden Andrew en hij in hun nette pakken voor het motel. Hij wist nog hoe fantastisch mama eruit had gezien in haar donkerblauwe jurk en hoe haar ogen hadden geschitterd.

Het was al donker toen ze aankwamen bij een reusachtige, helder verlichte wolkenkrabber in het centrum van Manhattan. CARNEGIE HALL, lazen ze op de gevel. Papa reed in zijn afgetrapte jeep tot vlak voor de rode loper die naar de ingang leidde. Hij stapte uit en hield de deur open voor mama. Daarna gaf hij de contactsleutel en een paar bankbiljetten aan de zwarte jongen van de valetparking, die met geringschattende verbazing naar het voertuig had gekeken maar toen snel het geld telde en, nog veel verbaasder en duidelijk beschaamd, een diepe buiging maakte.

Een magere man in een zwart jacquet begeleidde hen naar een reusachtige zaal die baadde in het licht van kristallen kroonluchters. Midden op het podium stond een zwarte vleugel. De zaal rook naar de parfums van oude lelijke vrouwen, behangen met sieraden, die in hun benige handen goudkleurige tasjes klemden. De heren droegen een smoking en spraken een merkwaardig soort Engels. Ze gingen in zachte, met paarsrood fluweel beklede fauteuils zitten, in het midden van de tweede rij, pal voor het podium. Een kale, gezette man met brillantineharen die glommen in de spotlights kwam het podium op en stak een verhaal af van wel tien minuten. Hij eindigde met de mededeling dat Igor Strawinsky zou plaatsnemen aan de vleugel. De zaallichten werden gedoofd en een graatmagere man met een bril op liep naar het instrument. Hij knikte nonchalant naar het publiek in de bomvolle zaal. Toen het applaus wegstierf, ging hij zitten en begon hij te spelen.

Toen Stanley, in de ban van de muziek, voelde dat hij geëmotioneerd raakte, gebeurde er iets ongekends. Papa, die rechts van hem zat, nam ineens zijn hand in de zijne. Nooit waren ze zo intiem geweest als op dat moment, toen de magere man aan de vleugel zat en papa zijn hand greep. En nooit, nooit zou zich zoiets nog herhalen...

Na het concert reed de kruiperig gedienstige jonge zwarte de jeep voor. Papa drukte hem nog een paar bankbiljetten in de hand en ze gingen op weg. 's Ochtends vroeg waren ze terug in Pennsylvania. Voor zover Stanley zich kon herinneren, had zijn vader sindsdien niet één keer zijn auto gewassen...

~

De muziek hield op. Cécile zat achter de vleugel, haar armen langs haar lichaam, haar hoofd gebogen. Hij liep naar haar toe.

'U heeft er geen idee wat voor cadeau u me heeft gegeven en wat voor herinneringen u heeft opgeroepen.' Hij probeerde kalm te klinken. 'Ik zou graag...'

'Als ú mij het genoegen wilt doen niet nog een keer te verdwijnen zonder iemand te waarschuwen... Dan zal ík met genoegen nog eens iets voor u spelen.'

Ze liep snel naar de spiegel tegenover het bad en bracht haar kapsel in orde. Toen liep ze zonder afscheid te nemen de kamer uit.

Trier, Duitsland, zaterdag 3 maart 1945, laat in de avond

Op 2 maart 1945 nam het Amerikaanse leger zonder op veel tegenstand te stuiten Trier in. Het eerst hoorde hij het aan de opgewonden stemmen van de soldaten om hem heen, en daarna las hij het met behulp van zijn woordenboek in een krant die op het toilet lag. 's Avonds bevestigde Cécile het hem officieel.

Van het stadhuis van Luxemburg naar het centrum van het Duitse Trier was het ongeveer vijftig kilometer, dat was een dikke dertig mijl – hij begon handig te worden in het omrekenen. En dat was niet hemelsbreed, langs een op de kaart getrokken streep, maar normaal over de weg. Die wegen waren er, of waren er in elk geval geweest, dat zag hij op de oude vooroorlogse kaart die Arthur hem in New York had gegeven, in zijn grote envelop. Hij rekende erop dat ze als ze voor zonsopgang vertrokken, tegen de middag in Trier zouden zijn, zelfs als je rekening hield met de oorlogsomstandigheden. Ze kregen een auto van Patton, met vlaggen erop en een laissez passer waarmee ze overal zouden worden doorgelaten, dus vóór de avond aankomen moest volgens haar lukken. Helaas: toen de avond viel, waren ze weliswaar de grens over, maar waren ze niet verder gekomen dan het stadje Konz. Hij was duidelijk te optimistisch geweest, en Cécile ook.

Op de hoofdwegen moesten ze voortdurend colonnes voor laten gaan. Landweggetjes waren te gevaarlijk, want daar hadden de zich terugtrekkende Duitsers misschien mijnen gelegd. In de bermen zagen ze de uitgebrande wrakken van auto's en pantservoertuigen die op een mijn waren gereden. Soms waren de lijken, of delen daarvan, nog niet geborgen. Hij vroeg Cécile of ze wilde laten stoppen bij een van de wrakken. Het was een kleine vrachtauto die op zijn kop lag. De zijramen waren nog heel. Stanley liep erheen met zijn camera in de aanslag, maar de ruiten zaten zo onder het vuil en het bloed dat hij niet naar binnen kon kijken. De voorruit was wel kapot. Te midden van een ravage van verbogen buizen en stukken plaatstaal, schuimrubber en kunstleer lagen van elkaar gescheiden lichaamsdelen: gehelmde hoofden met opengesperde, in het niets starende ogen, armen met gebalde vuisten. Het paste allemaal op één foto. Hij drukte op de ontspanner. Bleek en ontdaan liep hij terug naar hun auto.

'Gefeliciteerd,' zei Cécile. 'Je bent waar je wezen wilde.'

Ze liepen drie uur vertraging op toen ze op een controlepost in Konz stuitten. De vlaggen op de auto mochten niet baten, evenmin als de rangtekens op Céciles uniform en de handtekeningen en stempels op het laissez passer waarmee zij de soldaten probeerde te imponeren. Het speet hun, maar ze hadden strenge orders om geen burgers door te laten die naar het oosten wilden. Nee, ook niet als die burgers Amerikaanse documenten hadden. En Stanley was een burger. Het enige wat indruk op hen leek te maken en wat wellicht zou kunnen helpen, was Céciles schoonheid. Dat ze dat zelf niet doorheeft, dacht Stanley terwijl hij toekeek hoe ze met de soldaten stond te debatteren. Als ik haar was, zou ik stralend naar die soldaten lachen en met mijn wimpers knipperen en mijn Franse accent een beetje aandikken. Maar luitenant Cécile Gallay gaf er de voorkeur aan zich te gedragen als een sekseloze officier, al was dat met haar overweldigende vrouwelijkheid en haar uiterlijk praktisch onmogelijk. Zo radicaal als zij dat graag zou willen waren de tijden nu ook weer niet veranderd. Halverwege de twintigste eeuw en aan het einde van de Tweede Wereldoorlog had een vrouw nog steeds niets te zoeken aan het front. Cécile Gallay leek zich er niets van aan te trekken. Ze baande zich een weg door het leven en overwon alle obstakels om haar doel te bereiken. En ondanks alle openlijk verzet bereikte ze veel: bij de legerstaf werden haar capaciteiten hoog aangeslagen. Helaas was ze buiten die staf nog steeds 'maar' een vrouw. Ze was nog niet bij machte de orders van mannen ongedaan te maken. Ook al droeg ze op haar uniform precies dezelfde rangtekens als die mannen.

Dat was in elk geval de opvatting van de kauwgum kauwende Britse korporaal met het gegroefde gezicht die het bevel voerde over die controlepost. Een korporaal die inclusief helm niet hoger reikte dan haar kin. Misschien had hij hen juist vanwege dat laatste de berm in gedirigeerd en hun bevel gegeven te wachten tot hij had uitgevogeld wie ze precies waren. Hoe hij dat dacht uit te vogelen bleef onduidelijk, want meer dan een houten wegversperring had hij niet ter beschikking. Er waren geen telefoonkabels of radioantennes te bekennen.

Cécile begreep dat die zogenaamde controle waarmee de man haar haar onafhankelijke toon en rijzige gestalte betaald wilde zetten, veel te veel tijd ging kosten. Ze gaf de chauffeur bevel rechtsomkeert te maken en naar de Westwall te rijden. De chauffeur wist heel goed waar dat was. Onder het rijden legde Cécile aan Stanley uit waar naartoe ze op weg waren. Langs hun westgrens, in de buurt van Konz, hadden de Duitsers tussen 1938 en 1940 zo'n veertig bunkers gebouwd. Zoiets was nog nooit vertoond, in geen enkel land. Een kwart miljoen arbeiders groeven twaalf uur per dag grond af en trokken dikke betonnen muren op. Na zijn inval in Polen in september 1939 verwachtte Hitler dat Frankrijk hem meteen aan zou vallen, want dat land was krachtens verdragen tussen beide landen verplicht Polen te hulp te komen in geval van militaire agressie. De Duitsers geloofden net als de Polen in die belofte. Zo kwam het dat de goedgelovige Polen in hun eentje tegenover de agressor stonden en dat die agressor zat opgescheept met tientallen bunkers waar niet eens met een jachtgeweer op geschoten werd. In de zomer van 1940 was er geen arbeider meer te vinden, en al helemaal geen soldaat. Voor de inwoners van Konz waren die verwaarloosde bunkers, begroeid met wilde wingerd en bevolkt door nestelende vogels en hun winterslaap houdende eekhoorntjes, een vloek. Eind '44 bombardeerde de Engelse luchtmacht Konz even intensief als Trier. Ze wilden de bunkers vernietigen, maar gooiden voor de zekerheid ook een deel van het stadje plat. Het enige wat nagenoeg ongehavend bleef, waren die bunkers. Het deed denken aan het bombardement van Dresden. Het voornaamste doelwit daar was het hoofdstation geweest, maar dat werd niet geraakt. Terwijl Dresden zo goed als van de aardbodem weggevaagd werd...

Ze volgden het labyrint van betonnen muren. Het was gaan sneeuwen. De zon gluurde voordat hij achter de horizon verdween nog even aarzelend tussen de donkere wolken door. Zijn oranje stralen contrasteerden schitterend met de grauwe hemel. Stanley fotografeerde, en Cécile vertelde over de Westwall. Hoe dik de muren waren, hoe breed en hoog de schietgaten, hoe de Duitsers van plan waren geweest om de bunkers met elkaar te verbinden met een ondergronds gangenstelsel. Ze wist alles, tot in de kleinste details. Luitenant Cécile Gallay was mooi, maar bovenal intelligent. En ze speelde ook nog prachtig piano. Op een heel bijzondere manier. In haar aanwezigheid werd alles bijzonder. Die laatste drie dagen in Luxemburg was hem dat telkens weer duidelijk geworden.

~

Pas bij zonsopgang waren ze op weg gegaan. Ze hadden eigenlijk eerder moeten vertrekken, maar hij had zich verslapen. Het was nog donker toen hij wakker werd doordat er luid op de deur werd geklopt.

'We wachten op je, Stanley,' had Cécile glimlachend gezegd toen hij de deur opendeed. 'Niet roken, dat kan je straks in de auto doen. Doe maar kalm aan, we wachten wel.'

En ze had hem over zijn wang gestreeld.

Haastig haalde hij zijn kleren uit de kast en gooide ze in zijn koffer. Met de open koffer rende hij naar de badkamer en veegde met één zwaai alles van het porseleinen planchet onder de spiegel erin. Met zijn tandenborstel in zijn mond liep hij de kamer in en keek aandachtig om zich heen. Hij rende naar het schrijftafeltje, pakte de daarop uitgespreide foto's bij elkaar en deed ze voorzichtig in een envelop. Op de grond naast het bed lagen de volgekrabbelde blocnoteblaadjes. Zijn brief aan Doris. Hij miste een blaadje en keek onder het bed. Door de tocht was een van de blaadjes daar beland.

In de badkamer maakte hij een handdoek nat met warm water en liep ermee naar de vleugel. De witte vleugel was voor hem heel bijzonder, heel persoonlijk geworden. Intiem zelfs. Hij wilde niet dat er sporen van de afgelopen nacht op het instrument zouden achterblijven en veegde zorgvuldig de rodewijnvlekken van de toetsen. Tussen een witte en een zwarte toets vond hij een oorbel van Cécile, met een robijn. Blijkbaar had ze niet gemerkt dat ze die was verloren.

Over dat bijzondere bad van hem hadden ze niet meer gepraat. Alsof het niet was voorgevallen. Toen ze elkaar de dag erop rond het middaguur ontmoetten, had hij haar aangesproken met 'luitenant Gallay', en zij hem met 'mister Bredford'. Die formaliteit amuseerde hem, het gaf aan hun omgang iets van een bijzonder psychologisch spel. En hij besloot het zo te houden...

Eerst had Cécile hem naar de ontwikkelcentrale gebracht, bij de grote markt. Langs een smalle steile trap waren ze naar de zolderverdieping van een oud huis geklommen. In een hoek bij het raam die was afgeschermd met een deken stonden op een tafel spoelbakjes. Hij rook de prettige, vertrouwde geur van fotochemicaliën. Een gebochelde man praatte even in het Duits met Cécile. Ze leken oude bekenden van elkaar. Daarna pakte hij de filmrollen van Stanley aan en gaf hem een ontvangstbewijs. Stanley haalde zijn portefeuille tevoorschijn en liet het aan Cécile over om af te rekenen. Hij had geen verstand van de prijzen hier, en erg interesseren deed het hem ook niet. Cécile nam geld uit de portefeuille en legde het naast de spoelbakjes op tafel. Toen ze de trap afdaalden, zei ze: 'Het komt helemaal goed. Dat kan je wel aan de oude Marcel overlaten. We hebben bij de staf een eigen ontwikkelcentrale, maar de foto's die je van ze terugkrijgt zien eruit of een laborant met zieke nieren ze in zijn eigen urine heeft ontwikkeld. Daarom ga ik altijd naar Marcel met mijn foto's.'

Na hun bezoekje aan Marcel nodigde hij haar uit voor een kop koffie in het winkeltje aan de rue des Gaulois. De roodwangige vrouw kwam achter haar toonbank vandaan om hem te omhelzen. Spontaan en hartelijk, zoals je een familielid omhelst of een heel goede oude vriend. Ze gingen aan een van de tafeltjes zitten en dronken koffie. Dankzij zijn woordenboek kon hij nu in het Frans om smeerkaas vragen. Even later verscheen er een mandje brood op tafel met vier soorten fromage fondu erbij, op de vertrouwde schoteltjes. Toen ze weggingen vroeg hij niet om de rekening maar liet hij een paar bankbiljetten achter, onder het broodmandje.

Ze maakten een flinke wandeling door de stad en Cécile vertelde. Ze wist dat de oorlog Stanley interesseerde en stond daarom vooral stil bij de gecompliceerde lotgevallen van dit kleine land. Ze vertelde over pogingen om Luxemburg in te lijven bij het Derde Rijk, over de

door de nazi's georganiseerde volkstelling van oktober 1941, die onbe-
doeld uitdraaide op een referendum waarin de bevolking zich uitsprak
voor zelfstandigheid, over het verzet en over het verplichte dienen in
de Wehrmacht vanaf de tweede helft van 1942. De mannen die dat
weigerden werden door de Gestapo doodgeschoten of weggevoerd
naar het dichtstbijzijnde concentratiekamp, dat van Hinzert, of gedeporteerd naar Silezië in Polen. Jean van eenentwintig, Horst van vijfentwintig en Paul van negentien, van wie Stanley de graven had gezien, waren dienstweigeraars geweest. Om een voorbeeld te stellen,
en om een algemene staking en het verzet tegen de verordeningen van
de nazi's te breken, waren ze op 31 augustus 1942 in het openbaar door
de Gestapo geëxecuteerd.

'U vindt het waarschijnlijk moeilijk te geloven, maar zij hebben hun
leven gegeven voor Luxemburg. Hoewel dat een stuk kleiner is dan
uw New York,' besloot Cécile haar verhaal.

Stanley bespeurde een zweem van ironie in haar stem, maar daarvoor was hij inmiddels ongevoelig. Hij was er al aan gewend geraakt
dat in Europese ogen Amerikanen per definitie dom en ongeletterd
waren. Morgenochtend ging hij naar de bibliotheek. Hij wist waar die
was, de adjudant had er immers naartoe moeten rijden van de Engelsman. Daar hadden ze vast wel geschiedenisboeken in het Engels. Hij
zou er de hele nacht in gaan zitten lezen om beter te snappen wat Cécile allemaal vertelde.

De volgende ochtend was hij meteen na het ontbijt naar de bibliotheek getogen. Daar bleek niet één boek te zijn. 'Ons hele boekenbezit
is overgebracht naar het depot. We waren bang dat het hier vernietigd
zou worden,' verklaarde de tolk die erbij was geroepen door een oude,
door zijn komst hevig geschrokken bibliothecaresse. Ze zat met jas en
handschoenen aan achter een bureau in een steenkoude zaal, omringd
door lege stellages en planken. 'Het archief bevindt zich buiten de
stad,' voegde de tolk eraan toe nadat ze zorgvuldig zijn accreditatie en
paspoort had bestudeerd. 'Als u wilt, schrijf ik voor u op waar het is.'
Uit beleefdheid vroeg Stanley hem het adres te geven. Hij had al besloten zijn weetgierigheid een andere keer te bevredigen. En anders
hoorde hij het allemaal wel van Cécile.

Na zijn bezoek aan de bibliotheek was hij teruggegaan naar zijn kamer in de villa en had hij zijn brief aan Doris geschreven. 's Middags
ging hij naar het plein en beklom hij weer de trap naar het laboratorium van de oude Marcel. De foto's waren bijna allemaal goed gelukt,

op twee na die hij had genomen op het kerkhof. Die bleken onderbelicht. Marcel zag dat Stanley teleurgesteld was en bood aan beide negatieven nog een keer te ontwikkelen, ditmaal iets korter. Hij schoof een stoel bij en nodigde zijn bezoeker uit te gaan zitten. Samen wachtten ze tot de afdrukken droog waren. Marcel haalde een fles zelfgestookte schnaps onder zijn tafel vandaan. Ze keken naar de twee papieren rechthoeken die aan houten wasknijpers aan een touwtje hingen en namen om beurten een teug uit de fles. Hij was alweer in een merkwaardige situatie beland, dacht Stanley. Als je in Europa wilde bewijzen dat je goede vrienden met iemand was en iemand vertrouwde, moest je het blijkbaar samen op een drinken zetten.

Toen Stanley bij Marcel vandaan ging, was hij behoorlijk aangeschoten. Terug in de villa ging hij bij de soldaten in de zaal zitten. Hij dronk bier met ze en luisterde naar de verhalen over hun vrouwen, verloofdes, vriendinnen. Hij bekeek de foto's die ze gretig uit hun portefeuilles tevoorschijn toverden. Hij knikte, terwijl hij keek naar de glimlachende gezichten van vrouwen op versleten en kreukelige kiekjes: Joan achter haar fornuis, Susanne op Patricks verjaardag, Marilyn op de bruiloft van haar broer, Diana die hun dochtertje in haar badje deed, Jane onder de kerstboom in de tuin van haar ouderlijk huis, Jennifer op het strand van Mattituck op Long Island...

De jongens wilden hun heimwee naar hun geliefden met hem delen. Dat was voor hen kennelijk het allerbelangrijkste, al weerhield het hen er niet van geile blikken te werpen op de kont van het dienstertje in het zwarte jurkje met het kanten schortje. En op haar tweelingzus. Hoe ze ook verlangden naar hun Jennifer, Jane, Marilyn of hoe hun aanbedene ook mocht heten, ze bleven mannetjesdieren.

Hij wist niet meer na hoeveel flessen bier hij begon te vinden dat die Andrew Sisters verdomd goed konden zingen. Het was in elk geval een duidelijk signaal dat hij nodig op één oor moest. Of hij op eigen kracht zijn kamer gehaald had, wist hij niet meer. Hij had in elk geval in zijn eigen kamer geslapen, en de volgende ochtend had hij zijn hoofd onder de koude kraan gehouden. Daarna was hij naar het raam gelopen; hij had het opengegooid en een paar handenvol gepakt van de witte donzige sneeuw die die nacht gevallen was. Daarmee had hij zijn gezicht, schouders en borst ingewreven. Het bijtend koude spul maakte hem iets minder draaierig. Maar hoe dan ook begon hij nog érg dronken aan vrijdag de tweede maart 1945.

Stanley ging weer naar bed en deed zijn uiterste best zijn ogen open te houden, zodat het plafond niet zou gaan draaien en hij niet hoefde te kotsen. Dit was een gruwelijke kater, en hij nam zich heilig voor nooit meer te drinken. Eindelijk was hij dan toch ingeslapen.

Tegen de middag werd hij wakker van luide kreten in de zaal. Hij sloeg haastig een laken om en rende de kamer uit. De soldaten dromden om een officier heen die van een stuk papier een 'order' voorlas, ondertekend door generaal D.S. Patton. Ze leken net uitzinnige honkbalfans. Hij snapte niks van honkbal, kon die sport niet uitstaan en snapte niet dat mensen hun tijd konden verdoen met zoiets onbenulligs. Maar het ging nu even niet om honkbal.

De Amerikanen hadden Trier ingenomen!

Cécile zag hij die dag pas 's avonds laat. Ze gingen op de grootste bank in de zaal zitten en probeerden boven de soldaten uit te komen, die die avond nog meer gedronken hadden en nog luidruchtiger waren dan anders. Hij zag hun begerige blikken de kant van Cécile uit gaan. Maar niet één durfde bij hen te komen zitten. Een enkeling probeerde het wel, maar haar laatdunkend opgetrokken wenkbrauwen volstonden om de waaghals haastig van zijn voornemen te doen afzien.

Cécile was in een peinzende stemming. In haar stem hoorde hij vermoeidheid en zelfs verdriet. Ze begon met te vertellen dat 'Trier was ingenomen door de geallieerde troepen, zonder tegenstand van betekenis en praktisch zonder verliezen'.

'Je zou denken dat het niet bijzonder veel voorstelt, hoogstens vanuit propagandaoogpunt,' zei ze. 'En voor het moreel van de troepen natuurlijk.' Glimlachend wees ze naar de opgetogen soldaten. 'U kunt daar morgen al zijn. Als u dat wilt, tenminste,' voegde ze er op formele toon aan toe. Ze keek naar de documenten die ze had meegenomen en die opengevouwen op haar schoot lagen. 'Ik heb alle benodigde papieren, met alle handtekeningen en stempels. U wilt daar toch graag naartoe?' Ze keek hem recht in zijn ogen.

Natuurlijk wilde hij dat! Eindelijk deed zich de mogelijkheid voor om de stad te bereiken die hij al zo lang wilde zien. Die zo belangrijk voor hem was. Eindelijk!

Tevergeefs probeerde hij zijn opwinding te verbergen. 'Wanneer kunnen we vertrekken?'

'Morgen, bij dageraad,' antwoordde ze. Ze schikte de papieren op haar schoot, zonder op te kijken.

Hij ging wat dichter bij haar zitten en beroerde even haar wang met zijn lippen.

'Afgesproken! Bij dageraad!' fluisterde hij.

Om hen heen werd luid geapplaudisseerd en er klonken kreten. Cécile leek het niet te merken. Ze negeerde het enthousiasme dat hij met zijn handeling had opgeroepen en keek hem aan.

'Niet op letten,' merkte ze glimlachend op. 'Daar ben ik allang aan gewend.'

Na een lange pauze opende ze een grote leren legertas die aan haar voeten stond en haalde er een fles uit.

'Echte Ierse, dezelfde als die van jou. Ik heb me de benen uit het lijf gelopen om hem op te duikelen.'

Hier op die bank smaakte de whisky niet zo goed als toen, in het bad. Hoewel het toch precies dezelfde was. Originele Paddy Irish Whiskey uit Cork. Op een gegeven moment werd het zo rumoerig in de zaal dat ze moesten schreeuwen om elkaar te verstaan. In zekere zin was Stanley de soldaten zelfs dankbaar. Vooral toen Cécile blijkbaar haar geduld verloor, haar lippen naar zijn mond bracht en hem kietelend met haar warme adem zei: 'Meneer Bredford, ik neem uw whisky mee en ik ga naar het toilet. U blijft hier nog een paar minuten rustig zitten. Dan doet u alsof u moe bent; u staat op en trekt u rustig terug in uw kamer. U begrijpt zelf wel dat we hier niet normaal kunnen praten. Mee eens?' Ze glimlachte en schikte iets aan haar kapsel. 'Als we nu opstaan en samen weggaan, is dát morgen het gesprek van de dag bij de staf, en niet de bevrijding van Trier...'

Zonder op antwoord te wachten borg ze de fles op in haar tas, gaf hem een hand alsof ze afscheid nam en stond op. Een paar seconden later was ze in de gang verdwenen.

Hij zag haar niet toen hij naar zijn kamer liep, maar hij wist dat ze er was, want hij rook haar parfum. Toen hij de deur opendeed, stond ze al achter hem. Ze raakte hem even aan met haar heup. Hij liet haar voorgaan. Ze trok haar uniformjasje uit en gooide het op het bed. De fles had ze in haar hand. Ze gingen naast elkaar op de rand van het bed zitten, zonder iets te zeggen. Cécile gaf hem de fles aan, boog zich voorover en liet haar vingertoppen over de glanzende witte klep van de vleugel glijden. Even later lag haar hoofd op zijn schouder. Voorzichtig raakte hij haar haren aan en kuste ze, lok voor lok. Ineens schopte ze haar schoenen in een hoek, sprong op en rende naar een kleine schemerlamp die op een tafeltje stond. Daarna liep ze naar de lichtschakelaar naast de deur. Een bundel licht viel op het bed en de vleugel.

'Ik ga iets voor je spelen. Zoals beloofd,' zei ze. Ze gooide haar haren los.

Hij zag hoe ze zich voor hem uitkleedde. Naakt ging ze achter de vleugel zitten en begon te spelen. Met haar tenen. Van beide voeten. Wit, zwart, zwart, wit, zwart, zwart, zwart... Haar rechterbeen ging naar de hoge tonen. Daarna ging haar linkerbeen naar de lage tonen. En daarna speelde ze de hoge en lage tonen tegelijk. Ze beroerde alle zwarte en witte toetsen, over de volle breedte van het klavier, maar hij luisterde niet, hij keek. Hij keek alleen maar.

Daarna, in bed, had hij voordat hij tegen haar aan gedrukt in slaap was gevallen, die tenen gekust. En 's ochtends werd hij gewekt door een klop op de deur, en hij had opengedaan, verbaasd dat ze er niet was, en eerst had hij haar horen zeggen: 'Niet roken, dat kan je straks in de auto doen', en daarna had hij haar hand op zijn wang gevoeld. Toen ze op die verdomde controlepost stuitten, had hij een heel pakje sigaretten opgerookt.

～

Toen ze na hun uitstapje naar de bunkers weer terugkeerden bij de houten wegversperring in Konz, was de Britse korporaal met het ge-groefde gezicht weg. Eén bureaucraat met een minderwaardigheids-complex minder, en de wereld zag er heel anders uit. Cécile hoefde haar documenten niet eens te laten zien. Haar uniform maakte vol-doende indruk en de versperring werd meteen opzijgeschoven.

Ze probeerden van verschillende kanten Trier binnen te rijden, maar telkens werden ze teruggestuurd. Cécile zei dat ze naar hotel Porta Nigra moesten, in het centrum. In dat hotel was het Amerikaan-se commando gevestigd. Het exacte adres wist Cécile niet. Eindelijk lukte het hun uit zuidelijke richting de stad binnen te komen. In de buurt van de Constantinstrasse kregen ze een schichtige voorbijgan-ger zover dat hij hen door smalle straatjes begeleidde naar een gebouw waaraan Amerikaanse vlaggen hingen.

Daarvóór waren ze midden in de Constantinstrasse gestopt aan de rand van een grote, ovale, wel vijftien meter diepe bomkrater. Erom-heen brandden overal houtvuurtjes. Op de bodem van de kegelvormi-ge kuil stonden een paar mannen tot aan hun knieën in het ijskoude water. Ze verzamelden scherven en stopten ze in vuile zakken van zeil-doek, die aan touwen de kuil uit werden gehesen. Ze werkten bij het licht van walmende fakkels die in barsten aan de rand van de bomkrater waren gestoken. Stanley vond het net een populairwetenschappelijke film over de piramidebouwers. Maar het was geen film, het gebeurde echt. In het centrum van een stad. Stel je zoiets voor op Times Square! Hij rukte het portier van de auto open, rende naar de rand van de krater en ging op de grond liggen. Met zijn hoofd over de rand hangend begon hij te fotograferen. De opgeheven handen met stukken steen, de zeildoeken zakken tegen de achtergrond van de brandende fakkels, het silhouet van een man met een sigaret tussen zijn tanden die met pezige armen probeerde een stalen stang te buigen die uit een onder kluiten zwarte aarde bedolven brok beton stak.

Hij bleef maar fotograferen...

Toen Stanley weer in de auto zat, reikte Cécile hem zwijgend een aangestoken sigaret aan. De chauffeur trapte het gaspedaal in. Hun gids bekeek Stanley als een gek die net wat tot zichzelf was gekomen na een aanval van razernij. Hij ging zo ver mogelijk bij hem vandaan zitten om niet vuil te worden van Stanleys bemodderde jas. Dat was onbegonnen werk, want ze werden tegen elkaar aan geslingerd, telkens als de auto een hoek om scheurde in de smalle, bochtige straatjes.

Voor het met stars-and-stripes getooide gebouw van het respectabele hotel Porta Nigra werden ze tot driemaal toe nauwkeurig gecontroleerd door verschillende patrouilles. Het viel Stanley op dat de militairen juist hem achterdochtig opnamen.

Ze gingen de helder verlichte lobby in. Achter de balie zat een Amerikaanse soldaat met een groene baret op te roken. Zijn gezicht stond verveeld. Hij had zijn voeten op een tafeltje gelegd, tussen de vuile kopjes. De man leek als twee druppels water op de klierige Britse korporaal bij de wegversperring in Konz. Stanley legde zonder iets te zeggen zijn paspoort op het tafeltje. Met zijn vinger tegen zijn lippen gaf hij Cécile te kennen dat zij zich er even niet mee moest bemoeien. Terwijl de soldaat bladzij voor bladzij aandachtig het doornat geworden paspoort doornam, stopte Cécile Stanley een stuk papier met een enorm stempel in handen. De soldaat was verdiept in het paspoort en schonk geen enkele aandacht aan hen.

'Ik ben Stanley Bredford van *The New York Times*,' zei hij om het merkwaardige stilzwijgen te doorbreken. 'Over mijn verblijf hier is contact opgenomen met de staf van generaal Patton. Misschien wilt u een blik werpen op dit document hier?'

De soldaat strekte zijn hand uit naar het tafeltje waarop even daarvoor nog zijn vieze laarzen hadden gelegen. Hij pakte een vlekkerige linnen handdoek, gaf die aan Stanley en zei: 'Maakt u zich geen zorgen, alles is in orde. Maar ik wil u wel graag even vergelijken met de foto in het paspoort. Ik herken u namelijk niet. U ziet er niet bepaald uit als een serieuze verslaggever. Eerder als iemand die net uit het riool of uit een loopgraaf is komen kruipen. Veegt u even uw gezicht af?'

Cécile schaterde het uit. Ze leunde met haar ellebogen op het tafeltje en zei tegen de soldaat: 'Mister Bredford heeft zojuist in de Constantinstrasse voor zijn krant de prestaties van ons leger gefotografeerd. Daarom ziet hij er zo uit.' Ze haalde een doekje uit de zak van haar uniformjasje tevoorschijn, sprenkelde er wat parfum op en gaf het aan Stanley.

'En met die smerige lap die je aan mister Bredford wilde geven, soldaat-ik-heb-niet-de-eer-te-weten-hoe-je-heet, ga je nú je laarzen poetsen. Ik weet niet op welke bladzijde van *Handboek Soldaat* staat dat militairen van het Amerikaanse leger zindelijkheid dienen te betrachten in hun omgang met burgers, maar dat kan ik nakijken. En bovendien, soldaat-ik-heb-niet-de-eer-te-weten-hoe-je-heet, dient op jouw uniform een badge te prijken met je rang, achternaam en voornaam. Dat staat ook in *Handboek Soldaat*. En ook dat zal ik nakijken. Bovendien staat je gulp open, maat.'

Ze draaide de verblufte soldaat de rug toe, trok Stanley een stukje opzij en veegde zorgvuldig zijn gezicht schoon.

'Die stoethaspel heeft gelijk, je ziet er inderdaad uit alsof je net een putdeksel omhoog hebt geduwd en de straat op bent gekropen,' fluisterde ze hem in zijn oor. 'Nu snap ik pas hoe belangrijk je werk voor je is. Ik was een en al bewondering en ik was als de dood dat je in die bomkrater zou lazeren. Je hebt mooie ogen. Hou je ogen dicht als ik je gezicht schoonveeg, er zit zand in de rimpeltjes om je ogen, ik zal heel voorzichtig zijn, ogen dicht! Leuk, die rimpeltjes, volgens mij lach je veel, wacht, nog even, er zitten grijze vlekken op je oogleden, zo, klaar, doe je ogen maar open, wijd open, net als gisteren...'

'En soldaat, herken je nu mister Bredfords gezicht van de foto?' vroeg ze luid.

Bedremmeld frunnikte de man aan zijn baret. Op de grond lag de doek waarmee hij haastig zijn laarzen had afgeveegd. Zijn gulp was dicht en op zijn uniform was onder een vergulde knoop zijn badge gespeld – ondersteboven.

'Jawel, luitenant!' Hij sprong in de houding.

Op de balie lagen een sleutel, een kartonnen kaartje en een grijze envelop.

'Burger S. Bredford, van de eenheid "New York Times", is bij speciaal bevel geregistreerd. Mij is opgedragen hem in te kwartieren op kamer 215. Tevens is gearriveerd een radiogram ter attentie van luitenant C. Gallay. Dat bent u, naar ik begrijp.' Hij keek naar Cécile.

Stanley moest een beetje lachen om het tafereel. Als ik terug ben, dacht hij, zal ik me zo aandienen bij Arthur: 'Burger S. Bredford van de eenheid "New York Times" meldt zich en stelt zich tot uw beschikking!'

Cécile beantwoordde zijn glimlach niet. Zwijgend maakte ze de grijze envelop open en las geconcentreerd de woorden die geschreven waren op een slordig uitgescheurd velletje ruitjespapier. Ze gaf het papier aan de chauffeur, die al die tijd een paar meter verderop was blijven staan.

'Marcel,' zei ze, 'ik moet voor middernacht op de staf zijn. Wil je uitzoeken waar we zo snel mogelijk kunnen tanken?'

Marcel rende het hotel uit. Cécile liep naar de balie en pakte de soldaat bij een van de revers van zijn jasje.

'Mag ik?' vroeg ze rustig, en ze maakte de badge los. 'Deze wil ik graag hebben. Als aandenken. Dat van het *Handboek Soldaat* was maar een grapje. Mag ik?'

Ze klemde de badge in haar hand, draaide zich om naar Stanley en fluisterde: 'Laat gauw iets van je horen. Ik wil graag nog een keer voor je spelen.'

Hij zag haar snel het hotel uit lopen.

Het ging allemaal heel snel. Hij pakte een sigaret, ging op zijn koffer zitten en stak hem op. Hij sloot zijn ogen. De tabakslucht vermengde zich met de geur van Céciles parfum...

De eerste nacht al begreep Stanley Bredford, begin maart 1945 ingekwartierd in kamer 215 van hotel Porta Nigra, hoezeer hij gewend was geraakt aan de luxe die hem had omringd, eerst in België en daarna in Luxemburg. Om te beginnen was hij moederziel alleen. Hij was niet langer de blindeman die zorgzaam geholpen werd bij het oversteken. Nadat Cécile vertrokken was, was hij inderdaad een 'burger' die iedereen alleen maar voor de voeten liep. Niemand was in hem geïnteresseerd, niemand kon of wilde informatie met hem delen. In het hotel verbleef weliswaar een propagandaofficier – Stanley wist zelfs zijn naam en kamernummer – die in theorie met hem moest samenwerken, maar het lukte hem niet één keer de man te pakken te krijgen. Ten tweede was kamer 215 net een zaal in een psychiatrisch ziekenhuis voor de allerarmsten. In de kamer, die net zo groot was als zijn kamer in Luxemburg, stonden negen stapelbedden en vier kasten. Er bleef geen plaats over voor een wastafel, een tafel en stoelen. Je kon er alleen staan, als je niet op je bed zat of lag. Het deed hem ook denken aan het scoutingkamp in Yellowstone Park waar hij ooit met schoolreisje naartoe was geweest. Met dit verschil dat daar 's avonds een onderwijzer de houten barak binnenkwam en het licht uitdeed. Dan werd het stil. Hier was dat heel anders. Hier werd het pas stil als hij te midden van de herrie eindelijk van oververmoeidheid in slaap viel. Maar meestal was het een soort halfslaap. Hij werd niet omringd door gewone soldaten. Die behoorden niet tot de staf die was ingekwartierd in Porta Nigra. Nee, het waren officieren van het Amerikaanse leger. Zeventien man. Hij had nog nooit gedurende zo'n lange tijd zo'n kleine ruimte gedeeld met Amerikaanse officieren, en de officieren met wie hij te maken kreeg in kamer 215, waren ronduit een stelletje zonderlingen. Een van hen was depressief en kwam alleen zijn bed uit als het strikt noodzakelijk was. Dat was niet erg. Wel erg was dat hij niet alleen niet at, niet sliep en zich niet uitkleedde, maar dat hij zich ook niet waste. De tweede wilde zijn mobilisatie met alle geweld nuttig gebruiken door zichzelf gitaar te leren spelen, om indruk te maken op zijn vriendin als hij weer terug was. Hij tokkelde aan één stuk door hetzelfde deuntje. Als hij wakker werd begon hij meteen, en kwam hij terug van zijn dienst, dan was het eerste wat hij deed zijn gitaar pakken. En 's avonds voor het slapengaan diende er ook nog een uurtje gestudeerd te worden. Knetter werd je ervan. Nummer drie dacht dat iedereen zich wel blauw moest lachen om zijn boer-act. Zijn droom was het hele Engelse alfabet te boeren. Zonder tussendoor adem te halen. De vierde was voor de oorlog dartkampioen geweest van het gat in North Dakota waar hij vandaan kwam. Om zijn vorm vast te houden trainde hij onophoudelijk. Het dartbord had hij op de deur bevestigd van de kast naast Stanleys bed. Hele avonden achtereen kon hij pijltjes gooien, en als iemand het eindelijk voor elkaar had gekregen dat het licht uitging, stak het stuk ongeluk een lantaarn aan om nog even verder te oefenen. Dan was er nog eentje die 'voor het slapengaan' eeuwig en altijd dezelfde verhalen vertelde over zijn reis naar Canada, kennelijk de enige reis die hij ooit gemaakt had. Bij het vertellen moest hij zien dat hij uitkwam boven de gitarist, de geschifte boerkunstenaar en de dartkampioen. Ook lichtelijk getikt, maar toch wel te verdragen was de officier die zich voorstelde als 'een Amerikaanse Pool van joodse afkomst uit Philadelphia'. Hij kon het niet laten om voortdurend joodse moppen te vertellen. Hij kende alleen maar joodse moppen, alsof er geen andere bestonden. Zoals Polenmoppen. Hij kende er echt heel veel, wat niet wilde zeggen dat iedereen erop gebrand was ze elke avond te horen. Om een van de moppen moest Stanley hard lachen. De anderen niet. Voor hen was-ie te subtiel. Stanley nam zich voor om die mop beslist aan Arthur te vertellen. Hij repeteerde hem voor zichzelf om hem niet te vergeten. Hij vergat moppen altijd.

'Komt een jood in de sjoel. Hij knielt vooraan in de eerste rij en begint zo luidkeels te jeremiëren dat de anderen er niet van kunnen bidden. "Heer, stuur mij vijftig dollar. Heer, stuur mij vijftig dollar." Hij gaat maar door. Op een gegeven moment staat een jood op de achterste rij boos op. Hij loopt naar de jeremiërende jood op de voorste rij toe, knijpt hem nijdig in zijn oor en haalt een portefeuille tevoorschijn. "Hier heb je je vijftig dollar. En nou wegwezen! Je hindert ons! Denk je dat we hier voor zo'n aggenebbisj schijntje zitten te bidden?"'

Hoe het ook zij, de normale mensen in de kamer waren op de vingers van één hand te tellen. Althans, normaal in zijn ogen.

Gelukkig bracht hij maar weinig tijd door in het hotel. 's Ochtends werd hij wakker van een valse gitaar, hij vloekte als hij op een dartpijltje trapte dat rondslingerde op de grond, liep naar het 'washok' – de aanduiding 'doucheruimte' kreeg hij niet over zijn lippen, dat was te veel eer – op de derde verdieping, waar hij douchte samen met de andere militairen en moest toezien hoe sommigen zichzelf ongegeneerd van hun ochtenderectie afhielpen. Daarna ging Stanley terug naar de kamer, kleedde zich aan, pakte zijn camera en ging de stad in, nadat hij bij de portier had gecheckt of er post voor hem was.

Hij wachtte op bericht van... Cécile. Misschien omdat alleen zij wist waar hij verbleef. Of misschien omdat alleen zij de schakel vormde met anderen. Met Doris bijvoorbeeld. Zo was het, hoe vreemd het ook mocht klinken. Hij zag er niets verwerpelijks in dat 'daar' Doris was en 'hier' Cécile. Het waren twee werelden. Naar de eerste zou hij terugkeren, in de tweede verbleef hij nu. Trouw was hier niet aan de orde. Die twee vrouwen waren maar één keer met elkaar in aanraking gekomen, via de envelop die Cécile hem eigenhandig had gebracht en onder de deur door had geschoven van zijn kamer in die villa in Luxemburg...

Maar tot aan zijn laatste dag in Trier hoorde hij niets meer van Cécile. 's Ochtends verliet hij hotel Porta Nigra en doorkruiste hij te voet de hele stad. De eerste dag al werd hem duidelijk dat de bomkrater in de Constantinstrasse niets bijzonders was. De stad telde ontelbaar veel van zulke littekens. Het was een uitzondering als een straat níet was getroffen door de bombardementen. De Engelsman en Cécile hadden gelijk gehad toen ze zeiden: 'Trier is voor ons niet van grote betekenis.' Het was een uitgestorven stad. De meesten van de tachtigduizend inwoners waren de stad ontvlucht toen de luchtaanvallen begonnen. Daarbij was hij eerst methodisch gebombardeerd door twee Amerikaanse legerdivisies met Britse luchtsteun en daarna hadden de Amerikanen hem 'zonder op noemenswaardige tegenstand te stuiten' ingenomen. Er viel al nergens meer om te vechten. Het spoorwegknooppunt en de wagonfabriek op de linkeroever van de Moezel waren eind 1944 al vernietigd, net als het vliegveld Trier-Euren. Stanley begreep niet waar het goed voor was om in januari van dit jaar, toen 'alle strategische objecten al geliquideerd' waren, die spookstad te blijven bombarderen, de duizend jaar oude kathedraal in een ruïne te veranderen en een berg puin achter te laten op de plaats van het historisch museum...

Na de eerste dag fotografeerde hij geen verwoeste gebouwen meer. Daar was geen beginnen aan. Hij zwierf door de stad op zoek naar iets alledaags. Geen enkele oorlog is immers in staat het gewone leven helemaal tot stilstand te brengen, en alleen foto's van dat gewone leven zouden emotie opwekken. Oorlog was voor een mens niet te bevatten. Zeker niet voor hen die de oorlog niet aan den lijve hadden ondervonden. Bij de vierde bomkrater zouden de lezers in New York zich verveeld afwenden. Ze zouden denken dat – zoals Arthur zou kunnen zeggen – de 'zionistische *New York Times* nu ook al reclame maakte voor bommen en bommenwerpers'. Daarom wilde Stanley hier, in het zojuist bevrijde Trier, tekens van het normale leven vinden. Ondanks het feit dat niets hier normaal kon zijn. En toch... Je hoefde alleen maar op de vereiste manier te kijken en de wereld een klein beetje te bedriegen. Je moest tussen de scherven door kijken om het alledaagse leven te ontdekken. Want zonder de oorlog als achtergrond zou dat alledaagse leven geen mens interesseren.

Een oud heertje met een hoed op slaat met een wandelstok het stof uit een linnen vloerkleed dat hij over een droogstang heeft gehangen. Stanley richtte zijn lens zo dat je de doorbuigende droogstang zag, een stuk van de binnenplaats, gordijntjes achter de ramen, een stuk pannendak met een groot gat erin waaruit een door bomscherven beschadigde witte vlag stak. De stang, de vensters en de man moesten er een beetje onscherp op staan. Het belangrijkste waren de gaten in de witte vlag. Die brachten er de dramatiek in. Hij maakte een schets die je met je verbeelding moest invullen.

Een non staat duiven te voeren op een verlaten plein, bij een monument waarvan alleen een deel van de sokkel is overgebleven, die uitrijst boven een berg scherven.

Een paar vrouwen bij een legervrachtauto strekken hun handen uit naar de broden die een Amerikaanse soldaat staat uit te delen.

Een magere hond drinkt water uit een helm, bij de trappen van een verwoeste kerk.

Een jongetje probeert te hoepelen met een autoband die doordat het plaveisel is omgewoeld telkens omvalt.

Hij liep door Trier en fotografeerde, op zoek naar het ongewone in alledaagse taferelen. Toen hij verkleumd raakte, voegde hij zich bij de mensen die zich warmden rond van staaldraad gevlochten manden met gloeiende kolen. Het was nog winter, begin maart in Trier. Iedereen bejegende hem vriendelijk.

Hij dacht terug aan een van zijn gesprekken met de Engelsman. Volgens hem gedroeg Patton zich, als politicus en als generaal, weliswaar vaak als een olifant in een porseleinwinkel, maar zorgde hij, wijs geworden door bittere ervaringen in Italië, in elk geval voor één ding: dat de Amerikaanse soldaten zich in Duitsland gedroegen als bevrijders en niet als veroveraars. Dat laatste hadden ze in Italië gedaan, ze waren arrogante veroveraars geweest, en dat nieuws had zich snel over Europa verspreid. Terwijl miljoenen Italianen dakloos waren en niets te eten hadden, vermaakten Amerikaanse officieren zich in chique hotels, kochten ze voor een habbekrats antiek en lieten ze zich graag verwennen in huizen waar nog niet zo lang geleden ss'ers even gastvrij ontvangen waren. Generaal Patton wenste onder geen beding dat zoiets nog eens zou gebeuren. Ondergeschikten die zich zo gedroegen, konden rekenen op zware straffen.

Stanley probeerde een gesprekje aan te knopen met de mensen die zich warmden bij het vuur. Het lukte niet erg. Hij kreeg lange monologen te horen waarvan hij maar een paar woorden begreep: *'Hitler kaputt*', '*Krieg*', '*Frieden*', '*Zukunft*'.

Toen de schemer viel, ging hij terug naar Porta Nigra en at wat in het tot een casino omgetoverde, rokerige restaurant van het hotel. De plek deed hem denken aan de kantine in dat ziekenhuis in Harlem...

~

Hij was bezig met een reportage over de manier waarop mensen sterven in Amerikaanse ziekenhuizen. De man van Arthurs werkster was daar in een gang doodgegaan, alleen omdat hij onverzekerd was. Of hij was wel verzekerd, maar de dekking was opgeschort omdat hij zijn premie niet had betaald. Het nieuwe schooljaar was begonnen en hij had al zijn geld uitgegeven aan leerboeken, schooltassen en schooluniformen voor zijn vier kinderen. En hij wist niet dat die auto hem zou scheppen voordat hij het geld voor zijn premie bij elkaar had. Achteraf stelde het ziekenhuis vast dat er sprake was geweest van 'acuut levensgevaar' en dat ze verplicht waren geweest hem te behandelen, maar toen was hij al dood. Arthur ging persoonlijk naar dat ziekenhuis. En hij nam Stanley en andere fotografen mee. Nooit had Stanley Arthur zo razend gezien. En nooit had hij hem zo horen vloeken. De angstige ziekenhuisdirecteur zwaaide met een stel papieren. Arthur rukte ze hem uit zijn handen en schreeuwde: '*You fucking son of a bitch!* Stop die papieren maar in je reet. En schijt ze daarna uit in dat smerige gat van die smerige plee van je die in geen jaar is schoongemaakt. In plaats van hem eerst zuurstof toe te dienen en dán pas na te gaan of hij z'n premie betaald heeft, laat je hem creperen?! Ik ga jóú kapotmaken, idioot!'

De reportage vanuit het ziekenhuis sloeg in als een bom. Ze verscheen in het zaterdagnummer van *The New York Times*, de dag met de grootste oplage, met een aankondiging op de voorpagina en de volledige tekst op de tweede. De directeur werd een week later ontslagen, maar dat veranderde niets. Er bleven mensen doodgaan in de gangen van ziekenhuizen omdat ze onverzekerd waren.

~

Hij nam een hap van de kleurloze prak die uit een aluminium ketel op een gebarsten bord was gekwakt. Om het door zijn keel te krijgen, deed hij er wat van de vage compote van onduidelijke vruchten bij. Hij liep de met peuken bezaaide trap op naar kamer 215 op de tweede verdieping en schreef daar verder aan zijn lange brief aan Doris, waarbij hij probeerde zich niet af te laten leiden door het gitaargejengel en het 'tók' van de dartpijltjes. Toen hij geen inspiratie meer had, maakte hij notities. Hij probeerde de foto's die hij gemaakt had te classificeren naar belangrijkheid en er zinnige bijschriften bij te verzinnen.

Een paar minuten voor middernacht op dinsdag 6 maart meldde de Amerikaanse Pool van joodse afkomst uit Philadelphia tussen twee joodse mopjes door en begeleid door luid gesnurk van alle kanten dat 'het Amerikaanse leger Keulen had bevrijd'. Stanley sprong meteen van zijn bed, prikte zich aan een dartpijltje op de grond, vloekte hartgrondig, kleedde zich aan en liep de trap af naar de lobby. In het vakje met post voor kamer 215 lagen twee enveloppen voor 'redacteur Stanley Bredford'. De slaperige soldaat van dienst vertikte het ze hem te geven zonder dat Stanley zich legitimeerde, dus moest hij terug naar zijn kamer. Daar diepte hij zijn paspoort op uit zijn jasje, en daarna rende hij opnieuw de trap af.

In een grijze envelop zaten twee velletjes. Op het ene, handgeschreven, deelde Cécile mee: 'Keulen is van ons, althans het grootste gedeelte. Je kunt vanuit het zuiden de stad in. Cécile.' Op het tweede vel stond in het Engels, Frans en Duits, met het zegel en de handtekening van generaal Patton himself: 'Hierbij bekrachtig ik de volmachten van de heer Stanley W. Bredford, redacteur, om alle professionele handelingen te verrichten welke hij nodig acht in naam van onze belangrijke missie en het algemeen belang. Ik verzoek alle medewerkers van de geallieerde legers hem op iedere wijze hun medewerking te verlenen...'

Stanley schoot even in de lach. Onze belangrijke missie! Het algemeen belang! Hij zág luitenant Cécile Gallay achter de schrijfmachine zitten en zich verkneukelen terwijl ze die plechtstatige woorden tikte. Ze wist heel goed dat verheven abstracties hem niets zeiden, dat hij alleen mensen wilde fotograferen. Ze hadden er uitvoerig over gepraat op die gedenkwaardige avond op die bank in die villa in de stad Luxemburg.

Vol van het nieuws ging hij weer naar zijn kamer. Even vroeg hij zich af hoe Cécile wist dat zijn tweede voornaam met een W begon. William, naar zijn lievelingsopa, die van vaderskant. Hij gebruikte die tweede voornaam nooit. Alleen Andrew, zijn ouders, een priester die al jaren dood was en een ambtenaar in een uithoek in Pennsylvania kenden zijn tweede naam, verder niemand. In elk geval werd niemand

geacht die naam te kennen. Noch in zijn paspoort, noch op zijn rijbewijs, noch op zijn Princeton-bul werd die naam vermeld. Overal was
hij alleen maar Stanley Bredford. En hij realiseerde zich weer eens dat
Cécile informatie kon overbrengen op zo'n subtiele manier, dat niemand behalve hijzelf het oppikte: zijn hele hebben en houden was dus
grondig bestudeerd door de Amerikaanse en misschien ook de Britse
contraspionage. Hij moest denken aan Irène Sophie Calmes, dan wel
Sophie Irène Calmes, en schudde even zijn hoofd.

Voor de zoveelste keer pakte hij zijn koffer in. Toen het licht werd,
had hij nog geen oog dichtgedaan. Voor de laatste keer stapte hij uit
zijn bed in kamer 215 van hotel Porta Nigra in Trier. Omzichtig raapte
hij de dartpijltjes op. Met een grijns zette hij ze vlak voor het bed van
de kampioen uit North Dakota. Rechtop, met de punten naar boven.

Een uur later zat hij op een berg aardappels onder het lekkende dekzeil van een legervrachtauto die verder nog steenkolen en aanvullende
uitrusting vervoerde voor het Amerikaanse leger, dat dankzij de een-
drachtige inspanningen van 'alle medewerkers van de geallieerde legers' Keulen had ingenomen.

## Keulen, Duitsland, nacht van 7 op 8 maart 1945

Hij telde niet eens meer hoe vaak ze de vrachtauto hadden laten stoppen. Dan gooide de chauffeur het zeil opzij, wees naar de aardappels,
steenkolen en uniformen en overhandigde Stanleys paspoort en het
papier met de handtekening van Patton aan de controlerende militairen. Meestal stonden ze dan een paar uur stil. Telkens weer verzonken
die controlerende militairen in diep gepeins wanneer ze het document
bekeken. En telkens weer schoof Stanley de chauffeur discreet een
paar bankbiljetten toe. Hij had nog nooit zo duur gereisd als op die
aardappels, van Trier naar Keulen.

Het was al donker toen de chauffeur het dekzeil opzij gooide en verklaarde dat ze eindelijk in 'die kutstad' waren. Stanley keek op zijn horloge. Even over twaalven. Doodop en doornat gleed hij van de aard-
appelberg. Moeizaam krabbelde hij uit de laadbak, nauwelijks in staat
zijn armen en benen te bewegen. De vrachtauto stond op een plein bij
een reusachtig bouwwerk met hoge, puntige torens die vaag te onderscheiden waren in het maanlicht. Het hele plein lag vol brokstukken
en verwrongen metaal. Bij de hoofdingang van het bouwwerk stond

een tank, en een eindje verderop zag hij een groepje Amerikaanse soldaten.

Met een zucht van welbehagen rekte Stanley zich uit. Hij had nooit gedacht dat gewoon staan, je benen strekken, zo'n weldaad kon zijn. Hij ademde diep in. Eindelijk stonk de wereld niet langer naar muffe aardappels. De chauffeur praatte intussen met drie mannen. Alle drie droegen ze lange, bruine pijen, omgord met een gevlochten koord. Even later liep een van hen op Stanley af. Hij stelde zich voor, met zijn handen in gebedshouding tegen elkaar. De man had kennelijk jarenlang in Californië gewoond. Alleen daar spreken de mensen, en dan had hij het niet over de Aziaten en latino's, met zo'n zwaar accent dat ze bijna niet te verstaan zijn.

'Onze Duitse broeders zullen u onder hun hoede nemen,' zei de monnik, en hij boog even het hoofd. 'Pak alstublieft uw spullen en *go along with me.*'

'*Go along with me!*' – hij zei het echt zo. De laatste keer dat Stanley die frase gelezen had, was toen hij als scholier een rol uit *Romeo en Julia* uit zijn hoofd moest leren voor de jaarlijkse toneelavond.

Terwijl hij zijn koffer tevoorschijn trok van onder de plunjebalen met uniformen, werd de auto omringd door een heel stel monniken. Allemaal hadden ze een lege kruiwagen. De kruiwagens werden snel gevuld met aardappels of steenkool. De chauffeur rookte een sigaret en telde op zijn gemak een stapeltje van wat op distributiebonnen leek. Nu pas begreep Stanley waarom een Amerikaans transportvoertuig op weg naar zijn bestemming halt had gehouden voor een kerk.

Een hele tijd liep hij achter de monnik aan om het gebouw heen. Zo'n reusachtige kathedraal had hij nog nooit gezien. Ze liepen om diepe kuilen en grote brokken steen heen. Het gebouw zelf leek echter intact gebleven. Een paar minuten later kwamen ze in een brede straat bij een stenen trap die steil omlaag voerde. Het deed Stanley denken aan een metrostation in New York, met dit verschil dat deze trap niet naar urine stonk. Ze daalden de trap af en bleven staan voor twee zware deuren met stalen platen erop. Een monnik deed open. De 'Californiër' omhelsde de andere monnik en legde hem in het Duits iets uit. De Duitse monnik maakte ter begroeting hetzelfde gebedsgebaar en bracht Stanley door een nauwe gang naar een kleine ruimte die leek op de gevangeniscellen die hij ooit had gezien in Alcatraz: even somber, met hoog in de betonnen muur een raampje met roestige tralies. Het enige verschil was dat hier geen britsen stonden maar vier normale bedden, en dat aan de muur een groot houten kruis hing. Op een van de bedden lagen een matras, een deken, een laken, een stuk grauwe zeep, een witte kaars en een doosje lucifers. In de hoek van de cel was een wastafel aangebracht met een messing kraan. Uit het gebaar van de monnik begreep Stanley dat hij hier zou overnachten. Al snel hoorde hij in de verte de zware deur dichtslaan.

Doodse stilte, alleen doorbroken door het gelijkmatige druppen van de kraan, waarvan het leertje versleten was.

Alleen in zijn sombere vertrek ging hij op het bed zitten en pakte het doosje lucifers. Hij stak eerst de kaars aan en toen een sigaret. Als ik nu doodga, komt niemand dat te weten, dacht hij. Hij nam een trek van zijn sigaret. Niet één van mijn dierbaren. Ze weten niet eens waar ik ben. Zelf wist hij dat trouwens ook niet. Hij wist alleen dat hij in Keulen was, tien minuten lopen van een reusachtige kathedraal.

Nooit had hij zich zo ongerust gevoeld. Niet bang, nee, ongerust. Hij kon die twee emoties nu haarscherp van elkaar onderscheiden. Angst duurt niet lang en is intensief. Als een orgasme. Ongerustheid was anders. Die nam geleidelijk bezit van je. En die ging niet over. Die monniken die zo weggelopen waren van een middeleeuws schilderij, die ongewone kathedraal, deze duisternis, deze kelder onder de grond die deed denken aan de ingang van het vagevuur, deze ruïnes en deze geblakerde steenmassa's, deze oorlog... Alles samen had het kennelijk een kritische massa bereikt, die bij hem de vorm aannam van een vreemde onrust. Op een plek als deze was het moeilijk niet aan de dood te denken. Vooral aan die van jezelf. En het was moeilijk om niet die ene, belangrijkste vraag te stellen: wat kwam er dan? Na de dood? Stanley was verrukt van het geniale idee dat de grondslag vormde van alle godsdienst. Eerst jaag je mensen de stuipen op het lijf met de dood, het einde van het aardse bestaan, en dan beloof je ze onsterfelijkheid in een eindeloos gelukkig, idyllisch paradijs. Zoals op die naïeve plaatjes in de traktaatjes van de Jehova's getuigen. Maar onveranderlijk op één voorwaarde: tijdens het vooralsnog enige gegarandeerde leven moest je je aan vaste regels houden. In de godsdienst van zijn opa en oma en van mama – papa deed niet aan godsdienst – waren dat tien regels. En die regels leken op commando's.

In andere godsdiensten had je veel meer regels, maar die deden dan weer meer denken aan raadgevingen. Daarom had hij daar meer affiniteit mee. Maar toch was elke godsdienst voor Stanley mythologie. De Bijbel was voor hem niet echt iets anders dan de Griekse mythen.

Raar eigenlijk. Hoe was dat zo gekomen? Elke zondagochtend had mama Andrew en hem gewekt en ze mee naar de kerk genomen, met elk een kwartje voor de collecte. Andrew deed net of hij zijn kwartje in het mandje deed, maar spaarde ze zorgvuldig op en kocht er later zijn eerste echte basketbal van. Zelf vond hij dat nog steeds het grootste bedrog van zijn leven, maar hij voegde er altijd ironisch aan toe: 'Blijkbaar was het Gode welgevallig.' Stanley deed altijd braaf zijn kwartje in het mandje, ook al omdat hij naast zijn moeder zat en haar niet van streek wilde maken. Andrew zat daar niet mee. Stanleys jongere broer was altijd uitsluitend in zichzelf geïnteresseerd geweest.

Op een zondagochtend was Andrew niet zijn bed uit gekomen en niet meegegaan naar de kerk. Mama had gehuild. Uit onmacht. Papa bleef er rustig onder. Hij ging zelf ook allang niet meer naar de kerk. Stanley wist nog hoe zijn ouders erover praatten. 'Ik hoef die verhalen over Gods toorn niet. Ik hoor veel liever dat het allemaal lukt met de zaak, dat we ons erdoorheen slaan. Maar dát krijg ik nooit te horen.' Het enige wat papa nog had overgehouden van vroeger was het bidden voor het eten. Maar dat was waarschijnlijk alleen maar gewoonte. Als je niet eerst bad, smaakten de spiegeleieren bij het ontbijt niet. Dan was het net of er geen zout op zat.

Toen Stanley het huis uit ging om op Princeton te gaan studeren, hielden kerk en godsdienst voor hem op te bestaan. Op een dag begreep hij dat hij het geloof niet nodig had en dat God je niet hielp om de wereld beter te begrijpen. Integendeel, met Zijn onbewezen alomtegenwoordigheid maakte Hij het alleen maar ingewikkelder. Van die alomtegenwoordigheid Gods viel weinig te bespeuren als je keek naar alle lijden en alle kwaad waartegen God, vond Stanley, best eens iets mocht ondernemen. Van tweeën één: Hij bestond niet, of de wereld die Hij ooit geschapen had interesseerde Hem geen zier. Het was bepaald niet overtuigend de erfzonde de schuld te geven van die goddelijke passiviteit. Als dat zo was, was God koppig en wraakzuchtig. En geleidelijk kwam Stanley tot de overtuiging dat er geen God was.

En toch kwam hij hier een paar jaar na zijn afstuderen langzaam en ongemerkt een beetje op terug. Stanley zag steeds minder in het motto van de meeste Princeton-studenten: hoe minder je weet, hoe meer je gelooft. Ook hij had zich laten meeslepen door de agressieve bekoring van dat motto, en net als veel anderen had hij demonstratief een kruisje op zijn borst gedragen. Mama was blij geweest, ontroerd zelfs. Wat ze niet had gezien, was dat Christus ondersteboven aan dat kruisje hing. Dat soort primitief protest was Stanley ontgroeid toen hij na zijn afstuderen begon aan zijn volwassen leven. Hoe meer hij leerde, hoe minder hij begreep. Hij begon Iets of Iemand te missen die een beetje orde aanbracht in alles wat er gebeurde, die alles uitlegde en alles in het kader plaatste van één Zin, één Theorie – met een hoofdletter. Maar hij vond niets van dat alles. En geleidelijk begon hij de gedachte toe te laten dat er misschien toch een God was...

Ook nu moest hij daaraan denken terwijl hij, verbaasd over zijn eigen ongerustheid, een sigaret rookte en in de kaarsvlam staarde in die sombere kloostercel, ergens onder de grond in het verwoeste Keulen. Hij voelde zich hier als in een graf. Stanley zette de brandende kaars op de wastafel. Voor het eerst in zijn leven wilde hij niet in het donker gaan slapen. En ineens besefte hij dat hij – ook voor het eerst in zijn leven – zich afvroeg of hij de volgende ochtend wel wakker zou worden. De slaap was immers de kleine dood...

Keulen, donderdagochtend 8 maart 1945

Er werd geklopt. Hij werd wakker en deed zijn ogen open. Grauw licht viel door het getraliede raampje van de kloostercel. De 'Californiër' stond tegen de deurpost geleund van de wijd openstaande deur.

'Wilt u mijn ontbijt met mij delen?' vroeg hij glimlachend. 'U heeft vast honger.'

Stanley ging op zijn bed zitten. De monnik liep naar de wastafel en vulde de twee metalen kroezen die hij had meegenomen met water. Daarna ging hij naast Stanley op het bed zitten. Hij gaf hem een van de kroezen en zette een mandje tussen hen in waarin op een wit servet een paar stukken droog brood lagen.

'De heer sergeant Medlock, die u hierheen heeft gebracht, deelde mij mee dat u zich bezighoudt met fotografie voor een courant. Indien u dat wenst, kan ik u naar een der torens van onze Dom brengen. Vandaar heeft men een fraai uitzicht over de hele omgeving. Weliswaar is het vandaag tamelijk bewolkt, maar daarentegen zal het er zeer rustig zijn. Er zal niet worden geschoten vanaf de overzijde van de rivier.'

Ze zaten naast elkaar hun brood op te eten en hun water op te drinken.

'Wordt er dan nog geschoten?' vroeg Stanley verbaasd.

'Vanaf de andere Rijnoever,' antwoordde de monnik. 'Aan deze zijde, de linkeroever, de westelijke oever, is Keulen reeds van... ons, doch de andere zijde wordt nog bezet door troepen van de tegenstander. Eergisteren hebben zij de Hohenzollernbrug opgeblazen, de enige brug die nog was overgebleven. Het is derhalve niet gemakkelijk om thans naar de overzijde van de rivier te komen. Maar dat zal slechts enige dagen duren. Het is aan die overzijde erg rustig. Alle Duitsers zijn hier gebleven. Ze zullen u vriendelijk bejegenen.'

Stanley nam nog een stuk brood. De monnik had gelijk, hij was uitgehongerd. 'Dus aan de ene kant van de Rijn zitten de Duitsers en aan de andere de Amerikanen?'

'Precies,' bevestigde de monnik, en hij voegde eraan toe: 'Een van onze broeders zal u straks naar de staf aan de Kaiser-Wilhelm-Ring brengen. Daar zult u alle hulp ontvangen welke u nodig heeft. Onze mogelijkheden zijn helaas zeer beperkt.' Hij wees naar het mandje met oud brood.

'Dus vanaf de toren van de Dom zie ik de overkant?' vroeg Stanley enthousiast.

'Vanaf de Domtoren ziet u heel Keulen. Onze Dom...'

'Kunt u mij daarheen brengen? Nu meteen?' onderbrak Stanley de monnik. Haastig slikte hij zijn laatste stuk brood door en greep nerveus naar zijn sigaretten.

Hij stond op en haalde zijn camera uit zijn koffer. 'Kom, laten we er meteen naartoe gaan,' zei hij ongeduldig. Hij stond met de camera om zijn nek voor de monnik.

'Komt u wellicht uit New York?' vroeg die rustig, zonder overeind te komen.

'Nee, ik kom uit Pennsylvania, maar ik snap wat u bedoelt. Ik gedraag me als een echte New Yorker. Sorry, maakt u rustig uw ontbijt af.' Stanley kalmeerde een beetje en liep naar de muur met het tralieraampje. 'Hoe heet u? Hoe moet ik u noemen? Ik weet nooit goed hoe ik priesters moet aanspreken. Ik wilde niet onbeleefd zijn.'

'Ik ben geen priester, ik ben een monnik. En ik heet Martin. Martin Carter. Waar mijn ouders geboren zijn is mij onbekend, maar zelf ben ik geboren in een opvangtehuis in Greenwich Village in New York. U mag mij noemen zoals u wilt.' De monnik stond op. 'Mag ik een sigaret van u? Ik rook graag na het ontbijt.'

'Natuurlijk!' zei Stanley, een beetje verbaasd. Hij gaf hem het pakje aan.

'Gauloises, hè? Voortreffelijke sigaretten, hoewel ik de oude Gauloises prefereer. Die zonder filter.'

Even later verlieten ze de kloostercel. De vorige avond, na zijn aankomst, was het hem niet opgevallen hoe lang de gangen waren. Ook buiten zag alles er bij daglicht anders uit. Toen ze de straat op gingen, was Stanley even stomverbaasd blijven staan bij de aanblik van de twee puntige torens die voor hem oprezen en die leken te ontspruiten aan het schip van de kerk dat ertegenaan plakte en dat was versierd met duizenden uit steen gehouwen heiligenbeelden. Nooit van zijn leven had hij zoiets gezien!

Even zweeg hij verrukt. 'Wat een schitterende kathedraal!' zei hij toen. 'Gelukkig maar dat we die niet hebben gebombardeerd...'

'Dacht u dat?' riep de monnik. 'Dat ben ik niet met u eens. Ja, thans bedelven de Amerikaanse en Britse generaals de stad onder de pamfletten waarin ze beweren dat ze de Dom hebben gespaard uit achting voor het cultureel werelderfgoed. Maar in november '43 zijn er bommen op de Dom gevallen. Het is dat de Duitsers met grote moeite een beschermende schil hadden aangebracht, waaraan ze maandenlang hebben gewerkt, anders zou de noordtoren zeker zijn ingestort. Ik zal u die schil laten zien. Overigens sprak ik onlangs met een Poolse piloot van de Royal Air Force. Hij vertelde mij dat de Dom met zijn torens voor de vliegeniers een voortreffelijk oriëntatiepunt was en dat ze hem alleen om die reden niet vernietigd hebben. Dat de Dom er thans uitziet zoals hij eruitziet, is louter toeval. Een gelukkig toeval.'

Ze kwamen bij de hoofdingang. Kennelijk kenden alle soldaten 'broeder Martin' – zoals Stanley besloten had zijn gastheer te noemen – goed, want ze werden overal zonder probleem doorgelaten. Toen ze binnen waren, nam Martin Stanley mee naar een kleine deur rechts en zei: 'Via deze deur kan je helemaal tot boven in de zuidtoren komen. Om het uitzichtpunt te bereiken, moeten we een smalle, steile trap beklimmen. Dat zal ongeveer een halfuur in beslag nemen. Onze Dom is erg hoog. Het op een na hoogste gebouw in Europa. Stelt u zich voor dat we zonder lift tot halverwege het Empire State Building gaan klimmen. Weest u voorzichtig, sommige treden zijn vermolmd of kapot. Er ontbreekt er ook een aantal.'

'Kunnen we nog even beneden rondkijken? Ik wil bijvoorbeeld erg graag het hoofdaltaar zien.'

'Ach ja, natuurlijk! Ik vergat helemaal dat u hier nog nooit eerder bent geweest. Wandelt u rustig rond. Dan wacht ik hier op u. Of zal ik u vergezellen? Ik ken hier ieder hoekje.'

'Als u het niet erg vindt, ga ik liever alleen. Dan kunt u me later alles vertellen. Ik wil graag even alleen zijn met mijn camera...'

Stanley liep terug naar het middenschip en haalde de beschermdop van zijn lens. Hij wilde niet de geijkte toeristenfoto's maken, zoals van de gebrandschilderde ramen waar het buitenlicht doorheen viel. Hij bleef staan bij een batterij kaarsen, aan de linkerkant van het schip. De was die van de kaarsen was gedropen en daarna gestold, had de grilligste vormen aangenomen en verspreidde op een schitterende manier het licht. Verderop stond achter een balustrade van zwarte stalen spijlen een enorme vaas waarin stokken stonden met Amerikaanse en Russische vlaggen eraan. Nog wat verder, vlak bij het hoofdaltaar, stond in het ochtendlicht dat door de gebrandschilderde ramen viel een houten kar vol menselijke schedels. Er middenin lag een gebroken swastika. Het zag er primitief en vulgair uit. Onbehouwen propaganda. En voor wie? Gewone mensen mochten hier niet komen, de Dom werd bewaakt door militairen. En om foto's van dit soort dingen zat Arthur niet verlegen.

Stanley vervolgde zijn speurtocht naar fotogenieke details. Op een lessenaar onder een kruisbeeld lagen volgekrabbelde velletjes papier en een bril. Iets verderop dweilde een oude vrouw met een zwarte jurk aan op haar knieën de treden onder een groot schilderij met vergulde lijst.

Terug bij de deur naar de toren zag hij hoe broeder Martin een marmeren wijwatervat vulde met behulp van een aluminium emmer. Toen hij Stanley zag, zette hij zijn emmer op de grond.

'Ik wacht beneden wel op u,' zei hij. 'Gaat u maar. U vindt mij beneden wel, ik ga niet weg voor u terug bent. Ik heb genoeg te doen' – hij glimlachte – 'er zijn heel wat wijwatervaten hier. En daarna breng ik u naar de Kaiser-Wilhelm-Ring!' Dat laatste riep hij Stanley na, die al door het deurtje verdwenen was.

Martin Carter had niet overdreven: de klim was behoorlijk link. Dit kon je geen trap meer noemen. De eerste keer leek het nog een incidentje toen Stanley nog net weg kon springen op het moment dat er een plank onder hem bezweek. Toen het nog een keer gebeurde, en nog eens, en nog eens, zette Stanley nergens meer een voet op zonder dat hij eerst had uitgetest of het hield. Dit ging een stuk langer duren dan een halfuur.

Eindelijk bereikte hij het uitkijkpunt onder een opengewerkte stenen piramidevormige koepel. De zon kwam juist tevoorschijn van achter een zwarte wolk. Haastig liep Stanley naar de balustrade. Het eerste wat hij zag waren de resten van een stalen boogbrug die uitstaken boven het water van de Rijn. De stad zag er aan de andere kant van de rivier precies hetzelfde uit: verwoeste huizen en straten, een paar gebouwen die nog overeind stonden te midden van een zee van puin. Niets bijzonders. Net Trier. Stanley voelde zich teleurgesteld, waarom wist hijzelf niet. Wat had hij verwacht te zien? Geen draken natuurlijk, maar toch wel op z'n minst één kanon dat op hem gericht was. Maar niets van dat al. Het nog niet door de geallieerden veroverde Duitsland zag er precies zo uit als deze kant, die ze al wel in handen hadden. Drôle de guerre, had de Engelsman het genoemd, de saaie oorlog...

Stanley hurkte bij de balustrade, stak een sigaret op, spoelde de film terug en stopte een nieuwe filmrol in zijn camera. Hij boog zich over de balustrade heen om de in het water verdwenen brug zo gunstig mogelijk in beeld te krijgen.

'Wat voor diafragma gebruikt u? 5,6 waarschijnlijk? U kunt beter een groter diafragma en een langere sluitertijd gebruiken. Dan krijgt u meer reliëf op de rechterkant van uw foto. Het is daar nogal donker, met al die wolken.'

Van schrik liet hij de balustrade los, gleed uit en tuimelde met zijn rug op de stenen vloer. Het lukte hem nog net zijn fototoestel op te vangen en tegen zijn borst te drukken. Woedend keek hij omhoog. Een jonge vrouw met een zwarte jas aan en een sigaret tussen haar lippen reikte hem de hand. Hij stond op zonder haar hulp. Ze liep naar de andere kant van het uitkijkpunt. Hij keek naar haar. Lang blond haar dat over haar gezicht viel. Een litteken in haar nek. Legerkistjes aan haar voeten. Hij liep naar haar toe.

'Ik had wel naar beneden kunnen vallen. U heeft me laten schrikken,' zei hij verwijtend.

Ze zweeg.

'Ik heb inderdaad 5,6 gekozen. Dat is met dit licht de beste instelling. Met een groter diafragma en een langere sluitertijd wordt de foto onscherp,' voegde hij eraan toe.

De vrouw draaide zich naar hem om. Ze had blauwe ogen, hoge jukbeenderen en lange wimpers.

'Dat is niet waar. Bij dit type Leica wordt automatisch diafragma 5,6 ingesteld als je er een nieuwe film in doet. U heeft er gewoon niet aan gedacht om het diafragma te veranderen. Dat overkomt bijna iedereen. Uw foto zou helemaal niet onscherp worden. Zelfs een alcoholist met trillende handen zou nog een scherpe foto maken. Zeker zo'n overzichtsfoto.'

Ze fronste haar voorhoofd terwijl ze praatte. Haar lippen waren droog en gesprongen, haar tanden blinkend wit.

'Hoe weet u wat voor Leica ik heb?'

Ze glimlachte even, maar hij meende tranen in haar ogen te zien blinken.

'Zo'n Leica herken ik zelfs aan de geur,' antwoordde ze zachtjes.

'Waarom huilt u?'

'Ik krijg altijd tranende ogen als ik lach. Dat is iets van de laatste tijd. Zal wel weer overgaan. Vindt u... vind je het erg?'

'Hoe heeft u zo geraden dat ik alleen maar Engels spreek?'

'Martin vertelde me dat hij je naar de toren zou brengen en dat je een camera hebt. Daarom mocht ik je meteen al.' Ze sloeg haar ogen neer. 'Ik wacht hier al vanaf vanmorgen op je. Martin laat me pamfletten vertalen en ik mag van hem schoonmaken in de Dom. Van dat geld koop ik eten voor mezelf en voor tante Annelise. Hij zei dat je een echte Amerikaan bent die geen woord over de grens spreekt.'

'En waarvan kent u mijn Leica?'

Opeens werd ze boos. 'Zeg, is dit verdomme een verhoor of zo? Ik wilde alleen maar met je praten over het beste diafragma. En jij gedraagt je als een Amerikaanse veroveraar. Jullie kunnen me wat!' Ze deed een paar stappen bij hem vandaan.

Hij stak twee sigaretten aan en liep weer naar haar toe.

'Het was gewoon belangstelling. Weet u, ik heb nog nooit meegemaakt dat iemand mijn Leica herkende aan de geur!' Glimlachend reikte hij haar een sigaret aan. 'Mag ik u nog één vraag stellen? De allerlaatste?'

Ze nam de sigaret aan en wilde een trek nemen, maar hij was al uitgegaan. Ze liep naar hem toe en liet haar hand in zijn jaszak glijden, waarbij ze met haar kin zijn schouder aanraakte. Haar haren roken naar lavendel. Ze haalde een doosje lucifers tevoorschijn en even later stond ze naast hem te roken.

'Oké, vraag maar.' Er kwam een sliert rook uit haar mond.

'Bent u Duitse?'

'Ja. Ik heet Anna Marta Bleibtreu. Is daar iets mis mee?' Ze draaide hem haar rug toe en liep naar de balustrade. Hij volgde haar. Samen keken ze naar de stad.

'Welnee, helemaal niet. Daar gaat het niet om. Het was gewoon belangstelling.'

'Lieg niet! Dat kan niet, dat je Duitsers aardig vindt. Ik zou ze ook niet aardig vinden als ik jou was.' Ze klonk nu geagiteerd.

Hij negeerde haar opmerking. 'Hoe weet u zo goed... Hoe komt het dat u mijn camera kent?'

'Ik ken alle camera's.'

'Dat kan toch niet?'

'Blijkbaar wel.' Ze ging wat dichter bij hem staan. 'En mag ik nu iets aan jou vragen?'

'Natuurlijk.'

Ze stak haar hand in haar zak en haalde er een filmrol uit tevoorschijn. Hij zag dat haar gelaatsuitdrukking ineens heel anders was. De onverschilligheid en de zweem van agressie waren verdwenen. Haar ogen leken nog groter. Ze keek hem opgewonden aan, als een klein meisje dat vol spanning op iets wacht. Ze klemde het filmpje vast in haar hand en vroeg: 'Kun jij deze film ontwikkelen? En kun je dat goed doen?'

'Natuurlijk, geen probleem. Vandaag nog als het moet.'

'Doe je het eigenhandig of geef je hem aan iemand anders?'

'Dat weet ik nog niet. Ik ben nog maar een paar uur hier in Keulen. Ik weet niet of ik het lab hier mag gebruiken. Ik weet zelfs niet of hier een lab is. Broeder Martin heeft beloofd me naar een of andere "Ring" te brengen. Daar krijg ik het allemaal te horen.'

Klopt, dat is op de hoek van de Kaiser-Wilhelm-Ring en de Christophstrasse. Daar zitten die militairen van jullie die nu de stad besturen. Martin zei dat je werkt voor *The New York Times*. Ik denk dat ze je daar met open armen zullen ontvangen. Mijn vader vertaalde vóór de oorlog Duitse poëzie voor jouw krant. Daar was hij heel trots op. Zijn foto heeft zelfs in jullie krant gestaan.'

Hij luisterde naar haar, zich verbazend over de reeks toevalligheden die hadden geleid tot deze ontmoeting, boven op de Dom van Keulen. Hij had immers ook níét naar Keulen kunnen komen, hij had ook níét 'de heer sergeant Medlock' tegen het lijf kunnen lopen met zijn handeltje in aardappels en steenkool, en een andere 'broeder' had hem naar zijn kloostercel kunnen brengen. Maar nee, hij was hiernaartoe gebracht door die gladjanus van een Medlock, en broeder Martin met z'n goeie hart had juist dít meisje het vertalen van zijn pamfletten toevertrouwd. En haar vader vertaalde voor *The New York Times*, en ze wilde hem zelfs zo graag ontmoeten dat ze speciaal deze toren op was geklommen en hem dit allemaal verteld had. Maar het spectaculairste was dat dit meisje zoveel verstand van fotografie had. Het leek alsof het haar met de paplepel was ingegoten. En ze had gelijk. Als hij een groter diafragma en een langere sluitertijd nam, werd bij dit licht de foto van de verwoeste brug beter. Ze had volkomen gelijk! Zijn Leica sprong automatisch terug naar 5,6 als je hem openmaakte om de film te verwisselen...

'Waarom zeg je niets? Heb ik iets verkeerds gezegd?'

Hij schrok op uit zijn overpeinzing. 'Welnee! Ik dacht alleen na over wat het lot voor ons in petto heeft en wat zuiver toeval is. Maar dat doet er nu even niet toe. Geef me uw filmpje maar, dan komt het dik voor elkaar.'

'Je moet me beloven dat je het zélf ontwikkelt,' zei ze opgewonden. 'En dat je het niet aan iemand anders geeft. Beloofd?'

'Beloofd!' zei hij, en hij stopte het filmpje in de binnenzak van zijn colbert.

Het meisje ging op haar tenen staan, gaf hem een kus op zijn wang en riep: 'Dan breng ik augurken voor je mee en rookworst van tante Annelise. En ik bak een appeltaart voor je. Ik wacht hier over drie dagen op je, zondag dus, om deze tijd. Maar nu moet ik gaan.'

Huppelend als een klein meisje rende ze in de richting van de wenteltrap. Ineens bleef ze staan en draaide ze zich om: 'Mag ik heel eventjes je Leica vasthouden? Heel eventjes maar. Mag het?'

Ze was net een kind dat om haar lievelingsspeelgoed vroeg. Hij gaf haar de camera aan. Ze liep ermee naar de balustrade, richtte de lens op de brug en draaide zich toen weer om naar Stanley.

'Mag ik? Eén foto maar, ik beloof het...'

Hij hoorde de sluiter klikken. Ze liep naar hem toe en gaf de camera terug.

'Hoe heet u? Sorry, ik heb het niet onthouden.'

'Bleibtreu,' zei ze, en ze rende weg.

'Betekent dat iets in het Duits?' riep hij haar achterna.

Ze draaide zich om bij de deur naar de trap. 'Ja! Het is zoiets als *be faithful*, of *be true*, of *remain loyal.*'

Hij nam nog tien foto's. En iedere keer als hij zijn camera instelde, moest hij aan dat meisje denken.

In het massieve gebouw op het adres Kaiser-Wilhelm-Ring 2 bevond zich inderdaad een soort 'regering'. Iedereen deed heel gewichtig, iedereen ging ergens over. Tot het moment dat er werkelijk een beslissing moest worden genomen. Dat ze Stanley een woord waardig keurden, was uitsluitend uit achting voor broeder Martin. Niemand was ervan onder de indruk dat ze een redacteur van *The New York Times* op bezoek hadden 'wiens missie het was de lezers in de Verenigde Staten de onafhankelijke informatie te verschaffen waarop ze recht hadden', en niemand stak een poot uit om hem te helpen. Een zwaarlijvige officier verklaarde zonder omwegen dat journalisten in oorlogstijd 'een steenpuist op je kont' waren.

Meer dan drie uur lang werden ze van het kastje naar de muur gestuurd, van de ene verdieping naar de andere en van de ene rokerige ruimte naar de andere. Eerst werd Stanley nog kwaad, daarna voelde hij een machteloosheid die vervolgens plaatsmaakte voor onverschilligheid. Bovendien geneerde hij zich tegenover broeder Martin, die met hem mee moest sjouwen en elke keer zijn uitleg moest aanhoren over zijn verdomde 'missie'. Net toen Stanley er schoon genoeg van had – ze konden doodvallen allemaal, hij ging terug naar Luxemburg, daar nam hij contact op met Arthur en dan ging hij terug naar huis – belandden ze in het zoveelste rookhol, ditmaal in het souterrain. Toen ze het vertrek betraden, keek een magere man in uniform hen aandachtig aan. Hij zette zijn bril recht en vloog ineens met een vreugdekreet broeder Martin om de hals. Ze bleken elkaar nog te kennen uit de jaren dat broeder Martin diende in Ierland. Daarna hadden hun wegen zich gescheiden en kijk nu eens, jaren later liepen ze elkaar tegen het lijf in de kelder van een overheidsgebouw in Keulen. De magere officier hoorde Stanleys relaas aan. Toen riep hij zijn adjudant en gaf bevel 'tweede luitenant Benson van de afdeling propaganda op te zoeken en als het nodig was op te graven'. Ze hoefden tweede luitenant Benson niet op te graven. Hij zat doodgemoedereerd, met zijn voeten op zijn bureau, in een kamer op de tweede verdieping waar ze al eerder waren geweest tijdens hun zwerftocht langs de rookholen. In aanwezigheid van de magere officier deed Benson net alsof hij Stanley Bredford voor het eerst van zijn leven zag. Nadat hij de aanwijzingen in ontvangst had genomen, sloeg hij luid zijn hakken tegen elkaar en brulde: 'Yes sir!' Stanley gaf de aanwijzingen, de magere officier met de bril op promoveerde ze tot legerorders, tweede luitenant Benson sloeg zijn hakken tegen elkaar.

'Duidelijk, Benson? Ik resumeer. Eerst zorg je dat de redacteur een pas krijgt die hem toegang geeft tot alle objecten in de stad. Je brengt hem mij ter ondertekening. Daarna reserveer je drie uur voor de redacteur in het fotolaboratorium. Als het kan vanavond. Dan zorg je dat redacteur Bredford toestemming krijgt om telegrammen te versturen. Gewone, geen versleutelde. Ook die toestemming onderteken ik. Maar eerst zorg je dat de redacteur iets te eten en drinken krijgt, en onderdak. Over een halfuur ben je bij me met alle papieren en breng je verslag uit. Duidelijk? Alles begrepen, Benson?'

'Yes sir!' brulde tweede luitenant Benson. Hij sloeg voor de laatste keer zijn hakken tegen elkaar en verdween.

De magere officier wendde zich tot de monnik. 'En nu moet je me alles vertellen, Martin. Hoe staat het ermee? Hoe ben je hier verzeild geraakt? En waarom juist nu? Het is hier zo deprimerend... Wat zal Sheila verbaasd zijn als ik haar schrijf dat ik jou ontmoet heb. Wat zal ze dát fijn vinden! Ze heeft het nog heel vaak over je. Vertel!' Hij wendde zich tot Stanley. 'Meneer de redacteur, wilt u ons even verontschuldigen? Broeder Martin en ik willen graag iets bespreken.'

Stanley ging op een houten bank in de gang zitten, tegenover de deur. Vandaag ontmoetten voorbeschikking en toeval elkaar, mijmerde hij. En dat was fantastisch.

Het zweet stond tweede luitenant Benson op het voorhoofd toen hij twee uur later kwam aanrennen met zijn rapport en zijn bestempelde papieren. De magere officier was druk in gesprek met broeder Martin en merkte niet eens dat het zo lang geduurd had. Hij nam de documenten vluchtig door en keek toen boos op naar Benson.

'Ben jij nou helemaal belazerd? Meneer de redacteur in een jeugdherberg? En niet eens in Keulen, maar ergens in een dorp? Jíj durft... Wil je soms dat meneer de redacteur dat allemaal opschrijft voor zijn krant en dat kolonel Patterson het dan te lezen krijgt?' Hij praatte nu met stemverheffing. 'Je weet toch zelf dat John niet tegen kritiek kan en dat hij het ons nooit vergeeft als ze slecht over hem schrijven. En nog wel in New York...'

'We hebben momenteel niets anders, kolonel!' riep Benson wanhopig.

'Hoezo niet? En wie zijn die "we", als ik vragen mag? En wanneer hebben "we" dan wél iets?'

'Heren,' mengde Stanley zich voorzichtig in het gesprek. 'Ik heb het uitstekend naar mijn zin in de kloostercel van broeder Martin. Dus als het mogelijk is...' Hij keek de monnik aan.

'Natuurlijk kunt u daar blijven,' antwoordde die.

'Dan doen we het zo, Benson. Jij geeft namens mij die debielen van inkwartiering op hun flikker. Zeg maar dat ze idioten zijn en dat we ons wel zonder hen redden.' De magere officier glimlachte. 'En zorg nu eerst dat de heren te eten krijgen.'

'Als u het goedvindt, zou ik liever nu meteen met luitenant Benson naar het laboratorium gaan,' mengde Stanley zich opnieuw in het gesprek. Ik heb helemaal geen honger.'

'Gehoord, Benson?' vroeg de magere officier.

'Yes sir!'

Stanley moest het af en toe op een drafje zetten om Benson bij te houden, zoveel haast had de man.

Het donkerste hoekje van het gebouw Kaiser-Wilhelm-Ring 2 bevond zich op de benedenverdieping. Stanley rook de vertrouwde lucht van fotochemicaliën toen ze een ruimte binnenrenden waar een rij houten tafels stond met spoelbakjes erop. Aan touwtjes hingen foto's te drogen. Aan een van de tafels zat een jonge soldaat.

'Brian, help jij mister Bredford verder,' zei tweede luitenant Benson tegen de jonge soldaat, en hij verdween haastig.

'Yes sir,' riep de soldaat hem achterna.

Brian goot de inhoud van een paar spoelbakjes in een metalen emmer. Hij stapelde de bakjes op elkaar, liep ermee naar een wastafel en maakte ze zorgvuldig schoon. Daarna zette hij ze naast elkaar op tafel en bracht een paar glazen flessen met reagentia.

'Als u mij nodig heeft, ik zit hiernaast, in de rookruimte.'

Stanley pakte een filmpje en legde het in de oplossing. Hij werkte graag in het fotolab. Ontwikkelen vond hij nog net zo spannend als vroeger, achter papa's benzinepomp. Sommige dingen veranderen nooit. Hij schoof zijn stoel naar achteren; ontwikkelen deed hij het liefst staande. Geleidelijk kwam afbeelding na afbeelding tevoorschijn op het papier. De verwoeste Rijnbrug. Daarna diezelfde brug, een paar minuten later gefotografeerd door het meisje. Haar brug was anders. Realistischer. Haar terloops genomen foto was beter! Hij hoorde het haar weer zeggen: 'Mag ik? Eén foto maar, dat beloof ik.' Hij hing de ontwikkelde foto's aan het touwtje. Toen hij haar filmpje uit zijn binnenzak haalde, had hij het gevoel dat hij een brief van een ander ging lezen. Oké, ze had het hem zelf gevraagd, maar toch was het alsof hij andermans leven binnendrong. Foto's waren voor hem zelfs iets nog intiemers dan brieven. Hij liet de film in het spoelbakje zakken. Daarna belichtte hij het negatief. Op de ondergedompelde film verschenen haar foto's. De ene na de andere...

Een biddende soldaat. Met zijn rechterhand omklemt hij de stomp waar zijn linkerhand heeft gezeten. In de helm bij zijn voeten flakkert de vlam van een brandende kaars.

Een huilend meisje met haar hand in het verband, zittend naast een kom. Een paar meter bij haar vandaan streelt een oude vrouw met een bontjas aan en een strohoed op het hoofd een magere kat met één oor die op haar schoot gesprongen is.

Een man leest een boek en bidt tegelijk de rozenkrans. Achter zijn rug zit een priester met een enorme bril op en een sigaret in zijn mond in een fauteuil; hij neemt de biecht af van een non die voor hem geknield ligt. Naast hem staan drie mensen onder een kruisbeeld, dicht tegen elkaar aan, het hoofd gebogen, alsof ze gelaten hun doodvonnis afwachten.

Een fragment van een muur, het overblijfsel van een huis. Tegen de muur een roestig wasbekken. Op de tafel naast het wasbekken een tafel met daarop een kroes half vol thee en een porseleinen bordje met een boterham met kaas waar een hap uit is genomen. Boven het wasbekken een spiegel met roestvlekken. Op een glazen plankje onder de spiegel drie aluminium bekertjes met tandenborstels erin.

De marmeren toonbank van een winkel, bedolven onder stukken pleisterwerk. Op de toonbank een omgevallen weegschaal, bedekt met vlekken; opgedroogd bloed misschien.

Een jongeman met een witte bevlekte jas aan zit op een houten stoel naast een kuil vol lijken.

Een violist onder een kaarsenkroon. Zijn hoofd in het verband, de ogen toegeknepen.

Lachende soldaten in Duitse uniformen staan naast een spoorwegwagon lachend op een rij in de sneeuw te wateren.

Een viool in een open vioolkist, een paar machinepistolen...

Nu pas merkte hij hoe warm het was in het lab. Toen de films droog waren, pakte hij een pak fotopapier en zette hij een statief op. Hij drukte foto's af en legde ze mechanisch van het ene spoelbakje in het andere. Zijn handen trilden, bij zijn slaap voelde hij een ader kloppen. Met een gewoontegebaar strekte hij zijn hand uit naar een pakje sigaretten en stak er een op. Het was of hij weer haar stem hoorde. 'Wil jij deze film voor mij ontwikkelen? En zul je het goed doen?'

Het droogapparaat deed zijn werk. Langzaam legde hij de foto's op twee stapeltjes, waarbij hij probeerde niet te lang naar háár foto's te kijken. Ze had hem zelf om hulp gevraagd, maar toch voelde het als een indiscretie. Hij deed de foto's in verschillende enveloppen. Voorzichtig rolde hij het filmpje met de negatieven op, deed ze in een metalen kokertje en stopte dat in de binnenzak van zijn colbert. Hij liep vlug het lab uit en ging de rookruimte binnen.

'Ik ben klaar,' zei hij tegen Brian. 'Kan je mij misschien ergens mee naartoe nemen waar ik mijn telegram kan opgeven?'

Brian doofde zijn sigaret. 'Is er iets mis?' vroeg hij. 'U ziet zo bleek.'

'Nee hoor, dat lijkt maar zo.'

Ze gingen naar de derde verdieping. In een benauwde, raamloze ruimte twinkelden groene lampjes op controlepanelen van zenders. Ze leken op ouderwetse radio-ontvangers. Erachter zaten militairen met koptelefoons op. Brian praatte even met een van de telegrafisten. Even later bracht hij Stanley een vel papier.

'Hierop kunt u uw telegram en de aanvraag kwijt. De tekst graag in blokletters en voorzien van uw volledige voor- en achternaam. Vermeldt u op de aanvraag uw rang en geboortedatum.'

'Ik heb geen rang,' zei Stanley.

'Zet u daar dan maar een nul neer.'

Hij ging aan een tafeltje in de hoek van de kamer zitten en stelde in blokletters zijn tekst op:

ARTHUR, BEDANKT DAT JE VOOR MIJN KAT ZORGT. IK WIL GRAAG DEZE WEEK NOG TERUG NAAR NEW YORK. DAT BESPAART JE NOG GELD OOK. IK HEB ALLES WAT WE NODIG HEBBEN. REGEL JIJ EEN VLIEGTUIG VOOR ME? IK ZIT IN KEULEN. ER IS HIER VAST EEN VLIEGVELD. KAN JIJ BIJ HET STATE DEPARTMENT EEN VISUM LOSKRIJGEN VOOR ANNA MARTA BLEIBTREU? IK WAARSCHUW JE: ZE IS EEN DUITSE. HAAR VADER IS VERTALER. HIJ HEEFT VOOR ONS GEWERKT. JE KUNT HET NAGAAN. ZOEK IN HET ARCHIEF TOT 1939. HAAR GEBOORTEDATUM WEET IK NIET, VERZIN DIE MAAR. ARTHUR, ALS JE GEEN VISUM VOOR HAAR REGELT, KOM IK NIET TERUG. STANLEY

Hij glimlachte. Arthur zou zijn schertsende ultimatum begrijpen: ALS JE GEEN VISUM VOOR HAAR REGELT, KOM IK NIET TERUG. Hij móést het begrijpen. Stanley gaf het vel papier aan een jongeman met een koptelefoon op.

De jongen glimlachte toen hij de tekst las. 'Waar moet het telegram naartoe?'

'Naar de redactie van *The New York Times*.'

De jongen begon ijverig in een dik, versleten boek te bladeren.

'New York of Chicago?' vroeg hij ineens.

'New York natuurlijk.' Stanley was glad vergeten dat ze pasgeleden een kantoor in Chicago hadden geopend.

'Wilt u de tekst wat inkorten?' vroeg de soldaat-telegrafist. 'Het maximum voor niet-versleutelde telegrammen is vijfhonderd tekens, leestekens en spaties meegerekend. Uw telegram telt er vijfhonderd-zevenenzeventig.'

Ongelooflijk, zo snel als die jongen dat geteld had... Hij bekortte gehoorzaam de tekst. De zin over de kat kon eruit, 'dat bespaart je nog geld ook' kon weg, en Arthur snapte het ook wel zonder punten en komma's. Klaar!

'U krijgt morgen een schriftelijke bevestiging dat de geadresseerde het telegram heeft gekregen. Maar dat wordt wel 's middags. Het eventuele antwoord heeft u zaterdag tegen de avond. Dat komt door het tijdsverschil,' legde hij behulpzaam uit.

Grappig, dacht Stanley, een paar uur geleden had hij alle bewoners van Kaiser-Wilhelm-Ring 2 nog stijfgevloekt, en nu waren ze de voorkomendheid zelve. Hij zou ze nooit vergeten, en zeker niet dat fotolab...

Stanley was buiten adem van opwinding. Zelden had hij zoveel energie in zijn lichaam gevoeld. Hij moest dat meisje zo snel mogelijk terugzien en haar vertellen wat hij had gevoeld toen hij haar foto's bekeek. En daarna moest hij haar vragen wat ze gevoeld had toen ze die foto's nam. Dat was het belangrijkste. En hij moest zijn plannen met haar uitleggen. In principe had hij immers helemaal het recht niet om allerlei beslissingen te nemen zonder haar medeweten. En hij was al begonnen met het realiseren van wat hij bedacht had. Stanley wist zeker dat Arthur niet zou rusten voordat hij het hele State Department op stelten had gezet en een visum voor dat meisje had losgepeuterd. Nou ja, met dat visum kwam het wel goed, al zou het niet meevallen met al die bureaucratische rimram in Washington. Het zou een stuk lastiger worden om voor haar een plaats te vinden aan boord van een Amerikaans legervliegtuig. Een Duitse! Maar hij had goede hoop dat ze in Washington niets compromitterends over haar en haar ouders zouden vinden.

Nu de eerste opwinding wat wegebde, stond hij er eindelijk bij stil wat hem eigenlijk had bewogen tot dit alles. Waarom die Anna Marta Bleibtreu met alle geweld met hem mee moest naar de States. Maar hij ging het haar vragen, hoe dan ook. Als het even kon vandaag nog.

Het was al donker toen hij het gebouw verliet. In de verte staken de torens van de Dom donker af. Snel liep hij langs de puinhopen. Als een patrouille hem staande hield, liet hij zijn papieren met de stempels zien en dan mocht hij doorlopen. Via de hoofdingang ging hij de Dom binnen. Op de banken bij het altaar zaten in gebed verzonken monniken. Ze hielden brandende kaarsen vast, als kinderen bij hun eerste communie. Dichterbij gekomen zag hij dat op de eerste rij broeder Martin met zijn ogen dicht zat te bidden. Stanley ging bij hem in de buurt zitten. Toen hij zag dat Martin zijn gebed beëindigde en een kruis sloeg, stond hij op en liep hij haastig op de broeder toe.

'Zou u mij kunnen helpen? Ik heb uw hulp heel erg nodig.'

Broeder Martin glimlachte en doofde zijn kaars. Ze begaven zich samen naar een van de pilaren.

'Anna Bleibtreu, dat meisje dat pamfletten vertaalt. Weet u waar ik haar kan vinden? Nu meteen!' fluisterde Stanley.

'Anna? Die had het over u. Ze bidt voor u, ook al is ze niet gelovig. Ik zei tegen haar...'

'Waar kan ik haar vinden?' onderbrak Stanley hem zonder omwegen. 'Nu meteen!'

'Ze woont vlak buiten Keulen, bij haar tante...'

'Weet u waar precies?'

'Jazeker.'

'Geef me dan haar adres!'

'Het adres weet ik niet. Ze woont in een stadje dat zo'n tien kilometer naar het zuiden ligt.'

Stanley haalde een blocnote uit zijn zak.

'Hoe heet dat stadje? Schrijf op!' Hij duwde de monnik de blocnote in zijn handen.

'U bent een echte New Yorker,' bromde die hoofdschuddend.

'Sorry, maar het is ontzettend belangrijk. Ik leg het later wel uit. Mag ik mijn kloostercel nog in als ik morgen pas terugkom?'

'U mag altijd naar binnen, wanneer u ook terugkomt,' antwoordde de monnik kalm.

'Enorm bedankt!' En Stanley was al op weg naar de hoofdingang.

Op het plein voor de Dom stapte hij af op een soldaat die naast een tank stond. Hij scheurde het blaadje met de plaatsnaam uit zijn blocnote en haalde een pakje sigaretten en zijn portefeuille uit zijn zak.

'Maat, ik moet naar dit dorp.' Hij gaf de soldaat een sigaret en het papiertje. 'Zo snel mogelijk.'

De soldaat bestudeerde het papiertje een hele tijd. Toen zei hij lijzig: 'Da's een heel eind weg. Da's niet goedkoop.'

'Wat kost het?'

'Het is al avondtarief, maar u krijgt korting. Laten we zeggen honderd dollar. En honderdvijftig als u vanavond nog terug wilt om in uw eigen bed te slapen.'

Stanley haalde een paar bankbiljetten uit zijn portefeuille. De soldaat likte aan zijn vinger en begon ze op zijn gemak te tellen.

'Oké,' zei Stanley. 'Honderd erbovenop, voor jou, als we over vier minuten vertrekken. Daarna hoeft het niet meer. Mijn moeder is erg streng.'

De soldaat grijnsde. Hij klopte met de kolf van zijn stengun op de pantsering van de tank. Even later kwam een gehelmd hoofd tevoorschijn uit het luik.

'John,' riep de soldaat. 'Een limousine naar Königsdorf. Er is haast bij, je hebt drie minuten.'

De 'limousine' bleek een gebutste jeep met een kapotte uitlaat. Toen ze een uurtje later knallend en knetterend Königsdorf in reden, moest het hele plaatsje wel denken dat er een luchtaanval begonnen was. Ze stopten voor het enige verlichte gebouw aan het dorpsplein en stapten uit. In de plaatselijke kroeg zaten de stamgasten bier te drinken uit enorme gecraqueleerde aardewerken kroezen. Stanley moest een vrouw vinden die Annelise heette en hier in Königsdorf woonde. Hij wist niet zeker of haar achternaam ook Bleibtreu was. Voor de zekerheid noemde hij een paar keer alle namen die hij wist: Annelise, Anna Marta, Bleibtreu...

Frau Annelise? Die kenden alle stamgasten. Een van hen liep met Stanley naar de jeep en ging zonder toestemming te vragen naast de chauffeur zitten. Hij had zijn bierkroes nog in zijn hand.

Gelukkig wist de chauffeur dat *to the left* in het Duits 'nach links' was, en *to the right* 'nach rechts'. Tien minuten later stopten ze bij een hekje in een met klimop begroeide draadomheining. Voor het hekje stond een metalen korf vol aardappels. Een stukje verderop waren de verlichte vensters van een houten huis te zien. Stanley stapte uit en stopte de chauffeur nog een bankbiljet in zijn hand.

'Breng die Duitser hier terug naar de kroeg en blijf dan hier op mij wachten, oké?'

De chauffeur knikte.

Stanley schoof de teil opzij, duwde het hekje open en liep over een tegelpaadje naar de voordeur. Hij haalde een verfrommeld velletje papier uit zijn zak en klopte aan. Toen hij achter de deur iets hoorde, las hij hardop van zijn papiertje:

'*Mein Name ist Stanley Bredford. Ich möchte Anna Marta Bleibtreu sprechen.*'

Er werd een sleutel omgedraaid in het slot en daar stond Anna in de deuropening.

'Hé, daar hebben we onze redacteur! Kon je niet slapen? Wat praat jij grappig Duits! Net het dronken nijlpaard dat tegen de krokodil praat in dat kindersprookje...'

Ze had een opengeslagen boek in haar hand en een sigaret tussen haar lippen. Haar haren hingen los over haar schouders en door de dunne stof van haar nachtpon waren haar borsten zichtbaar. Stanley moest zijn best doen op zijn blik uitsluitend op haar ogen gevestigd te houden.

'Kom binnen! Of kwam je alleen even dag zeggen en heb je geen tijd?' Ze nam haar sigaret uit haar mond.

Ze gedroeg zich raar, vond hij. Een combinatie van maagdelijke onschuld en een gehaaide prostituee op de hoek van 42nd Street en Times Square. Haar onverschilligheid en ironie waren duidelijk het masker waarachter ze haar opwinding en gespannen afwachting probeerde te verbergen. Iets wat haar niet erg goed lukte.

Stanley speelde het spelletje mee: 'Ik kom graag even binnen als het mag.'

Door het halletje gingen ze naar de keuken. Ze schoof een houten kruk aan en hij ging zitten. Op het fornuis achter hem stond een ketel water te koken. Het dansende en rinkelende deksel leek een melodietje te spelen. De warmte van de keuken viel als een deken over hem heen. Ze ging tegenover hem zitten, op de rand van een wit kastje. Hij omklemde de envelop in zijn binnenzak en keek naar haar. Ze had haar knieën iets uit elkaar, en weer moest hij zichzelf dwingen alleen naar haar ogen te kijken. Hij haalde de envelop uit zijn zak. Een paar ogenblikken keek ze hem gespannen aan. Langzaam gleed ze van het kastje en ging staan, heel rechtop, bijna als een militair die in de houding springt. Hij reikte haar de eerste foto aan. Daarna ging hij naast haar staan. Als een toeschouwer. Hij wilde de foto's samen met haar bekijken, door haar ogen.

Elke keer dat hij haar een nieuwe foto aangaf, kromp ze ineen als iemand die een harde stomp in de maag krijgt. Toen ze de laatste foto bekeken had, viel het hele stapeltje uit haar hand op de grond. Ze draaide zich om naar hem, waarbij ze met een blote voet op een van de foto's trapte.

'Wil je thee? Zeg iets! Drink thee met me! Zeg tegen me dat dat moet, nu meteen. Dat je nergens anders van droomt, dat het je hartenwens is. Dan moet ik het blik thee pakken en een schoon kopje voor je vinden en suiker. Hou me bezig, zorg dat ik iets te doen heb. Zeg dat je thee wil. Dat wil je toch, hè?'

'Graag. Ik heb ontzettende zin in thee,' zei hij hees.

Ze knielde en raapte de foto's bij elkaar. En elke foto drukte ze tegen haar lippen.

'Ga je met me mee naar New York?' vroeg hij zachtjes.

'Hè, waar heeft tante Annelise nou haar suiker! In de kelder waarschijnlijk. Of in de slaapkamer.'

'Ga je met me mee naar New York?' herhaalde hij, wat luider.

'Ik denk in de slaapkamer. Wil je je thee beslist met suiker? Tante slaapt al...'

'Ga je met me mee naar New York?' Nu schreeuwde hij bijna.

'Hij ligt vast in de kast in de slaapkamer. Je bewaart de suiker toch niet in de kelder, bij de schnaps? Momentje, ik haal hem even. Zo terug.'

Hij pakte haar bij haar arm. Trok haar naar zich toe. Nam haar gezicht tussen zijn handen, keek haar strak aan en siste langzaam:

'Ik hoef geen suiker in mijn thee. Begrepen? Géén suiker. En nou moet je goed naar me luisteren. Ga je met me mee naar New York?'

Nooit eerder had hij iemand zo vreemd zien en voelen sidderen. Haar hele lichaam, op haar hoofd na, dat hij nog vasthield, trilde hevig. Ze huilde, met haar ogen dicht. Op haar voorhoofd parelden dikke zweetdruppels, en ook haar haar werd nat van het zweet.

'Zaterdagavond laat kom ik je ophalen,' zei hij, en hij drukte haar tegen zich aan. 'En nu moet je me je paspoort geven of een ander document waar je foto op staat. Maandag weet ik alles, en dan spreken we af op de Domtoren. Je kan maar één koffer meenemen in het vliegtuig. Jij gaat fotograferen voor *The New York Times*. Je krijgt de allerbeste Leica. En je foto's worden ontwikkeld en afgedrukt door de allerbeste technicus, een kunstenaar in zijn vak.'

Ze pakte zijn hand en drukte er een kus op.

'Ik weet niet wie je hier achterlaat, maar het zal voor lange tijd zijn. In elk geval tot het eind van de oorlog. In New York zoeken we woonruimte voor je en ondertekenen we je contract. Ik help je met alles. En Engels spreek je beter dan ik...'

Ze hield op te trillen. Voorzichtig liet hij haar hoofd los. Ze stond voor hem, met de armen slap langs haar lichaam, en keek hem recht aan. Zwijgend. Hij ging weer op zijn kruk zitten.

'Zet je thee voor me?' vroeg hij kalm.

'Maar waarom? Waarom? Waarom ik?' fluisterde ze, terwijl ze bleef staan waar ze stond.

'Omdat ik ontzettende zin heb in een kop thee.'

Ze liep met hem mee naar de jeep, die keurig klaarstond voor het tuinhek – zonder zich aan te kleden, in haar nachtpon.

'Lekker ding!' was het eerste wat de chauffeur zei toen ze wegreden.

Stanley negeerde zijn commentaar. 'Breng me zo snel mogelijk terug,' was het enige wat hij zei. Toen draaide hij zich om en zag hij door de achterruit Anna, die achter hen aan kwam rennen.

'Keren!' schreeuwde hij tegen de chauffeur. 'Keren, verdomme! Ik ben iets vergeten! Schiet op!'

De chauffeur trapte op de rem. Hij reed een grasveld op langs de weg, naast een uitgebrande tank, en keerde. Ze stopten op een paar meter van Anna. In het licht van de koplampen leek ze spiernaakt. Bijna tot haar enkels weggezakt in de modder strekte ze haar hand naar hem uit. Stanley sprong uit de jeep en rende naar haar toe.

'Je bent mijn paspoort vergeten.'

Stanley strekte zijn hand uit naar het document in zijn verfomfaaide kaftje. Hij sloeg zijn arm om haar heen en bedekte haar schouders met zijn colbert. Ze stapten in.

'Breng miss Bleibtreu naar huis!' riep hij tegen de chauffeur.

Ze drukte zich tegen hem aan.

'Ik wacht zaterdag op je op de toren. Je moet komen, wat er ook gebeurt,' zei ze terwijl ze uitstapte.

De jonge telegrafist in het raamloze vertrek op de derde verdieping van het gebouw aan de Kaiser-Wilhelm-Ring herkende Stanley meteen.

'Goed dat u gekomen bent. Ik heb hier twee telegrammen voor u. Een versleuteld telegram van het State Department en een gewoon, uit New York. Voor u het versleutelde telegram in ontvangst neemt moet u uw handtekening zetten, want dat is staatsgeheim.'

De jongen overhandigde hem een formulier, dat hij zonder het te lezen ondertekende, waarna hij twee grauwe vellen telexpapier overhandigd kreeg.

*Anna Marta Bleibtreu, 22 jaar, vrouw, geen bijzondere kenmerken, dochter van Wolfgang (reg. 1938-CIA-1705-NYT-NY) en Hildegard (niet geregistreerd) Bleibtreu, Duits staatsburger, geboren te Dresden, Duitsland, op 31 juli 1922, geen strafblad, niet geregistreerd in archief Conf/03/08/1945/ EU/DE/DRSD, ontvangt hierbij het eenmalige recht 03/08/45/31/07/22/ MAB/WH om de grens van de Verenigde Staten te overschrijden gedurende 14 (zegge veertien) dagen vanaf de datum van ondertekening van onderhavig document 03/08/1945. Bijbehorend document (paspoort of ander door het State Department erkend reisdocument) is bekrachtigd op grond van een onder ede afgelegde verklaring van Stanley William Bredford, staatsburger van de Verenigde Staten van Amerika, geen strafblad, geen bijzondere kenmerken, geboren in Pennsylvania, domicilie houdend te New York, staat New York, paspoort nummer 1139888-PEN/02/18/40, uitgegeven te New York, staat New York, bij beschikking 1-01/02/18/40/ UNLTD/NYC. Visum bekrachtigd onder code 03-08-45-211 (schrijve nul-drienul-acht-vier-vijf-twee-een-een). DS, WA, DC, US. Onderafdeling 12/41/40- 45/18. Identificator volmachten Nr. 03/08/45/R.18/19/NYT/NY.*

Geweldig nieuws, vervat in afzichtelijke taal. Natuurlijk leg ik graag een eed af, dacht hij, als gezagsgetrouw Amerikaans burger, zonder bijzondere kenmerken en domicilie houdend te New York. Ik toon met plezier mijn documenten, overal, waar ze maar willen. Hij wreef zich vergenoegd in zijn handen en pakte het tweede rafelig afgescheurde vel telexpapier. Het viel hem op dat de telegrafist hem op dat moment aandachtig opnam.

*Stanley, als die imbecielen van het State Department in Washington je nog steeds geen visum gestuurd hebben voor AMB, gooi ik het bijltje erbij neer en ga ik met pensioen. Adrienne belde vandaag vanuit het State Department. Ze bemoeit zich nooit met mijn zaken. Vandaag heeft ze dat wel gedaan, voor het eerst in haar leven. Zó hard heb ik haar nog nooit horen vloeken. Allemachtig, wat heeft ze die dorknopers ervanlangs gegeven. Je had het graag gehoord, dat kan ik je verzekeren. Schrijf me dat ze je dat visum gestuurd hebben. Lisa liep vandaag op de redactie te roepen dat je binnenkort thuiskomt. Zij en ik zijn de enigen die dat geloven. Kom vlug terug, ik doe mijn best een vliegtuig te regelen. Kapsoneslijers daar in het Pentagon. Elke snertambtenaar met een helm op z'n kop blaast zich op als een kikker en doet of-ie de directeur is van Pan American Airlines. Ik heb Lisa erop gezet, die leert ze wel mores. Morgen (onze tijd) heb je je vliegtickets. Adrienne en ik wachten op je. Op jullie, bedoel ik.*

*Arthur*

*PS Je hebt dat visum toch gekregen?*

Stanley kon zijn lachen niet bedwingen, en de telegrafist, die natuurlijk ook de inhoud van het telegram kende, lachte met hem mee. Stanley vroeg om een formulier om het antwoord te telegraferen.

'U hoeft die hele toestand niet opnieuw in te vullen, hoor,' zei de telegrafist opgewekt. 'We hebben al uw gegevens al. Alleen de tekst. Niet meer dan vijfhonderd tekens, weet u nog?'

Hij wist het nog. En hij schreef:

ARTHUR, VISUM VOOR AMB IS BINNEN. BEN NOG NOOIT ZO BLIJ GEWEEST MET EEN VISUM. BEDANKT. WE KOMEN ERAAN ZODRA JE EEN VLIEGTUIG GEREGELD HEBT. DIKKE KUS VOOR ADRIENNE. STANLEY

Hij gaf het formulier aan de telegrafist. Die las het, trok zijn wenkbrauwen op en waagde het om te vragen: 'Ik zal het niet verder vertellen, maar eh... wie is die Arthur van u eigenlijk?'

'Arthur? Dat is een heel fatsoenlijke man. En een superjournalist. Alleen kan hij gigantisch flippen wanneer alles niet gaat zoals hij graag wil.'

'Oké,' antwoordde de telegrafist met een grijns. 'Kom vooral nog eens langs. We hebben in geen tijden zo gelachen. Kapsoneslijers in het Pentagon, hahaha, de jongens hebben zich bescheurd! Echt waar! Geinige gozer, die Arthur.'

'Ik zal het tegen hem zeggen als ik terug ben. Hij is ook soldaat geweest, dus hij zal het kunnen waarderen.'

'Als er een telegram komt over dat vliegtuig, kan ik een van de jongens naar u toe sturen. Waar woont u?'

'Hier vlakbij, naast de Dom.'

'Maar waar precies? Iedereén hier woont "hier vlakbij, naast de Dom",' zei de telegrafist lachend.

'Je zult het niet geloven, maar ik weet niet waar ik woon.'
'Hu?'
'Ik weet het adres niet, bedoel ik. Ik weet alleen hoe ik ernaartoe moet lopen. Ik woon in een soort kloostercel. Om er te komen moet je een steile trap af, het is net de metro in New York. Zegt dat je iets?'
'Tuurlijk! U woont in de kelder bij de bruine broeders!'
'De bruine broeders?'
'Die heiligen uit de Dom! Oké, ik snap het helemaal. Als er iets is, stuur ik meteen iemand naar u toe.'

Stanley trok zijn portefeuille en stopte terwijl hij afscheid nam de telegrafist discreet een paar bankbiljetten toe.

Het was al twee uur geweest toen hij eindelijk terug was in zijn cel. Het was de bijzonderste dag geweest van zijn 'reis naar de oorlog'. En de belangrijkste. Alleen dit al maakte het allemaal de moeite waard...

Pas nu voelde hij hoe moe hij was. Hij waste zijn handen en plensde koud water over zijn gezicht. Zonder zich uit te kleden plofte hij op zijn bed en viel meteen in slaap. Ook deze nacht verscheen de in een rots veranderde Anna weer aan hem in zijn droom. Luid schreeuwend probeerde ze uit te komen boven het donderende geraas van de oceaangolven die woedend inbeukten op de rotsen. 'Maar waarom? Waarom? Waarom ik? Vertel het me!' smeekte ze. Steeds razender beukten de golven in op de rots, steeds harder schreeuwde zij.

Hij deed zijn ogen open. Even zweefde hij tussen slapen en waken. Het geluid van de branding maakte ineens plaats voor het geluid van stromend water. Dat was geen droom: broeder Martin stond bij de wastafel en vulde twee metalen kroezen.

'Zullen we ontbijten?' vroeg hij.


Königsdorf, twaalf kilometer ten zuiden van Keulen, vrijdagochtend 9 maart 1945

'Ik vermoord je! Ik wurg je eigenhandig!' schreeuwde Anna. Ze rende als een bezetene door de keuken heen en weer en zocht in elke hoek. 'Miserabel scharminkel! Ik vermoord je! Ik vil je levend! Waar zit je, smerige ouwe zuiplap!'

Ze was razend, vooral omdat ze besefte dat het helemaal haar eigen schuld was. Woede op jezelf is altijd de hevigste woede, en dus richt je die woede zo vlug mogelijk op iemand anders. Daarom vloog ze nu als een dolle door de keuken heen en weer – om haar woede te koelen op de poes.

~

Toen Stanley gisteravond vertrokken was, was ze teruggegaan naar de keuken. Slobbertje snuffelde aan de kruk waarop hij net nog gezeten had. Daarna begon ze er met haar staart tegenaan te kloppen en wentelde ze zich luid miauwend op haar rug. De poes gedroeg zich duidelijk vreemd, maar Anna had het te druk met zichzelf om er aandacht aan te besteden.

Ze rilde nog steeds, maar niet van de kou. Ze had haar doorweekte, modderige schoenen uitgetrokken, ze met een vod afgeveegd en ze te drogen gezet, en had daarna onder de kraan haar voeten gewassen. Toen had ze een stoel naar de kast toe geschoven; ze was op haar tenen op de stoel gaan staan en had een slang in een enorme fles bessenwijn gestopt die boven op de kast stond. Ze had de lucht uit de slang gezogen tot ze de vloeistof in haar mond voelde. Een paar ogenblikken later was een kristallen karaf gevuld met de roze wijn. Ze had meteen gemerkt dat de kat, aangelokt door de geur van de wijn, hysterisch met haar nageltjes aan de stoel stond te krabben waarop het vrouwtje stond.

De kat van tante Annelise heette niet toevallig Slobbertje. Tante had haar gevonden op de vuilnisbelt naast de dorpskroeg van Königsdorf. Ze had haar meegenomen en voor de nacht opgesloten in de keuken. Het beest was op tafel gesprongen, had een glas bessenwijn omgegooid, was weer van de tafel af gesprongen en had de op de grond gestroomde inhoud van het glas opgeslobberd. 's Morgens had tante de kat op de grond aangetroffen, stomdronken en verzaligd spinnend. Ze had daar tot een uur of twaalf 's middags gelegen; daarna was ze overeind gekrabbeld en had ze twee schaaltjes water leeggedronken. Katten hadden net zoveel last van een kater als mensen, verzekerde tante Annelise. Een paar dagen later wist het hele dorp het: Frau Annelise had er genoeg van om mannen aan de drank te helpen. Ze hielp nu katten aan de drank. Voor een deel was dat waar. Slobbertje was gek op wijn, en inderdaad was ze bij tante Annelise aan de drank geraakt. Maar de mannen in tante Anneliese leven waren volgens haar al alcoholisten toen ze ze ontmoette. Die hoefde ze niet meer aan de drank te laten raken. Integendeel. Bij elk van hen deed ze eerlijk haar best om een geheelonthouder van hem te maken, en altijd zonder succes. Daarom lieten ze haar vroeg of laat allemaal in de steek.

Anna pakte een glas uit de kast, ging op de kruk zitten en schonk het vol. Slobbertje sprong meteen op tafel. Ze pakte haar foto's. *Biddende soldaat. Met zijn rechterhand pakt hij de stomp beet die is overgebleven van zijn linkerhand. Doodkisten tegen de achtergrond van een piramide van schedels.* Ze legde de foto's naast elkaar op de grond. *Viool onder kaarsenkroon. Zijn hoofd met verband eromheen.* Anna sloot haar ogen en raakte met haar vingertoppen de foto's aan. Ze was weer in Dresden. En ze hoorde mama's stem: 'Knip zijn haren af, trek hem dit uniformpje aan en blinddoek hem. Die blinddoek moet hij omhouden zolang hij buiten is, begrepen?' En ze hoorde Marcus weer fluisteren: 'Vertel je me een sprookje? Nu we nog leven?' Volgende foto: 'Heeft u misschien schnaps? U krijgt mijn trouwring voor een fles schnaps. Dan voer ik de kleine meid én mezelf dronken. Dan voelen we de pijn niet meer...' Een kreet, overstemd door het gedender van een trein die langzaam vaart maakt: 'Pas goed op mijn viool! Ik hou van je, Marta! Ik heet...' Zijn naam had ze niet kunnen horen. Maar ze hoorde nu duidelijk zijn muziek: 'Het kloppen van een hart. Van twee harten. Zij en hij. Duisternis. Nacht. Ze rennen, lachen. Dan een vonk die overspringt. Aanrakingen, hartstocht, kussen. Een moment, een oogwenk. Natte gezichten, natte haren, natte lippen, twee vervlochten levens, verwarrende gedachten en nog verwarrender gevoelens. Een wereld die pulseert van leven.'

Slobbertje ging tegenover haar zitten en veegde met nerveuze bewegingen van haar staart de foto's opzij. Anna liep naar het fornuis, pakte haar waterbakje, goot het leeg in de gootsteen en vulde het met wijn. Voorzichtig zette ze het schoteltje neer voor de kat. Slobbertje begon meteen gulzig de wijn naar binnen te lebberen.

Anna bracht het glas naar haar lippen. 'Slobbertje,' zei ze, 'weet jij waar New York ligt? Ja, dat weet je vast wel. Een stukje zuidelijk van de vuilnisbelt bij de dorpskroeg van Königsdorf. Zullen we drinken op New York? Zelfs als die yankee me alleen maar een sprookje heeft verteld, is het toch waard om erop te drinken. Ik heb altijd geloofd in sprookjes. Papa las me sprookjes voor. Dat kon hij zó mooi... Slobbertje, hou jij ook van sprookjes? Ik zal je een keer het sprookje vertellen van de Gelaarsde Kat. Als papa me dat sprookje voorlas, plakte hij een snor op zijn gezicht en mauwde hij. En als hij me daarna een zoen gaf, bleef die snor op mij plakken. Ik heb die snor heel lang bewaard onder mijn kussen. Als je wil vertel ik je het sprookje nu meteen, Slobbertje...'

Ze omklemde het glas en er liepen tranen over haar wangen. Wat een dag was dit geweest! Wat een sprookje...

'Snap je, Slobbertje, ik kan niet zoveel goeds aan op één dag,' zei ze, haar tranen wegslikkend. 'Eerst daar op de Domtoren, en toen hier. Ik heb gewoon niet zoveel plaats. Weet je dat ik vandaag heb gebeden? Ik heb zelf geen God, daarom heb ik tot zijn God gebeden. In het Engels, dan snapt Hij me beter. Wat denk jij, Slobbertje, spreekt God Engels? Of denk je dat Hij alle talen van de wereld kent? En als dat zo is, zou Hij zich dan nu schamen omdat Hij Duits kent? Wat denk jij, Slobbertje? Schaamt Hij zich? Tot het einde van de wereld?'

De kat keek op van haar schoteltje en staarde naar Anna met haar spleetjespupillen. Ze likte een paar druppels van haar snuit. Anna schonk zichzelf bij.

'Stel je toch eens voor, Slobbertje, ineens vraagt hij of ik naar New York wil. Jezus, Slobbertje, stel je dat toch eens voor! Je zit lekker op je vuilnisbelt en opeens komt er een hele knappe kater, in maart, ook dat nog, en die vraagt of je met hem mee wil naar het paradijs. Alleen omdat hij getroffen is door de manier waarop je naar de wereld kijkt. Stel je toch eens voor, Slobbertje! En bovendien had ik geen suiker. Gelukkig niet. Ik had het zo druk met suiker zoeken... En toen begon hij over een koffer. Slobbertje, hij kletst zo'n onzin! Kan je het je voorstellen? Dat vond hij belangrijk. Een koffer! Slobbertje, alles wat ik bezit past in mijn jaszakken! En als het moet laat ik die jas ook nog thuis! Ik hoef helemaal geen koffer. Ik hoef alleen mijn camera. En de viool,' voegde ze er na enig nadenken aan toe. Ze dronk haar glas leeg. 'Ja, de viool moet ook mee. Hé, Slobbertje, kijk je een beetje uit dat je niet eerder dronken bent dan ik?' Ze keek de kat bestraffend aan. 'Ik moet je nog zoveel vertellen. Stel je voor, ik krijg de allerbeste Leica, precies de Leica die ik wil. Kan je het je voorstellen? Dat zei hij. En toen wilde hij thee. Gewoon, thee. En weet je wat? Toen ik heet water in zijn kopje goot keek ik naar hem. En weet je... Ik zag hem anders. Hij heeft van die ogen... Heel groot en heel blauw. Vermoeid en eerlijk. En mooie handen heeft hij. Lange, slanke vingers. Hij is helemaal zo, zo... Snap je, hij zat daar op die kruk als een jongetje. Verlegen, wist van opwinding niks te zeggen... Ik liep naar hem toe met het theekopje in mijn hand. Ik stond voor hem, met de hete thee, en zijn hoofd bevond zich ter hoogte van mijn buik. En toen omhelsde hij mijn middel en drukte hij zijn gezicht tegen mijn buik. En ik wilde dat de thee niet afkoelde, wilde dat die me altijd verwarmde. Net als zijn aanraking. Nee, die verwarmde me op een andere manier. Hij was alles vergeten, leek het wel. En ik ook. Maar wat kon ik doen? Heet water over hem heen gieten? En later, toen hij thee zat te drinken, zat ik tegenover hem en hoorde ik zijn fantastische verhaal over de toekomst. Míjn toekomst, Slobbertje! Na de dertiende februari, na het bombardement op Dresden, geloofde ik niet langer in een toekomst, en nu zat ik daar ademloos te luisteren. Alles wat hij vertelde leek een vreemde profetie. Slobbertje, weet jij waar New York ligt?'

De kat hield op te likken, ging op haar rug liggen tussen de foto's en viel in slaap. Anna tilde de kat op en drukte haar tegen zich aan.

'Slobbertje, ik ga je toch vertellen over de Gelaarsde Kat,' fluisterde ze. Ze krieuwelde de kat achter haar oor. 'Dat wil je graag, of niet? Aan de rivier stond een molen. Elke dag kletste het molenrad op het water: plons, plons, plons... Maar op een dag zweeg de molen en klonken er alleen nog treurige liederen. De oude molenaar was gestorven. Na de begrafenis verdeelden de broers de erfenis. De oudste broer kreeg de molen, de middelste kreeg de ezel en de jongste kreeg de kat. Toen begreep de jongste broer dat er op de molen geen plaats voor hem was. Hij nam een brood, en hij trok samen met de grijze kat de wijde wereld in...'

Ze drukte haar wang tegen het snuitje van de kat. Zo drukte haar vader haar altijd tegen zich aan. Ze hoorde zijn rustige stem: 'Hij nam een brood, en hij trok samen met de grijze kat de wijde wereld in...'

Ze was wakker geworden van een luid gehinnik. Het was al licht buiten. Dat was de oude Kurt Begitt, de kolenboer. Hij liet zijn paarden-wagen stoppen bij alle huizen aan de rand van Königsdorf en goot de bestelde steenkool in de ijzeren korven die klaarstonden bij de tuinhekjes. Hij werkte altijd van oost naar west, en tegen zes uur 's morgens was hij altijd gevorderd tot hier, tot de Eichstrasse. Niemand wist hoe Kurt aan zijn kolen kwam. Er werd beweerd dat hij ze kocht van de Amerikanen. Maar nee, hij was toch ook al de kolenboer voordat de Amerikanen Königsdorf bezetten... Je kreeg één keer in de vier weken je officiële rantsoen kolen, en daar kon je een week mee toe. De resterende drie weken stookte je met de kolen van Kurt Begitt. Iedereen had daarom flink wat respect voor Kurt, en dat respect werd kracht bijgezet door hem riant te betalen. De een betaalde met aardappelen, een ander met zelfgestookte drank, weer een ander met zelfgemaakte wijn of met een blik stookolie. Kurt trof dat alles 's morgens aan in de ijzeren korven. Hij laadde de inhoud op zijn kar en goot in ruil daarvoor kolen in de korf. De een kreeg wat meer, de ander wat minder – dat hing af van de betaling. Zolang tante Annelise zich kon heugen werd Kurts platte kar met de laadbak van latten getrokken door Trabbert, een merrie die met het jaar magerder en luier werd. Dat het beest steeds magerder werd interesseerde Kurt geen zier, maar die luiheid, die beviel hem helemaal niet. Het arme beest kreeg er dan ook heel wat vaker met de zweep van langs dan dat het eten kreeg. Als Trabbert erg hard geslagen werd, protesteerde ze door luidkeels te hinniken – zo ook op deze ochtend waarop Anna wakker werd op de keukenvloer, met Slobbertje stijf tegen zich aan gedrukt en omringd door foto's.

Het vuur in het fornuis was allang uit en het was steenkoud in de keuken. Anna stond op, rende naar de slaapkamer en kroop onder het dekbed. Tante Annelise schrok wakker.

'Waar heb jij gezeten? Ik ben maar vast naar bed gegaan.'

'In New York, tante. In New York. Samen met de Gelaarsde Kat...'

'Wat klets je nou, kindje? Heb je naar gedroomd? En wat heb je een koude voeten. Kruip maar dicht tegen me aan. Je hoeft niet bang te zijn, het was maar een droom.'

∼

'Rotkat! Ik wurg je!' schreeuwde Anna terwijl ze haar foto's opraapte van de grond. Slobbertje had de meeste kapotgekrabbeld.

'Dus zo was het in Dresden?' zei een rustige stem.

Anna draaide zich om. Tante Annelise stond bij het open raam een sigaret te roken.

'Nee! Zo was het níét in Dresden! Zoals het in Dresden was, dat kan je niet laten zien! Heb je gezien wat dat rotbeest van jou met mijn foto's heeft uitgehaald?'

'Waar heb je die foto's vandaan?' Anna hoorde woede in de stem van haar tante.

'Uit Keulen.'

'Zijn dat jouw foto's? Ik bedoel, heb jij ze gemaakt?'

'Ja.'

'Waarom heb je ze me niet eerder laten zien?'

'Dat kon niet. Ze zaten nog in mijn camera.'

'Wie heeft ze ontwikkeld?'

'Een journalist uit New York.'

'Wáárvandaan? Wat voor journalist? Anna, wat klets je nou!'

'Zoals ik zeg: uit New York.'

'Waarom?'

'Waarom uit New York? Weet ik veel.'

'Hoezo: weet ik veel.'

'Ik weet het echt niet. Ik ben naar de toren gegaan en heb hem mijn foto's gegeven. En hij heeft ze ontwikkeld.'

'Wat voor toren?'

'Van de Dom.'

'Wat heb je hem ervoor gegeven?'

'Niks.'

'Hoezo: niks?'

Nu begon tante Annelise te gillen. Anna kende dit moment uit ervaring. Als haar tante snerpend en met hoge uithalen praatte, was het gesprek afgelopen en het verhoor begonnen. Anna kon het niet uitstaan, evenmin als papa, mama en oma dat hadden gekund. Voor tante Annelise viel de wereld uiteen in twee gedeelten. Haar deel was het grootst, en het eenvoudigst. Het andere deel was klein, nutteloos, flauwekul, het domein van de 'onnozelaars die met hun hoofd in de wolken lopen en op een roze wolk zitten, zoals die vader en moeder van jou'. In een dialoog met dat andere deel van de wereld zag tante vanaf een bepaald moment het nut niet meer in. Dus moest ze overgaan tot een ondervraging. Anna voelde zich woedend worden. Ze liep naar het raam, pakte zonder toestemming te vragen een sigaret uit het pakje van haar tante, dat op tafel lag, en stak hem op.

'Níks heb ik ervoor gegeven, godverdomme,' siste ze. Ze blies de rook naar haar tante toe. 'Ab-so-luut niks! Ik heb hem mijn filmpje in zijn hand gestopt en hij heeft het ontwikkeld. Heb je me gehoord? Zomaar, voor niks. Ik heb alleen maar vriendelijk dankjewel gezegd. En gisteren is hij hiernaartoe gekomen, naar dit dorp, om me mijn foto's te brengen. Gratis en voor niets! Ik heb hem geen aardappels gegeven en ik ben er ook niet voor op mijn rug gaan liggen. Dat kan jij je zeker niet voorstellen? Die man heeft dat zomaar gedaan. Voor mij. En hij is nog een Amerikaan ook. Begrepen, verdomme?'

'Nee! Ik begrijp er niks van! Wat wil hij van je?'

'Hij wil me meenemen naar New York.'

'En dat geloof jij?'

'Dat hij het wil wel. Dat het ook echt gebeurt niet.'

'Kleed je aan en haal de kolen binnen. We bevriezen hier nog. Geloof die vent niet! Zelfs Slobbertje had hem door. En wil je alsjeblieft niet zo vloeken? Dat geeft geen pas.'

Tante Annelise liep naar het fornuis, hurkte en harkte de as en de sintels in een aluminium emmer. Anna rookte haar sigaret op, raapte de foto's op en stopte ze weer in de envelop. Daarna liep ze naar het tuinhek. Ze sleepte de korf met kolen naar de voordeur en liep terug naar de weg. De bevroren sporen van autobanden waren bedekt met rijpkristallen die glinsterden in de ochtendzon. In de modder zag ze haar eigen voetsporen van gisteravond. Ze ging terug naar de voordeur, gooide kolen in de emmer, liep naar de keuken en zette de emmer neer bij het fornuis. Slobbertje zat op tafel en snuffelde aan de envelop met foto's. Anna tilde de kat op en begon haar te aaien.

'Ik wilde je niet echt doodmaken hoor. Ik was gewoon even heel boos op je,' fluisterde ze, en ze krieuwelde de kat achter haar oor.

'Wat sta je daar nou te mompelen!' zei tante Annelise, terwijl ze een schepje kolen in het fornuis deed. 'Die schurk van een Begitt splitst ons de laatste tijd alleen maar gruis in de maag. Morgen sta ik vroeg op en ga ik hem eens precies vertellen hoe ik erover denk. Heb je gezien wat voor kolen hij ons deze keer gebracht heeft?'

'Ik heb er niet op gelet.'

'Dat zou ik maar wel doen als ik jou was. En voor die troep geven we onze beste aardappelen weg. Morgen krijgt-ie alleen maar schillen van me. Wil jij trouwens vast even aardappels schillen?'

'Nee.'

'Wat? Waarom niet!'

'Omdat ik nu naar mijn kamer ga om mijn koffer te pakken.'

'Jij bent al net zo dom en naïef als je vader. Geen haar beter!' schreeuwde tante Annelise woedend.

Anna smeet de arme kat van zich af. Ze liep naar het fornuis, greep in de emmer vol as en sintels, verhief zich in haar volle lengte, liep naar haar tante, pakte haar met één hand bij haar haren en smeerde met de andere haar gezicht vol as. Tante Annelise zag meteen pikzwart. Razend van woede krijste Anna: 'Als jij het godverdomme nog één keer waagt om ook maar één kwaad woord over papa te zeggen, dan... dan...'

Een seconde later trok ze tante Annelise schuldbewust tegen zich aan en legde haar gezicht op haar tantes schouder.

'Echt, zoiets mag je niet zeggen. Toe, laat papa met rust. Papa hield van je. Hij heeft mij Anna genoemd naar jou. Tante...'

'Van jouw vader...' fluisterde tante Annelise, Anna vast tegen zich aan trekkend, 'ben ik nooit losgekomen. Ergens was dat mijn ongeluk. Mijn jongere broer was een naïeve man en een groot dichter. Hij was gewoon té goed. Al mijn vrijers heb ik altijd met hem vergeleken. Altijd. Allemaal. En allemaal waren ze minder. Ga nou maar je koffer pakken. Ik schil die aardappels zelf wel.'

Keulen, vrijdag 9 maart 1945

Na het ontbijt schoor Stanley zich. Voor het eerst in zijn leven deed hij dat zonder spiegel, met een bot en zelfs ietwat roestig mes. Het rood kleurende water in de wastafel bewees dat dat niet zo'n flitsend idee was. Waar zou je in Keulen een nieuw scheermes kunnen kopen? Dat moest hij aan broeder Martin vragen. Hijzelf en alle andere leden van de 'bruine broeders' waren altijd gladgeschoren. Stanley scheurde een leeg velletje uit zijn blocnote en plakte op goed geluk stukjes papier op de wondjes op zijn hals en zijn wangen. Hij droomde van een warme douche, een schone droge handdoek en schone lakens. En hij besloot vandaag nog of op z'n laatst morgen luitenant 'Yes sir!' Benson te vragen of hij die douche en die handdoek voor hem kon regelen. Hij wilde er een beetje christelijk uitzien als hij Anna ontmoette op de toren. Nu was hij in zijn eigen ogen een stinkende vagebond.

Stanley haalde een schone broek en zijn favoriete lichtblauwe overhemd uit zijn koffer. De broek was klam en het gekreukelde overhemd rook muf. Op dit moment vervloekte hij alles op de wereld, en ineens besefte hij in wat voor luxe hij had geleefd in New York. De vochtige broek voelde onaangenaam kil aan op zijn huid. Het ding slobberde om hem heen en toen hij zijn broekriem vast wilde maken, bleek er geen gaatje in te zitten waar dat nodig was. Geen wonder, de afgelopen drie etmalen had hij geleefd op water en brood – het ontbijt met broeder Martin. Toch had hij maar af en toe een beetje honger. Hij had een hol gevoel in zijn hersens, niet in zijn maag. Eten, dat was hij al vergeten. De laatste keer dat hij dat had meegemaakt, was op Hawaï geweest, Pearl Harbor, waar hij in '41 een paar dagen had doorgebracht. Ook toen had hij er bij zijn terugkeer in New York volgens Lisa uitgezien 'als een kluizenaar in de woestijn'. Ze voederde hem bij met allerlei lekkere hapjes, en binnen een week zat hij weer op zijn gewone gewicht. Hij maakte zijn broek dicht met een stukje touw en schoot een zwarte trui aan om dat te camoufleren.

Een paar uur lang zwierf Stanley door Keulen, maar tegen vieren was hij weer in zijn cel. Er was geen telegram van Arthur. Hij klom weer omhoog naar de straat en begaf zich naar de Dom. Op het plein voor de hoofdingang kwam hij een bekende tegen: de soldaat van gisteren. Hij stond nog steeds tegen zijn tank geleund.

'Zo, reiziger! En, was de taxi op tijd terug? Was mama niet boos?' riep hij, en hij blies een grote kauwgumbel.

'Krijg ik korting als ik nog een keer naar mama moet?' riep Stanley terug. 'Anders neem ik een ander taxibedrijf.'

'Ja hoor, u krijgt korting. En die mooie jongedame van u mag helemaal voor niks mee. Oké? Alleen hier, andere taxibedrijven geven geen mooie-jongedameskorting.'

'Ook 's nachts?'

'Juist 's nachts!'

Krijg nou wat, dacht Stanley. 'Oké, daar reken ik dan op,' riep hij, en hij verdween in de Dom.

Hij had een verrekijker meegenomen, en toen hij er op het uitzichtplatform doorheen keek, speet het hem dat hij geen camera met telelens bij zich had. In de loopgraven aan de andere kant van de rivier was alles rustig, alsof er niets gebeurde en niets aan de hand was. De rondslingerende helmen en netjes op een rijtje gelegde pistoolmitrailleurs deden denken aan picknickspullen. De oorlog heeft vandaag vrijaf genomen, dacht hij. Op beide rivieroevers. Alle soldaten waren heel jong. Het leek wel alsof ze uitsluitend scholieren naar de oorlog stuurden.

Hij ging op de grond van het uitkijkplatform zitten, met zijn rug tegen de balustrade, en haalde een blocnote en een potlood uit zijn zak. Hij stak een sigaret op en begon aan een brief aan Doris.

*Fräulein D.,*

*Daar ben ik dan, in het land van de draken. 'En?!' zul je vragen. Nou, niks. Geen draak te bekennen. Ik zit boven op de zuidtoren van de Dom, op een halve mijl van de Duitse loopgraven, maar ik heb nog geen schot, explosie of mitrailleursalvo gehoord. Ik ben op de linkeroever van de Rijn. Daar wonen de bevrijde Duitsers. Op de andere oever wachten ze nog op hun bevrijders. De bevrijde Duitsers lijken best dankbaar. Vanochtend had ik het* daarover met een monnik. Hij is Amerikaan van geboorte, maar denkt als een Europeaan (het verschil leg ik je wel uit als ik terug ben). De dankbare (ik schrijf het zonder aanhalingstekens, als je het niet erg vindt) Duitsers begrijpen de bevrijding op hun eigen manier. Ze zijn dankbaar dat ze bevrijd zijn van de oorlogsverschrikkingen, maar beseffen totaal niet dat ze zijn bevrijd van een onmenselijk regime. Dat voelen ze totaal niet aan, volgens mijn monnik, die houdt van alle mensen en alle lieveheersbeestjes en ook van alle Duitsers. En hij weet waar hij het over heeft, want hij praat met ze, geeft hun te eten, zorgt dat ze werk hebben en zorgt dat zij en hun familieleden een christelijke begrafenis krijgen. Dit alles om je te doen begrijpen wat voor iemand dat is, die monnik van me. Maar nu over de Duitsers. Die voelen zich geen greintje schuldig of verantwoordelijk over de afgelopen jaren, het zegt ze niets dat ze het met algemene (al dan niet zwijgende) instemming hebben laten gebeuren. Niet allemaal natuurlijk, maar wel de overgrote meerderheid. De echte vrijheid hebben de Amerikanen, die zo gek zijn op dat woord 'vrijheid', alleen gebracht aan een paar duizend dwangarbeiders, gevangenen van de Gestapo, een paar honderd joden die in Keulen ondergedoken zaten en een paar dozijn deserteurs die door de stad zwierven. Mijn monnik, broeder Martin, zit dat erg dwars, maar hij oordeelt niet, laat staan dat hij – God verhoede! – iemand veroordeelt. Hij praat er heel rustig over. Hij zegt dat hij hun foto's heeft laten zien van een twee meter hoge berg lijken, skeletten met een huid eromheen, in een kuil in een Pools concentratiekamp. En weet je wat het commentaar was van die zojuist bevrijde Duitsers? 'Wat afschuwelijk! Wat is een oorlog toch vreselijk!' – en ze schudden vol ongeloof het hoofd. Ze reageerden zo ongeveer alsof iemand hun vertelde over een orkaan die de oogst van een boer vernietigd had.

Maar er zijn ook andere Duitsers. Ik heb hier op deze toren een meisje ontmoet. Anna Marta heet ze. Ze is geboren in Dresden, woonde daar en heeft het overleefd. Ze ziet er hartstikke arisch uit, net een vaandeldraagster uit een propagandafilm van Hitler. Ze had ook prachtig kunnen poseren voor een beeldhouwer die de lof wilde zingen van het arische ras. Een zuiver noords gezicht met volle rode lippen, blond natuurlijk, wat dacht je, pronte borsten, strakke billen, platte buik, brede heupen die volmaakt geschikt zijn om kinderen te baren, stevige dijen. Vraag me niet – want dat wilde je net vragen, toch? – hoe ik zo precies weet wat voor borsten en billen en dijen ze heeft. Ik weet dat nou eenmaal. Vind je het niet goed van me dat ik je dat allemaal eerlijk schrijf? Ik had tenslotte ook mijn mond erover kunnen houden. Maar dat wil ik niet. Ik weet dat je me begrijpt. Heel toevallig heb ik haar bijna naakt gezien en heb ik haar toen ook aangeraakt. Maar dat maakt haar nog geen rivale van jou, hoor.

Goed, die Anna Marta heeft de doodsstrijd van Dresden vastgelegd op foto's. En dat op zo'n manier dat iedereen die die foto's ziet naar adem hapt. Niemand heeft die foto's nog gezien behalve zij, ik en haar kat. Maar zelfs als ik daar toen was geweest, in Dresden, had ik niet gezien wat zij heeft gezien. Ze keek ernaar met heel andere ogen. Ze mag dan het ideale arische lichaam hebben, maar ze is in wezen allerminst een ariër, en al helemaal geen Duitse. De haat die je op haar foto's ziet tegen Duitsers, Hitler, tegen de oorlog vooral... Je kunt die foto's alleen vergelijken met Guernica van Picasso.

Ik was de eerste die die foto's van Dresden zag. Toen ze nog nat waren van het ontwikkelbad. In een verlaten fotolab in een kelder in het voor de helft bevrijde en vrijwel volledig verwoeste Keulen. Misschien waren het de omstandigheden. Misschien was het het verlangen naar een normaal vreedzaam leven, een verlangen dat ik nooit eerder zo fel heb ervaren. Maar nee, dat was het toch niet. Ik ben immers ook op Pearl Harbor geweest, dus in theorie moest ik er al aan gewend zijn. En vanaf dat moment wilde ik maar één ding: dat Anna Marta in New York rondliep en daar foto's maakte voor onze lezers van The New York Times. Arthur begreep me onmiddellijk. Dankzij hem heb ik een visum voor dat meisje. Ik wacht nu op een plaats in een vliegtuig dat me weer naar jou toe brengt. Als het Arthur niet lukt twee stoelen in een vliegtuig te regelen, dan lukt het Adrienne wel, zijn vrouw. Adrienne is Arthur altijd één stap voor. Zonder haar zou The New York Times niet zijn wat hij nu is. Arthur doet niets zonder de – al dan niet stilzwijgende – instemming van zijn vrouw. En zo hoort het ook. Geloof me: alleen vrouwen kunnen een goede krant maken. En alleen een vrouw kan afstand doen van de roem en de eer en in de schaduw blijven van de man van wie ze houdt.

Twéé stoelen, zei ik, want ik vertrek niet zonder Anna Marta. Ik begrijp dat zoiets een vrouw jaloers kan maken, maar dat zou niet terecht zijn. Dan zou ze mijn overwegingen niet begrijpen. En jij begrijpt ze wel, dat weet ik zeker.

Ik leef enorm toe naar mijn terugreis. Wat verheug ik me erop! Maar voor het zover is, probeer ik deze stad zo intensief mogelijk te beleven. Ik wil alles onthouden, wil niets belangrijks missen. Vandaag heb ik met mijn camera en mijn verrekijker door Keulen gezworven. De stad komt langzaam tot zichzelf na de kladderadatsch. Het is hier verbazingwekkend rustig. Je komt hier twee soorten mensen tegen. Je hebt de vluchtelingen, met hun armzalige bezittingen in een knapzak en hun verwilderde, van uitputting rooddoorlopen ogen. En je hebt de plaatselijke bewoners, de Keulenaars die we bevrijd hebben. Die flaneren, verdomd als het niet waar is, rond in pakken en mantelpakjes (het is hier warm en zonnig), met een elegante hoed op en een rashond aan de lijn. 'Een heerlijke lentedag in Keulen': je krijgt de foto's nog wel te zien. Ik ben trouwens niet de enige die hier fotografeert. Op een gegeven moment stond ik naast een magere, ongeschoren man met lang haar en een grijze snor. Hij hanteerde ook zijn camera. We raakten aan de praat. George Orwell heet hij, hij zit hier als correspondent voor The Observer, uit Londen. Een heel interessante man, met heel veel charisma. Ik zei dat zijn naam me bekend voorkwam. Bleek dat hij een behoorlijk bekende schrijver is wiens boeken ook bij ons in Amerika verschijnen. Hij hoest aan één stuk door en hij heeft een litteken in zijn nek alsof iemand hem met een keukenmes te lijf is gegaan. Het is net of elk woord dat hij uitbrengt hem pijn doet, maar daar moest ik niet op letten, zei hij. Orwell zei iets waar ik het helemaal mee eens ben. De propaganda, vooral de Duitse, heeft ons doen geloven dat alle Duitsers lang, blond en hooghartig zijn. Maar hier in Keulen zie je vooral krom lopende schonkige mannekes met donker haar. Ze zien er voor geen meter anders uit dan hun Belgische buren. Hoogstens zijn ze een tikkeltje minder mager. En ze hebben nieuwere fietsen. Orwell vond dat wel grappig. Bovendien, zegt Orwell, en ik geloof hem op zijn woord, zie je hier heel wat meer vrouwen met zijden kousen aan dan in Londen of welke andere Engelse stad ook. Maar dat verbaasde me helemaal niet. Ik ben twee keer in Engeland geweest en inderdaad, bijna geen vrouw draagt daar zijden kousen. Misschien trekken ze ze alleen aan bij een ontvangst ten paleize. Engelse vrouwen begrijpen denk ik zelf wel dat hun kromme benen niet mooier worden van zijden kousen.

Orwell vroeg of ik een sigaret voor hem had, maar hij hoestte zo dat het hem niet lukte die op te roken. Hij hield hem gewoon tussen zijn lippen. Daarna hadden we het over het verschil tussen de journalistiek aan beide kanten van de Atlantische Oceaan, en over camera's en... over zijn litteken. In 1937 vocht Orwell als vrijwilliger mee in de Spaanse Burgeroorlog. Aan de kant van de marxisten natuurlijk. Daar is hij dwars door zijn keel geschoten, het is een wonder dat hij het heeft overleefd. Hij schijnt erover te schrijven in zijn Saluut aan Catalonië. Ik ga het zeker opzoeken als ik terug ben. We hebben adressen uitgewisseld en zijn toen elk ons weegs gegaan, ieder naar zijn Keulse wijk.

Ik praat hier met heel veel mensen, maar nooit lang. We begrijpen al-

*lemaal dat elke minuut die we samen doorbrengen de laatste kan zijn. We*
*slaan daarom het gebruikelijke kennismakingsceremonieel over en begin-*
*nen meteen over de essentie. Voor de oorlog had ik me moeilijk kunnen in-*
*denken dat iemand als Orwell bij de eerste de beste ontmoeting ergens op*
*een Londense straat meteen zou vertellen over het litteken in zijn hals. En*
*hier is dat volkomen normaal. Of is het abnormaal? Ik weet het zelf niet*
*meer...*

*Doris, ik wil niets liever dan dat je deze brief tegelijk met mij krijgt. In*
*mijn jaszak en niet in een dikke linnen postzak vol Amerikaanse oorlogs-*
*correspondentie uit Europa. Ik wil hem je zelf voorlezen. En daarna wil ik*
*je vertellen over alles waarover ik geschreven heb. En daarna wil ik naast*
*je in slaap vallen en naast je wakker worden. En weer in slaap vallen...*

*Ik mis je, Doris...*

*Bredford*

*PS Informeer bij Lisa, die weet alles over mijn whereabouts. Als iemand, be-*
*halve Adrienne en Arthur, weet wanneer ik terugkom, dan is zij het. Op dit*
*moment weet niemand nog waarvandaan we vliegen, en waar naartoe, en*
*wanneer. Zelf hoor ik dat als laatste. Vooralsnog weet ik alleen dat ik waar-*
*schijnlijk met een militair toestel de oceaan oversteek. Tel maar zeven of*
*acht dagen op bij elke datum die Lisa je noemt. Aan het eind van de zevende*
*dag (het lijkt de Bijbel wel) moet ik ergens in Amerika zijn.*

Het werd al donker. Op beide Rijnoevers werden tegelijkertijd lichtjes
aangestoken. Stanley sloeg zijn notitieblok dicht, blies de as eraf en
raapte zijn peuken op. Zijn been sliep. Hij wachtte tot de bloedsom-
loop weer op gang was, stond op en daalde voorzichtig de trap af.

Door de inmiddels vertrouwd geworden straten liep hij van het
Domplein naar de hoek van de Kaiser-Wilhelm-Ring en de Christophstrasse. Nog een paar dagen hier, dacht hij geamuseerd, en hij kon hier
een boterham verdienen als gids voor Amerikanen die een excursie
maakten naar het bevrijde Keulen. Hardop lepelde hij zijn tekst op.

'Dames en heren, recht voor ons zien wij een Amerikaanse tank van
het nieuwste model. Het nogal beschadigde hoge gebouw erachter is
de belangrijkste kerk van de stad, de kathedraal, in Europa bekend als
de Dom van Keulen. Dom is de Latijnse afkorting D.O.M., van *Deo Op-
timo Maximo*, wat wil zeggen: "Aan de Grootste God gewijd". Hij is
aanmerkelijk ouder, dames en heren, dan de bierflessen die door onze

archeologen zijn aangetroffen bij recente opgravingen te San Diego, Californië. Rechts van u ziet u nog warme ruïnes, het resultaat van doeltreffende bombardementen van onze luchtmacht aan het eind van de vorige eeuw – pardon, in december vorig jaar. In de verte zien we de goed geconserveerde restanten van een historisch monument. Wilt u mij volgen? Om bij de residentie van het tijdelijke Amerikaanse gezag te komen, moeten wij als gevolg van de ernstige verwoestingen helaas een omweg maken...'

Haastig liep hij in de richting van de 'residentie van het tijdelijke Amerikaanse gezag'. Hij wilde erg graag terug naar zijn land. Hij rekende er niet op dat hij hier nog iets kon vinden dat belangrijker was dan wat hij al had gevonden. Hij had een paar filmrollen, de foto's van Anna en tientallen bladzijden notities. Als hij die heet van de naald gemaakte notities aan een ervaren schrijvende journalist gaf, zou die er heel wat mee kunnen. Naar Dresden ging hij niet, een ontmoeting met de Russen had de Engelsman hem uit zijn hoofd gepraat. Berlijn kwam hij sowieso niet in. Bovendien zou de val van Berlijn nog wel even op zich laten wachten. Hij zag hier, kortom, geen taak meer voor zichzelf weggelegd. Bovendien zou hij Anna meenemen, en daarmee had *The New York Times* enorm veel geluk. Arthur zou begrijpen wat voor schat Stanley voor hem in de wacht had gesleept, daar twijfelde hij niet aan.

Het was al helemaal donker toen hij voor het gebouw aan de Kaiser-Wilhelm-Ring stond. De schildwacht bestudeerde aandachtig Stanleys paspoort, vergeleek de naam met de naam die in zijn blocnote stond en bracht hem toen vlug naar zijn collega-schildwacht binnen in het gebouw. Die pakte op zijn beurt de telefoon en waarschuwde tweede luitenant Benson. Er was hier iets vreemds aan de hand. Benson verscheen bijna ogenblikkelijk, alsof hij niets anders te doen had dan op Stanley wachten. Snel daalden ze af naar de kelder. Benson klopte op een deur aan het eind van de donkere gang en ze gingen naar binnen.

'Dank je,' zei een gezette kolonel tegen Benson, die stram in de houding gesprongen was. 'Regel een auto voor meneer de redacteur. Als je geen auto te pakken krijgt, kan je vandaag nog je boeltje pakken,' riep hij Benson achterna toen die alweer door de deur verdween.

Het lijkt wel of al zijn meerderen de pik hebben op die arme jongen, dacht Stanley. Of hij staat bekend als een lijntrekker die je constant achter de vodden moet zitten, dat kan ook. Of misschien is dit hier de gewone manier om met ondergeschikten om te gaan.

'Gaat u zitten, mister Bradley,' zei de officier rustig. Hij wees op een stoel tegenover zijn bureau. Het licht van een bureaulamp viel op een uitgespreide legerkaart van Europa en op een stel achteloos neergesmeten telegrammen.

'Bredford is de naam.'

'Pardon, mister Bredford. Natuurlijk. Neemt u mij niet kwalijk.' De gezette officier zette zijn bril op en bestudeerde een document dat voor hem lag. 'Stanley William Bredford.' Hij glimlachte een beetje vals.

Gek, dacht Stanley. Nog even en iedereen kent mijn tweede voornaam.

'We hebben een versleuteld telegram uit Luxemburg ontvangen. Een paar uur geleden. Geadresseerd aan onze dienst.' De officier maakte zijn blik los van het document en keek Stanley triomfantelijk aan, alsof hij enthousiast applaus van hem verwachtte. 'We zochten u. Veel mensen zochten u. Héél veel mensen. Waar was u?'

'Vindt u ook niet dat dat mijn zaak is, kolonel?'

'Natuurlijk, natuurlijk, dat is uw zaak. Zeker.' De officier tuurde weer naar het document, zichtbaar woedend. 'Goed, even na middernacht vertrekt er een vliegtuig van de basis Findel, bij de stad Luxemburg. Generaal Patton vliegt met dat vliegtuig naar Washington. U weet wie generaal Patton is, mister Bradley?'

'Ja, ik weet wie generaal Patton is. Een ambtenaar van de Verenigde Staten die behoorlijk riant betaald krijgt van uw en mijn belastingcenten.'

De dikke officier rukte zijn bril van zijn gezicht, sprong overeind en liep naar Stanley toe.

'O, denkt u er zo over? Generaal Patton is een patriot!' snauwde hij.

'U kunt het zich misschien moeilijk voorstellen, kolonel, maar ook ik, Stanley Bredford – en niet Bradley, dank u – ben een patriot. En wilt u mij nu alstublieft vertellen waar u naartoe wilt? U heeft me, mag ik aannemen, niet bij u geroepen om met mij te discussiëren over de patriottische gevoelens van generaal Patton.'

'Ook daarover, ja. Maar zoals ik zei, vertrekt rond middernacht een vliegtuig uit Findel. U staat op de passagierslijst, samen met uw metgezellin, een Duitse met de naam Anna Marta Bleibtrue. Daarom zochten we u. Weet u waar die Duitse zich op dit moment bevindt?'

'Hier vlakbij. In Königsdorf. En ze heet Bleibtreu, niet Bleibtrue.'

'Is zij in bezit van alle officieel geldige reisdocumenten?'

Stanley liet zijn hand in zijn jaszak glijden. 'Is dit een officieel geldig reisdocument?' Hij legde Anna's kreukelige paspoort op het bureau.

De officier pakte het, hield het onder de lamp en bestudeerde het nauwgezet.

'Nee. Dit is géén officieel geldig reisdocument! Het is niet uitgegeven in Keulen.'

'Sorry, ik begrijp u niet!'

'Het is niet gelegaliseerd door ons bureau in Keulen. Het is een ongeautoriseerd document uit de stad Dresden.'

'Nou en? Wat zou dat?'

'Anna Marta Bleibtrue mag Duitsland niet verlaten zonder dat zij zich eerst heeft laten registreren.'

'Bleibtreu! Kunt u dat registreren nu niet hier ter plekke doen?'

'We zijn daartoe inderdaad bevoegd. Maar het is nu al te laat. De administratie is pas morgen weer geopend.'

Stanley probeerde kalm te blijven. 'Hoeveel kost het om die administratie hier nu op te trommelen? Hij haalde zijn portefeuille uit zijn kontzak. 'Hoeveel?' herhaalde hij, wat luider.

'U begrijpt er niets van. U denkt dat alles en iedereen te koop is.'

'Hoeveel kost die registratie?' drong Stanley aan, de opmerking van de kolonel negerend. 'Zonder Anna Marta Bleibtreu ga ik hier niet vandaan. Nou, hoeveel? Wilt u me nu eindelijk vertellen wat dit geintje me gaat kosten? Ik heb ongeveer tweeduizend dollar in mijn portefeuille. De rest stuur ik u vanuit de States.'

'U begrijpt het echt niet, meneer Bradley, pardon, Bredford,' siste de kolonel, die nu echt razend was.

'Ú begrijpt het niet. Ik ga niet zonder haar weg uit Keulen.'

'Wilt u een verklaring onder ede afleggen ten gunste van haar?'

'Wat houdt dat in?'

'Dat u haar kent, dat u bevestigt dat zij de waarheid spreekt en dat u de volledige verantwoordelijkheid op u neemt.'

'Ik zweer dat ik haar ken en dat zij de waarheid spreekt en ik neem de volledige verantwoordelijkheid op me. Klaar? Wat voor verantwoordelijkheid heb ik eigenlijk op me genomen?'

'Uw verantwoordelijkheid jegens de regering en de belastingbetalers van de Verenigde Staten.'

'Maakt u nu een grapje?'

'Absoluut niet. Anna Marta Bleibtrue kan in de Verenigde Staten komen te overlijden. Dan moet iemand haar begrafenis betalen.

'B-l-e-i-b-t-r-e-u. Eerst de e, dan de u. Is het van een kolonel te veel gevergd om een naam correct te spellen en uit te spreken? Schrijf maar op dat ik Anna Marta Bleibtreu op mijn kosten ter aarde zal bestellen. En dat dat de regering en de belastingbetalers der Verenigde Staten geen ene rotcent zal kosten. En dat ik haar verdomde eten zal betalen en haar verdomde drinken en haar verdomde schoenen en haar verdomde camera...'

'Bent u bereid onder dat alles wat u daarnet opnoemde uw handtekening te zetten?' onderbrak de corpulente officier Stanleys tirade.

'Ja!!!'

De dikzak schoof hem een vel papier toe. Stanley liet zijn ogen langs de getypte regels glijden en zette zijn handtekening. Hij smeet de pen op tafel, sprong op en liep naar de deur. In de deuropening draaide hij zich om: 'Zeg, hoe kan dat eigenlijk, dat u mij een kant-en-klaar document onder mijn neus duwt met alle gegevens van dat meisje, terwijl u een minuut geleden beweerde dat ze hier niet geregistreerd is, of hoe u dat ook belieft te noemen.'

Zonder op te kijken antwoordde de dikke officier: 'Als u doorgaat met het stellen van domme vragen haalt u Findel niet voor middernacht. Voor het gebouw staat een konvooi voor u klaar. Ze wachten nog een paar minuten. Ik zou opschieten als ik u was, redacteur Bradley.'

'Bredford, verdomme. Bredford!' Stanley knalde de deur achter zich dicht en rende de trap op naar de hoofdingang. Benson haalde hem in en gaf hem de gecorrigeerde documenten, met alle stempels.

Het konvooi bestond uit twee jeeps met Amerikaanse vlaggen erop. Achter het stuur van een ervan zat de soldaat die Stanley naar Königsdorf had gereden. Ze reden meteen weg. Stanley liet de chauffeur naar de oostkant van de Dom rijden. Het adres van zijn kloostercel wist hij nog steeds niet, maar hij herinnerde zich dat je vanaf de oostkant veel vlugger bij de trap was die ernaartoe voerde. Een kwartiertje later was hij terug, zwaar hijgend, met zijn koffer in zijn hand en zijn camera op zijn borst. Hij was kwaad op zichzelf omdat hij niet in één ruk, zonder te rusten, van de cel naar de jeep had kunnen rennen. Als hij thuis was, stopte hij meteen met roken, nam hij zich heilig voor.

Gisteren waren ze niet één controlepost tegengekomen, maar nu stikte het ervan. Problemen en vertraging leverde dat amper op. Ze hoefden alleen wat af te remmen; de vlaggetjes op de jeeps waren genoeg om alle slagbomen omhoog te doen gaan.

'Waarom zijn we eigenlijk met twee auto's?' vroeg Stanley aan de chauffeur. 'Eén was toch genoeg geweest?'

'Instructies van hogerhand. U bent een vip, zogezegd, die heel veel haast heeft. Dan moet een konvooi uit minimaal twee voertuigen bestaan. Als er onderweg iets gebeurt met onze jeep, kunt u overstappen in de andere.'

'Juist...' mompelde Stanley. Hij dacht ineens heel anders over de dikke officier.

'We gaan naar die stoot van u hè?' informeerde de chauffeur. De zaak intrigeerde hem kennelijk.

'Ja. Ik neem haar mee.'

'Snap ik. Dat zouden we allemaal wel willen,' lachte de chauffeur.

Ze stopten bij het tuinhekje. Beide chauffeurs vertikten het om hun lichten te doven, al had Stanley het hun nog zo gevraagd – hij wilde niet het dorp op stelten zetten. Hij schoof de korf opzij, waarin ditmaal geen aardappels zaten maar aardappelschillen, duwde het hekje open en liep het tuinpad af. Hij haalde zijn spiekbriefje tevoorschijn en klopte aan. Net als gisteren hoorde hij een sleutel omdraaien in het slot, en net als gisteren las hij hardop voor van zijn briefje: *'Mein Name ist Stanley Bredford...'*

Verder kwam hij niet. Op de drempel stond een vrouw met een kat op haar armen. Ze had grijs haar in een knot, een hoog voorhoofd en vuurrood gestifte lippen.

*'Sie möchten zur Anna, nicht wahr?'* vroeg de vrouw. Ze keek een beetje ongerust naar de twee jeeps.

Met een handgebaar nodigde ze hem binnen en sloot de deur. Hij ging de keuken binnen. Anna stond bij de houten tafel bij het raam en goot beslag uit een kom over in een bakblik. Even leek het net of Stanley zijn moeder in de weer zag. Anna draaide zich om en glimlachte naar hem.

'De cake is morgen pas klaar, Stanley. Je bent te vroeg.' Ze ging rustig door met het overgieten van een dikke geelachtige massa in het bakblik.

'Kom je mee? Nu meteen!'

De oudere vrouw liep naar Anna toe. Ze nam de kom over en gaf haar de poes aan. Anna drukte het dier even instinctief tegen zich aan, maar zette haar meteen op de grond. Ze deed haar gebloemde schort af en liep zonder een woord te zeggen de keuken uit. Stanley ging op zijn houten kruk zitten en aaide de kat. De oudere vrouw stond bij de houten tafel, met haar rug naar hem toe. Opeens liep ze naar hem toe en zei: '*Sie werden gut aufpassen auf Anna, nicht wahr? Sie hat schon soviel schlimmes in ihrem Leben durchgemacht. Werden Sie?*'

Hij stond meteen op. Hij keek haar recht in haar ogen en probeerde alle Duitse woorden die hij zich herinnerde uit zijn geheugen op te diepen. Toen probeerde hij haar in een mengsel van Engels en Duits gerust te stellen:

'*Ich möchte Anna... ich möchte for Anna no Krieg und happy. Ich möchte Anna gut, very gut... Sie understand? Ich möchte Anna smile... Sie understand? Ich möchte Anna no egal... No egal. Sie understand... No egal! Nothing more kaputt...*'

Hij hoorde de deur opengaan. Anna kwam de keuken binnen. Ze had een donkerblauwe, lange jas aan met om haar middel een smalle bruine leren riem. Bij haar voeten stond een haveloze rieten koffer. In haar rechterhand hield ze een vioolkist. De kat rende naar haar toe en streek eerst langs haar jas en toen langs de koffer. Het meisje liep naar de oudere vrouw toe en ze omhelsden elkaar. Toen nam de vrouw haar horloge van haar pols en legde het in Anna's hand. Ze fluisterden elkaar iets toe.

Stanley bracht de koffer naar het halletje en stak een sigaret op. De kat rende hem achterna. Even later verscheen Anna. Hij tilde de koffer weer op, en opeens sprong de kat op zijn hand af. Hij hoorde een luid geblaas en voelde toen een stekende pijn. Op de rug van zijn hand zag hij vijf bloedende schrammen. Hij herinnerde zich dat Mefistofeles op precies dezelfde manier zijn ongenoegen kenbaar maakte. Blijkbaar gedroegen Duitse en Amerikaanse katten zich precies eender. Toen zijn broer Andrew een keer een weekend bij hem had gelogeerd in New York, had hij het pand verlaten met precies zulke schrammen op zijn pols. Om een of andere reden had Mefistofeles de pest aan Andrew. Het was haat op het eerste gezicht geweest.

De chauffeur wachtte in de jeep. Anna's tante stond erop dat ze naar de kroeg aan het dorpsplein gebracht werd. Daar wilde ze schnaps kopen, want bessenwijn was vanavond niet genoeg tegen de eenzaamheid. De twee Amerikaanse legervoertuigen, compleet met vlaggen, stopten op het kleine plein in het centrum van Königsdorf. Uit een ervan stapte Frau Annelise, met rode ogen van het huilen. De monden van de mannen die zich bij de kroeg verzameld hadden, vielen open. Zo werden dus legenden geboren in kleine plaatsjes, dacht Stanley.

Zodra Annelise in de kroeg verdwenen was, reden ze weg. Anna zei niets. Ze hield haar voorhoofd tegen de ruit gedrukt. Toen ze de lichten van het dorp achter zich lieten, legde Stanley zijn hand op die van haar. Ze omklemde zijn vingers en liet een hele tijd zijn hand niet los. Daarna bracht ze zijn bekraste hand naar haar lippen en drukte er een kus op.

'Slobbertje weet nog niet dat jij een goed mens bent. Ze was gewoon zenuwachtig. Je ruikt anders. Er is al heel lang geen man in huis geweest. Zelfs bedelaars en priesters kwamen de drempel van tantes huis niet meer over. Slobbertje zou van je gaan houden, Stanley. Ze heeft gewoon wat tijd nodig. Ik ken haar...'

Hij maakte zijn hand los en streelde Anna over haar wang. Met zijn andere hand probeerde hij twee sigaretten tegelijk aan te steken. Een ervan gaf hij aan haar.

Anna zoog de rook naar binnen. 'Ik zou een hele lekkere cake voor je gebakken hebben,' fluisterde ze. 'Ik ben speciaal rozijnen gaan halen bij bakkerij Roller. Met tegenzin, want Roller is een nazizwijn, maar hij heeft wel de beste rozijnen in het hele dorp. Je houdt toch van rozijnencake, Stanley? Papa was er dol op.'

Hij schoof dichter naar haar toe. Ze legde haar hoofd op zijn knieën. Hij streelde haar haren en haar voorhoofd. Een hele tijd zei ze niets.

'We gaan naar New York, hè?' fluisterde ze ineens. 'Met het vliegtuig, toch? Ik heb nog nooit in een vliegtuig gevlogen. Best eng! Je houdt toch mijn hand vast? Stanley, hou jij van muziek? Ik associeer vliegtuigen met bommen, maar ook met muziek. Waarom weet ik niet. Is er een vrouw die van jou houdt? Behalve je moeder en je zussen? Streelde je haar voorhoofd en haar haren net zoals bij mij? Houdt ze echt van je? Heeft ze dat tegen je gezegd? Heeft ze daar de kans voor gehad voor je wegging? Hoe heet ze?' Ze tilde haar hoofd een klein stukje op.

Hij voelde hoe bij iedere vraag haar handen zijn knieën vaster omknelden. Ze klampte zich aan hem vast als een bang kind.

'Ik zal je hand vasthouden. Ik wijk geen duimbreed van je zijde. Het komt allemaal goed, echt...'

'Stanley, je mag me geen seconde alleen laten. Echt niet! Ik heb... een viool.'

Ze zweeg. Hij dekte haar toe met zijn jas en vroeg de chauffeur of hij zijn korte golfradio uit wilde zetten. Die weigerde dat vriendelijk maar gedecideerd.

'We rijden in een konvooi. Ik moet voortdurend in contact blijven met het hoofdvoertuig en met Benson. Die doet het in zijn broek als ik niet antwoord!' grijnsde hij.

Toen ze de buitenwijken van Trier bereikten, sliep Anna. Stanley stak een sigaret op. Hij dacht aan Doris. En dat hij niet één keer haar voorhoofd en haar haren gestreeld had. Daar droomde hij van, de laatste tijd. Ze hadden te weinig tijd gehad. 'Is er een vrouw die van jou houdt? Behalve je moeder en je zussen?' had Anna gevraagd. Hij wist het niet.

Doris was toevallig in zijn leven opgedoken, net als zoveel andere vrouwen. Hij hoefde ze niet te zoeken, ze zochten hem wel, of liever gezegd, het liep gewoon zo. Het ging altijd volgens hetzelfde simpele stramien. Een zakelijke afspraak. Kletsen. Flirten. Etentje. Een paar cocktails. Seks. Soms, maar niet altijd, nog een paar afspraakjes. Stilzwijgen van zijn kant, 'om geen valse verwachtingen te wekken'. Een laatste gesprek, een laatste keer seks. Zijn volledige verdwijning uit hun leven. Het was hem altijd nog gelukt, zonder hartzeer van zijn kant, zonder gevolgen. Geen scènes. Geen nachtelijke telefonades. Geen dreigbrieven, geen chantagepogingen. Hij viel – anders dan een deel van zijn collega's op de redactie – nergens mee te chanteren. Hij was vrij man. Goed, soms voelde hij zich wel eens alleen. Maar zelfs dat had zijn positieve kanten: hij had gemerkt dat hij juist dan zijn beste foto's maakte. Als al wat oudere, goed verdienende, gerenommeerde vakman met intellectuele pretenties was Stanley in de ogen van vrouwen een begeerde prooi. Er waren er tot nu toe maar twee geweest die niet pasten in het gewone patroon: Jacqueline, die van meet af aan wist dat het nooit iets kon worden tussen hen, en Dorothy, die van meet af aan wist dat ze niet wilde dat hij ooit van haar zou zijn. Die beide vrouwen hadden diepe wonden geslagen in zijn ziel. En de wonden die Dorothy hem had toegebracht, deden ook nu soms nog pijn.

~

Arthur had een bloedhekel aan Dorothy Parker. Hij vond haar niet gewoon een hoer, nee, hij vond haar een journalistieke hoer. En dat was veel erger. 'Je kont verkopen, oké, dat gebeurt al duizenden jaren,' zei hij. 'Dat hoort erbij. Maar je hersens verkopen, dát is pas hoererij.' Hij zei dat omdat hij Dorothy Parker niet kon vergeven dat hij die briljante vrouw niet had kunnen inlijven in zijn *New York Times*-stal. De freelancejournalist maakte zo halverwege de jaren twintig opgang, maar Arthur had helemaal niets met journalisten die voor verschillende periodieken werkten. Hij wilde ze helemaal, voor hem alleen. Maar Dorothy Parker wilde niemands eigendom zijn. Niet als journalist, en ook niet als vrouw. Toen er in 1925 stukken van haar verschenen in de *New Yorker*, werd ze daarmee automatisch Arthurs vijand. Hij zag in het nieuwe weekblad een gevaarlijke concurrent. Als iemand op de redactie betrapt werd op het lezen van de *New Yorker*, moest hij bij Arthur op het matje komen. Zo iemand moest zich er dan uit liegen door te beweren dat je 'moest weten wie je vijand was'. Stanley las natuurlijk ook de *New Yorker*, voor de Broadway-recensies en om te weten wat je voor een fles *bootleg*-whisky betaalde in de jazzclubs van Harlem. Zijn opmerkelijke succes had de *New Yorker* ook te danken aan de medewerking van de complete Algonquin-rondetafel. Dat was een elitair gezelschap dat bestond uit een stuk of twintig jonge, energieke kunstkenners met journalistiek bloed en zelfs schrijversbloed in de aderen. Ze waren eerzuchtig, op zichzelf verliefd en vooral meedogenloos. Ze kwamen regelmatig bij elkaar in het trendy hotel Algonquin aan 44th Street in Manhattan. Tijdens rumoerige bijeenkomsten waar de illegale drank rijkelijk vloeide, werden meningen geventileerd, stromingen in de kunst gelanceerd, werd de mode bepaald, werden reputaties gemaakt en gebroken. Autoriteiten werden met de grond gelijk gemaakt en onbekende auteurs werden op het schild gehesen, om als ze niet aan de verwachtingen voldeden even snel weer aan de vergetelheid te worden prijsgegeven. De bijeenkomsten in hotel Algonquin werden al snel een soort tribunaal waarvoor *tout* New York sidderde. Wat daar gezegd werd, vond meteen zijn weg naar de columns en roddelrubrieken, niet alleen in *Vanity Fair, Vogue, Harper's Bazaar* en de *New Yorker*, maar ook in een stuk of vijftien dagbladen, waarvan er sommige uitkwamen met een ochtend- en een avondeditie. Voor New York was het woord van de Algonquin-rondetafel wet. Echt origineel waren ze niet, hetzelfde werd in Europa al jaren gepraktiseerd in de literaire cafés. Maar voor Amerika was het splinternieuw.

Onder de stichters van de Algonquin-rondetafel was maar één vrouw: Dorothy Parker. Ze werd meer dan alle anderen gehaat, maar ook meer dan alle anderen bewonderd. Zij kon in een Broadway-recensie schrijven: 'Neem een breiwerkje mee, en als je niet kan breien, zorg dan dat je iets te lezen bij je hebt.' Eén keer noemde ze de naam van de auteur van een toneelstuk niet, 'om de man niet te beledigen door zijn naam te noemen'. Ze had de scherpste pen van de hele club, en als ze woorden tekortkwam, verzon ze ze zelf. Zij was het die de Engelse taal verrijkte met woorden en uitdrukkingen als *one-night stand, high society* en *face lifting.*

In de laatste week van augustus 1928 moest Stanley van Arthur voor *The New York Times* een 'definitief' stuk schrijven over de Algonquin-rondetafel. Uit Arthurs mond betekende dat, dat het stuk niet nood-zakelijk objectief hoefde te zijn. De Algonquins werden allang niet meer gezien als een stelletje excentriekelingen. Ze waren echte opi-nieleiders. En zéér onafhankelijk. Arthur hield daar helemaal niet van, die doorgeschoten onafhankelijkheid.

Stanley woonde nog maar net in New York en stond nog aan het begin van zijn carrière. Het was een van de eerste reportages die hij voor *The New York Times* mocht maken. Op die snikhete middag stond hij met zijn camera in de hand bij de lift van hotel Algonquin. Hij hield zich bescheiden een beetje afzijdig van de menigte nieuwsgierigen. Uit de lift kwam een vrouw tevoorschijn met een hond aan de lijn. Even in de dertig, niet lang, zeer elegant, donkere ogen, heel bleek. Een doordringend parfum, extravagant kort haar en een jurk, zonder kor-set eronder, die veel te kort was voor het puriteinse Amerika. Het was Dorothy Parker ten voeten uit.

Ze was te laat, zoals altijd, hoewel ze het dichtstbij woonde van ie-dereen: al maanden geleden had ze haar intrek genomen in hotel Al-gonquin. De bijeenkomst in het restaurant was allang begonnen, maar dat stelde niets voor. Iedereen wist dat het pas echt begon vanaf het moment dat deze vrouw zich bij hen voegde. Dorothy Parker, onbe-twist toonaangevend voor het nieuwe type vrouw van de roaring twenties. Provocatief onafhankelijk, demonstratief zondig. Schrijf-ster, dichteres, maar voor alles ontembare herrieschopper. Nooit een blad voor de mond, roken, drinken, de ene minnaar na de andere. En altijd succesvol.

Opeens vloog haar hond luid blaffend op Stanley af. Dorothy stapte op hem toe en pakte hem bij zijn arm.

'U bent duidelijk net in de hondenpoep getrapt,' zei ze, zo hard dat iedereen het hoorde. 'Mijn hond kan die lucht niet uitstaan. Deze stad is *full of shit,* figuurlijk maar ook letterlijk. En de straatvegers doen er niks aan. Die zitten allemaal op Wall Street om aandelen te kopen. Dit gaat fout aflopen, denkt u ook niet?'

Stanley was te geïntimideerd om antwoord te geven.

Ze bracht haar mond bij zijn oor. 'Maar boven de knie ruikt u heerlijk!' fluisterde ze. 'Vooral in onze lift zal die heerlijke mannelijke geur goed tot zijn recht komen. Na deze bijeenkomst. Ik wil graag wat beter aan u ruiken,' voegde ze er speels aan toe.

En ze verdween achter het rode veloursgordijn. Die stomme hond van haar bleef tot het laatste moment hysterisch blaffen en dreigend grommen naar Stanley.

Van de rondetafel, waar zijn bezoek aan het hotel om begonnen was, herinnerde hij zich achteraf alleen dat Dorothy Parker zeer spraakzaam was en voortdurend een nieuw glas Haig & Haig bestelde, zonder soda. Na elk glas praatte ze nog harder, was ze minder geneigd anderen te laten uitspreken. Toen haar hond onder de tafel tekenen van onrust begon te vertonen, haalde ze een pil uit haar tasje en stopte hem het beest in zijn bek. Het hielp meteen.

Het lukte Stanley niet zich te concentreren op wat ze zei. Hij voelde zich behoorlijk vernederd door haar ongezouten commentaar op de stront aan zijn schoen. Wat trouwens flauwekul was. Aan de andere kant had dat incidentje er wel voor gezorgd dat ze juist hem er uitgepikt had, te midden van die meute nieuwsgierigen. Misschien moet ik de New Yorkse straatvegers dankbaar zijn, dacht hij meesmuilend.

Parker had gelijk. Er waren in deze stad steeds minder mensen die nog werkten. Allemaal kochten en verkochten ze als razenden aandelen. En het gekke was dat ze allemaal winst maakten. Een beursmakelaar, Stanley kende hem van Princeton, had hem een keer verteld dat zelfs een schoenpoetser op het trottoir van Wall Street hem om advies gevraagd had. Wat kon hij het beste doen, zijn General Electrics-aandelen houden? Of moest hij ze van de hand doen en United Founders kopen? Of liever Westinghouse? Dat was het allesoverheersende probleem van een schoenpoetser in New York! Al vier jaar achtereen werden alle aandelen steeds meer waard. En steeds meer mensen probeerden niet eens meer een baan te vinden maar konden zich toch een nieuwe radio permitteren, of een auto, of soms zelfs een koophuis. De eigenaar van het bedrijf werd nog rijker dan hij al was, maar ook zijn chauffeur liep binnen. Tijdens de schaft haastten de glazenwassers van de New Yorkse wolkenkrabbers zich naar beneden om te horen hoe de aandelenkoersen ervoor stonden. Wall Street werd de favoriete wandelbestemming, en op de radio gaven niet alleen economen beleggingsadviezen, maar ook waarzegsters en astrologen. Iedereen wist wat de Dow-Jonesindex was en een echtpaar in Californië vernoemde zijn pasgeboren tweeling ernaar: het jongetje was Dow-Jones, het meisje Index. Stanley was het met Dorothy Parker eens: het was een kwestie van tijd voordat dit fout liep. Nu, achteraf, wist hij dat het nog veel erger was afgelopen dan iedereen had kunnen vermoeden. Op dinsdag 29 oktober 1929. Op die Zwarte Dinsdag was alles anders geworden...

Hij vroeg zich af wat Dorothy Parker bedoeld had met haar opmerking over de lift. Maar nog geen twee uur later had hij eerst de lift gevuld met zijn 'heerlijke mannelijke geur' en daarna haar vagina met zijn penis. Op een onopgemaakt bed, vol broodkruimels, in een kamer met airco op de achtste verdieping van hotel Algonquin. Ze zat op hem, beet hem in zijn lippen en zei iets in het Frans. De telefoon ging. Ze nam op en bleef zich al telefonerend ritmisch bewegen. Daarna ging ze met haar rug naar hem toe op hem zitten, zodat hij het volle uitzicht had op haar zich spannende en ontspannende billen. Hij zag knalrode vlekken, duidelijk de sporen van recente billenkoek. Ze ging onvervaard door met tegelijkertijd neuken en telefoneren. Even drukte ze de hoorn tegen haar borst toen haar een korte, luide kreet ontsnapte op het moment dat ze een orgasme had. Ze tilde zichzelf een eindje omhoog, wipte van hem af en sprong van het bed. Daarna bracht ze de hoorn weer naar haar oor en vervolgde ze haar gesprek terwijl ze door de kamer liep. Stanley lag als verlamd op het bed, niet wetend wat hij aan moest met zijn erectie. Dorothy liep naar de grote koelkast in de hoek van de kamer, haalde er een wit schaaltje uit, ging weer naar het bed en smeerde zijn penis en ballen in met een roze, yoghurtachtige substantie. Het voelde koud aan en hij rook een aardbeienlucht. Ze ging verder met telefoneren. Eindelijk legde ze de hoorn op het nachttafeltje, boog zich over hem heen, nam zijn penis in haar hand en begon langzaam het roze spul er af te likken. Toen hij bijna klaarkwam, legde ze haar hand op zijn mond. Ze pakte de hoorn weer, liep naar het raam en vervolgde haar telefoongesprek. Haastig kleedde hij zich aan en verliet zonder een woord te zeggen de hotelkamer.

Waarom, dat wist hij zelf niet, maar een paar weken lang ging Stanley regelmatig naar hotel Algonquin. Dan vulde hij de lift met zijn mannelijke geur en Dorothy's vagina met zijn penis, en elke keer hoopte hij dat er een echte relatie tussen hen zou ontstaan. Maar na ieder orgasme – met haar maar nooit tegelijk met haar – voelde hij iets als zelfverachting. Hij interesseerde haar geen moer, ze praatte niet eens met hem. Ze was alleen geïnteresseerd in zijn penis, gearomatiseerd met diverse vruchtenyoghurtjes. Hij vermoedde dat ze de bloemen die hij meebracht niet eens in een vaas zette maar zodra hij weg was in de vuilnisbak mikte. Zelfs met Nofi, de Indonesische masseuse in Chinatown, was hij closer dan met Dorothy. Ze had hem een keer op zijn rug gedraaid toen hij naakt op haar massagetafel lag, en ineens vroeg ze: 'Ach, u huilt. Wat scheelt eraan?' Ja, hij huilde. Hij huilde vaak, in die tijd. Vooral wanneer hij tijd had om over zichzelf na te denken.

Als je de seksuologen mag geloven, had hij zich in zijn omgang met Dorothy Parker gedragen als een masochist. Gebeurt vaak, schijnt het. Al zijn het volgens de statistieken vaker vrouwen dan mannen die dit overkomt. Sommige masochisten houden er rode striemen op hun billen aan over, andere een rood hoofd – van schaamte. En weer andere houden er helemaal niets aan over.

Op een keer was de grens voor hem ineens bereikt. Het was afgelopen met zijn masochisme. Die avond bevond zich behalve Dorothy en Stanley nog een derde passagier in de lift van hotel Algonquin. Een man, ongeveer even lang als Stanley. Gedrieën gingen ze de hotelkamer binnen. Toen Dorothy naakt uit de badkamer kwam, was Stanley er haastig tussenuit geknepen.

Iedere keer wanneer hij langs hotel Algonquin in 44th Street kwam, moest hij weer terugdenken aan haar woorden: 'U bent duidelijk net in de hondenpoep getrapt. Deze stad is full of shit.' Nu wist hij dat hij op die augustusavond in 1928 inderdaad in de stront getrapt had. Alleen niet op straat, maar binnen, in het hotel. En de stank ervan had hij nog altijd in zijn neus...

∿

De jeep remde abrupt. Ze stopten voor een controlepost in het stadje Konz. Anna werd wakker. Ze ging zitten en rekte zich uit. Een Britse militair met een helm op stak zijn hoofd door het portierraam. Zodra hij zijn mond opendeed, herkende Stanley hem. Het was de kauwgum kauwende korporaal met het gegroefde gezicht, die lul die Cécile Gallay en hem uren oponthoud had bezorgd toen ze op weg waren naar Trier.

'Binnenlicht aan, maat,' zei hij op bevelende toon tegen de chauffeur. 'En radio uit. Je maakt een herrie als een tractor.'

De chauffeur knipte het binnenlicht aan. Stanley knipperde met zijn ogen en Anna drukte zich bevend tegen hem aan.

'Ik zie dat je burgers vervoert, maat.' De korporaal scheen met zijn zaklantaarn recht in de ogen van de chauffeur.

Die kneep zijn ogen tot spleetjes, gaf de korporaal een stapeltje documenten aan en begon kalm de situatie uit te leggen. Anna drukte zich steeds vaster tegen Stanley aan. Hij voelde haar nagels in zijn huid. De korporaal bestudeerde bij het licht van zijn zaklamp aandachtig elk document.

'Niet uitstappen, Stanley,' fluisterde Anna. 'Laat me niet alleen!'

De chauffeur zag kennelijk in zijn binnenspiegel wat er op de achterbank gebeurde. Zijn gezicht werd eerst roze en toen knalrood. Hij zette rustig de radio uit, pakte zijn machinepistool van de passagiersstoel, stapte uit en wenkte naar de chauffeur van de tweede jeep van het konvooi. Die reed naar hem toe en stopte vlak achter hem. De chauffeur van de eerste jeep ging vlak voor de korporaal staan.

'Je hebt één minuut om die slagboom omhoog te doen, lulkabouter. Ik heb je alle documenten laten zien. Echte. De beste die je maar kan hebben. Helemaal volgens alle regels. Als je nu nog niet kan lezen, zul je het wel nooit meer leren ook. Patton zelf wacht op ons. Als hij tevergeefs wacht, zul je de dag vervloeken waarop je geboren bent. Omhoog met die slagboom, want over een minuut ís er geen slagboom meer.' Hij tilde zijn machinepistool op.

De motor van de tweede jeep brulde, modderkluiten spoten op van onder de wielen. Een paar soldaten renden het houten huisje naast de wegversperring uit. Ze lieten zich op de grond vallen en maakten zich klaar om te schieten. Anna liet zich krijsend van de zitting op de grond zakken, Stanley met zich meetrekkend. Maar meteen daarop hoorden ze roepen en het geluid van een portier dat dichtsloeg. De motor klonk nu rustiger, zakelijker. Het konvooi zette zich weer in beweging.

'Wat een klootzakken, die Engelsen. Vervelen zich de ballen van hun lijf en gaan daarom oorlogje spelen. Maar nu halen we het zeker. Zegt u maar tegen de Fräulein dat ze zich geen zorgen moet maken. Tijd zat.'

Militair vliegveld te Findel, Luxemburg, zaterdag 10 maart 1945,
even na middernacht

Ze waren inderdaad op tijd. Even na twaalven reed het konvooi tot
vlak bij een vliegtuig dat klaarstond op de in het schijnwerperlicht ba-
dende startbaan. Het was net zo'n vliegtuig als dat waarmee Stanley
naar Namen was gevlogen. Ze stapten uit. Anna liet niemand de viool
aanraken. Stanley nam alleen zijn camera mee. De chauffeurs droegen
de koffers het vliegtuig in. Een van de officieren die waren aangetreden
bij de vliegtuigtrap was Cécile. Ze liep op Stanley af, maar toen die
haar wilde omhelzen stapte ze haastig achteruit en sprong ze in de
houding. Ze salueerde naar Anna, maakte op de plaats rust en wendde
zich toen tot Stanley.

'Ik zal u nooit vergeten, mister Bredford. Ik zal Rachmaninov voor
u spelen, ook al hoort u mij niet.' Ze gaf hem een grijs pakketje aan
met een touwtje eromheen.

Voor hij woorden gevonden had om haar antwoord te geven, had
ze zich alweer bij haar collega-officieren gevoegd.

Haastig liep hij de wiebelige vliegtuigtrap op en ging hij het toestel
in. Vanbinnen zag dat er bepaald niet net zo uit als het toestel dat hem
in Namen had afgeleverd. Achter de cockpit stond een rij comfortabele
leren fauteuils. Twee dikke gordijnen scheidden dit gedeelte af van de
rest van de cabine. Daarin bevonden zich twee rijen lage aluminium
vliegtuigstoelen. Op elk ervan lag een oranje zwemvest. Een jongeman
met een staalkleurig uniform aan wees hun twee plaatsen aan, vlak achter het gordijn. Ze gingen zitten. Even later begaf een stoet soldaten
zich door het smalle gangpad naar het staartgedeelte van het toestel.
Gewonden, met bloedig verband om, op krukken, met de arm in een
mitella en met strak ingebonden stompen van ledematen. De soldaten
vingen hun meevoelende blik op. Ze glimlachten en liepen verder.

Een paar minuten later werd het stil. Alle lichten gingen uit. Ze
hoorden het aanzwellende geluid van de motoren. Het vliegtuig kwam
energiek in beweging en maakte zich na een paar honderd meter los
van de grond.

'Ik ben helemaal niet bang,' fluisterde Anna. 'Het komt allemaal
goed, Stanley. Ik hou van je, ik hou van je. Vergeet niet dat ik van je
hou...' Ze vlijde zich tegen zijn schouder aan.

Bij Anna kreeg Stanley soms het gevoel dat ze helemaal niet tegen
hem praatte. In situaties waarin ze heel emotioneel werd, of opgewon-

den, of bang, of gewoon ontroerd raakte, leek ze terug te keren naar haar eigen wereld. Dat was bijvoorbeeld zo geweest toen ze die onbegrijpelijke zin had uitgesproken: 'Ik heb... een viool', en zo was het nu weer, nu ze hem hysterisch haar liefde verklaarde. Waren de spanning, de angst of de ontroering voorbij, dan keerde ze weer terug naar de gewone wereld.

Hij keek door het licht bewasemde raampje. De lichtjes onder hen werden kleiner en verdwenen toen onder de wolken. Hij drukte zich dieper in de aluminium zitting van zijn stoel. Het geluid van de motoren, dat eerst imposant en een beetje angstwekkend was geweest, werd regelmatiger en zelfs geruststellend. Het was of de motoren vertelden dat er niets aan de hand was, dat alles normaal verliep. Anna sliep, met haar hoofd op zijn knieën, en mompelde af en toe iets in haar slaap. Soms praatte ze Duits, soms Engels. Hij hoefde alleen haar haren aan te raken, dan werd ze meteen kalm.

Hij deed zijn ogen dicht, maar het lukte hem niet in slaap te vallen. De reis naar een Europa dat in de greep van de oorlog was, een reis die hij niet had gepland en niet had verwacht en die Arthur hem bijna met geweld had opgedrongen, liep ten einde. Hij ging naar huis, maar hij had niet het gevoel dat hij zijn missie had vervuld, wat dat ook mocht betekenen. Flarden van wat hij had meegemaakt schoten door zijn geheugen – flarden van zinnen, gedachten, ontmoetingen.

Hij zou ze missen, al die mensen die het toeval of het lot op zijn weg had gebracht, en hij zou ze met zijn ogen zoeken in iedere menigte. De Engelsman. Madame Calmes. Cécile. Broeder Martin. Al die gesprekken die niet afgemaakt waren, al die gedachten die niet waren uitgesproken... Zelfs ieder afscheid, iedere scheiding was onvoltooid gebleven. En nu, op weg naar huis, terwijl hij dit alles overdacht, besefte hij dat alles in zijn leven – ook het leven van voor zijn reis – onvoltooid was, dat hij nooit iets had afgemaakt. Hij moest veel mensen die van hem hielden er pijn mee gedaan hebben. Opeens hoorde hij soldaat Bill weer zeggen: 'Ga maar even pitten, Stanley. Dan rij ik je intussen naar de oorlog toe!' En eindelijk viel hij in slaap.

Hij had geen idee hoeveel tijd er verstreken was toen hij wakker werd van het een of andere geluid. De cabineverlichting was aan. Een officier in een groen uniform schudde energiek aan de schouder van de slapende Anna. Ze tilde haar hoofd op en ging zitten. Wreef zich in haar ogen. Achter de officier stond een oudere man in een generaalsuniform.

'Patton is de naam. Heb ik het genoegen te spreken met mevrouw' – hij moest even spieken – 'Bleibtrue?' Het kostte hem duidelijk moeite om de naam uit te spreken.

'Bleibtr*eu*. Wat is er aan de hand?' vroeg ze geschrokken.

'En u komt uit Dresden?'

'Inderdaad. Is dat niet goed dan? Stanley, laat meneer onze papieren zien!' Ze pakte nerveus zijn hand.

'Ik ben u excuses schuldig. Het komt allemaal door die halvegare Harris. Bomber Harris. Die heeft...'

'Waarom bent ú mij excuses schuldig?' onderbrak ze hem.

'Vanwege Dresden. Mijn naam is Patton.'

'Komt u ook uit Dresden? Waar woonde u? In welke straat?'

'Nee, ik kom niet uit Dresden. Maar ik begrijp wat u heeft meegemaakt.'

'U komt niet uit Dresden? Dan zult u het nooit kunnen begrijpen. Stanley, help me verdomme. Wat wil die man van me? Laat hem onze papieren zien,' herhaalde ze nerveus.

Hij stond onmiddellijk op en ging voor Patton in de houding staan.

'Generaal, miss Bleibtreu is erg moe. Ze is momenteel wellicht niet in staat zich in correct Engels uit te drukken. U moet het haar maar niet kwalijk nemen.'

'Natuurlijk, natuurlijk. Ik begrijp het volkomen.' En generaal George Smith Patton liep hoofdschuddend weg.

Anna werd pas weer rustig toen de generaal met zijn adjudant achter het gordijn verdween waarachter zich de gewonde militairen bevonden.

'Wie was dat, verdomme?' vroeg ze zachtjes. 'Hij lijkt als twee druppels water op een ontzettend onsympathieke controleur op tram 17.' Nu glimlachte ze. 'Ik kreeg opeens het gevoel dat ik gesnapt werd zonder kaartje.'

'Dat was Patton. Een heel belangrijke Amerikaanse generaal. Misschien wel de belangrijkste, op dit moment. Híj heeft met zijn leger Trier veroverd, en daarna de helft van Keulen.'

'Jezus! Echt waar, Stanley?' In haar stem klonken afgrijzen en ongeloof door. 'Sorry, ik wilde niet... Weet je, ik ben tegenwoordig bang voor iedereen die een uniform aanheeft. Voor die controleur in de tram was ik ook als de dood.'

Nu schaterde Stanley het uit. Ze vlogen in het vliegtuig van Patton en uitsluitend dankzij Patton. De aanwezigheid van een Duitse aan boord van een Amerikaans legervliegtuig was op zich al tamelijk absurd. Waarschijnlijk was het strikt geheim. Anna's volslagen onwetendheid en haar oprechte, naïeve bekentenis amuseerden Stanley. Hij was niet boos en evenmin verbaasd. Bovendien stelde hij zich onwillekeurig generaal Patton voor in de rol van een kaartjescontroleur in een Duitse tram. En dat 'Jezus!' klonk uit de mond van dit tengere, hulpeloze meisje met haar kindergezichtje eerder grappig dan grof. Maar even later was hij weer serieus.

'Wil je praten over Dresden?' Hij keek haar recht aan.

'Nee.'

'En later?'

'Weet ik niet.' Ze wendde zich van hem af. 'Ik zal het proberen. Je hebt mijn foto's gezien. Wat kan ik verder nog zeggen?'

'Heel veel. Bijvoorbeeld waarom je zwartreed in lijn 17. Er is zoveel dat níét op je foto's staat. Ik wil heel graag dat je vertelt over het Dresden van voor de oorlog. En over dat zwartrijden gesproken: ik heb me altijd laten vertellen dat als er één gedisciplineerd volk is, het de Duitsers zijn.'

'Ik was blut. Alle geld dat ik van papa en mama en oma kreeg, gaf ik uit aan fotorolletjes, en boeken over fotografie, en papier, en ontwikkelvloeistof. En aan ondergoed. Ik was verzot op mooi ondergoed. Vooral toen mijn borsten ineens begonnen te groeien, kostte me dat een lieve duit.' Ze glimlachte. 'Heeft jouw vriendin grote borsten?'

Die vraag had Stanley niet verwacht. Zomaar ineens, recht voor z'n raap. Hij probeerde zijn verwarring te verbergen en zocht naar sigaretten in de zak van zijn colbert, dat over de zitting van zijn aluminium vliegtuigstoel hing. Hij stak er een op.

～

In de States zou alleen een psychoanalyticus je zoiets vragen. Als hij dat tenminste durfde. De laatste tijd had je in Amerika geen psychiaters meer. Allemaal noemden ze zich, in navolging van de Europese mode, 'psychoanalytici'. Gekken gingen naar de psychiater; naar de psychoanalyticus ging je als je een *issue* had. Met die betiteling waren beide partijen, behandelaar en cliënt, in hun sas.

'Heeft uw vriendin grote borsten?' Een psychiater zou zoiets nooit vragen, een psychoanalyticus wel – aan een patiënt die al een aantal maanden vertoefde op zijn divan. En die hem natuurlijk al een paar honderd dollar honorarium had betaald. Als je bedacht dat Lisa, bij-voorbeeld, niet meer verdiende dan vijftig dollar per week, waren die bezoeken aan de psychoanalyticus eind jaren twintig een behoorlijk extravagante luxe. De Amerikaanse psychoanalytici, vooral die in New York en Californië, slikten alles wat Freud geschreven had voor zoete koek. Ze zwijmelden gewoon als ze hem lazen. In de ogen van het pu-riteinse Amerika waren hun spreekkamers 'broeinesten van liederlijk-heid en verdorven immoraliteit, gehuld in de elegante, maar door en door valse kledij van een pseudowetenschap die met de medische we-tenschap evenveel gemeen had als de bezweringen en formules van een – net als Freud zelf – in een opiumroes verkerende sjamaan in Nieuw-Guinea of Afrika'. Dat was de toonzetting bij bijna alle conser-vatieve kranten van Amerika, vooral de christelijke. Voor de redacteu-ren van die kranten was Sigmund Freud een 'perverse, aan cocaïne ver-slaafde jood, die het heilige, van God gegeven menselijke bewustzijn terugbracht tot een soort onderbewustzijn dat zich liet leiden door stompzinnige, aapachtige lichaamsbewegingen'. Voor hen was ieder-een die zijn tijd verdeed in de spreekkamers van die door het freudia-nisme verblinde 'psychoanalytici' en daar zijn zuurverdiende centen heen bracht, een 'onnozelaar die zich in de val had laten lokken'. Een jood, viespeuk en opiumschuiver verenigd in één persoon, dat kon geen toeval wezen. En als de christelijke kranten dat schreven, bete-kende dat maar één ding: dáár moest je wezen! Bovendien was Stanley al tot in details op de hoogte van wat zich in die spreekkamers afspeel-de dankzij een reportage die de alomtegenwoordige Mathilde van de culturele rubriek van *The New York Times* had gemaakt naar aanleiding van Freuds zeventigste verjaardag. Niemand had dat beter kunnen doen dan zij.

Dr. Mathilde Achtenstein, lid van de hoofdredactie van *The New York Times*, was op 20 april 1889 geboren in de Oostenrijkse stad Braunau, aan de rivier de Inn. Ze deelde dus haar geboorteplaats en geboorte-datum met Adolf Hitler – voor haar reden om na haar overgang naar het katholicisme haar verjaardag voortaan te vieren op 25 december. Haar vader was een joodse kruidenier, haar moeder was van verarmde Oostenrijkste adel. Ze was de op twee na oudste dochter. Ze woonden een paar straten van het huis waar Adolf Hitler opgroeide. Zijn moeder Klara Pölzl, een bescheiden en verdrietig ogende vrouw met enorme glanzende ogen, kwam vaak in de winkel om melk en brood te kopen.

In de herinnering van Mathildes moeder was Klara vrijwel onafgebroken zwanger. Soms duwde ze als ze de winkel in kwam een kinderwagen voor zich uit waarin de kleine Adolf lag. Ook Alois Schicklgruber, Adolfs vader, een dikke, besnorde douanebeambte, kwam wel eens in de winkel, altijd 's avonds. Dan kocht hij een fles palinka of vis die Mathildes vader had gevangen in de Inn. Soms kocht hij op de pof, maar aan het eind van de maand rekende hij altijd keurig af. Dat wist Mathildes moeder allemaal te vertellen over huize Hitler.

Mosje Achtenstein, de bescheiden en zwijgzame kruidenier uit Braunau, had de wereldgeschiedenis anders kunnen doen verlopen, maar had dat niet gedaan. En daarop was hij altijd trots gebleven. Op een warme meimiddag in 1894 ging Mosje Achtenstein op de fiets weg om te vissen. Hij reed langs de steile oever van de Inn en zag ineens een jongetje in de rivier vallen, dat duidelijk niet kon zwemmen. Zonder zich een seconde te bedenken stopte Mosje, klauterde vlug naar beneden, sprong in het water en redde de kleine drenkeling. Toen het jongetje bijkwam, bleek het Adolf te zijn. Mosje legde hem over de stang van zijn fiets en bracht hem naar het huis van zijn ouders. Nooit zou hij de tranen vergeten in de ogen van Klara Pölzl, die eerst huilde van dankbaarheid en toen Mosje smeekte het niet aan haar man te vertellen, en aan niemand anders in de stad, want de kleine Adolf was ongemerkt het huis uit geglipt. Mathildes vader bewaarde het geheim. Hij vertelde het alleen aan zijn vrouw, die niet begreep waarom haar man zo vroeg thuiskwam, zonder vis en met kletsnatte kleren.

Zo werd Adolf Hitler gered door een jood. Dat haar vader zich op dat moment op die plek bevond in mei 1894, was volgens Mathilde een monsterlijke grap van God, die het leuk vond om te experimenteren met het lot van de wereld.

Mathilde had een korte reportage willen maken over de psychoanalyse in New York, maar het werd een half boek. Na een hoop heen-en-weergepraat gunde Arthur haar drie kolommen in het zaterdagnummer. Als hij haar nog meer ruimte gaf, zouden zijn vijanden tegen hem tekeergaan en hem voor de voeten werpen dat hij weer eens een kibboets maakte van zijn *New York Times*. Mathilde vond het vreselijk dat er in haar stuk geknipt werd, maar wat er overbleef was nog ruimschoots voldoende om een rel te veroorzaken. Steen des aanstoots was vooral dat de psychoanalyse zeer gunstig beoordeeld werd, in het bijzonder het meest controversiële aspect ervan: dat de psychoanalyticus zijn patiënt, pardon: cliënt, ondubbelzinnig confronteerde met zijn of haar seksuele gevoelens. Stanley vond Mathildes artikel juist op dit punt het meest overtuigend.

Tijdens zijn verhouding – nou ja, verhouding – met Dorothy Parker begon Stanley last te krijgen van erectiestoornissen. De klacht verdween niet nadat hij met haar gekapt had, en Stanley begreep dat hij hulp nodig had. Hij ging naar een psychoanalyticus, of liever gezegd naar drie tegelijk, en dat deed hij niet omdat het eind jaren twintig in de mode was. Het was zo in de mode dat bij de elite van New York de nogal onzinnige mening in zwang raakte dat je je psychoanalyticus harder nodig had dan je ontbijt. En dat vlak na Zwarte Dinsdag, toen heel veel mensen niet eens geld hadden om te ontbijten! Stanley ging niet in analyse omdat het mode was. Hij wist veel te goed hoe weinig dat voorstelde, mode. Hij ging in drie spreekkamers op drie divans liggen omdat hij werkelijk hulp nodig had. En omdat hij het geld ervoor had. Het lukte hem niet om op eigen kracht uit het dal te krabbelen na zijn affaire met Dorothy Parker. De alcohol waaraan hij verslaafd begon te raken hielp niet. En de psychoanalyse hielp ook niet, ontdekte hij na een paar maanden. Wat wél hielp, was een hoestsiroop...

Het was Matthew van de sportredactie die kwam aanzetten met het drankje, dat 'ontzettend goed hielp'. Het verbaasde niemand. Matthew was een kettingroker die blafte als een kettinghond – wat hem er niet van weerhield in zijn artikelen voortdurend een gezonde leefwijze te propageren. Hij was geïnteresseerd in alles wat hem kon helpen bij zijn problemen met zijn keel, bronchiën en longen. Op een dag kocht zijn zorgzame Mary bij een apotheek die nieuwe hoestsiroop, die zo ontzettend goed hielp. Er werd sinds kort reclame voor gemaakt in alle kranten, en niet alleen in New York. Heroïne. Uit Europa. Van de degelijke oude firma Friedr. Bayer & Co in Wuppertal, Duitsland. Amerikaanse hoogleraren raakten niet uitgeschreven over de kwaliteiten van dit geneesmiddel. Effectief en absoluut ongevaarlijk. En zonder recept te koop. Je kon heroïne innemen als siroop of in tabletvorm of, voor de vrouwen, als vaginale zetpil. Nam je heroïne in, dan verdween je hoest als bij toverslag. Bij mannen, vrouwen en kinderen. Ook Matthew was helemaal van zijn hoestbuien verlost. Op de redactie stond iedereen versteld, want Matthews hoest was even chronisch als zijn ontrouw. En ineens hield Matthew op te hoesten, hoewel hij geen sigaret minder rookte dan eerst. En dat was nog niet alles, vertrouwde hij Stanley toe. Hij hoestte niet alleen niet meer sinds hij heroïne gebruikte, hij voelde zich ook een ander mens. Sterk, onweerstaanbaar voor 'de vrouwtjes', vrij van complexen.

Stanley kreeg dat allemaal van Matthew te horen toen ze op een avond in de Cotton Club aan 142nd Street in Harlem zaten na een lange en afmattende dag op de redactie. Duke Ellington trad op. Ze zaten in de pauze in de bar en dronken Madden's No.1, het illegaal gebrouwen bier dat, geschonken in koffiekoppen, tijdens de drooglegging de favoriete drank was van de criminele kringen rond de eigenaar van de club, Owney Madden. Madden profiteerde van de plotselinge populariteit van de jazz in Amerika, en engageerde de beste muzikanten uit het zuiden. De Cotton Club veranderde binnen korte tijd van een obscure Harlem-kroeg in *the place to be* van New York. Je kon er Benny Goodman zien en horen, Louis Armstrong, Tommy Dorsey, Fletcher Henderson, Chick Webb en, zoals vanavond, Duke Ellington.

Stanley kwam hier vaak, maar alleen voor de muziek. Opwindende zwarte Afro-Amerikaanse muziek uit New Orleans. Maar alleen de muziek was hier zwart. En de muzikanten natuurlijk. In de Cotton Club gold een apartheidsregime. Negers mochten op het podium staan, oberen, afwassen en de wc's schoon schrobben, maar aan de tafeltjes zaten uitsluitend blanken. Daarom kwam Stanley hier niet graag. Het was dat Matthew verlegen zat om zijn drankje en zijn babbeltje, anders was hij veel liever in de zaal gebleven. Hij hoefde niet zo nodig naar de bar, waar een toog met een zwart houten blad de wereld symbolisch in twee helften verdeelde: aan de ene kant waren zwarte barkeepers druk in de weer, als hamsters in hun tredmolen, en aan de andere kant zaten de leden van het blanke herrenvolk. De slavernij mocht dan afgeschaft zijn in Amerika, maar zelfs Abraham Lincoln, de man die er een eind aan gemaakt had, bleef tot zijn laatste snik beweren dat 'negers weliswaar als ras nimmer de gelijke van de blanken zouden zijn, maar niettemin als burgers hun vrijheid verdienden'. Dat was voor de zwarten genoeg reden om hem Vader Abraham te noemen en hem te vergelijken met Mozes, die zijn volk naar het beloofde land voerde. De Cotton Club in Harlem, New York, en dan vooral de bar, deed niet in het minst denken aan dat beloofde land. Achter de bar stonden burgers die, al kon je dat hier ter plekke moeilijk geloven, over dezelfde rechten beschikten als Stanley. Ze verschilden alleen van hen door de hoeveelheid pigment in hun huid. In theorie kon een van hen, zo zot als het mocht klinken, op een dag president van de Verenigde

Staten worden. Een zwarte president? Die de eed aflegde op de Bijbel in het Capitool van Washington dat was gebouwd door zwarte slaven? Op een plein waar een eeuw geleden negers als vee verhandeld werden? Het klonk even onwaarschijnlijk als dat de mens ooit voet op de maan zou zetten. Als Stanley toevallig zwart geboren was, had hij zich hier in de Cotton Club vernederd gevoeld.

Matthew zat er zo te zien totaal niet mee. Hij was een racist van het zuiverste water. Een seksist ook, trouwens. Een geordende samenleving was volgens hem alleen mogelijk zolang 'negers hun plaats kenden en vrouwen deden wat ze moesten doen: koken, baren en hun man verwennen'. Om één ding benijdde hij de negers echter: hun legendarisch lange penis. Volgens Matthew 'verpestten die lui de blanke vrouwen, als ze er eenmaal eentje gehad hadden, hoefde jij niet meer aan te komen met je pik van zestien centimeter'. Maar vanavond vergastte Matthew zijn collega niet op beschouwingen over de rassenkwestie. Hij popelde om te vertellen over die wonderbaarlijke Duitse hoestsiroop.

'Ik had het een keer zo te pakken dat ik dacht dat ik mijn slokdarm, luchtpijp, bronchiën, longen en middenrif eruit zou kotsen. Zo, flats! op mijn bureau. Daarom heb ik er een hele fles van leeggezopen, al stond op het etiket dat een maatdop de maximumdosis was. En het was over. Je zult me niet geloven, Stanley, maar echt, het was in één keer over. En mooi dat de wereld werd! Ik voelde me een onoverwinnelijke Romeinse gladiator. Eén flesje hoestsiroop en het kan me geen reet meer verdommen dat ik altijd van Arthur op mijn flikker krijg en dat de Yankees al vier keer op rij verloren hebben. En die Wall Street-ellende kon me ineens aan m'n reet roesten. Ik kocht bloemen, hield een taxi aan, ging naar Marilyn en neukte haar. En daarna nog een keer. Niet zo'n geweldig idee, achteraf, die bloemen. En twee keer neuken al helemaal niet. Als je zomaar ineens onverwacht met bloemen op de stoep staat bij een vrouw, en het is voor het eerst in haar leven dat ze zoiets meemaakt, dan gaat ze zich van alles in haar hoofd halen. En dat moet niet, Stanley. Maar ik had zo'n ontzettende kick gekregen van dat hoestdrankje dat ik niet meer wist wat ik deed. En dat stomme kleine ding van een Marilyn maar denken dat ik, met mijn bloemen en mijn wilde seks, haar handje wilde vragen. Dat ik zo uit haar warme bed zou springen en halsoverkop naar het stadhuis zou vliegen om me van mijn vrouw te laten scheiden. Maar zo werken die dingen niet, Stanley. Dat weet je zelf. Eigenlijk ben ik een heel trouwe echtgenoot.

Trouwen, dat doe je maar één keer in je leven. En 's avonds thuis gebeurde er iets wat me nog nooit is overkomen. Ik voelde me zo ontzettend schuldig tegenover Mary dat ik haar geholpen heb met afwassen en de kinderen naar bed brengen. Van puur berouw sleurde ik haar naar ons bed. En ik had me daar een erectie... Zo eentje die je alleen de dag voor je bruiloft hebt. Mary was geloof ik nog verbaasder dan ik, want die is er allang aan gewend dat ik hem bij haar niet omhoog krijg. Maar die nacht was ik net een ridder met een gevelde lans. Geloof me, Stanley, dat hadden die moffen met hun hoestdrankje nooit kunnen vermoeden...'

Ze waren al jaren bevriend. Stanley was degene geweest die Matthew met Mary in contact had gebracht en hij was getuige geweest bij hun huwelijk. Hij wist dat Matthew graag de zaak een beetje aandikte, vooral als het ging om zijn amoureuze escapades, en daarom luisterde hij nogal sceptisch. Maar wat hij te horen kreeg over die hoestsiroop zette hem aan het denken. Matthew liep niet voor veel dingen warm. American football natuurlijk, en vrouwen als ze niet ouder waren dan vijfentwintig. En hij lustte graag een slok. Een goeie gesmokkelde Franse cognac, Russische of Poolse wodka, of de absint die hij kocht van kunstschilders in Greenwich Village. Voor die dingen kreeg je Matthew enthousiast. Maar niet voor een hoestdrankje. Dat moest dus inderdaad wel heel bijzonder zijn.

Toen hij die avond naar huis terugreed uit de Cotton Club, stopte hij bij een 7-Eleven-nachtwinkel bij Pennsylvania Station. Daar hadden ze een grote geneesmiddelenafdeling, wist hij. En hij vond wat hij zocht, naast de bruine flesjes met vitamine c, de laxeermiddelen, pillen tegen diarree en de kleurige doosjes pijnstillers. Heroïne was verkrijgbaar als siroop en in tabletvorm. In gewone verpakking, in voordeelverpakking. Het was er ook speciaal voor kinderen, die immers niet graag drankjes doorslikken, met een plastic Mickey Mouse-lepeltje erbij. Stanley kocht twee van de grootste flessen. Dan had hij in elk geval genoeg.

Matthew had gelijk. De heroïne deed wonderen.

Daarvan overtuigde Stanley zich diezelfde nacht nog. Hij gaf de hongerige Mefistofeles eten, stak een sigaret op en vulde een borrelglas met de stroperige vloeistof. Die smaakte een beetje zoet en was bijna reukloos. Hij dacht terug aan wat Matthew gezegd had: 'Ik heb een hele fles opgedronken, al stond op het etiket dat een maatdop de maximumdosis is.' Ook Stanley dronk de hele fles leeg. Daarna haalde hij een fles whisky uit de koelkast. Hij had trek in iets sterkers.

Het werkte na een kwartiertje en inderdaad, het was 'te gek', zoals Matthew het had genoemd. Heroïne, whisky en drie grote pullen Maddens No. 1 in de Cotton Club: Stanley ging compleet uit z'n dak. Er gebeurde iets raars met hem. Eerst voelde hij zich gewoon prettig. Rustig. Hij verlangde niet langer naar Dorothy. Daarna hield hij op zich te schamen voor zijn impotentie. Trouwens, hoezo impotent? Hij deed zijn broek omlaag en zag een paal om dwars door Dorothy Parker heen te neuken! Nergens was hij meer bang voor. Niet voor eenzaamheid, niet voor de toekomst. Hij ging naar zijn slaapkamer en kleedde zich helemaal uit. Hij pakte zijn camera en begon zichzelf te fotograferen. Hij had weer een volledige erectie, zoals altijd. Hij was terug in de tijd van voor Dorothy Parker. Hij was weer de normale Stanley Bredford. Sterk, vrij, onoverwinnelijk...

Hij werd wakker van de kou, in foetushouding liggend op de grond naast zijn bed. Mefistofeles lag op de hoorn van de telefoon en likte zijn hand. Hij wist niet meer of hij die nacht Dorothy had gebeld. Zo ja, dan had hij vast geen aardige dingen tegen haar gezegd, want ze had hem sindsdien niet één keer meer gebeld. Hij wist ook niet meer of hij zich voor, tijdens of na dat eventuele telefoongesprek had afgetrokken. Onderweg naar zijn werk stopte Stanley bij dezelfde winkel bij Pennsylvania Station en kocht acht flessen heroïne. Dan had hij een voorraadje. De eerste dronk hij direct leeg, in zijn auto, toen hij vlak bij Times Square in de file stond.

Drie 'te gekke' maanden volstonden om helemaal niet bang meer te zijn voor Dorothy Parker. Hij werd wél bang voor de verkopers bij 7-Eleven. Die begroetten hem als een oude bekende en pakten de heroïne al voor hem zonder dat hij erom hoefde te vragen. Op een keer raapte hij zijn moed bij elkaar en vertelde hij alles aan zijn psychoanalyticus. Het bleek dat er onder zijn clientèle heel wat heroïneliefhebbers waren. Hij hielp ze terug te keren naar de tijd van voor de heroïne. De ziekenhuizen hakten met hetzelfde bijltje. Sinds je niet meer aan morfine kon komen, waren de meeste morfinisten overgestapt op heroïne. Net als de opiumschuivers, voornamelijk Chinese immigranten, voor wie opium net zo gewoon was als een hostie voor een katholiek. Waarom zou je een godsvermogen betalen voor opium als een fles heroïne goedkoper was dan een fles zelfgestookte wodka in Brooklyn? Dat heroïne zonder recept te krijgen was, was volgens de psychoanalyticus volstrekt onaanvaardbaar. En dat je het bij elke drugstore kon kopen, was misdadig. De firma Bayer & Co. uit Wuppertal, Duitsland, had de wereld handig een oor aangenaaid door heroïne te slijten als een onschuldig middel tegen de hoest. En dan waren in Duitsland, Oostenrijk of Zwitserland de mensen misschien nog braaf genoeg om eerst het etiket te lezen en niet meer dan een maatdop per keer in te nemen. In Amerika werkte dat niet. Amerikanen vinden zichzelf vrije mensen die zich echt niet aan een gebruiksaanwijzing gaan houden. Die lezen ze niet eens. Als het ze helpt om behalve van hun hoest ook van hun angsten en depressies af te komen, dan drinken ze het spul rustig met flessen tegelijk. Of ze zijn nog slimmer. Om een sneller effect te bewerkstelligen, lossen ze de heroïnekristallen op in gedistilleerd water en hanteren ze de injectiespuit...

Stanleys arts had helemaal gelijk, en ergens rond '34 verdween heroïne van de schappen bij de drugstore. Nog een paar maanden later maakte de pers er werk van en werd het spul verboden. Bij Bayer weigerden ze nog steeds toe te geven dat heroïne een gevaarlijk, sterk verslavend narcoticum was. Net zoals de Amerikaanse professoren en specialisten het vertikten om de artikelen waarin ze zo hoog hadden opgegeven van de Duitse 'hoestsiroop' te rectificeren. Niemand weet waar de tonnen heroïne zijn gebleven na het verbod. Maar feit is dat er in New York, San Francisco, Los Angeles en Boston altijd plekken bleven waar je 'Hero', zoals op de verpakking stond, kon scoren. Het kostte Amerika veel tijd en moeite om af te kicken.

Stanley was verbazingwekkend snel van zijn verslaving af, als je het vergeleek met andere patiënten. Het duurde bij hem een maand of negen. Hij ging wat meer roken en probeerde Pennsylvania Station te mijden, ging voor drie weken naar de Bahama's. Toen hij terugkwam had hij veel moeite om weer aan het krankzinnige tempo van het leven in New York te wennen. Arthur zag dat en stuurde hem een halfjaar naar 'het beste sanatorium', zoals hij het noemde. Stanley wist die zorgzaamheid naar waarde te schatten.

Stanley nam Mefistofeles mee en reed naar zijn ouders. Mama kon haar geluk niet op. Stanley en de kat namen hun intrek in de voormalige kinderkamer. Een halfjaar lang werd hij 's morgens wakker met de geur van koffie en cottagecheese met lente-uitjes, sinds zijn kindertijd zijn lievelingskostje. Hij stond op, trok een blauwe overall aan en vulde twaalf uur achter elkaar de benzinetank van de klanten van papa's benzinepomp. En op zondag ontwikkelde hij fotorolletjes in de donkere kamer bij het toiletgebouwtje. Toen Stanley voor het eerst sinds jaren het vertrekje betrad, hingen overal spinnenwebben en ging een hele muizenfamilie er haastig vandoor. Maar papa had ervoor gezorgd dat alles nog volmaakt intact was, net als de basketbalpaal met schild, ring en net op het erf. De basketbalpaal die Andrew had geholpen een sterspeler te worden. Papa hield niet minder van zijn beide zonen dan mama. Misschien nog wel meer. Maar op een andere manier. Over zijn liefde praten kon hij niet. Er zijn mensen die niet over hun liefde kunnen praten, maar dat betekent niet dat ze die liefde niet voelen. Als er geen klanten bij de pomp waren, ging Stanley naar de basketbalpaal en probeerde hij de bal in het net te mikken. Papa kwam er dan bij zitten, op het verschroeide gras. Hij rookte de ene sigaret na de andere en keek toe. Vergeleken met zijn trefzekere jongere broer bakte Stanley er niet veel van. Maar zijn vader zag alleen de geslaagde worpen...

Een week voor papa's verjaardag belde Stanley zijn broer. Ze kletsten een vol uur over niks, wat Stanley best vond, zolang hij op een gegeven moment maar terloops papa's verjaardag ter sprake kon brengen. Had hij dat eenmaal voor elkaar gebokst, dan luisterde hij verder geduldig en blijmoedig naar Andrews opschepperij over zijn successen en naar zijn saaie uitweidingen over de natuurkunde. Zijn broer kon tegenwoordig nog maar over twee dingen praten: zijn successen en natuurkunde.

Papa's verjaardag. Gewoontegetrouw trok papa een wit overhemd aan en goot hij zich vanaf de vroege ochtend vol smerige zelfgestookte drank. Voor de koffie had hij het eerste glas al achter de knopen. Het tweede dronk hij tegelijk met de koffie, het laatste na middernacht. Andrew had niet gebeld. Toen papa moeizaam was opgestaan uit zijn leunstoel naast het telefoontafeltje en de kamer uit was gewankeld, liet Stanley zich met een rotgang vollopen. Het kostte hem een uur om net zo dronken te worden als zijn vader. Maar toch hield hij het niet uit. Nadat hij zijn zoveelste glas achterovergeslagen had, belde hij Andrews nummer. Hij herinnerde zich later zelf niet meer hoe vaak hij het die nacht had geprobeerd en hoe vaak hij de ingesprektoon had gekregen. Tussen zijn pogingen door had hij een paar keer de telefoniste gebeld, maar die verzekerde hem dat met de lijn alles in orde was. 'De abonnee voert kennelijk een lang gesprek, of hij heeft de hoorn er niet correct op gelegd.' Stanley kende zijn broer. Iedereen kon per ongeluk de hoorn er scheef op leggen, maar niet de pijnlijk nauwgezette doctor Andrew Bredford. En dat Andrew van middernacht tot vijf uur 's ochtends onafgebroken in gesprek was, daar geloofde hij ook geen zier van. Nooit was Stanley zo woedend op zijn broer geweest als die paar uur. Toch was die nacht, ondanks alle ergernis, onmacht en teleurstelling, heel belangrijk voor Stanley. Toen begreep hij voor het eerst wat het is om vader te zijn.

Hij ging terug naar New York toen hij van zichzelf zeker wist dat hij de drank kon laten staan. Hij werd geen geheelonthouder, maar hij liet het nooit meer uit de hand lopen. Hij had speciaal zondag uitgekozen als dag om terug te gaan – hij wilde alleen zijn. Rond middernacht ging hij naar het verlaten redactielokaal en ging hij achter zijn bureau zitten. In zijn oude map vol schroeigaatjes vond hij Lisa's 'doelijstje' voor morgen. Het was alsof er geen negen maanden uit zijn journalistenbestaan waren weggeknipt. Even later ging de telefoon. Arthur!

'Stanley, wil je alsjeblieft nu meteen je camera pakken en naar Wall Street komen? Er staat een idioot op de trappen van het beursgebouw die dreigt dat hij zichzelf zijn strot gaat afsnijden met een scheermes. De zestiende dit jaar. Maak een paar foto's en vis uit wie het is. Als we mazzel hebben, onthalst hij zichzelf en dan hebben wij de primeur. De vorige gek kwam niet verder dan dreigementen. Ik zou jou daar vandaag niet op zetten, maar die vent beweert dat hij familie is van Charles Mitchell. Dat is belangrijk. Dan hebben we echt een sensatie te pakken, zelfs als hij zich toch maar niet van kant maakt. De potentiële zelfmoord van een familielid van die kerel die jarenlang die stomme Wall Street-zeepbel heeft opgeblazen, dat mogen we niet missen. Mee eens, Stanley?'

'Natuurlijk, Arthur. Ik ga meteen. Dit is niet zomaar een zelfmoord. Ik ben er met een paar minuten.'

'Hoe is het met je, Stanley? Adrienne wil je ontzettend graag weer eens zien. Kom je vanavond? Ze zegt dat ze de laatste tijd vaak van je gedroomd heeft. Je hebt mazzel, jongen. Ik wou dat de vrouwen van mij droomden. Al is het maar mijn eigen Adrienne. Van één zeker rotwijf wil ik beslist niet dat ze van me droomt. Ze zit een heel eind weg, trouwens. Maar ik weet waar ze is. Stanley, ik hoef je toch niet haar telefoonnummer in Europa te geven?'

'Nee Arthur, dat hoeft niet.'

'Denk je nog aan dat mens van Parker? Je mag gerust liegen.'

'Ik denk nog aan haar.'

'Lieg je dat?'

'Ja.'

'Goed zo, jochie. Soms moet je gewoon liegen. Kom je vanavond zelf of moet ik een auto sturen?'

'Ik kom zelf.'

'En je neemt geen drank mee, Stanley?'

'Ik neem geen drank mee.'

'Wat neem je dan wel mee?'

'Een paar honderd foto's uit Pennsylvania.'

'Adrienne en ik verheugen ons op je komst, Stanley.'

Toen Stanley de hoorn erop had gelegd, wist hij pas echt zeker dat hij terug was in het normale leven.

~

Hij keek naar Anna, die niet had gewacht tot hij eindelijk antwoord gaf. Dat had hij vaker, de laatste tijd, dat hij iemands vraag ogenschijnlijk negeerde. Het was erfelijk. Opa Stanley gaf oma soms pas bij het avondeten antwoord op een vraag die ze bij het ontbijt had gesteld.

Ze sliep, met haar wang tegen de rugleuning van haar stoel. Hij keek naar haar. Haar warrige blonde haren glansden in de zwakke cabine-verlichting. Af en toe beet ze in haar slaap op haar lip en kneep ze haar ogen vaster dicht. Voorzichtig trok hij haar haar schoenen uit, legde haar in een makkelijker houding en dekte haar toe met zijn jas. Ze mompelde iets, maar werd niet wakker. Hij nam haar voeten in zijn handen om te voorkomen dat ze koud werden. Hij keek door het donkere raampje. En hij herinnerde zich weer die vreemde vraag van haar: 'Heeft jouw vriendin grote borsten?'

'Jouw vriendin.' Had hij een vriendin? Hij had nooit exclusieve rechten doen gelden op de vrouwen die hij ontmoette. Hij dook op in hun leven met alle bagage van zijn verleden – voor een paar dagen soms, of zelfs maar een paar uur – en hij vroeg ze nooit naast wie ze 's morgens wakker waren geworden en naar wie ze teruggingen na hun nacht samen. De eerste avond waren ze hem daar dankbaar voor. Maar ook daarna vroeg hij niets, en dan gingen ze zich onbehaaglijk voelen. Het was hem opgevallen dat vrouwen die hun man bedrogen – en dat deden ze haast allemaal – dolgraag over hun man wilden vertellen. Ze wilden hem op z'n minst even ter sprake brengen. Stanley begreep niet waar dat goed voor was. Wilden ze zich rechtvaardigen? Wilden ze bewijzen dat ze eigenlijk heel trouw waren en dat ze ook hem trouw zouden blijven? Dat ze hun man alleen maar bedrogen omdat ze liefde, aandacht, contact, tederheid tekortkwamen? Dat ze moe waren van zijn kilheid en onverschilligheid? Ja, waarschijnlijk bedoelden ze dat als ze over hun mannen praatten. Dan wist hij alvast wat ze van hém verwachtten. Maar hij had helemaal geen zin om naar die verhalen te luisteren. Het benauwde hem als ze illusies koesterden. En hij wilde ze absoluut niet aanmoedigen in die illusies! Hij wilde alleen maar dat de kortstondige affaire met zo'n vrouw voor hen allebei een feestje was. Een serieuze relatie betekende onherroepelijk het einde van dat feestje en het begin van de sleur. Natuurlijk, dat hoefde niet zo te zijn. Een relatie kon ook heel fijn zijn. Dan deed je als man blijmoedig boodschappen in plaats van dat je bloemen kocht. Maar dan moest je echt van die vrouw houden. Heus, hij wilde wel van iemand houden. Iedereen wil dat. Hij was er alleen nog niet aan toe geweest en daarom was hij serieuze relaties altijd uit de weg gegaan.

Maar dat was allemaal veranderd op die avond, dinsdag 13 februari 1945, toen zijn secretaresse Lisa met onverholen ergernis had gemeld dat 'er een zekere miss Doris P. in de wachtkamer zat die hem wilde spreken'.

Was Doris P. zijn vriendin? Ze waren ongelooflijk close geweest, die eerste en enige nacht samen. Het afscheid voor zijn vertrek naar Europa was heel bijzonder geweest. Ze had hem één geweldige brief geschreven. Maar dat alles was nog niet genoeg om te durven hopen dat Doris in New York op hem zat te wachten. En hij wilde zo graag dat ze op hem wachtte...

De cabineverlichting werd gedimd. Stanley strekte zijn benen, in de hoop dat hij in slaap zou vallen, en stootte met zijn voet tegen het pakje dat Cécile hem had gegeven. Hij had het op de grond gelegd en was het in alle drukte helemaal vergeten. Hij bukte zich en pakte het op. Hij beet het touwtje door dat om het pakje zat, haalde het ritselende papier eraf en zag een vierkante doos. Onder het kartonnen deksel lag een grammofoonplaat in een verkreukelde hoes met daarop een zwart-witfoto van een lege concertzaal met een vleugel in het midden, en de tekst: *Sergei Rachmaninoff Plays His Best Piano Concerts*. Er zat ook een zijden sjaaltje in de doos. Stanley vouwde het uit. Cécile had er met Oost-Indische inkt een notenbalk op getekend vol noten. Met haar sierlijke handschrift had ze erbij geschreven: *Prelude in c-klein*. Het sjaaltje rook naar haar parfum. Onder de grammofoon vond hij twee flessen whisky, gewikkeld in een wollen sjaal. Paddy Irish Whiskey, dezelfde die hij in dat winkeltje in Luxemburg had gekocht, voor tienmaal zoveel geld als in New York. Stanley hoorde het Cécile zeggen: 'Ik ben alle plaatselijke kroegen afgesjouwd om het te pakken te krijgen.'

Hij draaide de metalen dop met het klaverblad erop los, rook eraan en voelde een steek van weemoed. Hij was weer in Luxemburg, en in Trier... Toen viel hij in slaap.

Stanley werd wakker doordat iemand aan zijn schouder schudde en met een zaklantaarn op zijn gezicht scheen. Pattons adjudant was hun gedeelte van de cabine binnengekomen om te vertellen dat ze aanstonds een tussenlanding gingen maken in Gander om te tanken. Ze waren dus de oceaan al overgestoken en vlogen nu boven Canada. Even later daalde het vliegtuig naar de turbulentiezone. Anna greep Stanleys hand.

'Het duurt niet lang meer, hè?' vroeg ze angstig.

'Wat duurt niet lang meer?'

'Ik hou van je, vergeet dat niet...'

Ze landden. Eerst hoorde hij applaus vanuit het staartgedeelte, daarna het geluid van deuren die opengingen. Even later vulde koude, naar benzine ruikende lucht het vliegtuig.

Ze bleven ongeveer een uur staan in Gander. Toen ze weer waren opgestegen en het ergste schudden voorbij was, stond Anna op. Ze stond voor hem, met warrige blonde haren, grote angstogen en gezwollen lippen. Haar blouse was nat van het zweet en spande om haar volle borsten. Ze ging naar het toilet achter in het toestel. Even later klonk het applaus en gefluit dat Stanley al had verwacht.

'Wat een stelletje bronstige geile hengsten zit daar achter in het vliegtuig!' zei Anna vol afschuw toen ze terugkwam. 'Zijn alle Amerikaanse soldaten zo?'

'De meesten wel,' glimlachte hij. 'Maar ja, wat wil je? Ze staan al maanden droog en nu zijn ze eindelijk op weg naar huis.'

'Wanneer heb jij eigenlijk voor het laatst een vrouw gehad?' vroeg ze achteloos. Ze haalde een stel groene bankbiljetten van achter de riem van haar rok tevoorschijn. 'Kan je het je voorstellen? Ze duwden me geld in mijn handen! Stapelgek zijn ze...' Ze gooide hem de bankbiljetten in zijn schoot. 'Is dit in New York genoeg voor een goede fles wijn?'

'Wacht, ik zal het tellen. Wauw! Je hebt met één toiletbezoekje honderdtwintig dollar verdiend. Viermaal het weekloon van een New

Yorkse gemeenteambtenaar. Hier kan je een heel mooie jurk van kopen op 5th Avenue. Niet gek!'

'Wat kost een nieuwe Leica? Zo een als die van jou?' vroeg ze opgewonden.

'Zo eentje als die van mij? Laten we zeggen tien of twaalf keer zoveel.'

'Als ik nou eens mijn blouse en beha uittrek en dan nog een keer ga plassen, denk je dat ik dan genoeg geld scoor voor een Leica?'

Hij schaterde het uit, overtuigd dat ze een grapje maakte. 'Ik dácht het wel!'

Toen gebeurde er iets verbijsterends. Anna trok eerst haar blouse uit en maakte daarna langzaam haar beha los. Ze gooide de kledingstukken in zijn schoot.

'Oké, ik ga,' zei ze. 'Mag ik een sigaret van je?'

Hij sprong op en pakte haar schouder in een poging haar tegen te houden.

'Anna, het was maar een grapje! Niet doen!'

'Ik maakte ook maar een grapje,' antwoordde ze, en ze ging weer zitten.

Hij gooide zijn jas om haar schouders en ging naast haar zitten. Ze pakte zijn hand en duwde die tegen haar borst. Hij voelde haar hart als een razende tekeergaan. En hij was er nog niet zo zeker van dat het maar een grapje was geweest. Anna Marta Bleibtreu was onvoorspelbaar. Vooral wanneer ze iets heel graag wilde. Zo'n vrouw als zij had hij nog nooit ontmoet...

Ze landden. Hij herkende het vliegveld van Long Island. Hiervandaan was hij naar Europa vertrokken. Ze verlieten als laatsten het vliegtuig. Anna daalde de vliegtuigtrap af en bleef beneden staan. Ze keek nieuwsgierig om zich heen terwijl ze de viool tegen zich aan klemde.

'Nu gaan we naar New York, hè Stanley?' vroeg ze met een geknepen stemmetje.

'Ja. Het is niet ver.'

'Echt, Stanley? En pakt niemand jou van mij af?'

'Nee hoor, niemand.'

Eerst vertrok de colonne die Pattons auto escorteerde, en daarna een gele bus met de gewonde soldaten. Ze bleven alleen achter. Ondanks de stevige oceaanwind was het aangenaam warm lenteweer. Twee soldaten laadden de bagage uit het ruim en zetten die op het beton van het vliegveld. Stanley pakte hun koffers en zette ze neer bij de trap. Algauw kwam er een legerjeep aanrijden.

'Bredford en Bleibtrue?' riep de chauffeur.

'Nee.'

'Hu? Wie zijn jullie dan?'

'Bredford en Bleibtreu. Het rijmt op "boy",' antwoordde Stanley.

De chauffeur stapte uit, salueerde, overhandigde Stanley een verzegelde envelop en legde de koffers in de bagageruimte. Stanley gebaarde naar Anna dat ze moest instappen. Niemand controleerde hun paspoorten.

'We willen graag eerst naar Flatbush Avenue in Brooklyn, en vandaar naar Manhattan. Ik zeg wel waar je precies moet wezen,' zei Stanley. Vervolgens verdiepte hij zich in de uitvoerige instructies van Lisa.

Die schreef dat Arthur voor Anna gemeubileerde kamers had gehuurd vlak bij Flatbush Avenue, midden in Brooklyn. De huisbazin was een oude vriendin van Adrienne, en ze had verklaard dat ze 'alles zou doen om het miss Anna Bleibtreu naar de zin te maken'. De huur was alvast zes maanden vooruitbetaald. Het zou stukje bij beetje in mindering worden gebracht op het salaris van miss Bleibtreu, die met ingang van vandaag 'als stagiaire in dienst was van de uitgever van *The New York Times*'. Aangezien – hier citeerde Lisa letterlijk uit een brief van Arthur – 'die imbecielen van de immigratiedienst beweren dat miss Bleibtreu niet gerechtigd is te werken op het grondgebied van de Verenigde Staten' zou het salaris van miss Bleibtreu tijdelijk worden overgemaakt naar Stanleys rekening. Verder schreef Lisa, nog steeds Arthur citerend, 'dat deze voor miss Bleibtreu vernederende beslissing ongetwijfeld wordt herroepen zodra de bedrijfsjurist van de uitgeverij de besprekingen met de immigratiedienst op zich zal nemen, wat helaas pas mogelijk is vanaf het moment waarop wij beschikken over de originele persoonlijke documenten van miss Bleibtreu'. Aan Lisa's brief waren met een paperclip twee cheques bevestigd. De ene, van vierhonderd dollar, was op Anna's naam uitgeschreven door Adrienne; de andere, van tien dollar, door Lisa. Juist die laatste cheque, van tien dollar, ontroerde Stanley.

'Wat is er, Stanley?' vroeg Anna ongerust. 'Is er iets mis?'

'Nee hoor, integendeel. Het kan allemaal niet beter, Anna!' Hij drukte haar even tegen zich aan en gaf haar een knuffel.

Tijdens de hele rit hield Anna Stanleys hand vast en drukte ze haar neus tegen het portierraam. Een uur later waren ze in Tillary Street, in Brooklyn. Ze sloegen links af, Flatbush Avenue in en stopten even later bij het levensmiddelenwinkeltje waar Stanley wel eens sinaasappels en bananen kocht als hij in Brooklyn was. Hij had ooit een reportage gemaakt over de eigenaar, de Porto Ricaan Luis. De immigratiedienst had geweigerd zijn verblijfsvergunning te verlengen omdat de man zijn inkomsten niet zou hebben opgegeven aan de belasting. Dat was een leugen. Luis had de belasting helemaal niet opgelicht. Het was gewoon zo dat de mensen na Zwarte Dinsdag krap zaten en geen levensmiddelen meer kochten in zijn winkeltje. Ze gingen noodgedwongen naar de grote supermarkten zoals Key Food, waar ze goedkoper uit waren. Bovendien werden de aan de allerarmsten – en dat werden er steeds meer – uitgereikte voedselbonnen alleen geaccepteerd in de grote winkels. Dat hadden corrupte gemeenteambtenaren zo bedisseld. Stanley wist met zijn reportage in *The New York Times* te voorkomen dat Luis en zijn gezin werden uitgezet. Sindsdien stuurde Luis elke week een kist sinaasappels en bananen naar die krant. En het waren de lekkerste sinaasappels en bananen van de hele stad. Vers, rechtstreeks vanuit Cuba.

Stanley realiseerde zich dat hij al een hele tijd geen fruit meer had gegeten. Wie had kunnen denken dat hij nog eens zou watertanden bij de gedachte aan zoiets doodgewoons als een banaan of een sinaasappel? Hij ging de winkel in en kwam even later terug met een grote papieren zak vol fruit. Hij scheurde de zak kapot en schudde de inhoud uit in Anna's schoot. Een zalige, pittige sinaasappelgeur vulde de jeep.

Nu pas besefte Stanley echt dat hij terug was uit de oorlog.

New York, Brooklyn, zondag 11 maart 1945, vroeg in de ochtend

Het was buiten al licht toen Anna wakker werd. Ze keek op haar horloge. In Dresden was het nu middag. En in Königsdorf bij Keulen ook. Ze zou nu in de keuken aardappels hebben zitten schillen en af en toe van verveling een schil naar Slobbertje hebben gegooid, die bij het fornuis lag te slapen. Eergisteren vond ze zo'n leven nog een bezoeking, en nu verlangde ze ineens terug naar die keuken in dat stille, saaie huis van tante Annelise.

Ze stond op en liep op haar tenen naar het raam. Ze ging in de vensterbank zitten en stak een sigaret op. Op een gebouw bij de ingang van het park knipperde een reusachtige neonreclame. Anna deed voorzichtig het raam open en hoorde een vogelconcert. Neonreclames, die had je niet in Duitsland. Het leek allemaal op een mooie droom waaruit ze niet wakker wilde worden. Ze sloot haar ogen en ineens was ze weer in Dresden, in de Annenkirche. Wat was het nog maar kortgeleden. Nog geen maand... Ze legde haar hand op haar borst en voelde haar hart kloppen. Ze beet op haar lippen. Harder. Nog harder. Pas toen ze de zilte smaak van bloed proefde, deed ze haar ogen weer open. Het was waar. Ze leefde. Het was geen droom.

Ze keek haar kamer rond. Een ruime kamer die lekker naar lavendel rook. Overal lagen de linnen geurzakjes met gedroogde lavendelbloemetjes en -steeltjes. De meeste lagen in de badkamer, die behangen was met turkooizen behang. De wc-pot en de badkuip staken er verblindend wit bij af. Net als het porseleinen bidet, bijna een extravagante luxe in deze bescheiden omgeving. Het ding had Stanley gisteren op zijn lachspieren gewerkt.

Anna richtte haar blik op het piepkleine keukentje, een soort bezemkast waarin een gietijzeren gootsteen, een rekje met een roze gordijntje eromheen en een gasfornuis waren gepropt. In dit hele gebouw met zijn twee verdiepingen had zij als enige huurder een kamer met keuken! Astrid, haar huisbazin, was gisteren niet moe geworden dit te benadrukken toen ze Anna alle kwaliteiten van haar 'nieuwe nestje' uit de doeken deed.

~

Astrid Weisteinberger, een dame van even in de zestig, had hen gisteravond begroet op het trapje voor haar typisch New Yorkse huis, dat de afmetingen had van een flinke Duitse vakantiewoning. Ze droeg een zwarte, diep uitgesneden jurk, om haar hals prijkte een briljanten collier en haar lippen waren knalrood gestift. Ze stelde zich voor als een vriendin van Adrienne, de vrouw van Arthur, de uitgever van *The New York Times*. De achternaam noemde ze er niet bij. Het feit dat de uitgever van een vooraanstaande krant voor haar 'Arthur' was, moest duidelijk de nodige indruk maken op haar toekomstige huurster. En zonder overgang had ze er met een nogal snerpend stemgeluid aan toegevoegd: 'Ik ben joodse, en mijn familie in Europa heeft veel te lijden gehad van de Duitsers. U bent toch Duitse, of niet?'

Stanley had Anna bij haar arm gepakt. 'Kom, we gaan,' had hij haar toegefluisterd. 'Dit hoef je niet te pikken! Je slaapt vannacht bij mij.'

Anna had haar hand uitgestoken ter begroeting en was in die houding verstard. Stanley ging tussen haar en Astrid Weisteinberger in staan.

'Uw etnische afkomst interesseert ons... interesseert mij nu even geen zier, mevrouw Weisteinberger. Wat mij wél interesseert is dat de uitgever van *The New York Times* zes maanden huur naar uw rekening heeft overgemaakt voor miss Bleibtreu. Ik ga nu direct de uitgever van *The New York Times* bellen dat ze het huurcontract als ontbonden kunnen beschouwen. Ik wil dat u het geld ogenblikkelijk terugbetaalt, met rente. En u betaalt ook onze taxi naar Manhattan. Plus smartengeld voor de immateriële schade die u mevrouw Bleibtreu heeft toegebracht.'

Astrid Weisteinberger luisterde rustig en met een ondoorgrondelijk gezicht naar Stanleys tirade. Daarna stapte ze om hem heen en wendde ze zich in volkomen accentloos Duits tot Anna.

'Weet je, kindje, mijn vader is geboren in Ulm. En mijn jongste broer heeft op dezelfde school gezeten als Albert Einstein. Je weet toch wel wie Albert Einstein is? Een heel knappe Duitser. En een heel knappe jood. Je moet nooit naar journalisten luisteren. Die kunnen het allemaal heel mooi zeggen en nog veel mooier opschrijven, alleen komt er niks dan onzin uit. Hij belt maar een eind weg. Maar jij zult het hier heel goed naar je zin hebben, kindje. Ik heb de kamer met keuken voor je klaargemaakt. Vind je dat nou een knappe jongen? Echt waar? Hij is anders nogal schriel, en hij begint kaal te worden. En hij is toch een beetje te oud voor jou...'

Astrid gaf Anna een arm en nam haar mee de trap op. Stanley negeerde ze volkomen.

Anna draaide zich om naar hem. 'Kalm nou maar. Mevrouw Weisteinberger heeft me helemaal niet beledigd. Kom eens hier!'

Stanley liep gehoorzaam naar haar toe. Ze gaf hem een kus op zijn voorhoofd. 'Je wordt helemaal niet kaal, hoor.'

Ze klommen omhoog naar de tweede verdieping en liepen door een smalle gang. Bij het raam stond een enorme ficus in een enorme pot. Astrid Weisteinberger gooide een deur open en nodigde Anna met een trots gezicht uit om naar binnen te gaan. Ze ging stug door met Duits praten en Stanley straal negeren.

'Mijn lievelingskamer. Met keuken! Alleen voor jou, kindje. Je zult het hier erg naar je zin hebben. Maar we houden ons hier wel aan een paar huisregels. Ze tilde haar rechterhand op, met de handpalm naar binnen en de vingers gebogen, en begon op te sommen. 'Regel één' – haar pink ging omhoog – 'geen radio aan na halfelf 's avonds. Regel twee' – ze strekte haar ringvinger – 'we laten geen licht branden als we de kamer uit gaan. Ik betaal al meer dan genoeg aan die schurken van Con Edison.4 Regel drie, en dat is de belangrijkste' – haar middelvinger priemde in de lucht – 'we roken hier niet in bed. De neef van wijlen mijn laatste echtgenoot is met zijn sigaret in slaap gevallen. Neef dood, nou ja, hij was een Pool en een zuiplap, maar wat erger is: het hele huis in de as. Allemaal duidelijk, kindje?'

Anna had alles begrepen, maar dat gold niet voor Stanley. Die nam haar even mee naar de badkamer met de wc en het bad en het bidet om onder vier ogen met haar te praten. Hij gaf zich algauw gewonnen. Dat ze haar meteen in het gezicht had geslingerd dat ze een Duitse was kon niet, maar inderdaad, ze zou het hier wel naar haar zin hebben. Voordat hij wegging, zei hij: 'Ik ben hier maandagochtend om een uur of negen. Dan gaan we samen naar de redactie. Je kunt me altijd bellen. Als je je rot voelt of als iemand onaardig tegen je is, of gewoon als je Slobbertje mist.' Hij scheurde een velletje toiletpapier af en schreef zijn telefoonnummer erop.

'Stanley, je zult nooit begrijpen wat je voor me gedaan hebt. Ik begrijp het zelf nog niet eens helemaal. Weet je, Stanley, op een dag ga ik een foto maken van mijn dankbaarheid. Wat ik daarmee bedoel kan ik je op dit moment niet uitleggen. Maar het gaat me lukken, echt.'

Hij verliet de kamer samen met Astrid Weisteinberger en Anna bleef alleen achter. Ze lag op haar bed, at sinaasappels en huilde...

∽

Anna ging terug naar haar bed met een brandende sigaret in haar hand, waarmee ze huisregel drie van Astrid Weisteinberger schond. Ze luisterde naar de geluiden van de stad, maar hoorde alleen maar water door leidingen stromen en vogels kwetteren. Waar ze New York ook mee geassocieerd had, niet met waterleidingen en vogels. Anna had de klok wel vooruit willen zetten; ze kon niet wachten tot het licht werd. Toen het eindelijk zover was, strikte ze haastig haar schoenveters, schoot in haar jas, pakte haar camera uit haar koffer en verliet haar kamer. Heel voorzichtig, bijna op haar tenen, liep ze de trap af. Ze verstijfde iedere keer dat er een tree kraakte. Ze wilde nu niemand zien en met niemand praten. Het enige wat ze wilde was op straat zijn en oog in oog staan met deze stad. Zo zachtjes mogelijk draaide ze de sleutel om in het slot en liep ze het buitentrappetje af. Ze stond nog niet op het trottoir, of ze hoorde een sirene loeien.

~

Ze rende over straat en de sirene klonk luider en luider. Steeds harder rende ze, terwijl ze Lucas' handje stevig vasthield. Mama zette hen aan tot spoed. Ze rende zo hard ze kon. Opeens struikelde Lucas. Ze sleepte hem nog een stukje voort over het trottoir. Toen bleef ze staan en tilde ze hem op. Zijn Hitlerjugend-uniformpje zat onder het straatvuil. Hij huilde niet, maar lachte schuldbewust. 'Ik zal niet meer vallen. Beloofd!' zei hij. En ze renden verder...

~

Ze hoorde een luide kreet. 'Hé, bent u helemaal stapelgek geworden! Bent u levensmoe of zo? U liep zó onder een auto!'

Een nog jonge man had zich naast haar op één knie laten zakken en zocht grabbelend naar zijn bril, die op het asfalt gevallen was.

'Wat moet ik nou?' vroeg hij, meer aan zichzelf dan aan haar. 'Ik zie geen steek zonder bril. Ik kan uw gezicht niet eens goed zien. Is alles goed met u? Moet ik een ambulance bellen?' Om dat laatste moest hij ineens zelf lachen. 'Nee, een ambulance lijkt me niet wat u nodig heeft. Zegt u eens iets! Is alles oké?'

'Neem me alstublieft niet kwalijk. Ik dacht dat het de vliegtuigen waren. Ik rende met Lucas naar de schuilkelder en...'

'Wáár rende u naartoe? Over wat voor vliegtuigen heeft u het? En wie is Lucas? U rende hier alleen, over het trottoir. En ineens vliegt u bij het kruispunt zo de straat op, vlak voor een auto. Ik kon u nog net vastgrijpen. Heeft u een dokter nodig?'

'Nee, nee. Bedankt, dat hoeft niet. Alles is goed met me. Ik betaal natuurlijk de reparatie van uw bril.' Anna stotterde van verlegenheid.

'Daar valt niet veel meer aan te repareren.' Hij wees op zijn bril: het montuur en allebei de glazen waren gebroken. 'Het was toch al een oud, gammel ding hoor. Maakt u zich daar geen zorgen over. Kom, sta nu op. Als het lukt natuurlijk.' Hij stak haar zijn hand toe.

Ze greep de hand, krabbelde overeind en begon haar jas af te kloppen.

'Nogmaals mijn welgemeende excuses. Ik weet zelf niet wat er ineens met me aan de hand was.'

'Woont u hier in de buurt? Dan loop ik even met u mee naar huis. Welke kant moet u op?'

'Ik weet het niet precies. Hier vlakbij. Uit mijn raam zie je een groot park met platanen en esdoorns. En een grote neonreclame. Als je er met de auto naartoe gaat en afslaat bij Flatbush Avenue kom je langs een ziekenhuis.'

'Aha, ik weet het al. Dat park heet Parade Grounds. Dan woont u vast aan Woodruff Avenue of aan Crooke Avenue. Dat is vlak bij mij. Ik woon aan Woodruff, ik kijk ook uit op dat park. Die ambulance was natuurlijk op weg naar het ziekenhuis waar u het over had. Woont u hier al lang? Ik heb u nooit eerder gezien.'

'Sinds gisteren.'

'O, op die manier! Dan snap ik het. En waar woonde u eerst, als ik vragen mag?'

'De laatste paar dagen in de buurt van Keulen. Maar ik kom uit Dresden.'

'Wát zegt u?' riep hij verbaasd.

'Dresden. In Duitsland. Ik ben Duitse.'

'Dresden? Hét Dresden?'

'Wat bedoelt u?'

'Dresden, dat niet meer bestaat?'

'Zo zou je het kunnen zeggen.'

'"De laatste paar dagen",' herhaalde hij peinzend. 'Vergist u zich niet? Neemt u me alstublieft niet kwalijk, maar was u daar in februari, toen...'

Ze liet hem niet uitpraten. 'Ja,' zei ze kortaf. 'Ik betaal natuurlijk uw bril. De eerstvolgende keer dat ik u tegenkom. Of dat u mij tegenkomt.'

'Vergeet die bril toch, dat stelt niks voor. Ik wilde allang een nieuwe kopen. Ik heet trouwens Nathan. Hoe heet jij?'

'Anna. Is er hier een kerk in de buurt?'

'Een kerk? Hier?' antwoordde hij verbaasd. 'Het stikt hier van de kerken. Wat voor kerk wil je? Van wat voor religie, bedoel ik?'

'Dat maakt niet uit. Het gaat me niet om een religie. Ik wil gewoon naar een kerk.'

'Je loopt er vanzelf tegen eentje aan. In deze wijk zijn meer kerken dan scholen. Alleen zijn ze nog dicht. Ze gaan om een uur of negen open.'

'Sorry Nathan, maar ik wil even alleen zijn. Ik leg het je later wel uit.'

'Natuurlijk, natuurlijk,' knikte hij. 'Iedereen in deze stad houdt van de eenzaamheid. En ook als ze er niet van houden, zijn ze toch eenzaam.'

Haastig liep ze verder. Toen ze even bleef staan en omkeek, zag ze dat de jongen nog op de plaats stond waar ze hem had achtergelaten.

Het schemerde al toen ze thuiskwam nadat ze een hele dag doelloos had rondgezworven. Helemaal zeker wist ze het niet, maar volgens haar was ze één keer buiten Brooklyn geweest. Dat was toen ze een reusachtige brug overgegaan was. Toen moest ze in Manhattan zijn geweest. Ze was de enige voetganger op de hele brug, en alle auto's toeterden naar haar. Aan de andere kant van die brug, waar geen eind aan leek te komen, was ze op een houten bank gaan zitten om uit te rusten. Vlak voor zich zag ze een bord met FRANKFORT STREET erop. Ze schoot even in de lach.

Anna liep langs de andere kant van de brug terug naar Brooklyn. Ze keek de diepte in, naar het water. Was het een rivier? Of een inham van de oceaan? In Brooklyn dwaalde ze een hele tijd door smalle straatjes, met lage, dicht opeen staande huizen. Er waren hier heel veel kleine winkeltjes, die allemaal hun waren hadden uitgestald op het trottoir. Op de deuren en etalages zag ze Italiaanse, Griekse, Russische, Spaanse, Arabische, Poolse en Hebreeuwse opschriften. Sommige talen herkende ze niet eens. Op een gegeven moment waren bijna alle winkeltjes Pools. Het leek sprekend op de oude brons- en crèmekleurige foto's in het album van oma Marta. Ze besloot niet terug te lopen naar het water en kwam even later bij een vervuild ogend metrostation. Haaks boven elkaar waren aan een paal twee borden bevestigd: GREENPOINT AVENUE en MANHATTAN AVENUE. Uit het metrostation kwam een stroom mensen. Anna bekeek ze aandachtig. Vrouwen met kleurige jurken, besnorde mannen met blauwe baretten of hoeden op, kinderen met veel te lange jasjes die tot aan hun enkels kwamen en die zich angstvallig vastklampten aan moeders rokken – oma's foto's uit Opole kwamen hier tot leven. Ze mengde zich in de mensenmassa en liep mee tot aan de trappen van een kerk, maar ze ging niet naar binnen. Ze wilde een kerk in, vandaag nog, maar daar mocht verder geen sterveling zijn...

Van de kerk in Greenpoint daalde ze via een labyrint van sprekend op elkaar lijkende straatjes af naar een gigantisch waterbekken. Dit was duidelijk geen rivier; het leek eerder een zee of een groot meer. Ze voelde haar voeten niet meer van vermoeidheid en ging op een betonnen balustrade zitten. Het waaide hier hard. Ze sloeg haar kraag omhoog en stak een sigaret op. Vanaf een steiger vertrok juist een veerboot met op de flank in reusachtige letters het opschrift JAMAICA BAY FERRY SERVICE.

De laatste keer dat zij op een boot had gevaren, was in die vakantie met papa en mama naar Sylt. Wie had kunnen denken dat die onvergetelijke avond op het strand haar leven zou veranderen? Al had ze soms het gevoel dat papa het had geweten.

De veerboot werd kleiner en kleiner en verdween ten slotte achter de horizon. Anna gooide haar peuk in het water, drukte haar camera tegen zich aan en ging terug naar de straat. Het begon te schemeren, en ze wilde voor donker thuis zijn. Maar hoeveel haast ze ook had, telkens als ze een sirene hoorde bleef ze onwillekeurig staan en zocht ze een muur of de dichtstbijzijnde boom op. Dan deed ze haar ogen dicht en stopte ze haar vingers in haar oren.

Zo'n twee uur later was ze weer in Flatbush Avenue. De straat baadde in het licht van neonreclames en koplampen. Op beide trottoirs bewoog zich een luidruchtige menigte voort. Bij het ziekenhuis aan Woodruff Avenue sloeg ze rechts af. Na een paar honderd meter was van het straatrumoer al bijna niets meer te horen. Alleen een enkele auto verbrak de stilte. Ze herkende de silhouetten van de platanen en esdoorns in het park.

Ineens realiseerde ze zich dat ze de huissleutel niet had meegenomen. Ze klopte aan. Astrid Weisteinberger verscheen op de drempel in een zwarte zijden peignoir. In de ene hand hield ze een sigaret in een sigarettenpijpje, in de andere een glas rode wijn.

'Ah, daar ben je, kindje! Ben je de stad wezen verkennen? Iedereen is op zoek naar je. Die redacteur heeft geloof ik wel duizend keer gebeld. En mijn vriendin Adrienne ook,' ratelde ze zonder haar sigaret uit haar mond te nemen. 'En een uurtje geleden is hier een slecht geschoren joodse jongeman voor je geweest. Hij zei dat hij Nathan heette. Vreemde jongen, hij stelde allemaal vragen over je. Hij had een of ander document bij zich met jouw foto erop. Je rijbewijs zeker? Hij had het vanmorgen in de struiken gevonden. Wie loopt er nou in de struiken te snuffelen? Alleen een viespeuk toch? Wees maar voorzichtig met hem! En héél vreemde jongen. En zo goed als blind. Wees maar voorzichtig...'

Anna tastte in haar jaszak. Haar paspoort! Stanley had het haar in het vliegtuig teruggegeven. Ze moest het verloren zijn toen die jongen haar weer de stoep op getrokken had.

'Heeft hij het aan u gegeven?'

'Nee, dat wilde hij niet. Hij was ontzettend achterdochtig. Hij kwam morgen wel terug, zei hij. Zeg, hoe zit dat met die struiken? Vertel eens eerlijk, kindje.'

'Een andere keer, mevrouw Weisteinberger. Ik ben erg moe.'

'Wie Sie wollen, Fräulein,' antwoordde ze, hoorbaar gepikeerd.

Anna liep vlug de trap op. In haar kamer gooide ze haar jas uit en plofte ze zonder zich uit te kleden op haar bed. Ze sliep binnen een paar seconden.

New York, Brooklyn, maandagochtend 12 maart 1945

Om acht uur 's ochtends stond Anna voor het raam uit te kijken naar Stanley. Ze rookte de ene sigaret na de andere. Als hij kwam, wilde ze daar helemaal klaar voor zijn. Ze moest er tiptop uitzien. Ze had de inhoud van haar koffer uitgestort op de grond en liep telkens naar de spiegel in de badkamer. Het enige passende wat ze bezat voor deze dag was haar jurk. De jurk die ze in Dresden de laatste dag had aangehad in de catacombe. Verder had ze niets. Geen onderjurk, geen ondergoed, geen wit tasje, geen behoorlijke schoenen...

Toen Stanley om een uur of tien eindelijk op kwam dagen en voor het huis claxonneerde, zat ze in haar enige jurk op haar bed en stak ze net de zoveelste sigaret op. Ze voelde zich naakt en het huilen stond haar nader dan het lachen. Geschrokken sprong ze op toen Stanley haastig de kamer binnenkwam.

'Stanley, sorry! Ik wilde er vandaag zo graag goed uitzien! Het is zo'n bijzondere dag, voor jou en voor mij, en ik heb niks om aan te trekken. Helemaal niks. Alleen deze jurk.'

Wel een minuut lang keek hij naar haar. Toen liep hij langzaam naar haar toe en zei: 'Weet je nog, toen in Königsdorf? Toen ik mijn hoofd tegen je buik duwde? Echt, je hebt zelf geen flauw idee hoe sexy je eruitziet. Kom, pak je jas en doe je schoenen aan. We gaan even iets voor je kopen in de stad. Anders zal Matthew... Had ik je al verteld over Matthew? Nee? Nou, dat doe ik een andere keer dan wel. Als het goed is maak je vandaag trouwens kennis met hem.'

Onderweg in de auto 'legde hij haar de stad uit'. Hij vertelde niet, nee, hij legde uit. Waar de metrostations waren die ze nodig had. Waar het duur was en waar goedkoop. Naar welke musea ze beslist toe moest. Het verschil tussen Brooklyn en Manhattan, en tussen Harlem en The Bronx. Ze was helemaal geobsedeerd door het stedelijke landschap dat aan haar oog voorbijtrok en nam weinig op van wat hij allemaal zei. Op Manhattan Bridge kwamen ze in een vreselijke file terecht – de eerste in haar leven. Berlijn, waar ze wel eens met een schoolreisje naartoe was geweest, was hiermee vergeleken een dorp.

Ze stopten voor de enorme etalages van een winkel aan 5th Avenue. Anna had de naam van die straat al eerder horen noemen. Een verkoopster stevende op hen af zodra ze binnen waren.

'Deze jongedame is op zoek' – hij knikte in Anna's richting – 'naar eh... Zeg Anna, wat wilde je eigenlijk kopen? Leg het zelf maar uit aan mevrouw hier.'

Ze was vergeten wat een onderjurk in het Engels was. Ze probeerde het uit te leggen, maar tevergeefs, en besloot het op een aanschouwelijke manier uit te leggen, door simpelweg haar jas uit te doen. Daar stond ze, in een vrijwel doorzichtige jurk, zonder beha en zonder slip eronder, en met herenschoenen aan haar voeten. De verkoopster was met stomheid geslagen. Stanley grinnikte even en kneep ertussenuit. Hij installeerde zich op een leren bank bij de ingang.

'*I need something under this dress*,' zei Anna tegen de verkoopster. Ze bracht haar handen tegen elkaar in een smekend gebaar.

Het meisje keek de winkel rond. Toen nam ze de vreemde klant bij de arm en troonde haar mee naar een wand vol spiegels.

Toen Anna weer buiten stond, had ze onder haar jurk een lichte, crèmekleurige onderjurk, nylonkousen met een naad, een witte kanten beha en een slipje aan. Ze liep nu op pistachekleurige pumps met een lage hak, die prachtig kleurden bij haar jurk. Tasjes verkochten ze niet in de winkel. Gelukkig maar: Anna was als de dood dat Adriennes cheque niet toereikend was voor al die dingen. Maar ze kreeg de kans niet haar cheque te laten zien. Stanley liet zijn visitekaartje achter bij de kassa en verzocht de rekening naar de redactie te sturen. Ze waren de winkel nog niet uit, of Anna vloog hem om de hals. Opgewonden riep ze uit: 'Stanley, je hebt nog helemaal niet gezegd dat ik er mooi uitzie. Zie ik er mooi uit zo?'

In de auto zei ze niets. Ze beet nerveus op haar lippen en duwde de hele tijd haar kapsel in model. Er was geen weg terug voor haar: ze waren op weg naar de redactie. Hoe ongeduldig Anna ook naar dit moment had uitgekeken, nu het zover was, zag ze ertegen op als een scholier die eindexamen gaat doen. De redactie van *The New York Times*! Nog een paar minuten, dan waren ze er! En ze zou er blijven, als fotografe! Ze kneep zich in haar arm. Dat deed pijn, dus ze droomde niet.

Ze reden een paar keer Times Square op en neer, tussen auto's door slalommend en telkens stoppend voor overstekende voetgangers. Stanley kon geen parkeerplek vinden en ergerde zich blauw. Eindelijk reed een bestelauto weg bij een wolkenkrabber. Vlug legden ze beslag op de vrijgekomen plek. Ze stapten uit. Boven een draaideur stond met enorme letters NEW YORK TIMES BUILDING. Anna moest de aanvechting overwinnen om hard weg te rennen. Ze hield Stanleys hand stevig vast. Hij voelde haar angst en haar spanning. In de lift naar boven fluisterde hij, zonder zich iets aan te trekken van de andere passagiers, in haar oor: 'Anna, ze kijken uit naar je komst. En je zult het heel fijn vinden, zeker weten.'

Ze gingen de lift uit en liepen een korte gang door naar een glazen deur. Stanley drukte op de bel. Anna deed een stap naar achteren en ging achter zijn rug staan. Uit de intercom klonk een vrouwenstem: 'New York Times. Wat kan ik voor u doen?'

'Ik ben Bredford. Stanley Bredford.'

Er kwam een luide gil uit de intercom. 'Stanley! Stanleyeyeye!!!'

Een seconde later stond aan de andere kant van de deur een dikke vrouw met een zwarte pruik op. Ze gooide de deur wijd open en ze betraden het redactiebureau.

'Stanley, Stanley! Eindelijk, daar ben je,' herhaalde de vrouw telkens weer. Ze omhelsde en beklopte hem. 'Waarom heb je niet gebeld? Gottegot, wat ben je mager geworden! Arthur belt elk uur uit Washington, hij kijkt zo uit naar je komst... En Matthew ook. En Adrienne. Waarom heb je nou niet gebeld? Dan had ik een appeltaart gebakken. Stanley, ach jongen toch, wat ben ik blij dat je er weer bent. Wacht, ik zal je een beetje toonbaar maken...' Toen pas zag ze Anna achter hem staan. Ze veegde haar tranen uit haar ogen, stak Anna de hand toe en zei: 'Dag, ik ben Lisa. Ik ben zijn secretaresse. En vanaf nu ben ik... En u bent natuurlijk miss Anna Marta Bleibtreu.'

Anna deed haar best om niet te bibberen. Ze knikte alleen maar. De vrouw drukte haar stevig de hand en vervolgde: 'En vanaf nu ben ik ook uw secretaresse.'

Stanley pakte Anna's hand en trok haar mee. Ze liepen snel langs een lange glazen scheidingswand. Voor sommige gedeelten hingen jaloezieën. Ze betraden een kamer die rook naar rozen en tabak. Aan de muren hingen foto's, van de plint tot het plafond. Midden in de kamer stonden twee bureaus, waarvan er één maagdelijk leeg was. Ze waren nog niet binnen of de telefoon rinkelde. Stanley wees Anna een kapstok bij de deur aan en liep vlug naar het toestel toe. 'Stanley Bredford,' zei hij in de hoorn.

Anna hing haar jas op en liep aarzelend naar het lege bureau toe. Op de rand van het bureaublad stond een zwart naambordje. Ze luisterde naar het telefoongesprek en liet intussen haar vinger over de witte letters glijden die in de zwarte kunststof waren gegraveerd.

'Hé, jongen! Nou en of ik nog leef! Nee Matthew, nu even niet. Wip straks maar even aan. Ik moet eerst even uit het raam kijken en wat papierwerk doen. Er zal wel een hoop werk op me liggen wachten. Een uurtje of twee, oké? Nee... drie. Nee, daar wil ik nu niet over praten, Matthew. Dat is heel persoonlijk... Nee, Bleibtreu. Ja, ze zit naast me. Daar moet je zelf maar over oordelen, Matthew, maar jou kennende denk ik dat je helemaal weg van haar zult zijn. Natúúrlijk wil ze kennis met je maken, Matthew. Maar over twee, eh... drie uur, niet eerder.'

Hij legde de hoorn erop en liep naar Anna toe. Toen zag hij het naambordje.

'Krijg nou wat! Geniaal! En ze hebben je naam helemaal goed gespeld. Da's Lisa d'r werk, kan niet missen.'

'Stanley, als je iets persoonlijks moet bespreken, moet je het zeggen hoor. Dan ga ik gewoon even de kamer uit.'

'Niks daarvan. Dit is ónze kamer. Je hebt hier precies evenveel rechten als ik. Ik zal trouwens eerst eens een telefoon voor je regelen.' Hij pakte de telefoon.

'Lisa, lieverd, Anna heeft nog geen eigen telefoon en eigen doorkiesnummer. Wat, had de technische dienst het beloofd? Het had gisteren klaar zullen zijn? Nou, ze wurgen lijkt me een beetje overdreven. Zeg, en ze moet visitekaartjes hebben. O, die zijn er al! Waar? Oké, in de linkerbovenla van haar bureau. Wat vertel je me nou?! Kun je dat nog een keer zeggen, Lisa?' Hij was ineens opgewonden, merkte Anna. 'Uit wat voor potje heb je dat betaald? Hoezo, niks potje? Van wie? Van Adrienne? Echt waar?'

Hij legde de hoorn neer, drukte zijn sigaret uit in de asbak en liep naar Anna toe. Hij pakte haar bij de hand en nam haar mee naar een kast die tussen het raam en een kamerhoge stellage vol grijze ordners stond. Hij maakte de kast open, reikte naar de bovenste plank, draaide zich om naar Anna en gaf haar een doos met een breed lint eromheen. Zijn handen trilden, zag ze.

'Dit is voor jou, van Adrienne,' zei hij. Zijn stem klonk een beetje hees.

Ze maakte het lint los en trok vol ongeduld het papier van de doos. Voorzichtig haalde ze de camera eruit en legde hem midden op het bureaublad. Ze liep een paar keer om het bureau heen. De tranen stroomden uit haar ogen.

'Stanley, wil je thee? Je drinkt toch wel thee, hè?' fluisterde ze.

'Ja, graag. Zonder suiker. Weet je nog? Kom, we gaan, je hebt nog tijd genoeg om blij te zijn.'

Hij gaf haar een zakdoek aan, en toen ze weer gekalmeerd was gingen ze hun kamer uit en betraden ze het redactiebureau, die reusachtige gonzende bijenkorf. Ze liepen door een doolhof van gangetjes tussen stellingkasten en bureaus door. Van alle kanten klonk geratel van telexen, gerinkel van telefoons, gehamer van schrijfmachines, er klonken flarden van gesprekken. Stanley stelde Anna voor aan zijn collega's.

'Hé, hoe is het met je?'

'Mag ik je Anna Marta Bleibtreu voorstellen? Ze is onze nieuwe medewerker.'

'Hé, onze soldaat! Eindelijk, daar ben je weer!'

'Prettig met u kennis te maken, miss...'

'Ik moet even naar Matthew,' zei Stanley opeens. 'Hij vergeeft het me nooit als hij ons hier tegenkomt. Hij moet altijd de eerste en de enige zijn. Zo terug!' En hij verdween in de richting van een werkkamer met jaloezieën voor de ramen.

Anna liep naar het raam. Leunend tegen de vensterbank stak ze een sigaret op. De meeste vrouwen die langsliepen keken nieuwsgierig naar haar. In hun ogen las ze misschien geen vijandigheid, maar toch wel een zweem van afkeuring. De mannen daarentegen waren een en al glimlach. In de paar minuten dat Stanley weg was, hadden sommigen van hen kans gezien al een paar keer voorbij te komen.

Ze wist zelf niet meer hoeveel ogen haar aandachtig hadden opgenomen, hoeveel handen ze had geschud. Eindelijk nam Stanley haar mee naar een deur met het opschrift FOTOLABORATORIUM. Ze betraden een donkere gang die alleen verlicht werd door een knipperend rood lampje en kwamen bij een tweede deur, brandweerrood geschilderd en voorzien van het opschrift, in witte letters: DO NOT EVEN THINK THAT YOU CAN OPEN THIS DOOR. Stanley drukte op de rode belknop.

'Wie is daar?' klonk een hese, gemelijke stem.

'Max! Doe je even open?' zei Stanley.

'Stanley, ouwe rukker! Eindelijk! Heb je je sigaret uitgedaan?'

'Ik rook niet. Op dit moment niet, tenminste.'

In de deuropening verscheen een lange, breedgeschouderde man in een witte laboratoriumjas. Op zijn wang zat een groot litteken. Hij liet hen binnen en knalde de deur achter hen dicht. Anna rook de vertrouwde geur van reagentia. Ergens in de verte was muziek te horen. De man drukte Stanley stevig de hand en wendde zich tot Anna. Zonder zich voor te stellen, vroeg hij: 'Is dat negatief van u?'

Anna zei niets. Ze voelde zich een beetje geïntimideerd.

'Heeft u dat negatief gemaakt? Bent u dat die Dresden heeft gefotografeerd?' herhaalde hij, ditmaal met enige stemverheffing.

'Max, wat heb je?' vroeg Stanley een beetje ongerust.

'Ik bedoel de foto in de kerk,' drong hij aan. Hij keek Anna strak aan en leek Stanley niet op te merken.

'Nee, die foto is van Stanley,' antwoordde ze. Ze begreep niet helemaal wat die man van haar wilde.

'Oké. U bedoelt dat Stanley ze heeft afgedrukt. Dat snap ik. Maar u heeft die foto's toch gemaakt?'

'Ja, ik...'

'Weet u' – ze bespeurde een vreemde opwinding in zijn stem – 'in dit lab heb ik zulke foto's nog nooit gezien. En ik werk hier al meer dan twintig jaar. Tweeëntwintig jaar om precies te zijn. Duizenden foto's heb ik in mijn leven bekeken. Nee, tienduizenden. De meest uiteenlopende foto's. Veel ervan waren doordrenkt van pijn en lijden, want aan pijn en lijden ontbreekt het niet in deze stad. Maar toen ik uw foto's zag heb ik voor het eerst in mijn leven mijn bril opgezet en vol ongeduld gewacht tot ze droog waren. En toen... toen móést ik roken. Ik rook al zeven jaar niet meer, sinds mijn hartinfarct. Gelukkig had Brenda, mijn assistente, die avond geen sigaretten bij zich.' Nu glimlachte hij. 'Ik heb uw foto's uitvergroot. En ik heb Brenda opdracht gegeven er een expositie van te maken. Wilt u ze zien?' vroeg hij trots.

'Nee, niet vandaag. Vandaag wil ik niet terug naar Dresden. Begrijpt u het alstublieft! Ik heb vandaag...'

'Nee? Dat snap ik. Sorry. Maar als u wilt komt u hier maar naartoe. Ik ben Maximilian Sikorsky. Iedereen hier kent me.'

Anna gaf hem een hand. 'Anna Bleibtreu.'

'Max. Je bent hier altijd welkom.'

'Daar krijg je spijt van, Max,' merkte Stanley op. 'Ze is hier vast niet weg te slaan. Anna heeft op dat punt een tic, ze is een fotojunk.'

Toen ze terug waren in hun kamer stond op Anna's bureau een zwart telefoontoestel. Ernaast lagen een papiertje met het nummer en een stapeltje visitekaartjes.

'Stanley,' fluisterde ze, 'heb ik vandaag al tegen je gezegd dat je een schat bent?'

Hij ging glimlachend in zijn stoel zitten en verdiepte zich in de papieren die op zijn bureau lagen. Af en toe greep hij de telefoon, praatte even met iemand en maakte een paar aantekeningen in zijn agenda. Soms stond hij op om een ordner uit de stellingkast te trekken.

Anna deed een filmpje in haar camera en ging ermee op de grond zitten, naast Stanleys stoel, als een klein meisje met haar nieuwe speelgoed. Ze aaide Stanley over zijn bol, pakte zijn hand en drukte er een kus op, maakte een foto van zijn voeten. Daarna ging ze op haar rug liggen en fotografeerde ze het plafond. Ze kroop onder Stanleys bureau en fotografeerde vanuit die positie de kamer. Opeens werd er energiek op de deur geklopt. Er kwam een man binnen met modderige schoenen aan zijn voeten en gekleed in een grijze broek met iets te lange pijpen. Anna zag alleen zijn benen tot aan de knieën.

'Stanley!' riep de man. 'Net terug uit de oorlog, en je gedraagt je alsof je even weg bent geweest in de lunchpauze. Dag kerel!'

'Dag Matthew!'

De schoenen van de man bewogen zich naar Anna toe.

'Je moet me alles vertellen. Morgen misschien? Ik stuur Mary de keuken in, dan kan die iets lekkers koken, iets Pools, daar hou je van, dan kletsen we bij en zetten we het op een zuipen. Iedereen is hier in alle staten. Omdat jij terug bent, maar vooral door dat moffinnetje dat je daar hebt opgeduikeld in de loopgraven. Bij alle mannen spuit het sperma hun oren uit! Een tieten dat ze schijnt te hebben! Bij haar vergeleken is Dorian Leigh een strijkplank, zeggen ze. Ze hadden haar wel zo op schoot willen trekken. En volgens de dames is ze poepchic gekleed en moet je voor de laatste mode blijkbaar naar Dresden. Ik had toch wel gedacht dat ik als jouw beste vriend dat wonder als eerste had mogen aanschouwen. Maar kennelijk had ik het mis. Voor de zoveelste keer. Waar heb je haar verstopt, smerige egoïst?'

'Matthew, hoe kan je zoiets zeggen! Ik verstop haar helemaal niet. Ze zit keurig op haar knietjes onder mijn bureau,' zei Stanley met een uitgestreken gezicht.

Matthew hinnikte oorverdovend. 'Je hebt wel gevoel voor humor gekregen daar in Europa, ouwe viespeuk!'

Anna streek vlug haar haren recht, bevochtigde met haar tong haar lippen en maakte de bovenste paar knoopjes los op de rug van haar jurk, zodat je een naakte schouder zag en haar linkerbehabandje. Ze kroop onder het bureau vandaan, kwam overeind en liep naar Matthew toe. Met haar ogen een beetje dichtgeknepen en demonstratief aan haar lippen likkend fluisterde ze zo zwoel als ze kon: 'Anna Marta Bleibtreu. Aangenaam...'

Matthews gezicht werd eerst roze en toen knalrood. Hij gaf haar een hand maar durfde haar niet aan te kijken.

'... kennis met u te maken,' voegde ze er na een korte, veelbetekenende pauze aan toe.

'Stanley, ik kom dit materiaal straks wel langsbrengen, het heeft niet zo'n haast,' mompelde Matthew, en hij rende als een speer de kamer uit.

Tijdens de hele scène had Stanley zijn handen tegen zijn mond gedrukt gehouden. Nu sprong hij op, viel voor Anna op zijn knieën en sloeg met zijn vuist op de grond, brullend van het lachen.

'Dit zal hem nog lang heugen, de geile aap. Je was fenomenaal!'

Ze bleven tot laat in de avond op hun kamer. Anna zat aan haar bureau en noteerde vlijtig als een scholier alles wat Stanley vertelde in haar schrift. Over het project waaraan ze gingen beginnen, hoe je je als fotograaf moest gedragen op een plaats delict of bij een ramp of bij een interview, hoe je je informatie vergaarde, en dat je soms een tweede of zelfs een derde keer terug moest naar de locatie waar je foto's had genomen. Hoe je de werkelijk belangrijke dingen kon onderscheiden van wat alleen maar belangrijk leek. Hij vertelde over de lange weg die een foto moest afleggen voordat hij in de krant werd afgedrukt. Over de papierwinkel die eraan te pas kwam. Hij wijdde haar in in de fijne kneepjes van het werk van een fotojournalist, liet haar foto's zien en reconstrueerde samen met haar de beschrijvingen en verslagen van andere redacteuren; hij legde uit waarom sommige foto's de krant haalden en andere niet, hoewel je zou zeggen dat ze beter waren. Hij legde uit aan wat voor eisen een foto voor de voorpagina en de achterpagina moest voldoen, en welke eisen golden voor de minder prestigieuze binnenpagina's. Hij praatte over de verantwoordelijkheid van een verslaggever. Over het recht dat mensen hebben op een privéleven, over beroepsethiek, dingen die in Amerika nog niet in de wet waren vastgelegd, maar die voor medewerkers van *The New York Times* een ongeschreven regel waren.

Hij overstelpte haar met informatie, antwoordde op haar vragen, stelde zelf vragen. Voor het eerst merkte ze dat de emotionele, verstrooide, romantische Stanley als het om zijn werk ging een veeleisende, compromisloze professional was. Toen ze weer eens een luide zucht slaakte, begreep hij eindelijk dat Anna niet meer in staat was nog meer informatie op te nemen. Hij zette er voor het moment een punt achter en stelde voor een kop koffie te gaan drinken in de keuken.

Het gegons in de redactiebijenkorf was verstomd. Er brandden nog maar een paar bureaulampen. Stanley nam haar mee naar een tamelijk smalle maar zeer lange ruimte waarin tegen één muur lage tafels stonden met gasstellen erop en tegen de andere vier meer dan manshoge koelkasten. Ze hadden alle vier een andere kleur; eentje was roze, wat Anna in verrukking bracht. Naast de koelkasten hing een kastje met glazen deurtjes; op de bovenste plank stonden blikken en lagen zakjes in allerlei kleuren, en op de twee onderste stonden kopjes. Op een houten sidetable, onder het raam en naast de gootsteen, prijkte een reeks geëmailleerde theepotten.

Stanley zette koffiewater op.

'Wanneer heb jij voor het laatst koffiegedronken?' vroeg hij even later, toen hij zag hoe ze met van genot dichtgeknepen ogen elk slokje proefde.

'Ersatz van graan of echte, zoals deze?'

'Ik wist niet dat je van graan koffie kan maken,' verbaasde hij zich. 'Van graan kan je toch alleen maar wodka stoken? Vooral de Polen zijn daar sterren in.'

'Geloof me, het kan echt. En die wodka waar je het over hebt, die hebben mama en ik gedronken toen we voor het laatst samen aten, op dinsdag 13 februari. Wanneer ik voor het laatst echte koffie heb gedronken van echte koffiebonen zou ik niet eens meer weten. Ik denk op 20 april 1944, Hitlers verjaardag. Toen kon je in Dresden opeens chocolade en echte koffie kopen...'

Stanley knikte begrijpend, maar Anna betwijfelde of hij zich iets kon voorstellen bij dat 'kon je opeens kopen'. Niemand hier kon dat begrijpen volgens haar, zelfs de bedelaars niet die ze had gezien tijdens haar wandeling door Brooklyn. De lange rijen zenuwachtige, getergde, wrokkige mensen voor de winkels; de scheldpartijen, vernederingen, vechtpartijen zelfs; en dan het onbeschrijflijke geluk van iemand die met een ons koffie in een grauw zakje en een reep chocola naar buiten komt en naar huis vliegt. Nee, zoiets kon Stanley niet begrijpen!

Hij haalde een pakje sigaretten uit de zak van zijn colbert. Ze staken een sigaret op en vervolgden hun gesprek over het werk. Ditmaal kwam er geen theorie aan te pas, het ging over Anna's naaste toekomst.

Voorlopig zouden ze samenwerken. In elk geval tot het einde van de maand. Ze zouden ieder alles fotograferen, met twee camera's. Arthur zou scheidsrechter zijn, hij besliste welke foto's in de krant kwamen. Intussen zou Anna 'de stad inademen en doortrokken worden van de atmosfeer ervan', en zou Stanley proberen 'brede en ongevaarlijke paden voor haar te hakken in deze jungle'. Hij zou kaarten van de stad voor haar opduiken, echte, zoals de politie en de FBI ze gebruikten. Hij zou haar voorstellen aan zijn partners en informanten, hij zou haar op alle mogelijke manieren helpen, maar hij zou proberen zich niet te bemoeien met haar keuzes als fotograaf. En als ze in april het gevoel had dat ze zich verder wel alleen redde, zonder hem, dan kon ze aan de slag. In het begin zou hij haar nog 'aangelijnd houden', dat wil zeggen dat ze hem op ieder moment telefonisch kon bereiken op zijn kamer, maar ze zou proberen het zelf klaar te spelen. Helemaal zelf! En lukte het allemaal, dan verdeelden ze half april eerst de stad en daarna de hele regio. Gebeurde er iets sensationeels buiten hun stad en hun regio, dan gingen ze daar voorlopig nog samen op af. Maar daarna zouden ze ook de kaart van de Verenigde Staten in twee helften delen. Stanley liet haar meteen weten dat hij Boston, Chicago en Hawaï zelf wilde houden. Waarom, dat legde hij later wel uit. Het zou ook goed zijn als alle foto's die binnenkwamen uit Europa door haar handen gingen. Ging het om materiaal uit Duitsland, dan zou ze Arthur alleen die foto's geven die zij geloofwaardig vond. Arthur zou het daarmee eens zijn, dat wist Stanley zeker. Ze zouden het trouwens met hem bespreken zodra Arthur terug was uit Washington, waar hij zat voor zijn werk. Toen Stanley klaar was met het ontvouwen van zijn plan de campagne, vroeg hij of Anna zich erin kon vinden. Als ze betere ideeën had, moest ze het vooral zeggen!

Ze nam de laatste slok koffie, inhaleerde diep de rook van haar sigaret en zei: 'Stanley, probeer je eens in mij te verplaatsen. Zou jij in mijn situatie andere voorstellen hebben? Ja of nee? Hoe kan ik nou ook maar één voorstel hebben? Stanley, je bent toch niet bijgeval vergeten dat ik eergisteren nog aardappels stond te schillen in de keuken van tante Annelise? En dat jij nog de schrammen op je handen hebt van Slobbertjes nagels? Stanley, wil je me alsjeblieft niet meer vragen of ik "betere ideeën" heb? Heus, dat duurt nog wel even, voor ik zelf met voorstellen en ideeën kom. Ik moet nog helemaal tot mezelf komen,' vervolgde ze met een heel zacht, haperend stemmetje. 'Als ik de sirene van een ambulance hoor, wil ik me meteen verstoppen in een schuilkelder. Ik ben psychisch nog helemaal niet in orde. Maar dat komt goed, dat beloof ik je. Je hoeft niet bang te zijn dat je met een getikt wijf hoeft te werken. Je hebt me al een camera gegeven; geef me ook nog wat tijd. En help me mijn leven weer op de rails te krijgen. Help me. Leer me alles. Ik heb alleen jou, Stanley. Alleen jou...' besloot ze met tranen in haar ogen.

Hij zweeg een hele tijd. Toen drukte hij haar stevig tegen zich aan en zei: 'Anna, ik zal je alles leren. Maar nu breng ik je naar huis. Het is een lange dag geweest.'


## New York, Manhattan, vrijdag 16 maart 1945

Op die zonnige vrijdagochtend stond Anna níét op de stoep voor het huis van Astrid Weisteinberger op Stanley te wachten. De avond ervoor had ze tegen hem gezegd dat ze het flauwekul vond dat hij goddeloos vroeg zijn bed uit moest en zich door propvolle straten helemaal van Manhattan naar Brooklyn moest worstelen, alleen om haar op te pikken en als een veredelde taxichauffeur een lift te geven naar... Manhattan.

'Ik wil niet dat de vrouw die jij vanwege mij alleen in haar bed laat liggen een pesthekel aan mij krijgt. Morgen kom ik met de metro naar de krant,' had ze gezegd toen ze uitstapte en hem een kus op zijn wang gaf.

'Weet je het zeker, Anna?' had hij gevraagd.

'Absoluut,' had ze geroepen, en ze was het trappetje van Astrids huis op gerend.

Eigenlijk was ze helemaal niet zo zelfverzekerd. Ze had weliswaar woensdagavond samen met Nathan de route bestudeerd, maar in de paar dagen dat ze in New York was, had ze al gemerkt dat die stad er 's avonds heel anders uitziet dan 's ochtends.

Nathan had bij Astrid voor de deur gestaan met een bos tulpen, een boek in zwart cadeaupapier en het paspoort dat hij in de struiken had gevonden. Anna zat net in bad toen er op haar deur werd geklopt. Ze had haastig een handdoek omgeslagen en opengedaan. Astrid stond voor haar deur.

'Kindje, die jood van jou die zo graag in de bosjes rondscharrelt is er weer. Al heeft hij deze keer tenminste wel een bril op z'n neus gezet,' fluisterde Astrid. 'Wat moet ik met hem doen?'

'Kunt u hem een paar minuutjes bezighouden? Ik kleed me vlug aan en dan stuurt u hem maar naar mijn kamer.'

'Is de Fräulein gek geworden?' riep Astrid verontwaardigd. 'Ik laat hem echt niet naar boven gaan.'

Haar gezicht stond zo gepijnigd dat Anna zich bij de situatie neerlegde. 'Waarom mag hij niet naar boven? Nou, oké dan. Ik ben met een minuutje beneden.'

Ze liep in een kamerjas de trap af. Nathan stond bij de deur, en haar hospita zat in een schommelstoel bij de open haard de krant te lezen. Ze rookte een sigaret. Hij gaf Anna het boeket tulpen en ze gaf hem een kus op zijn wang. Hij bloosde. Anna vroeg aan Astrid of ze even in het halletje mochten gaan zitten. Die bromde iets wat Anna maar opvatte als toestemming, en Nathan en zij gingen op een bankje zitten.

'Je was bijna je paspoort kwijt,' begon Nathan verlegen. 'En daar kun je niet buiten.'

'Enorm bedankt!' antwoordde Anna. 'Ik werk ontzettend hard de laatste dagen en kom pas tegen middernacht thuis. Ja, ik kan niet zonder mijn paspoort. Ik ben zo blij dat je het gevonden hebt! Hoeveel krijg je van me voor je bril?'

'Bril? Wat voor bril?'

'Jouw bril, die door mijn schuld gebroken is toen je me het leven redde. Dat weet je toch nog wel?'

'Laten we het daar niet over hebben. Alsjeblieft...' fluisterde hij. 'Ik begreep meteen dat het een belangrijk document voor je was en dat je je natuurlijk dood bent geschrokken toen je het miste.' Hij zweeg even, nerveus zijn handen wrijvend. 'En ik heb zitten denken aan wat je me vertelde. Ik wilde je niet kwetsen met mijn vraag over Dresden. Ik vergiste me. Jouw stad leeft, ook al is hij voor een groot deel verwoest. Gisteren heb ik naar Washington gebeld en ze zeiden dat...'

'Je hebt me helemaal niet gekwetst. Ik weet dat Dresden leeft. Ik ben er pas nog geweest,' onderbrak ze hem glimlachend.

'Ik heb in de bibliotheek het een en ander over je stad gelezen. Dresden heeft een heel bijzondere geschiedenis. En 's avonds ben ik naar Greenwich Village gegaan en daar heb ik op de vlooienmarkt in een doos met oude boeken iets gevonden waar ik al heel lang naar zoek. En dat wil ik aan jou geven.' Hij reikte haar het pakje aan.

Ze haalde het zwarte papier eraf en las de titel op het verschoten omslag.

'Waarom juist Heinrich von Kleist en niet Goethe, om maar iemand te noemen?' vroeg ze, nog steeds glimlachend. *De gebroken kruik*, dat ken ik, ik heb het op het gymnasium al gelezen. Van alle blijspelen die ik gelezen heb, is dit het droevigst. Het is me altijd een raadsel geweest waarom Goebbels het op de lijst heeft laten staan van boeken die op de scholen gelezen mochten worden. Of had hij daar misschien een verborgen bedoeling mee?'

'Ik ben weg van Von Kleist. Nog meer vanwege zijn leven dan om zijn toneelstukken. Bovendien is hij verbonden met Dresden.'

'Echt waar? Ik wist niet dat...'

'Hij was daar redacteur van een literair tijdschrift.'

'Daarover hebben ze ons op school niets verteld. Wat vind je zo mooi aan zijn biografie? Zijn dood?'

'Hoe raad je het zo!' riep Nathan uit, zo luid dat Astrid, die verborgen achter haar krant geen woord van het gesprek miste, een knorrend geluidje liet horen.

'Hoe ik dat raad? Heel simpel. Zijn dood is zélf literatuur. Niet als in zijn eigen blijspelen, maar eerder als in een drama van Goethe. Een nog jonge man van drieëndertig overreedt een jonge vrouw om samen met hem zelfmoord te plegen. In een novembernacht rijden ze naar een meer bij Berlijn, en daar schiet hij haar volgens afspraak dood, en daarna zichzelf. Zo'n epiloog maakt op iedereen indruk. Zo'n grenzeloze liefde, zoveel overgave... Maar niet iedereen kent de bijzonderheden,' vervolgde Anna. 'Die vrouw, Henrietta Vogel, koesterde een onbeantwoorde liefde voor Kleist. En ze was ongeneeslijk ziek, ze had kanker. Kleist wist dat niet. Voor haar was de zelfmoord een verlossing – van de onbeantwoorde liefde en van haar fysieke lijden. Voor hem was het een zorgvuldig doordachte esthetische en filosofische handeling, waarop hij zich lange tijd had voorbereid. Dat hij die vrouw overreedde samen met hem zelfmoord te plegen, was in werkelijkheid laf en gemeen van zijn kant.'

'Hoe weet je dat allemaal?' vroeg Nathan verbaasd.

'Van mijn vader. Hij was hoogleraar in de literatuur aan de universiteit van Dresden en literair vertaler. Hij vertaalde naar het Engels, onder andere alle werken van Heinrich von Kleist,' verduidelijkte ze, en haar stem begon te trillen.

Ze sloeg het boek open, bladerde erin en wees naar de titelpagina. 'Mijn god!' riep ze uit. 'Het is zijn vertaling! Van mijn vader!'

Nathan keek in het boek.

Anna draaide zich om naar Astrid. 'Mevrouw Weisteinberger,' vroeg ze, 'mag ik hier roken?'

Astrid legde haar krant op haar knieën en zei: 'Natuurlijk kindje, rook jij maar. Mijn huurders mogen overal in huis roken, behalve in hun bed.' Ze keek dreigend naar Nathan. 'Maar dat geldt niet voor bezoekers!'

'Wat een ongelooflijk toeval,' mompelde Nathan, en hij streek over het omslag van het boek.

Anna liep naar Astrid toe en vroeg of ze een sigaret van haar mocht. Ze liep terug naar het bankje, pakte uit het dressoir een kristallen asbak en zette die tussen haar en Nathan in.

'Ben jij verliefd? Een onbeantwoorde liefde, bedoel ik?' Ze nam een trek van haar sigaret.

'Waarom denk je dat?' antwoordde hij verbaasd.

'Het leek me zo. Je hebt erg verdrietige ogen...' Ze begreep dat de aanwezigheid van de nieuwsgierige Astrid onaangenaam voor hem was, en ze wilde met hem alleen zijn. 'Ken jij deze stad goed?'

'Nou, heel goed durf ik niet te zeggen. Maar ik ben hier geboren en ik woon hier al meer dan dertig jaar. Waarom vraag je dat?'

'Neem je meestal de metro?'

'Ja. Of ik fiets. Ik heb geen rijbewijs.'

'Is het ver van station Flatbush Avenue naar Times Square?'

'Welnee, helemaal niet. Bovendien hoef je niet naar Flatbush Avenue. Het dichtstbijzijnde metrostation is op de hoek van Church Avenue en Nostrand Avenue. Vandaar af ga je naar Times Square met... eens nadenken... ja, met lijn 2. Je hoeft niet over te stappen. Je stapt uit op het station op de kruising van Times Square en 42nd Street. Je doet er zo'n drie kwartier over.'

Anna keek Nathan aan. 'Heb je het erg druk?' vroeg ze. 'Of heb je misschien tijd om samen met mij met de metro naar Times Square te gaan?'

'Nu meteen? Het station op de hoek van 42nd Street en Times Square is om deze tijd van de dag niet de beste plek voor een jonge vrouw om te wandelen...'

'Ik heb heel belangrijke papieren in mijn kamer laten liggen,' loog ze. Ze liet haar stem met opzet een beetje benauwd klinken.

'Wat voor kamer?' vroeg Nathan verbaasd.

'Ik werk voor *The New York Times*. Het gebouw van de krant is vlak bij dat metrostation.'

Nu was Nathan nog verbaasder. 'Wat? Werk jij echt voor *The New York Times?*'

'Ja, sinds maandag. Wil je er samen met mij naartoe gaan?'

'Natuurlijk, met plezier!'

'Wacht dan even, als je wil. Dan kleed ik me aan en ben ik met een minuutje weer beneden!' riep Anna blij, en ze stormde de trap op.

Toen ze terug was, stond Nathan bij de deur en zat Astrid nog steeds in haar schommelstoel bij de haard, met de zoveelste sigaret in haar hand. Toen ze weggingen maakte Nathan een beleefde buiging en zei: 'Tot ziens, madame Weisteinberger. Hartelijk dank voor de gastvrijheid.'

Astrid gaf geen antwoord. Toen ze buiten waren, zei Anna tegen Nathan: 'Mevrouw Weisteinberger is erg nieuwsgierig en erg wantrouwig, maar ze is een lief mens.'

'Dat ze nieuwsgierig is, heb ik gemerkt,' grinnikte hij. 'Terwijl jij je omkleedde heeft ze geïnformeerd of ik naar de synagoge ga en of ik een vaste baan heb.'

'En doe je dat? Naar de synagoge gaan, bedoel ik.'

Hij bleef even staan, pakte haar hand en zei: 'Nee, ik ga niet naar de synagoge. Ik voel me alleen maar jood omdat ik het karakteristieke uiterlijk van een jood heb, omdat ik destijds besneden ben en omdat ik regelmatig te maken krijg met een voor mij volslagen onbegrijpelijke vijandigheid. Sorry dat ik het vraag, maar kwam je daar in Dresden wel joden tegen? Had je reden om van ze te houden of om ze te haten?'

Nu was zij het die bleef staan. Ze pakte een sigaret.

'Weet je wat het is, Nathan? Als ik met mensen kennismaak, ben ik nooit geïnteresseerd in hun etnische achtergrond. Het kon me nooit iets schelen of iemand een jood was, of een Pool, of een Rus, of een

Oostenrijker, of een Beier. Maar soms vertelden mensen me zelf dat ze joods waren. En dat waren aardige mensen. Van een van hen hield ik zelfs, en ik mis hem. Maar daar wil ik het nu niet over hebben. Later zal ik het je allemaal vertellen, als je wil...'

Ze kwamen bij het metrostation. Pas toen ze naar beneden waren gegaan en in de rij stonden voor de kassa, bekende Anna dat ze niets vergeten was in haar kamer. Dat ze gewoon wilde wegvluchten van Astrid en met hem samen wilde zijn, en ook, hoe mal en naïef het ook mocht klinken, dat ze erg graag wilde dat hij haar wegwijs maakte in de metro. Nathan zag het malle er niet van in. Hij schreef de dienstregeling van lijn 2, doordeweeks en in het weekend, voor haar op. Hij informeerde tweemaal bij de caissière of het wel de nieuwste dienstregeling was. Hij vroeg wanneer je er het snelst was met lijn 2, wanneer de wagons overvol waren en wat de rustiger tijdstippen waren. De caissière raakte zelfs geïrriteerd. Pas toen hij alles had genoteerd, stapten ze in in de wagon. Anna keek op haar horloge. Ze deden er vierenveertig minuten over naar station Times Square. Onderweg sloeg ze haar medepassagiers belangstellend gade. De uiteenlopende kleuren van huid en haar, flarden van gesprekken in allerlei talen, alle verschillende geuren...

Ondanks het gevorderde uur liepen ze in één grote mensenmassa naar het redactiegebouw.

'Zonder onvoorziene gebeurtenissen doe ik er dus maar een uur over van het station in Brooklyn naar het gebouw van *The New York Times*,' riep Anna opgetogen uit. Ze pakte Nathan bij zijn arm. 'Is dat niet geweldig, Nathan? Een uurtje! Ik neem een halfuurtje marge en dan ben ik net zo punctueel op tijd als de Deutsche Eisenbahn,' schaterde ze. 'Die van voor de oorlog.' Ze ging sneller lopen en trok hem mee. 'Kom, we gaan. Ik fuif je op een borrel. Of kan in het puriteinse Amerika een vrouw een man niet uitnodigen voor een borrel? Ik wil een toost uitbrengen, op jou, op mijn vader, op Heinrich von Kleist en op de metro van New York. Ik heb allang niet meer gedronken. De laatste keer dat ik het op een zuipen gezet heb was samen met de kat van mijn tante Annelise in Königsdorf. Het kwam toen niet bij me op dat ik nog eens innig gearmd met een man over Times Square zou lopen.'

Nathan ging steeds langzamer lopen en bleef toen helemaal staan. Hij keek haar een beetje vreemd aan, alsof hij haar voor het eerst zag.

'Of moet je ergens naartoe? Misschien zit je vrouw thuis op je te wachten?' vroeg ze, verbaasd over zijn reactie. 'Ben je getrouwd, Nathan? Sorry, dat had ik natuurlijk al veel eerder moeten vragen,' voegde ze er haastig aan toe. Ze liet zijn arm los.

'Nee, ik ben niet getrouwd. Dat heb je me trouwens al gevraagd.'

'Dat heb ik niet gevraagd. Ik heb alleen gevraagd of je verliefd bent. Getrouwd en verliefd, dat zijn twee totaal verschillende dingen.'

'Luister.' Hij pakte haar hand stevig vast. 'Afgelopen zondag, toen je met je ogen dicht de straat op rende... Ik was daar volslagen toevallig. Ik had een collega beloofd dat ik hem zaterdagavond een paar testresultaten zou komen brengen, maar toen was ik zo moe dat ik uit het laboratorium linea recta naar mijn bed ging. Gewoonlijk slaap ik op zondag tot twaalf uur uit en dan ga ik zitten lezen. Maar die zondag had ik geen zin om uit te slapen en ook niet om te lezen. Daarom ging ik met die map mijn huis uit, en daar botste ik tegen jou op. En sindsdien moest ik de hele tijd aan jou denken, en aan je Dresden en aan die schuilkelder waar je naartoe rende. En een vreemd voorgevoel maakte dat ik naar die vlooienmarkt in Greenwich ging, en daar vond ik stomtoevallig in een doos vol boeken net dat boek waarop de naam van je vader stond. Er waren daar een heleboel dozen vol boeken, maar ik diepte precies dat boek op. Vind je niet dat dat iets magisch heeft? Maar het grootste wonder ben jijzelf. Het is zo'n wonder dat je me gewoon bij mijn arm neemt om een borrel met me te gaan pakken. En dan de manier waarop je je haren naar achteren gooit en je ene been over het andere slaat... Kom, laten we naar dit restaurant gaan. Misschien is het ook wel geen toeval dat we daar precies voor staan.'

Toeval of niet, in dat restaurant leerde ze wel iets nieuws over Amerika. De zaal zat vol. Een donkere ober bracht hen naar de bar achterin en zei dat ze daar moesten wachten tot er een tafeltje vrijkwam. Nathan bestelde wijn; 'liefst rijnwijn,' zei hij tegen de barman. Anna had weinig zin om aan een tafeltje te gaan zitten. Ze wist niet zeker of ze wel passende kleren aanhad, en aan de bar kon ze haar jas aanhouden.

Nathan vertelde haar over zijn 'vaste baan', waarnaar Astrid zo ongegeneerd had geïnformeerd. Hij was bezig met zijn proefschrift, over biologie, en werkte daarnaast al een jaar of wat bij het farmaceutische bedrijf Charles Pfizer & Company. Hij leidde daar een klein onderzoeksteam dat nieuwe geneesmiddelen uittestte op muizen, ratten en hamsters. Het was erg interessant en verantwoordelijk werk. Op dit moment werkten ze aan een nieuw tuberculosevaccin.

'Hamsters krijgen toch geen tuberculose?'

'Wel als wij ons ermee bemoeien.'

'Wat wreed!' zei ze verontwaardigd.

Op dat moment begaf een ongewoon paar zich naar de bar. Hij was een lange, magere zwarte man in een elegant lichtgrijs pak waaronder hij een zwart overhemd droeg. Op zijn hoofd had hij een grijze hoed met een zijden lint eromheen. Aan zijn arm hing een stevig gebouwde mulattin; ze droeg een karmijnrood mantelpakje en om haar stevige hals had ze een wit parelsnoer. Ze gingen aan een tafeltje vlak bij hen zitten en Anna sloeg hen vanuit haar ooghoek gade terwijl Nathan oreerde over de onontkoombaarheid van dierproeven. De roodharige, sproetige barkeeper negeerde hen demonstratief, tot de man zijn geduld verloor, hem wenkte en op beschaafde toon twee martini's bestelde.

'In ons restaurant bedienen wij geen negers.'

Zo drukte hij het letterlijk uit: in ons restaurant bedienen wij geen negers. Hij zei het echt, de rooie rotzak! Anna voelde steken in haar borst; haar slapen bonsden.

~

Een warme middag in juni 1937. Ze zit op een witte stoel tussen haar ouders aan een tafeltje in het café bij de Zwinger in Dresden. Ze hebben het kasteel bezichtigd, en daarna heeft papa haar en mama meegenomen naar het café om hen op ijs te trakteren. Een dikke, bezwete kelner in een witte jas en met een rode band met hakenkruis om zijn linkerarm brult naar een ouder echtpaar aan het tafeltje naast hen: 'Wij bedienen geen joden!'

De glimlach is meteen verdwenen van papa's gezicht. Met trillende hand pakt hij zijn portefeuille, smijt een paar bankbiljetten op tafel, pakt Anna bij haar hand en trekt haar mee naar het terras voor het café. Ze kijkt om: waar blijft mama? Door de glazen deuren ziet ze hoe mama energiek gebarend iets zegt tegen de kelner, en hoe ze vervolgens de half leeggegeten ijscoupes omgekeerd op het tafeltje duwt. Dan pas volgt ze haar dochter en haar man.

~

Op dat moment hield Nathan voor haar op te bestaan. De zwarte man stak een sigaret op, de vrouw streelde kalmerend zijn hand. Anna zag de rode adertjes in het wit van zijn ogen. Ze wenkte de barkeeper, dwong zichzelf beleefd te blijven en bestelde twee martini's. Toen de glazen voor haar op de bar stonden, pakte ze ze op, zette ze voor de zwarte man neer en zei: 'Wilt u alstublieft het glas heffen op mijn gezondheid en op die van mijn vriend Nathan? Dat zouden wij ontzettend fijn vinden.'

Ze ging terug naar haar plek aan de bar. Nathan was het gebeurde ontgaan. Hij zag alleen dat ze nerveus was. De barkeeper liep naar het donkere echtpaar, pakte de glazen op en zette ze op zijn dienblad. Anna kwam een beetje overeind, pakte de barkeeper bij zijn dasje en trok hem naar zich toe. De rode vermout stroomde over zijn witte overhemd.

'Die mensen daar zijn mijn gasten! Je gaat hun ogenblikkelijk je excuses aanbieden en je brengt hun twee nieuwe glazen martini,' zij ze, met haar gezicht vlak bij het gezicht van de geschrokken barkeeper.

'Slik een kalmerend middel, mens. En hou je poten thuis,' siste hij.

Ze trok nog harder aan zijn das. Het gezicht van de barkeeper liep steeds roder aan.

'Vuile rooie rotzak! Gore racist met je varkenskop en je varkensvel. Ik vraag het je nog één keer fatsoenlijk: breng die mensen twee martini's, anders ga ik hier zo'n schandaal schoppen dat je baas je er al uit heeft getrapt voordat je dienst erop zit. En je hoeft niet te dreigen met de politie. Als je die erbij haalt staat het morgen in alle kranten en loopt overmorgen iedereen in een boog van een kilometer om deze rotkroeg heen. Als de politie komt, doe ik aangifte van discriminatie, en als er journalisten bij zijn ook nog van nazisme en fascisme. Mij geloven ze. Ik ben een Duitse. Duitsers hebben verstand van fascisten, dat weet iedereen. Ik zeg het nog één keer: breng die meneer en die mevrouw twee martini's. Ik betaal!'

De barkeeper stond aan de grond genageld. De rode vermout druppelde van zijn kleren op de grond. Anna liet zijn das los en duwde hem met onverhulde afkeer van zich af. Ze zuchtte luid en ging weer zitten, zich vastklemmend aan de bar om het trillen van haar handen in bedwang te houden. Nathan ging dichter bij haar zitten en sloeg zijn armen om haar heen. Ze kon geen woord uitbrengen. De barkeeper verdween achter het gordijn tussen de bar en de dienstruimte erachter. Hij kwam terug met een schoon overhemd aan, een wit servet over zijn arm en twee glazen, die hij voor de zwarte man neerzette. In het voorbijgaan wierp de barkeeper Anna een blik vol haat toe. Ze legde een paar bankbiljetten op de bar met de woorden: 'Laat het wisselgeld maar zitten.'

Ze ging naar het tafeltje en zei tegen de mulattin: 'Neem ons niet kwalijk! Ik kan me voorstellen dat die martini's nu ontzettend goor smaken...'

Buiten ademde ze diep de frisse lucht in. Nathan ging naast haar lopen. Ze gaf hem een arm en ze liepen terug naar het metrostation. Geen van beiden hadden ze zin om te praten. Toen ze voor haar huis stonden, vroeg Nathan: 'Betekent jouw naam eigenlijk iets in het Duits?'

Ze negeerde zijn vraag, ging op haar tenen staan, kuste hem op zijn voorhoofd en fluisterde:

'Bedankt voor de tulpen. En voor Von Kleist...'

En ze rende het trappetje op. Bij de voordeur draaide ze zich om. Ze wist dat Nathan daar nog stond, op het trottoir.

'Je nieuwe bril staat je goed. Welterusten, Nat!'

Op die zonovergoten vrijdagochtend, 16 maart 1945, bewoog Anna zich te midden van een menigte passagiers koersvast in de richting van het kleine metrostation aan Church Avenue. Voor het eerst voelde ze zich een deel van deze stad. Net als iedereen kocht ze een kaartje, stond ze tussen de passagiers op het perron, wrong ze zich de wagon in terwijl anderen haar in haar rug duwden, reed ze in de mudvolle wagon het juiste aantal stations voorbij, las ze de koppen van de kranten die zittende passagiers in hun handen hadden, luisterde ze naar hun gesprekken, stapte ze op haar station uit, liep ze naar boven, de straat op, en begaf ze zich naar het redactiegebouw. Na een poosje verdunde de mensenmassa zich en kon ze vlot doorlopen. Ze raakte nu niet meer in paniek, drukte zich niet meer tegen de muur wanneer ze de sirene van een ambulance hoorde; hoogstens vertraagde ze haar pas en deed ze een seconde haar ogen dicht, waarna ze verder liep in hetzelfde tempo als iedereen. En toen alles ging zoals ze zich dat 's ochtends onder de douche had voorgenomen, was ze trots op zichzelf.

Voor de zekerheid had Anna een vroege trein genomen, zodat ze in elk geval voor achten op haar werk was. Haar werkdag begon weliswaar om negen uur, maar ze wilde zeker weten dat ze niet te laat zou komen. Stanley stond al op haar te wachten, leunend tegen het portier van zijn auto, die hij bij de ingang van het redactiegebouw had geparkeerd.

'Wat doe jij hier zo vroeg? Had je last van slapeloosheid of zo?' informeerde ze.

'Nee.' Hij gaf haar ter begroeting een kus op haar wang. 'Maar als ik een nachtmerrie heb gehad, word ik altijd vroeg wakker.'

'Waar droomde je vannacht dan van?'

'Ik droomde dat Churchill de New Yorkse metro wilde laten bombarderen.'

Anna begreep wat hij bedoelde. Glimlachend trok ze een handschoen uit en streelde ze hem over zijn wang.

'En dat droomde je uitgerekend vandaag, Stanley?'

'Ja...'

Ze gingen met de lift naar boven. Samen bekeken ze de telexstroken en telegrammen die 's nacht waren binnengekomen en maakten ze hun plannen voor die dag. Stanley stelde voor in Manhattan te blijven. Hij wilde in de buurt van de redactie zijn, want Arthur zou vandaag terugkomen uit Washington. Eerst wandelden ze via 42nd Street naar Bryant Park.

In dat park, op de gazons, in het centrum van de rijkste stad van de wereld, sliepen op dekens, stukken karton, in slaapzakken of zomaar op het gras de daklozen. Honderden daklozen! Zelfs toen Dresden overspoeld werd met vluchtelingen uit het oosten had Anna daar niet zoveel mensen gezien die onder de blote hemel sliepen. Ze liepen om het park heen en namen een paar foto's, waarbij Anna het perspectief zo probeerde te kiezen dat de gezichten van de daklozen, onder wie behoorlijk wat vrouwen, onherkenbaar waren.

Ze gingen terug naar de redactie en reden met Stanleys auto naar de kinderopvang aan 68th Street. Alleen al in de afgelopen nacht waren er drie pasgeboren baby's achtergelaten op de stoep van de opvang. Stanley praatte met de nonnen en de vrijwilligers die er werkten, en Anna maakte foto's van een enorme zaal waarin tien rijen bedjes met baby's erin stonden. Binnen een jaar waren hier niet minder dan duizend kinderen gedumpt. De officieel, met inachtneming van alle bureaucratische procedures, hier ondergebrachte kinderen niet meegerekend. Volgens de directrice van de opvang, een immigrante uit Servië, was het juist al die bureaucratische rompslomp die wanhopige jonge moedertjes ertoe dreef hun kinderen daar op de stoep achter te laten. Vaak waren die moeders niet alleen arm maar ook analfabeet, en het invullen van formulieren was voor hen een niet te nemen barrière. Bovendien wilden veel van die moeders buiten het zicht blijven van de immigratieautoriteiten. 'U begrijpt wel wat ik bedoel,' aldus de directrice.

Anna was geschokt toen ze het opvanghuis verlieten. Voor zover ze zich herinnerde, was ze in Duitsland nooit ook maar één analfabeet tegengekomen. En kinderen werden er zo zelden te vondeling gelegd, dat het de enkele keer dat het gebeurde de voorpagina's haalde. Stanleys belangstelling voor het onderwerp was gewekt omdat er juist de laatste tijd ontzettend veel zuigelingen te vondeling werden gelegd.

Terug op de redactie praatten ze erover dat je in Manhattan niet alleen versteld stond van alle rijkdom, maar ook van de armoede. De daklozen en de opvanghuizen voor baby's vormden een schrille getuigenis van de ongelijke verdeling van de welvaart daar.

'Zo was het in dit land, zo is het en zo zal het altijd blijven,' concludeerde Stanley. 'Denk vooral niet dat aan de boorden van de Hudson ooit het socialisme zal zegevieren. Het enige wat jij en ik hier doen, is het topje van de ijsberg onthullen. En toch hoop ik een gevoelige snaar te raken bij mensen, hoop ik dat onze lezers uit medelijden, naastenliefde en vooral schuldgevoel iets zullen doen voor deze mensen. Er zijn er trouwens al heel wat die helpen. Juist omdat er iets knaagt aan hun geweten, mede dankzij onze reportages.'

Die avond legden ze de foto-oogst van de dag op de vloer van hun kamer en debatteerden ze er verhit over welke foto de beste was. Stanley zei sarcastisch dat als zij, Anna, met haar filmrollen naar Max ging, ze na een uur haar afdrukken had terwijl hij, Stanley, moest wachten tot halverwege de volgende dag.

'Je hebt nóg een man het hoofd op hol gebracht in deze toko. Matthew kwijlt als hij je ziet, maar hij durft niet dichterbij te komen. Net een hond die bang is voor de nagels van de poes. Maar Max... Die heb je helemaal in je zak, als het lievelingsdochtertje dat haar papa naar haar pijpen laat dansen. Voor jou doet hij alles,' constateerde Stanley toen Max, zeer tegen zijn gewoonte in, Anna's foto's hoogstpersoonlijk in haar kamer was komen afleveren. 'Sinds zijn vrouw is overleden, komt hij zijn donkere kamer praktisch niet meer uit. Maar voor jou nam hij de moeite om hiernaartoe te komen. Waarschijnlijk moest hij de weg vragen om je te vinden.'

Ze konden het lange tijd niet eens worden over de te kiezen foto's. Anna was erg vóór een foto waarop een dakloze op een stuk karton tussen de natte struiken een boek lag te lezen, terwijl op de achtergrond vaag maar onmiskenbaar de contouren van de openbare bibliotheek te zien waren. Stanley was enthousiaster over een van de foto's uit het opvanghuis. Een paar kleine handjes die uitstaken boven de zijkanten van het kribje, handjes die om hulp leken te smeken. Stanley en Anna gingen zo op in hun discussie dat ze geschrokken opkeken toen boven hun hoofden ineens een stem klonk.

'We plaatsen ze allebei. En we plaatsen er nog een, die foto waarop een non een huilend kindje wast in een roestige wasbak naast de urinoirs in een toiletruimte zonder deuren. Die zetten we op de voorpagina. Kan die burgemeester van ons verdomme met eigen ogen zien hoe er in zijn mooie stad met kinderen wordt omgesprongen.'

'Arthur!' Stanley sprong overeind.

'Stanley, jongen! Nou, jij bent er niet dikker op geworden. Eindelijk zie ik je weer. In Washington vertelden ze dat je Patton de eer hebt verschaft samen met hem de oceaan over te vliegen.'

Met zijn sterke, dik beaderde armen omhelsde Arthur Stanley. Ook Anna was opgestaan. Ze knoopte haar jasje dicht en gooide haar haren van haar voorhoofd.

'Anna, mag ik je voorstellen aan...' begon Stanley.

'Laat het ceremonieel alsjeblieft zitten. Dag, ik ben Arthur. Over jou hebben ze het óók in Washington. Dus jij hebt in het vliegtuig aan Patton gevraagd of hij in Dresden gewoond had. Schitterend! Ik had er een lief ding voor overgehad om erbij te zijn en het gezicht van die arrogante kwal te zien.'

Arthur lachte op zijn eigen aanstekelijke manier. Hij ging op de rand van het bureau zitten en vervolgde: 'En in Brooklyn ga je ook al over de tong. Astrid Weisteinberger rapporteert aan mijn vrouw Adrienne, haar vriendin, verbazingwekkende berichten. Dus jij hebt een half-blinde jood verleid, en je probeert hem zover te krijgen dat hij samen met jou zelfmoord pleegt, en je hebt de stakker midden in de nacht op sleeptouw genomen naar de hoerenbuurt. Bovendien eet je zelf geen hap maar voeder je wel alle buurtkatten, zodat die 's nachts onder Astrids ramen jammeren. Toen Adrienne terecht opmerkte dat katten in maart nou eenmaal janken en dat dat niks met eten te maken heeft, verklaarde Astrid dat bij haar in de buurt alleen maar keurige katers wonen en dat ze bovendien allemaal gecastreerd zijn. Adrienne bleef er bijna in van het lachen. We kennen Astrid al dertig jaar en weten wat voor een rijke fantasie ze heeft, vooral als ze een glaasje opheeft. Maar iets van haar verhalen is er vast wel waar. Oké, genoeg daarover. Ik heet je hartelijk welkom namens Adrienne en namens mezelf. En namens onze krant. Het is voor ons een grote eer dat je je vaderland verlaten hebt en naar New York bent gekomen. Ik heb vandaag met onze bedrijfsjurist gesproken en hem opdracht gegeven om op de kortst mogelijke termijn ervoor te zorgen dat die eikels, pardon, dat de ambtenaren van de immigratiecommissie alle documenten voor je in orde maken, zodat je officieel bij ons in dienst kunt komen. Let wel, voor ons is dat een formaliteit zonder de minste betekenis.'

Anna was getroffen door de gelijkenis tussen Arthur en Jacob Rootenberg, de vader van Lucas. Dezelfde stem met hetzelfde timbre, dezelfde doordringende blik, hetzelfde gerimpelde voorhoofd, dezelfde gebaren als hij praatte. Zelfs het jasje dat Arthur droeg leek sprekend op het colbert waarvan mama in de Annenkirche de gele ster had afgesneden.

'Die ouwe knorrepot van een Max Sikorsky vraagt me maar zelden of ik naar zijn hol kom. Dan moet er iets heel bijzonders aan de hand zijn. De voorlaatste keer wilde hij me Stanleys foto's van Pearl Harbor laten zien. En de laatste keer was onlangs, toen hij me jouw foto's van Dresden liet zien. Max lijst nooit foto's in. Hoogstens zijn trouwfoto, en dat weet ik niet eens zeker. Jouw foto's had hij ingelijst. En ik was geschokt door wat ik erop zag.'

Hij draaide zich om naar Stanley en vroeg: 'Heb je miss Bleibtreu al gewaarschuwd dat ik nogal grof in de mond ben? Zelfs als ik ontroerd ben?' En zonder het antwoord af te wachten vervolgde hij: 'In principe zou ik als jood blij moeten zijn dat ze dat hele rot-Duitsland van jou met Dresden en al naar de gallemieze hebben gebombardeerd. Maar geloof me, toen ik jouw foto's zag schaamde ik me voor die gedachte. De dag erop heb ik Adrienne meegenomen naar het lab. 's Avonds laat, want ze houdt er niet van hier overdag te komen, als het hier een heksenketel is. Ze heeft je foto's zwijgend bekeken. En als mijn Adrienne zwijgt is ze of verrukt, of vindt ze iets afgrijselijk. Bij jouw foto's was dat allebei tegelijk het geval, vertelde ze me in de auto toen we terug naar huis reden.'

Arthur zweeg even en keek aandachtig naar de foto's die op de grond lagen. Daarna wendde hij zich tot Stanley.

'Heb je hier iets te drinken?'

'Nee Arthur. Nog niet. Aan inkopen doen ben ik nog niet toegekomen sinds ik terug ben.'

'Heel goed. Je hebt dus geen drank meer nodig. Heel goed!'

Anna liep naar de kapstok en haalde uit haar jaszak een heupflesje wodka.

'Ik wel!' Ze liep naar Arthur toe. 'Ik had het vandaag hard nodig. Jij ook een slok?'

Arthur keek haar verbaasd aan. Hij pakte het flesje aan, draaide de dop eraf en zette het aan zijn mond. Toen hij het flesje aan haar teruggaf, zei hij: 'Jij bent de tweede hier met wie ik samen drink. En de eerste met wie ik rechtstreeks uit de fles drink.' Toen hij de kamer uit ging, draaide hij zich om op de drempel en keek haar strak aan.

'Ja, jij bent anders. Die gekke Astrid heeft gelijk. Je bent heel anders dan anderen...'


New York, Times Square, Manhattan, maandag 7 mei 1945, rond het middaguur

Op zondagavond 6 mei liet Arthur iedereen bijeenkomen op de redactie. Sommigen liet hij ophalen door een limousine, anderen door een taxi en weer anderen pikte hijzelf op met zijn auto. Iedereen die in de stad was en de telefoon had opgenomen toen er gebeld werd, was naar de redactie gekomen. Die zondagavond was het redactiebureau de bijenkorf die het anders alleen doordeweeks was. Iedereen wist dat de zondag voor Arthur heilig was. Alleen iets nóg heiligers kon hem ertoe bewegen om met die traditie te breken. En het feit dat hij de 'machinekamer', zoals de ruimte waar de telextoestellen stonden door de medewerkers genoemd werd, geen moment verliet, getuigde ervan dat er iets heel bijzonders aan de hand was.

Anna had hij niet op hoeven halen. Die was al sinds vanochtend op haar werk. Net als op iedere zondag sinds ze in New York was...

~

Ze hield van de rust, op zondag op de redactie. Als het nog donker was, stond ze op. Dan liep ze zachtjes de trap af, zat even later in een halflege metrowagon en stond een uurtje later koffie te drinken, leunend tegen de roze koelkast. Daarna ging ze aan haar bureau in hun stille kamer zitten en begon ze met haar zelfstudie. Stanley vond het tijdverlies dat ze aan haar Engels bleef schaven. Ze sprak het beter dan hij, beweerde hij. Bovendien hield hij haar voor dat ze de echte Britse uitspraak had, 'waarvan de klank alleen al getuigde van een hoog cultureel niveau'. Volgens Stanley was zij de enige die grammaticale finesses als de congruentie van de tijden helemaal correct wist te hanteren. 'Dat speelde zelfs mijn docent literatuurgeschiedenis op Princeton niet klaar,' voegde hij eraan toe. Soms zei hij schertsend dat ze, als ze genoeg kreeg van het fotograferen, heel goed andermans teksten kon gaan redigeren en corrigeren. Maar Anna geloofde hem niet. Ze wilde dolgraag af van haar 'Europese accent'. Daarom nam ze de leerboeken die ze uit Duitsland had meegenomen mee naar haar werk en zat ze daar te blokken.

Om een uur of twaalf 's middags verliet ze het redactiegebouw en dwaalde ze met haar camera in de hand door New York. Ze doorkruiste heel Manhattan. En niet alleen Manhattan. Ze maakte steeds grotere rondzwervingen, naar Queens, naar Coney Island en zelfs helemaal naar Jersey City, aan de andere kant van de Hudson. Ze leerde de stad steeds beter kennen, en het gebeurde nu niet zelden dat zij het was die de weg wist wanneer Stanley en zij samen op expeditie gingen.

Tegen de avond was Anna weer terug in haar kamer, en dan bestudeerde ze de theorie van journalistiek en fotografie. Stanley had haar een hele stapel boeken over die onderwerpen bezorgd, van zichzelf of geleend van collega's. En als ze in al die boeken niet kon vinden wat ze zocht, ging ze naar de leeszaal in de bibliotheek bij Bryant Park. 's Avonds trok ze een fles wijn open en nam ze alle kranten van de afgelopen week door.

De oorlog liep op zijn eind, in Europa in elk geval. Tot haar verbazing merkte Anna dat Amerikanen – de mensen die ze op straat tegenkwam evengoed als haar collega's – de oorlog in Azië de belangrijkste vonden. Dat was het Pearl Harbor-complex, legde Stanley uit. Wat daar gebeurd was, was voor de Amerikanen een schok en een vernedering geweest. Een slag die hun was toegebracht op hun eigen grondgebied, de Verenigde Staten! Het was een klap in het gezicht van de nationale trots. Oorlog, oké, bommen, oké, maar niet hier, niet bij ons! God mocht verhoeden dat zoiets gebeurde! In december 1941 hadden de Japanners die regel wreed geschonden. En nu zouden ze hun verdiende straf moeten ondergaan. Zo dacht de president erover, en zo dacht de schoonmaakster van de president erover. De oorlog in Azië en in de Pacific was voor de Amerikanen iets persoonlijkers dan de oorlog in Europa. Dat verklaarde hun felle belangstelling ervoor.

Anna las over de ijzeren omsingeling van Duitsland. Uit het oosten kwamen de Russen, die stad na stad innamen, en uit het westen de geallieerden. Op donderdag 29 maart stonden de Amerikanen in Mannheim, Wiesbaden en Frankfurt aan de Main. Op woensdag 4 april namen de Fransen Karlsruhe in, op dinsdag 10 april trokken de Amerikanen Essen en Hannover binnen, en een week later Düsseldorf. Op maandag 30 april verschenen de eerste Amerikaanse tanks in München, en op 3 mei vielen de Britten het volledig verwoeste Hamburg binnen. In *The New York Times* en andere New Yorkse kranten was nauwelijks iets te vinden over het oostfront. Anna zocht naar informatie over Dresden, maar vond niets. De Amerikaanse pers negeerde de militaire gebeurtenissen in het oosten van Duitsland, bewust of wegens gebrek aan informatie. Anna vermoedde dat het welbewust was, want die informatie bestond wel degelijk, was het niet bij de Amerikaanse, dan zeker bij de nauw met haar samenwerkende Britse pers met haar goede contacten bij de inlichtingendiensten. Juist uit die hoek kwamen de berichten dat Duitsland zich 'aan de rand van de hongerdood' bevond, onder verwijzing naar een curieus document dat de Britse inlichtingendienst had onderschept in Berlijn. Op donderdag 5 april had het ministerie van Volksgezondheid van het Rijk aanbevelingen doen uitgaan naar zijn territoriale onderafdelingen om het gebruik van alternatieve voedingsmiddelen te propageren: klaver, luzerne, kikkers en slakken, terwijl aan meel riet en boomschors dienden te worden toegevoegd en het vitaminetekort kon worden aangevuld door het eten van jonge dennen- en sparrenscheuten. Volgens de inlichtingendienst ontving Hitler op 20 april ter gelegenheid van zijn vijftigste verjaardag in de verwoeste tuin van de keizerlijke kanselarij een delegatie van de Hitlerjugend en de ss, en waren tijdens zijn redevoering de oorlogshandelingen hoorbaar die zich op dertig kilometer afstand van Berlijn afspeelden.

Hoe je het ook wendde of keerde, de Russen waren bondgenoten, en zonder Stalin zou de oorlog nog eindeloos voortduren, maar zoals Stanley het kleurrijk uitdrukte 'waren ze net de afschuwelijke moeder van de bruid, die je moeilijk van de bruidsfoto's kon afknippen'. Een van die foto's publiceerde *The New York Times* op 26 april op de voorpagina. De dag ervoor hadden de Sovjet- en Amerikaanse divisies elkaar ontmoet in Torgau, aan de Elbe. De grijnzende, ongeschoren Russische soldaat op de foto was geknipt voor de rol van die moeder van de bruid.

Behalve droge frontberichten kwamen er af en toe ook reportages binnen uit het door de geallieerden bevrijde Duitsland. Een van die reportages zou Anna nooit vergeten. Ze was diep geschokt en deed de hele nacht geen oog dicht.

Op 11 april 1945 bereikte een Amerikaanse radioreporter samen met het derde Amerikaanse leger Buchenwald. De Duitsers hadden geen tijd gehad om de meer dan vijfendertigduizend lijken te verbranden in het crematorium aldaar. Toen Patton het kamp persoonlijk bezocht, was hij zo getroffen door de beestachtigheid van de nazi's, dat hij de bevolking van het nabijgelegen Weimar op vrachtauto's naar het kamp liet brengen. Ze mochten met eigen ogen aanschouwen wat zich vlak onder hun neus had afgespeeld, daar in Buchenwald.

Een verslaggever van de BBC was op 15 april getuige van de bevrijding van het concentratiekamp Bergen-Belsen. Zo'n tienduizend niet-begraven stoffelijke overschotten lagen op het kampterrein. En in de eerste dagen na de bevrijding stierven nog eens vijfhonderd overlevenden van uitputting en aan tyfus.

Bij het Amerikaanse leger dat op 28 april Dachau bevrijdde bevond zich een Zweedse journaliste, die eveneens alles met eigen ogen zag. Op het spoorwegemplacement stond een eindeloze sleep wagons propvol lijken, aan het verbranden waarvan de Duitsers niet toegekomen waren. De gevangenen waren zo verzwakt dat ze, hoe ze er ook naar smachtten, niet in staat waren eigenhandig wraak te nemen op hun beulen. Ze vroegen aan de Amerikaanse soldaten of die hen wilden doodschieten of ophangen.

De laatste reportage was gisteren gepubliceerd in de avondeditie van *The New York Times*. Louis Häfliger, een Zwitserse vrijwilliger van het Rode Kruis, beschreef tot in details zijn indrukken in het concentratiekamp Mauthausen, vijftien kilometer ten oosten van Linz, Oostenrijk. Hij bezocht het kamp nadat het was bevrijd door het derde leger van de Verenigde Staten. Naast een beschrijving van de crematoria en gaskamers, gaf de krant informatie over de beestachtige medische experimenten die op de gevangenen werden verricht door de Oostenrijkse arts Aribert Heim. Uit een in het kamp aangetroffen logboek met door Heim eigenhandig gemaakte aantekeningen bleek dat hij en de kampapotheker, Erich Wasicky, 'met een wetenschappelijk oogmerk' joodse gevangenen allerlei giftige stoffen in het hart injecteerden, waaronder fenol en benzine. Getuigen verklaarden dat Heim 'om zijn vaardigheden op peil te houden', uit verveling of gewoon uit sadisme bij patiënten allerlei organen operatief verwijderde om vervolgens te observeren hoe lang iemand nog leefde zonder, bijvoorbeeld, zijn milt of alvleesklier.

Bij het lezen van zulke reportages vroeg Anna zich af wat de Amerikaanse lezers erbij zouden voelen. Wat moesten Lisa, Matthew en Nathan wel niet denken? Wat voor gedachten zouden er opkomen bij Astrid of bij Lilian Grossman, haar nieuwe joodse buurvrouw in het huis van Astrid Weisteinberger? Zouden ze de Duitsers waarover ze lazen ergens toch niet associëren met haar, met Anna? Zouden ze niet denken dat zij, een Duitse die daar net vandaan kwam, louter doordat ze bestond toch op een of andere manier medeplichtig was aan al die gruwelen? Dat zij het mede mogelijk had gemaakt, alleen al doordat ze had gezwegen? Zou de schuld aan al die misdaden zich in hun ogen niet uitstrekken tot alle Duitsers? Of waren de misdadigers voor hen alleen abstracte Duitsers, die ze niet tegenkwamen in de gang, op straat, in een restaurant, in een park of op een krantenredactie? Moest zij zich voor dit alles verontschuldigen? Niet alleen nu, maar ook de rest van haar leven? Zou dit haar persoonlijke schandvlek zijn? Aan al die dingen dacht ze toen ze die nacht niet kon slapen.

∼

Stanley verscheen die zondag tegen de middag. Hij zag er ontzettend elegant uit in een nieuw pak met een lichtblauw overhemd. Ze zag hem voor het eerst met een stropdas om, en zijn ogen leken nog eens zo blauw. Arthur kwam een kwartier later. Hij liep meteen door naar de machinekamer. Daar ratelden niet alleen onophoudelijk de telexen, maar zoemden sinds kort ook faxapparaten. Die geheimzinnige machines maakten het mogelijk om handgeschreven telegrammen te versturen en te lezen. Arthur had, volgens Stanley, 'een vooruitziender blik dan heel Hollywood bij elkaar'. Zodra die faxapparaten op de markt kwamen, had hij er een paar van aangeschaft voor zijn redactie.

Ze lieten de deur van hun kamer open omdat ze wilden kunnen horen wat er daarbuiten aan de hand was. Maar beiden slaagden ze er niet in zich op hun werk te concentreren. Stanley vertelde haar over madame Calmes uit Luxemburg, en zij keek naar hem en vroeg zich af welke goede God deze man op haar pad had gestuurd. Tegen negenen werd het stil op de redactie. Arthur stond bij de deur naar de machinekamer. Hij had een vel papier in zijn hand. Hij sloot de deur en toen het doodstil was, begon hij langzaam voor te lezen:

*Reims, Frankrijk, 7 mei 1945*

*Zondag om 2.41 uur Franse tijd, 8.41 uur Oostelijke Militaire Tijd, heeft Duitsland de akte ondertekend van onvoorwaardelijke overgave aan de geallieerden en de Sovjet-Unie. De capitulatie werd getekend in een klein, uit rode baksteen opgetrokken schoolgebouw, waar zich het stafkwartier bevindt van generaal Dwight D. Eisenhower. De capitulatie, die formeel een einde maakt aan een oorlog die vijf jaar, acht maanden en zes dagen heeft geduurd en die talrijke slachtoffers en verwoestingen met zich mee heeft gebracht, werd namens Duitsland ondertekend door generaal Alfred Jodl. Generaal Jodl is de nieuwe stafcommandant van het Duitse leger. De capitulatieakte werd namens Amerika ondertekend door generaal Walter Bedell Smith en door de stafchef, generaal Eisenhower. Namens de Sovjet-Unie tekende legergeneraal Ivan Soesloparov, en namens Frankrijk gene-raal François Sevez. Officieel zal hiervan mededeling worden gedaan op dinsdag, om negen uur 's ochtends, wanneer president Harry S. Truman zich via de radio tot zijn volk zal wenden. Premier Winston Churchill zal een decreet doen uitgaan over de afkondiging van een Dag van de Over-winning in Europa. Tegelijkertijd zal generaal Charles de Gaulle zich met een gelijkluidende verklaring wenden tot het Franse volk.*

Toen Arthur klaar was met voorlezen, veegde hij het zweet van zijn voorhoofd en ging hij zonder verder commentaar terug naar de ma-chinekamer. Door de ramen zag iedereen hoe hij uitzinnig met zijn vuist op een tafel bonkte. Een paar seconden bleef het muisstil. Toen klonk er een oorverdovend applaus, en daarna stegen luide kreten op. Stanley was ineens verdwenen, meegezogen in de menigte. Anna bleef eenzaam achter; aan alle kanten duwden en porden mensen tegen haar aan. Ze werkte zich de gillende en joelende massa uit, bleef even tegen de wand aan staan en sloop toen naar de keuken. Daar deed ze het licht uit. In het donker viel ze op haar knieën en begon ze, met haar hoofd tegen een van de koelkasten geleund, te huilen.

'Ik zocht je,' hoorde ze ineens een stem.

Ze stond op en veegde haar tranen weg.

'Laat het licht maar uit. Ik zie het beste in het donker.' Ze herkende Max' stem.

'Ga je met me mee naar mijn laboratorium?' Max sloeg een arm om haar schouder en streelde zachtjes haar haren.

'Denk je dat ze me verachten? Dat ze de pest aan me hebben? Maar ik wilde deze oorlog toch helemaal niet?' fluisterde ze. Ze drukte haar gezicht tegen zijn overhemd.

'Vergeet het, Anna. Ze schreeuwen precies zo als de Yankees gewonnen hebben. Misschien schreeuwen ze dan nog wel harder. Vergeet het.'

'Maar ik wíl het helemaal niet vergeten. Ik ben nog blijer dan zij. Max, ik wil nu niet naar je laboratorium. Niet vandaag. Ik trek het vandaag niet om die foto's te zien...'

De spontane vreugde-uitbarsting nadat het nieuws bekend was gemaakt, duurde tot in de ochtend. De redactie van een degelijke krant leek op een nachtclub waar de bezoekers uit hun dak gingen bij het vieren van oud en nieuw. Iedereen toverde flessen drank tevoorschijn, uit de radio schetterde harde muziek, er werd gedanst tussen de bureaus in. Na middernacht zaten er op diezelfde bureaus paartjes te zoenen. Stanley stond naast Anna op de drempel. Hij keek naar de algemene feestvreugde en trok haar stevig tegen zich aan. Ze sloot haar ogen en dacht aan haar huis aan de Grunaer Strasse, aan tante Annelise die aan het redderen was in de keuken, aan de dronken Slobbertje bij de kachel en – waarom dacht ze daar nu ineens aan? – aan dat meisje met het blauwe truitje op de kansel in de Annenkirche, dat meisje dat steeds maar bleef zeggen: 'Ik hou van je, ik hou van je, onthou dat: ik hou van je...'

Tegen vieren was de redactie verlaten. Stanley had te veel gedronken om naar huis te kunnen rijden en de laatste metro was allang weg. Ze deden de deur van hun kamer op slot, lieten de jaloezieën zakken en deden het licht uit. Ze lag op de grond naast Stanley en kuste zijn handen.

'Slobbertje hield wel van je hoor, echt waar,' fluisterde ze.

Hij trok haar steviger tegen zich aan en vroeg:

'Neem je me een keer mee naar Dresden?'

'Dat doe ik, Stanley. Ik neem je mee naar Dresden. Ik neem je overal mee naartoe. Wat ben ik blij dat het nu voorbij is. Ik heb zo lang op deze dag gewacht...'

Om een uur of negen werd ze wakker. Stanley sliep nog. Ze streek vlug haar jurk glad en rende naar de keuken. Onderweg lachte ze vriendelijk naar de mensen die her en der bij zaten te komen van de afgelopen nacht. Ze kwam met twee koppen koffie terug in de kamer. Een paar minuten later zaten ze beiden achter hun bureau te werken.

New York, Times Square, Manhattan, zaterdagavond 12 mei 1945

Op dinsdag 8 mei zat Anna rond het middaguur een sigaret te roken in de vensterbank en keek ze naar de compacte, deinende en enthousiast schreeuwende menige onder haar, op Times Square. De Amerikanen vierden de Dag van de Overwinning. Affiches, leuzen, luchtballonnen, Amerikaanse vlaggen en ontelbare vlaggetjes met de afkorting V-E-DAY erop – Amerikanen zijn gek op catchy afkortingen. Victory-over-Europe-Day. De Dag van de Overwinning op Europa, die dinsdagochtend om negen uur afgekondigd door president Truman in een speciale radiotoespraak, maakte het hele land euforisch. De redactie was verlaten. Iedereen was naar beneden gerend om zich in het feestgedruis te storten. Alleen Anna was boven gebleven. Ze was bang voor menigtes, en al helemaal voor patriottische menigtes.

Even later ging ze terug naar haar bureau. Ze werkte samen met Stanley aan een reportage over het ondergrondse New York. Bij werkzaamheden aan een metrostation in het zuiden van Manhattan, vlak bij Chinatown, hadden arbeiders een ingestort ventilatiekanaal aangetroffen. Het vallende gesteente had twee kinderen gedood die onder het ventilatiekanaal lagen te slapen. Vlak bij de perrons van het station bleek al vier jaar een groep illegale immigranten uit Slavische landen te huizen. Het ging om ruim twintig mensen. Vier jaar! Toen Anna en Stanley langs de rails naar de plek waren gelopen waar die mensen huisden, ontvouwde zich voor hun ogen een monsterachtig schouwspel. Tussen hoestende, creperende oude mensen die op stukken karton lagen, renden kinderen heen en weer. In het midden van een soort pleintje brandden vuren. In de verste hoek van de ruimte bevonden zich achter een barricade van huisvuil twaalf verse graven. De mensen die hier stierven, werden niet naar boven gebracht. Dat was te riskant. Ze werden ter plekke begraven, achter de vuilnishoop. Anna dacht terug aan haar catacombe in Dresden. Stanley was te geschokt om foto's te maken. Hij kon het eenvoudig niet. Dezelfde dag had hij een bespreking met Arthur. Die belde 's avonds de burgemeester, die hem bezwoer het schandaalverwekkende materiaal nog niet te publiceren. 's Nachts belde Arthur Stanley terug. Hij vroeg hem het artikel af te maken en te zorgen dat het de volgende ochtend op zijn bureau lag. 'Alles, godverdomme!' Stanley bracht het gesprek woordelijk aan Anna over, compleet met wat de taalkundigen het 'subnormatieve taalgebruik' noemen – een taalgebruik waarmee Arthur deze keer zelfs voor zijn doen ongewoon kwistig was geweest.

Behalve de foto's van de ondergrondse schuilplaats lag op haar bureau een opgerold velletje telexpapier:

*Vandaag, 8 mei 1945 omstreeks 10.00 uur Greenwichtijd, zijn eenheden van het Vijfde Gardeleger van de Sovjet-Unie Dresden binnengetrokken. De stad heeft zich zonder noemenswaardig verzet overgegeven en is volledig onder controle van de Sovjets. Martin Mutschmann, districtshoofd (Gauleiter) en tevens commandant van de stad, die op 14 april nog afkondigde dat Dresden tot de laatste man verdedigd zou worden, heeft de stad verlaten voor de komst van de Russen. Zijn verblijfplaats is onbekend. (Associated Press)*

Op het rafelige, van de telex gescheurde papiertje had iemand geschreven: 'Dit lijkt me wel interessant voor je'. Ze herkende het handschrift van Max Sikorsky.

'Weet je dat er geen mens is die zo goed in het donker kan fotograferen als jij?' was Max' begroeting toen hij de deur van zijn laboratorium voor haar opendeed. 'Je bent net een vleermuis met een camera. Die ondergrondse foto's daar bij Chinatown zijn in één woord geweldig.'

Anna deed de deur achter hen dicht. 'Heb je een minuutje tijd voor me, Max?' vroeg ze. 'Ik wil even terug naar Dresden. Juist vandaag.'

～

Een biddende soldaat. Met zijn rechterhand omklemt hij de stomp die is overgebleven van de linker. In de helm aan zijn voeten flakkert een kaars. Een behuild meisje met haar arm in het verband zit naast hem op een omgekeerde po.

～

'Max, toen die soldaat klaar was met bidden is hij naar dat meisje toe gegaan. Hij pakte haar hand en bracht haar terug naar haar ouders... Dat geldt voor al die foto's: erna ging het leven verder, terwijl het had moeten stoppen. Eventjes in elk geval...'

'Hoe oud ben jij? Twintig? Tweeëntwintig?' vroeg Max ineens. Zonder haar antwoord af te wachten voegde hij eraan toe: 'Jij ziet de wereld door de ogen van een oud iemand. Van een bejaarde als ik. Je ziet dingen die je op jouw leeftijd helemaal niet hoort te zien. Vertel me eens iets over de manier waarop het leven doorging na elk van die foto's.'

Ze ging naast Max zitten, tegenover de foto's aan de muur, en vertelde. Die oude vrouw met de bontjas aan en het strooien hoedje op die die magere kat met één oor aait die op haar schoot zit, zocht na de zoveelste luchtaanval de hele kerk af om haar kat te zoeken, en toen ze hem niet vond, ging ze naar buiten en kwam ze niet meer terug. En die non die geknield biecht bij die priester die een sigaret rookt, rende een paar minuten later door de kerk toen ze verstoppertje speelde met een stel kinderen. Ze had daarvoor en daarna nooit zulk lekker water gedronken als uit die messing kraan boven die wastafel in die ruïne. Naast die door een stuk van een balkon verpletterde vrouw met die dode baby in haar armen zaten de hongerige bonte kraaien al te wachten. Die violist onder de kaarsenkroon, tegen dat decor van schedels en doodkisten, had de hele dag een gebombardeerde kelder leeggeruimd om van het geld dat hij daarvoor kreeg een deken voor haar te kopen. En ze wist niet eens hoe hij heette. Eerst wilde ze het niet weten en toen kreeg ze de kans niet meer om het te vragen.

Ze zweeg. Ze veegde vlug een paar sporen van tranen van het tafeltje voor haar. Toen stond ze op. 'En nu ben ik aan een sigaret toe, Max.'

's Middags kwam Lisa bij iedereen langs met een envelop. Er zat een uitnodiging in voor een officiële receptie ter gelegenheid van de Dag van de Overwinning. Arthur wilde 'zijn waardering laten blijken' en bood namens hemzelf en de firma *The New York Times* een diner aan. Tijd: zaterdag 12 mei, acht uur. Plaats: het restaurant in het Empire State Building.

Anna wist niet of ze er wel heen moest gaan. Die zaterdag had Nathan haar uitgenodigd voor een 'museumnacht' in het Metropolitan Museum of Art. Dat stelde ter gelegenheid van de Dag van de Overwinning de hele nacht zijn zalen open voor de bezoekers. Anna was nog nooit 's nachts in een museum geweest en wilde het dolgraag zien. Vooral dat museum, en vooral met Nathan, die over kunst bijna nog meer wist dan over ratten met tuberculose. Dat ten eerste. En ten tweede had ze helemaal geen zin in vragen in de trant van: 'Hoe voelt u zich nu, als Duitse?', of: 'Heeft u Hitler wel eens persoonlijk ontmoet?', of: 'Waarom haten de Duitsers de joden zo?' Ze had het er moeilijk genoeg mee, maar ze was nu eenmaal als Duitse geboren, niks meer aan te doen. Hitler had ze inderdaad een keer met eigen ogen gezien, bij een parade in Dresden. Vijftien was ze toen. Hij had een spuuglelijke snor en hij schreeuwde. En wat die joden betreft: een joodse arts had ooit haar vader het leven gered, dus was het aan die jood te danken dat ze sowieso geboren was. Bovendien had ze twee jaar lang het potje met poep en plas uit de schuilkelder gehaald van een joods jongetje dat ze tot op de dag van vandaag miste. En daarom konden ze haar rug op met hun vragen. Ze mochten oplazeren naar de verste hoek van hun eigen kakelbonte Disney-droomwereld.

Stanley vond dat haar afwezigheid bij het diner een veel te demonstratieve indruk zou maken. Iedereen wist dat ze een Duitse was, en iedereen wist ook dat ze 'een heel ander soort Duitse' was – dankzij hem, en Arthur, en Lisa, en Max. Maar het zou helemaal geen kwaad kunnen als ze het ook nog eens van haarzelf hoorden. Ze moest gewoon de stomme vragen negeren en alleen antwoord geven op intelligente vragen. Nee, ze moest er beslist bij zijn.

Nathan was het daarmee eens. Alleen wilde hij haar wel graag bij het Empire State Building afleveren, want hij was vreselijk trots als hij met 'een schoonheid als zij' in de metro zat. Anna trok haar mooiste jurk aan en stopte een flesje parfum in haar handtas, plus twee zijden zakdoekjes en de trouwring van oma Marta. Die bracht geluk. Vlak voor ze de deur uit ging nam ze een slok uit haar heupflacon om zichzelf moed in te drinken.

De liften in het Empire State Building waren voorzien van kristallen spiegels in houten lijsten. Bij het paneel met knoppen stond een zwarte liftboy in een grappig violet uniform. Haar medepassagiers in de lift waren een bejaard echtpaar en een jonge, heel lange, bruinverbrande man, gekleed in een lichte broek en een donkerblauwe blazer. Zijn ogen waren nog blauwer dan die van Stanley. Hij leek trouwens helemaal verbazingwekkend veel op hem. Toen Anna haar jas afgaf bij de garderobe voordat ze in de lift stapte, had hij naar haar geglimlacht en een beleefd buiginkje gemaakt. Daarna had hij geen aandacht meer aan haar geschonken; hij was duidelijk in gedachten verzonken. Bij de dertiende verdieping voelde Anna ineens tot haar afgrijzen dat haar jurk van haar schouders begon te glijden. Ze had hem blijkbaar niet goed dichtgemaakt. Het ding had ook zo'n onhandige sluiting, aan de achterkant. Bovendien had ze geen beha aangedaan. Ze werd bijna ongesteld, en dan waren haar borsten altijd pijnlijk gezwollen en overgevoelig. Anna besloot naar het restaurant te gaan en daar in de toiletten haar kleding in orde te maken. De oudjes gingen eruit op de negentiende verdieping. De jurk bleef kuren vertonen. Op de eenentwintigste etage ging Anna met haar rug naar de spiegel staan en probeerde ze bij het gespje te komen. De zwarte liftboy wendde zich discreet af. Ten einde raad riep ze de hulp in van de lange man. Omhoogkijkend en haar jurk op haar borst vasthoudend, vroeg ze: 'Pardon, zou u mij misschien even kunnen helpen?'

De man schrok op uit zijn overpeinzingen en keek haar een ogenblik aan alsof ze een buitenaards wezen was.

'Natuurlijk, met alle genoegen. Wat kan ik voor u doen?'

'Wilt u misschien mijn jurk vastmaken? Dat is alles.'

Vanaf de negenendertigste verdieping stond Anna de volgende achttien verdiepingen nederig in de hoek van de lift en bestudeerde ze de enorme handen, en daarna het gezicht, van haar redder. Hij was alweer diep in gedachten verzonken en leek geen enkele notitie van haar te nemen. Het viel hem niet eens op dat ze telkens tersluiks naar hem keek. Op de vijftigste verdieping haalde hij een kleine blocnote en een potlood uit de zak van zijn blazer. Eindelijk riep de liftboy luid: 'Vijfenvijftig. Restaurant!' Anna stapte de lift uit en draaide zich vlug even om. De onbekende bleef in de lift, druk bezig iets op te schrijven in zijn blocnote. Anna besefte dat ze helemaal geen zin had gehad om uit te stappen...

In een grote hal met rode tapijten op de vloer had zich een groot aantal gasten verzameld – dames in avondjurk, heren strak in het pak of in smoking. Bij de deuren naar een helder verlichte zaal zag ze Arthur staan. Hij begroette alle binnenkomende gasten met een handdruk en stelde zijn gasten voor aan een magere vrouw in een lange, zwarte jurk die naast hem stond. Anna sloot achteraan aan in de rij. Een aantal mensen kende ze al. De lucht in de hal was zwaar van de parfumgeur. Kelners bewogen zich door de mensenmassa heen met dienbladen vol glazen. Anna hing haar tasje aan haar schouder en pakte twee glazen. Een sloeg ze in één keer achterover en zette ze terug op het dienblad voor de kelner kans had gezien verder te lopen; uit het tweede nipte ze beschaafd terwijl ze zich met de rij langzaam voorwaarts bewoog.

'Adrienne,' hoorde ze eindelijk Arthur zeggen, 'mag ik je voorstellen aan onze nieuwe medewerker uit Dresden, miss Anna Marta Bleibtreu?'

De vrouw diepte vlug een bril op uit haar handtas en zette hem op. Daarna omhelsde ze Anna en fluisterde haar in het oor:

'Ik ben vandaag begonnen Duits te leren. Een heel mooie taal, maar wel moeilijk! Eén woord onthield ik meteen, en ik hoop dat ik het nooit meer zal vergeten.'

'Wat voor woord?'

'*Das Herz*. Spreek ik het goed uit? Nou ja, dat geeft ook niet. Ik ben heel blij dat u gekomen bent. Gaat u mij leren fotograferen?'

'Ik wilde ú juist bedanken. Ik voel dat...'

'Arthur zei dat u eruitziet zoals ik eruitzag toen hij mij om mijn hand vroeg,' onderbrak Adrienne haar. 'Maar dat is niet waar. Hij idealiseert me, en bovendien ziet hij blijkbaar niet zo goed meer.' Ze draaide zich om naar een kelner die vlakbij stond en zei: 'Zou u miss Bleibtreu naar haar tafeltje willen brengen?'

Anna liep achter de kelner aan en probeerde de tranen terug te dringen die haar in de ogen sprongen. Max stond op en schoof een stoel voor haar achteruit. Ze ging zitten en probeerde niet op te kijken naar haar tafelgenoten.

'Max, wil je iets voor me doen?' fluisterde ze in zijn oor. 'Giet wat wodka in mijn glas en leng het aan met limonade. Maar zo dat niemand het ziet. Flink wat wodka en niet te veel limonade.'

'Er staat geen wodka op tafel, alleen brandy,' fluisterde Max even later.

'Geeft niet. Dan maar brandy. Als je er maar niet te veel limonade bij doet.'

Anna had het gevoel dat iedereen naar haar keek. Maar op dat moment kondigde de *master of ceremonies* het eerste optreden aan: 'Dames en heren, miss Doris Day zal nu, begeleid door het orkest van Les Brown, haar grote succes "A Sentimental Journey" voor u ten gehore brengen. Hier, vandaag, en speciaal voor u!'

Als één man sprong iedereen overeind. En iedereen zong zachtjes het refrein mee:

*Seven, that's the time we leave, at seven*
*I'll be waitin' up for heaven*
*Countin' every mile of railroad track*
*That takes me back.*

Ook Anna kende die regels vanbuiten. Om een of andere reden was juist dit liedje de laatste dagen ontzettend populair. Je hoorde het voortdurend op de radio. Het leek alsof je sinds 8 mei in New York niets anders hoorde dan het Amerikaanse volkslied en 'Sentimental Journey'. En ook Anna zelf had immers ooit een trein genomen, ook al was het niet om zeven uur...

De brandy begon pas na het tweede glas te werken, maar wel voordat Doris Day het podium verliet, want de mensen bleven nog een hele tijd zingen en applaudisseren. De stoel naast haar was leeg. Volgens het kaartje dat op tafel lag, was het de plaats van Stanley Bredford. Maar hij was er niet! Om negen uur begon Anna zich ongerust te maken. Ze diepte wat kleingeld op en werkte zich door de feestende menigte naar een munttelefoon in de gang. Bij de zaaldeuren stond Arthur naast een tafel met hapjes. Hij hield Anna staande, boog zich naar haar over en fluisterde in haar oor: 'Heb je dat heupflaconnetje van je toevallig bij je? Dat was prima wodka. Wat ze hier schenken is bocht.'

'Ach, wat jammer nou, ik heb dat flesje niet bij me. Het is echte Poolse wodka. Gekocht van een jood in Greenpoint. Zal ik een paar flessen voor je kopen? Zeg, weet jij waar Stanley zit? Ik vind het helemaal niet leuk dat hij er niet is.'

'Stanley?' Hij keek op zijn horloge. 'Als het goed is, is die nu in San Francisco.'

'Waar?!'

'In San Francisco. Daar hebben zich vanochtend in hun cellen in een interneringskamp acht Japanners tegelijk opgehangen. Stanley vindt dat een beetje al te toevallig, zo vlak na de Dag van de Overwinning. Hij weet zeker dat ze ze een handje geholpen hebben. Bovendien is het niks voor een jap om zich op te knopen. Een jap die de eer aan zichzelf houdt, snijdt zijn buik open, of desnoods een ader. Stanley gaat het allemaal uitzoeken. Overmorgen is hij weer terug.'

'Hoe kan dat nou? Waarom heeft hij niets tegen mij gezegd?'

Arthur sloeg troostend een arm om haar schouder. Ineens zei hij: 'Ha die Andrew! Wat fijn dat je tijd had om hier te komen. En, wil het nog een beetje lukken met de natuurkunde in Amerika?'

Anna draaide zich om. Voor haar stond de lange man uit de lift. Hij bekeek haar belangstellend.

'Ha die Art. Ik wist niet dat jij een dochter hebt. Zeg, waar kan ik Stanley hier vinden?'

'Nu? In Frisco, denk ik. Heeft hij je dan niet gebeld om zich te verontschuldigen? Dat is niks voor hem.'

'We hebben weinig contact gehad, de laatste tijd,' zei de man, zonder op die laatste opmerking van Arthur in te gaan.

'Dat snap ik, Andrew, dat snap ik. We zitten allemaal tot over onze oren in het werk. En jij helemaal natuurlijk. Daarom vind ik het extra fijn dat je tijd hebt gevonden voor ons feestje. Mag ik je voorstellen aan miss Anna Marta Bleibtreu? Die werkt dankzij je broer nu bij *The New York Times*.'

De man stak zijn hand uit naar Anna.

'Andrew Bredford, aangenaam.'

Anna pakte zijn hand vast en zei: 'Wat heeft u grote en mooie handen!'

'Andrew was vroeger een kei in basketballen, maar daar kreeg hij genoeg van. Nu is hij een kei in natuurkunde,' merkte Arthur op. 'Maar willen jullie mij verontschuldigen? Ik moet jullie verlaten.'

'Dat u met zulke grote handen mijn gespje vast kreeg!' Anna keek hem aan. 'Vreselijk gênant wat er in de lift gebeurde. U bent toch niet boos op me? Wat lijken uw ogen op die van Stanley. Alleen nog blauwer.'

'Hoe hebben jullie elkaar leren kennen, als ik vragen mag?'

'Op de toren van de Keulse Dom.'

'Waar?! Wat voor Dom?'

'In Keulen. Dat is een stad in Duitsland. Aan de Rijn.'

'Dat is me bekend. Maar hoe? En wanneer?'

'Op donderdagochtend 8 maart 1945. Daar heb ik op hem gewacht.'

'Donderdag 8 maart, op een toren in Keulen, in Europa. Hm... Wat deed Stanley daar dan?'

'Hij nam foto's van de rechter-Rijnoever.'

'U maakt een grapje! Dus mijn broer stond twee maanden geleden zomaar ineens op de toren van de Keulse Dom foto's te maken van de rechter-Rijnoever?'

'Hij stond niet alleen. Hij lag ook onder de balustrade. Heel eventjes maar, hoor.'

'Stanley? Mijn broer? Dus die is gewoon de oceaan overgevlogen, naar de oorlog, om daar naar hartenlust te fotograferen? En wat is uw rol in dit geheel, als ik vragen mag?'

'Daar probeer ik zelf nog steeds voortdurend achter te komen. Maar hoe het ook zij, uw broer heeft een heleboel heel belangrijke foto's gemaakt. En hij heeft mij mee terug genomen.'

'Neem me niet kwalijk dat ik het u zo rechtstreeks vraag, maar bent u Duitse?'

'Waarom verontschuldigt u zich? Waarom moet u zich verdomme verontschuldigen? Weet u wat? Bel uw broer en vraag het hem zelf! Wanneer hebben jullie elkaar voor het laatst gesproken? Op de *high school*?' Anna draaide zich om en liet de man staan waar hij stond.

Op een tafel had iemand een glas wijn laten staan zonder het leeg te drinken. Anna pakte het glas, sloeg het met één teug achterover en verliet zonder iemand iets te zeggen de zaal. Ze haalde de laatste metro, maar toen ze thuis was, kon ze niet slapen. Ze deed haar jas aan over haar nachtjapon, liep de trap af en rende de straat over, het park in. Ze ging op een bankje zitten. In het licht van de koplampen van een auto die voorbijreed, zag ze de ogen oplichten van een kat die naar haar zat te kijken...

∿

'Slobbertje, ik ga je vertellen over de Gelaarsde Kat,' fluisterde ze. Ze krieuwelde de kat achter haar oor. 'Dat wil je graag, of niet? Aan de rivier stond een molen. Elke dag kletste het molenrad op het water: plons, plons, plons... Maar op een dag zweeg de molen en klonken er alleen nog treurige liederen. De oude molenaar was gestorven. Na de begrafenis verdeelden de broers de erfenis. De oudste broer kreeg de molen, de middelste kreeg de ezel en de jongste kreeg de kat. Toen begreep de jongste broer dat er op de molen geen plaats voor hem was. Hij nam een brood, en hij trok samen met de grijze kat de wijde wereld in...'

∿

New York, Brooklyn, nacht van 19 op 20 mei 1945

Anna bleef de hele dag in haar bed liggen. Ze dronk chocolademelk, at zich – vergetend dat ze aan het lijnen was – klem aan brownies en las met rode oren *Black Boy*, de semiautobiografische roman van Richard N. Wright die in de Verenigde Staten alle bestsellerslijsten aanvoerde, waaronder, al vier weken lang, die in *The New York Times*. Wright, een zwarte man van zevenendertig, was geboren in de zuidelijke staat Mississippi. In 1940 werd hij met zijn *Native Son*, 'Zoon van Amerika', de eerste zwarte auteur in de geschiedenis van de Verenigde Staten die een bestseller scoorde. Een jaar later bracht Orson Welles een op dat boek gebaseerd toneelstuk op de planken op Broadway. Alleen was dat een verminkte versie. De censuur had alle seksuele fantasieën van de zwarte hoofdpersoon over blanke vrouwen er uitgeknipt – uit het boek en uit het toneelstuk. Maar Stanley had voor Anna bij de uitgever het onverkorte typoscript bemachtigd. Dat las ze nu, en ze snapte niet waar die censoren moeilijk over deden. Wright wist waarover hij schreef. Hij kende de blanke vrouwen. Zijn eerste vrouw was blank, net als de tweede, bij wie hij een dochtertje kreeg. Wrights boeken stelden het Amerikaanse racisme op een schrille manier aan de kaak. Anna leerde uit Wrights boek dat het woord *negro* in het zuiden van de vs anders wordt uitgesproken dan in het noorden, meer als *knee-grow*, 'groei op op je knieën'.

De telefoon ging. Elf uur 's avonds, dat kon alleen Stanley zijn. Nathan zou nooit zo laat durven bellen.

'Stanley, wat is er gebeurd?' Ze slikte haastig een hap van haar brownie door.

Even stilte. Een verlegen kuchje.

'Ik wilde u bellen om...'

'O, dag! Hoe is het, Andrew?' Anna probeerde niet al te verbaasd te klinken.

'Ik wilde u bellen om mij te verontschuldigen voor de idiote manier waarop ik mijn vraag formuleerde.'

'Wat voor vraag, mister Bredford? Ik herinner me helemaal geen vraag. Wat ik me wel herinner is uw hand op mijn rug en uw verbazingwekkend blauwe ogen. En uw parfum.'

'Sorry dat ik zo laat bel. Ik was vergeten dat het daar bij jullie al midden in de nacht is. Heb ik u wakker gemaakt?'

'Nee. Ik lag Wright te lezen en brownies te eten, en met dat laatste moest ik sowieso ophouden. Ik snoep te veel.'

'Wright? Wat voor Wright?'

'Richard Wright. *Black Boy*.'

'Leest u die man? Echt waar? Hij is nog een geschifte *commie* ook.'

Anna gooide de hoorn erop. Ze was razend. Ze stak een sigaret op en liep naar het raam. De sigaret kalmeerde haar. Een halve minuut later ging de telefoon opnieuw. Ze ging weer naar bed. De telefoon bleef maar rinkelen. Een hele tijd nam ze niet op, maar op een gegeven moment hield ze het niet meer uit.

'Stanley, ik dacht net aan je,' fluisterde ze. 'Weet je wie me daarnet belde? Die broer van je. Ik weet dat je je broers niet voor het uitkiezen hebt, maar wat een vreselijke chauvinist. En een arrogante flapdrol ook nog. Goddank ben jij heel anders. Omhels me, Stanley, pak me heel stevig beet. Heel, heel stevig. Dat heb ik zo nodig...'

Ze hoorde een klik en de korte ingesprektoon.

New York, Zuid-Manhattan, woensdagmiddag 20 juni 1945

Om een uur of drie in de middag verschenen er eerst dampwolkjes aan de horizon en vervolgens de contouren van een schip. Uit de menigte stegen enthousiaste kreten op. Ook Anna stond al twee uur in South Street, vlak bij Battery Park, ongeduldig te wachten. Het Britse passagiersschip de *Queen Mary* liet triomfantelijk zijn sirene horen bij zijn triomfantelijke intocht in New York. Anna pakte haar camera. In de lucht zweefde een zeppelin van de Amerikaanse marine en twee motorjachten, normaal gesproken zwart maar nu geschilderd in de lichtgrijze oorlogskleur, escorteerden het schip. Op de dekken van de jachten dansten meisjes met bloemen in hun haar en wuifden naar de soldaten op de dekken van de oceaanreus. Langzaam gleed de *Queen Mary* de Hudson op, omstuwd door zeilschepen, koopvaardijschepen, veerboten, baggerschuiten en sleepboten, die allemaal uit alle macht toeterden om de overwinnaars te begroeten. Bij Battery Park spoot een brandweerschip bij wijze van saluut waterfonteinen de lucht in. Op de dekken klonk uit meer dan veertienenhalf duizend kelen gezang en geroep. WE MADE IT MOM stond op borden die ze boven hun hoofd hielden. Opgeblazen condooms waaiden op als luchtballonnen en daalden weer zachtjes neer. De menigte jubelde, passerende auto's claxonneerden. New York explodeerde van vreugde nu het zijn jongens binnenhaalde die terugkeerden van de oorlog in Europa. Daarmee was het nog niet gedaan met de oorlog: NOU JAPAN NOG, las Anna op een bord.

Ze had met Stanley afgesproken dat zij het binnenvaren in de haven zou vastleggen, en hij het aanmeren. 's Avonds vertelde hij op de redactie aan Anna en Arthur dat toen de *Queen Mary* had aangemeerd aan Pier 90 in West Side en de soldaten van boord gingen, zij de agenten op de kade zowat van de sokken liepen en de generaals, de burgemeester en andere hoge omes straal negeerden. Ze stormden meteen af op de vrouwen onder het publiek.

Toen Anna en Stanley alleen waren in hun kamer, ging hij naast haar zitten. Hij rookte een sigaret en haalde herinneringen op aan Luxemburg. Hij vertelde Anna hoe de jongens hem de foto's van lachende vrouwen in hun portefeuilles hadden laten zien.

'Daar in Luxemburg begreep ik voor het eerst hoe belangrijk het is dat er iemand is naar wie je verlangt,' zei hij.

De volgende dag stond op de voorpagina's van de meeste Amerikaanse kranten het volgende laconieke bericht:

*Vijf dagen geleden, op 15 juni 1945 om 7.35 uur plaatselijke tijd, nam de* Queen Mary, *het grootste passagiersschip ter wereld, in het Schotse havenstadje Gourock 12.326 Amerikaanse militairen aan boord die hun bevrijdingsmissie in Europa volbracht hebben. 135 uur later is het schip om 15.30 uur de haven van New York binnengelopen.*


New York, Manhattan, zaterdag 28 juli 1945, 10.15 uur in de ochtend

Anna stond bij het raam in hun kamer te roken. De mist was zo dicht dat je zelfs het plein beneden niet kon zien. Stanley ging door de telefoon tegen iemand tekeer. Op de Brooklyn Bridge waren als gevolg van de mist meer dan dertig auto's op elkaar gebotst. Niemand wist nog of er slachtoffers waren gevallen.

'Gewonden interesseren me niet,' brulde Stanley in de hoorn. 'Alleen doden. Vooral kinderen. Zoek uit hoeveel het er zijn en bel me terug. Ik wacht.'

Een seconde later kwam Lisa buiten adem de kamer binnenrennen.

'Stanley, rij meteen naar het Empire. Arthur belde net. Er is daar iets ongelooflijks aan de hand!' riep ze vol afgrijzen.

Rondom het Empire State Building had de politie een kordon gelegd. De bovenste verdiepingen van de wolkenkrabber waren gehuld in dikke zwarte rookwolken.

De liften bleken buiten werking; Anna en Stanley renden de trappen op. Stanley begon te hoesten.

'Verdomme, er zijn hier drieënzeventig liften. En niet één doet het. Hoeveel rook jij per dag, Anna?'

'Twintig sigaretten. Niet meer.'

'Goed! Ren jij dan vooruit. Ik haal je straks wel in. Bij welke verdieping zijn we?'

'De negenentwintigste.'

'Zo laag nog maar? Dat vliegtuig is op de tachtigste naar binnen gevlogen. Rennen!'

In de hal op de vijfenzestigste verdieping stond een van de veiligheidsmensen in het gebouw een jonge vrouwelijke radioreporter van de BBC te woord. Hij las van een papiertje een verklaring voor. Anna pakte haar blocnote en schreef mee.

*Omstreeks 9.40 uur plaatselijke tijd heeft een vliegtuig met een snelheid van driehonderdtweeëndertig kilometer per uur zich ter hoogte van de tachtigste verdieping in het Empire State Building geboord. Volgens getuigen schudde het hele gebouw bij de botsing. Het vliegtuig, een tweemotorige Mitchell B-25-bommenwerper, sloeg een gat van vierenhalf bij vijfenhalve meter in de muur. Een van de motoren van het toestel kwam terecht op een belendend gebouw. De brandstoftanks explodeerden, waarna een brand ontstond die binnen veertig minuten onder controle was. Volgens de laatste berichten zijn bij het ongeluk veertien mensen om het leven gekomen: de drie bemanningsleden en elf personen die zich in het gebouw bevonden, en zijn er twintig zwaargewonden. De ramp lijkt geen ernstige schade te hebben toegebracht aan de constructie van het gebouw. Hoe groot de materiële schade is, valt op dit moment moeilijk te schatten.*

*De staf van de luchtmacht in het Pentagon heeft in een bijzonder communiqué zijn leedwezen uitgesproken naar aanleiding van het incident. Het toestel werd gevlogen door een ervaren piloot van de U.S. Air Force, luitenant-kolonel William F. Smith jr.*

*De B-25-bommenwerper was zonder projectielen aan boord op weg van Bedford, Massachusetts, naar North Dakota. Vanwege de dichte mist rond New York had luitenant-kolonel Smith het advies gekregen om te landen op de luchthaven La Guardia. Hij had echter tevens toestemming gekregen om een tussenlanding te maken in Newark, New Jersey. Op weg naar Newark vond het tragische ongeval plaats. De leiding van de U.S. Air Force spreekt haar medeleven uit met de slachtoffers van deze ramp en hun nabestaanden.*

Hoestend als een tbc-patiënt en met rode vlekken in zijn gezicht verscheen Stanley in de deuropening naar de hal op de vijfenzestigste verdieping, net op het moment dat de beveiligingsman probeerde verdere vragen van journalisten af te wimpelen. Anna rende naar hem toe.

'Stanley, dit maak je maar één keer mee in je leven en we hebben niet één foto! De trappen naar boven zijn afgesloten. Ze drukken allemaal een foto af van die veiligheidsman. Stanley, verzin iets! Ik móét dat gat in de muur zien!'

Stanley keek om zich heen. Voor de deur naar het trappenhuis was geel politielint gespannen met de tekst STOP! Er stond een jonge politieman op wacht.

'We hebben geen schijn van kans. Niks aan te doen. Heb je de hal gefotografeerd? En notities gemaakt?' vroeg Stanley zachtjes.

Anna gaf geen antwoord. Ze rende naar de toiletten, ging voor een spiegel staan, knoopte haar jasje open, trok haar beha uit, stopte hem in haar tas, hing haar camera over haar schouder en streek haar haren recht. Daarna ging ze terug naar de inmiddels verlaten hal. Stanley stond bij het raam een sigaret te roken. Hij wilde naar haar toe lopen, maar ze gebaarde dat hij daar moest blijven en stapte op de politieman af die haar de weg versperde.

'Ik was hier twee weken geleden. Op zaterdag. We hebben elkaar toen ontmoet op het terras, toch?' vroeg ze koket.

'Twee weken geleden? Dat kan niet. Toen had ik vrij,' antwoordde de politieman op formele toon.

Het kostte Anna moeite om het niet uit te schateren. Hij had vrij! Uitgerekend toen! Wat een pech! Die vlieger ging niet op. Bovendien was hij kleiner dan zij. Een volslagen mislukking.

Anna ging vlak bij hem staan. 'Zeg, wanneer heb je weer vrij? Vanavond misschien? Zullen we iets afspreken?' fluisterde ze.

'Vanavond zal niet gaan, dan moeten we naar de schietbaan. Ik heb dinsdag vrij, en daarna vrijdag. En op zondag, maar dan moet ik eerst naar de mis.'

Hij ging naar de mis! Anna waagde een laatste poging.

'Wat vreselijk hè, van dat vliegtuig. Ik wil graag voor die mensen bidden. Kunt u niet met me mee naar boven lopen en me de plek aanwijzen?'

De politieagent keek aandachtig de hal rond. Stanley stond een behoorlijk eind verderop, met de rug naar hem toe. Toen tilde hij het gele lint op. Anna kon zich niet heugen dat ze ooit met zo'n rotgang een trap op gerend was.

De agent stond in de hoek te bidden en Anna nam foto's. Een knots van een gat in de muur. De restanten van een bureau met een koffiekop die heel gebleven was, nog half vol koffie. Vellen papier met bloedspetters erop. Een verschroeid vrouwengezicht in een gesmolten fotolijst. Opeens hoorde ze Stanleys stem.
'Maak daar nog een foto van. Diafragma 8.'
De agent schrok op.
'Wat doet u hier? Wilt u ogenblikkelijk verdwijnen?'

Om twee uur waren ze terug op de redactie. Ze renden meteen naar Max. Die bracht hun om vier uur de ontwikkelde foto's. Ze kozen de wat donker uitgevallen foto's. Op de voorpagina van de extra zondagochtendeditie van *The New York Times* prijkte de half weggeschroeide portretfoto van de vrouw in de gesmolten lijst. Op maandag namen alle grote Amerikaanse kranten de foto over. Eronder stond '© *Anna Marta Bleibtreu*, The New York Times. *All rights reserved*'.

Pas op woensdag werden journalisten toegelaten tot de door de botsing beschadigde verdiepingen. 'Bedorven mosterd na de maaltijd,' noemde Arthur het. Maar donderdag was het ongeluk opnieuw voorpaginanieuws. 'Het wonder van het Empire State Building,' zo noemden de kranten wat de bescheiden liftbediende Betty Lou Oliver was overkomen. De kabels van de lift waarin ze zich bevond werden bij het ongeluk doorgesneden en ze stortte omlaag, duizend voet oftewel driehonderd meter, vijfenzeventig verdiepingen – en ze overleefde het! De gebroken liftkabels waren op de bodem van de schacht gevallen en hadden daar een soort stootkussen gevormd. Het incident met Betty Lou's lift was de directe aanleiding geweest voor het buiten gebruik stellen van alle liften. Stanley beweerde dat de beschermengel van hem en Anna het zo beschikt had dat Betty Lou haar lift binnenstapte voordat zij bij het Empire State Building waren.

De hele dag was heel Amerika vol van Betty Lou Olivers wonderbaarlijke overleving. Alle kranten schreven erover. En allemaal zetten ze er Anna's foto's bij uit die zondageditie van *The New York Times*.

Anna had ontzettende honger. Ze waren pas om acht uur 's avonds teruggekomen uit Princeton. Stanley had van zijn bronnen vernomen dat Albert Einstein daar 's middags een college zou geven, voor het eerst sinds lange tijd. Het was geen openbaar college; alleen Princeton-studenten waren welkom, er werden geen buitenstaanders en journalisten toegelaten. Maar een oud-studiegenote van Stanley had kans gezien de namen van Stanley en Anna op de lijst van genodigden te krijgen. Ze moesten om twaalf uur 's middags aanwezig zijn bij de aula. Met hun camera's. Stanleys kennis wist niet zeker of Einstein er akkoord mee zou gaan dat hij gefotografeerd werd, maar meestal had hij geen bezwaar. Vooral niet wanneer de fotografe een knappe jonge vrouw was.

Het was ongeveer negentig kilometer naar Princeton. Dat moesten ze binnen drie uur kunnen halen, de file bij de Lincoln-tunnel meegerekend. Ze vertrokken 's morgens vroeg uit Brooklyn en stonden al om elf uur bij de ingang van de aula. Anna zat zich twee uur te vervelen, want ze begreep totaal niets van wat Einstein allemaal zei en op het bord schreef. Ze was verrast door zijn zware Duitse accent. Af en toe keek ze geïnteresseerd op. Dat was wanneer hij het over 'de schoonheid van de natuurkunde' had of wanneer hij zijn integraal- en differentiaalberekeningen vergeleek met 'de partituur van een vioolconcert' – maar alleen dan. De rest was dodelijk saai voor haar.

Na zijn college werd Einstein omstuwd door studenten. Anna en Stanley liepen de gang in. Stanley had de vragen opgeschreven die hij aan Einstein wilde stellen, en Anna moest foto's maken van het interview. Einstein en zijn assistent verlieten de aula als laatsten. Ze leken erg veel haast te hebben. Stanley stormde op hen af, maar de assistent versperde hem de weg.

'Het spijt me, maar de professor heeft nu geen tijd,' zei hij gedecideerd, en hij nam Einstein mee naar de uitgang.

Toen ze langs Anna liepen, vroeg die ineens: '*Hassen Sie die Deutsche?*'

Einstein bleef als aan de grond genageld staan. De assistent begon alweer met zijn riedel: 'Het spijt me, maar de professor...'

Einstein negeerde hem. Hij draaide zich om naar Anna en antwoordde glimlachend, eveneens in het Duits: 'Dat zou ik niet willen zeggen, Fräulein. Ik vind alleen wel dat de Duitsers als natie straf verdiend hebben. Zij hebben Hitler gekozen, en zij hebben het mogelijk gemaakt dat hij zijn plannen realiseerde. Bent u Duitse? Mag ik raden waar u vandaan komt? Uit Saksen, aan uw uitspraak te oordelen.'

'Dat klopt. Ik kom uit Dresden.'

Ze zag uit haar ooghoek dat Stanley dichterbij kwam en zijn camera van zijn schouder haalde.

'Uit Dresden! Daar is een prachtige synagoge. Daar wás een prachtige synagoge. Ik heb hem ooit bezocht. Wat brengt u hier naar Princeton?'

'Mijn poging u te fotograferen. Maar dat mag niet van uw assistent,' antwoordde ze eerlijk.

'Wat? Michael, heb je deze dame werkelijk tegengehouden?' vroeg hij in het Engels aan zijn assistent.

'Welnee!' riep die verontwaardigd uit.

'Heeft u hier licht genoeg?' vroeg Einstein, nu weer in het Duits.

'Ik ben bang van niet.'

'Waar wel?'

'Daar, bij het portret van de rector magnificus. Zou u daar willen gaan staan?'

'Nee, ik laat me niet graag fotograferen met op de achtergrond professoren van wie ze schilderijen maken. Misschien bij die plant daar in de hoek?'

'Prima!'

Einstein liep naar een grote pot met een ficus en deed zijn das recht. Maar Anna wilde die ficus er helemaal niet op hebben! Ze wilde een foto maken van Einsteins gezicht. Alleen zijn gezicht! Ze ging op de grond liggen en Einstein begon hartelijk te lachen.

'Voor wie doet u zo ontzettend uw best?' vroeg hij opgewekt toen ze klaar was met fotograferen.

'Voor *The New York Times*, sir...'

'Ach! Doe dan vooral de hartelijke groeten aan Arthur!' Einstein liep naar de deur.

'Kent u Arthur?' riep Anna verbaasd.

'Ja. Wij joden kennen elkaar immers allemaal,' antwoordde hij, en hij liep naar buiten.

Stanley stond erbij met zijn armen langs zijn lichaam. Even kon hij geen woord uitbrengen. Toen vroeg hij: 'Kennen jullie Duitsers elkaar allemaal of zo?'

'Nee, niet allemaal. Maar als hij iets niet is, is het een Duitser.'

's Middags nam Stanley Anna mee op een nostalgische wandeling over de Princeton-campus. Ze luisterde hoe hij herinneringen ophaalde. 'Hier in dit gebouw...' 'Daar, in dat gebouw...' Ze had hem in tijden niet zo opgewekt gezien.

Om acht uur 's avonds zette hij haar af op Times Square en reed hij naar huis.

Anna bracht het filmpje meteen naar het laboratorium. Haar maag knorde, maar toch wilde ze wachten tot Max belde met zijn gebruikelijke: 'Klaar! Kom ze maar halen!'

De telefoon rinkelde, maar het was niet Max.

'Anna, zet de radio aan. Nu meteen!'

'Welke zender?'

'Maakt niet uit. Vlug, nu meteen!'

Ze zette de radio aan die op Stanleys bureau stond en hoorde de stem van president Truman.

*... mededelen dat vandaag de eerste atoombom is afgeworpen, en wel op de legerbasis bij Hiroshima. Wij hebben de wetenschappelijke wedloop met Duitsland gewonnen. Het was onze taak om een einde te maken aan de lijdensweg van deze oorlog en het leven te redden van duizenden jonge Amerikanen. Wij zullen doorgaan met het gebruik van dit wapen om het militaire potentieel van Japan, dat deze oorlog nog steeds voortzet, volledig te vernietigen...*

Anna wachtte het einde van Trumans toespraak niet af en rende naar de machinekamer. De nachtploeg stond over de telexen gebogen. Anna stond bij het telexapparaat dat zich het dichtst bij de deur bevond. Ze las een bericht van het persbureau Associated Press. 'Prioriteit: hoog' stond erboven.

*Nadat ze waren opgestegen van de basis Tinian in de Stille Oceaan bereikten drie b-29-bommenwerpers van het 393d Bombardment Squadron na zes uur vliegen hun doelwit. De vlieghoogte was 32.000 voet (9600 meter), het zicht was goed. Kapitein William S. Parsons van de U.S. Navy maakte de bom, die ter voorkoming van voortijdige explosie niet volledig geassembleerd was, vóór het opstijgen gereed voor gebruik. Zijn assistent luitenant Morris Jeppson verwijderde dertig minuten voor het bereiken van het doelwit de veiligheidsblokkering van het projectiel. De bom werd om 9.15 uur plaatselijke tijd afgeworpen uit de* Enola Gay, *gevlogen door ka-*

*pitein Paul Warfield Tibbets van de U.S. Navy. De bom, die 130 pond ura-*
*nium-235 bevatte, explodeerde boven de stad op een hoogte van 1900 voet*
*(580 meter).*

*Als gevolg van de sterke zijwind kwam de bom niet terecht op zijn doel,*
*de Aioi-brug, maar op het Shima-ziekenhuis.*

*De kracht van de explosie stond gelijk aan die van ongeveer 13.000 ton*
*TNT. Binnen een straal van 1,1 mijl (1,76 km) werd alles volledig vernietigd.*
*Specialisten schatten dat meer dan 90 procent van de gebouwen in Hiro-*
*shima beschadigd of geheel verwoest is. Er zijn op dit moment geen nauw-*
*keurige gegevens over het aantal menselijke slachtoffers. President Harry*
*Truman sloot in zijn radiotoespraak van vandaag niet uit dat er nog meer*
*atoombommen gebruikt zullen worden voor de vernietiging van militaire*
*objecten in Japan, dat de voorwaarden voor capitulatie zoals geformuleerd*
*door de Verenigde Staten, Groot-Brittannië en China in de verklaring van*
*Potsdam van 26 juli 1945, categorisch blijft afwijzen.*

Anna las het bericht vol afgrijzen. Eén bom had meer dan negentig
procent van alle gebouwen in een stad verwoest! Om Dresden te vernietigen hadden de Engelsen en Amerikanen tienduizenden bommen
gegooid, in drie grote luchtaanvallen. Waarom hadden ze op Dresden
niet één zo'n bom gegooid? Dat konden ze toch? Het was nog geen
halfjaar geleden.

Als een kleine bom het centrum kon wegvagen van het grote Dresden, wat konden ze dan niet doen met duizenden van zulke bommen?
Van hoeveel 'officieel bevestigde' slachtoffers zouden de krantenkop-
pen dan melding maken? Anna kon zich er geen voorstelling bij maken. Goed, misschien hadden de Amerikanen nu nog niet duizenden
van die bommen, maar het was een kwestie van tijd voor ze die wél
hadden. En als de Amerikanen van die bommen hadden, zouden anderen ze ook willen hebben. Zodat ze Chicago, Los Angeles, New York
en Washington konden platgooien. De Russen zouden zeker zulke
bommen maken. Als ze dat al niet gedaan hadden.

Wat moesten de mensen die dit monster hadden ontwikkeld en het
uiteindelijk op een levende stad hadden gegooid, op dit moment denken? Wat zou kapitein Tibbets op dit moment voelen? Trots? Wroeging?

Daar had je Max Sikorsky. Hij had haar willen bellen maar kwam
er niet door, en was toen zelf op zoek naar haar gegaan.

'Max, heb je dit gelezen?' Ze scheurde het telexbericht af en gaf het
hem aan.

'Ja. Vanaf vandaag zal de wereld nooit meer hetzelfde zijn.'

Samen verlieten ze haar kamer en het gebouw van de krant. Het was een warme, drukkende zomeravond. Anna had geen haast om terug te gaan naar haar kamer in Brooklyn. Ze wilde niet alleen zijn. Terwijl ze naast Max liep, vertelde ze hoe ze Einstein had gefotografeerd op Princeton. Op de hoek van Madison Avenue en 48th Street rook ze de geur van vers brood die uit een helder verlichte croissanterie vol klanten kwam. Ineens herinnerde ze zich weer dat ze een halfuur geleden nog omviel van de honger.

'Max, ik moet iets eten. Ik leef al de hele dag op koffie en sigaretten.'

Ze liepen de zaak binnen en gingen aan een tafeltje bij de glazen toonbank zitten. Max liep naar de toonbank toe en riep naar Anna: 'Wat wil jij?' Hij wees naar het gebak en de pasteitjes.

'Ik wil zo'n zuurdesembroodje als oma Marta altijd bakte en een beker melk. Maar dat hebben ze hier vast niet.'

Een ongeschoren man in een witte jas stond achter de toonbank te wachten tot hij de bestelling op kon nemen.

'Heeft u van die zuurdesembroodjes?' vroeg Max hem.

De man had kennelijk geen idee wat zijn klant bedoelde. Hij riep in de richting van een open deur naar de dienstruimte achter de winkel: 'Jacqueline, kan je even komen?'

'Mijn zus heeft meer verstand van die dingen,' zei hij vriendelijk tegen Max.

Er verscheen een jonge vrouw. Afgezien van haar ravenzwarte, kortgeknipte haren zag ze eruit als een Poolse uit Greenpoint. Max herhaalde zijn vraag: hadden ze hier zuurdesembolletjes?

'Momentje, ik breng het u zo. Gaat u zitten.'

'En mag ik er een beker melk bij?' vroeg Anna bedeesd.

'Gewone melk? Wilt u niet liever chocolademelk?'

'Nee, gewone melk. Of is dat lastig voor u?'

'Welnee, geen probleem!'

'En voor u?' vroeg Jacqueline aan Max.

'Ik neem alleen koffie. Zwart, zonder suiker.'

Ze spreidden Anna's foto's van Einstein uit op tafel en bekeken ze.

Een paar minuten later bracht het meisje hun bestelling. Ze stond met haar dienblad naast het tafeltje en luisterde even mee naar hun gesprek. Ze zag de foto's.

'Ik denk dat Stanley deze foto zou kiezen, waarop Einstein lacht,' zei Anna. 'Wat denk jij?'

Het meisje zette met trillende handen het dienblad op een stoel naast het tafeltje.

'Dank u wel,' zei Anna glimlachend. Ze keek het meisje even aandachtig aan.

Ze wist het niet zeker, maar het leek net of het meisje huilde...


## New York, Manhattan, dinsdagmiddag 14 augustus 1945

Toen Anna uit het metrostation op de hoek van 42nd Street en Times Square kwam, hoorde ze trommels en blaasinstrumenten. Een muziekkorps van de marine defileerde op het plein, begroet door enthousiaste kreten van het publiek. Die nacht hadden alle Amerikaanse radiozenders het nieuws gemeld: keizer Hirohito van Japan had de akte van onvoorwaardelijke capitulatie getekend. De Tweede Wereldoorlog was voorbij. Om acht uur 's morgens had president Truman de natie toegesproken. Na de alweer halfvergeten Dag van de Overwinning op Europa stond Amerika een nieuw feest te wachten: 14 augustus, Victory-over-Japan-Day. Op een paar affiches in de winkeletalages hadden de Amerikanen, praktisch als ze waren, simpelweg het woord 'Europa' vervangen door 'Japan'.

Astrid Weisteinberger gaf op haar eigen manier uiting aan haar patriottisme. 'Eindelijk komen onze jongens terug naar huis!' riep ze. Ondanks het vroege uur had ze in haar ene hand een glas wijn en in de andere een Amerikaans vlaggetje. 'Meisje, zorg dat je een van hen aan de haak slaat. Soldaten staan in Amerika in hoog aanzien. Dan kan je eindelijk ophouden met dat gewerk van je. Een vrouw hoort thuis te zitten en op haar man te wachten. Dan raak je tenminste niet meer van alles kwijt in de struiken.'

Anna had het nieuws over de capitulatie 's nachts al gehoord. Toen op 9 augustus een tweede bom was gegooid, had Arthur gezegd dat 'Hirohito een volslagen idioot en een eigenwijze ezel zou zijn als hij ging zitten wachten tot na Hiroshima en Nagasaki ook de rest van Japan van de aardbodem werd weggevaagd, Kyoto bijvoorbeeld'. In afwachting van de verdere gebeurtenissen had Arthur gezorgd dat de redactie 's nachts zwaarder bezet was dan normaal. Anna en Stanley draaiden om de beurt een dienst. Daardoor had juist zij de eerste te-

lexen uit Tokio gelezen. Sinds gisteravond was de oorlog voorbij...
Daar in de machinekamer waren het droge feiten geweest, zonder emotie. Maar nu, te midden van al die juichende, gelukkige mensen op Times Square, voelde Anna hoe bijzonder deze dag was. Ze keek naar de dansende paren op het midden van het plein, naar de wildvreemden die elkaar omhelsden, naar al die omhoogreikende handen die het v-teken maakten. Opeens zag ze die jongeman in zijn marineuniform. Hij rende, en in het voorbijgaan omhelsde hij alle vrouwen die hij tegenkwam, jong en oud, dun en dik. Voor de matroos uit rende een andere jongeman, met een camera in de hand. Hij bleef telkens even staan om een foto te maken. De matroos sloeg zijn armen om een verpleegstertje in haar witte uniform en kuste haar. Dat moest een prachtige foto opleveren, die op een heel natuurlijke manier de feestelijke sfeer van die dag weergaf.

Twee weken later stond de foto van de matroos en de verpleegster op het omslag van het tijdschrift *Life*. Anna voelde een steek van jaloezie. Ze was er verdorie zelf bij geweest! Gewapend met haar Leica! Het was werkelijk een bijzondere foto, zo simpel als maar kan en tegelijkertijd een en al blijdschap en hoop. Anna begreep dat juist deze foto het symbool zou worden van het einde van de oorlog. Ze keek in het tijdschrift wie de maker van de foto was: Alfred Eisenstaedt. Arthur zocht voor haar zijn telefoonnummer op en ze belde hem.

Zodra ze haar naam noemde, ging Alfred Eisenstaedt over op het Duits. Ze stelde voor elkaar te ontmoeten op Times Square, en hij stemde toe. Hij wist zelf niet waarom *Life* juist die foto had gekozen, vertelde hij. Hij had een heleboel foto's gemaakt. Alfred kwam uit Duitsland. Hij was geboren in een joods gezin in Tczew, bij Danzig, het Poolse Gdańsk. Maar zijn stad was en bleef Berlijn. Voor de oorlog fotografeerde hij voor alle grote Duitse kranten. Hij had Thomas Mann gefotografeerd, en Marlene Dietrich en Richard Strauss, en ook Hitler en Mussolini en Goebbels. Toen ze in 1935 de joden actief begonnen te vervolgen, emigreerde hij naar de Verenigde Staten, waar hij onderdak vond bij Associated Press. Nu, na zijn publicatie in *Life*, wilden een heleboel kranten en tijdschriften hem in vaste dienst nemen, maar hij hechtte te veel aan zijn onafhankelijkheid. Hij had op Times Square gefotografeerd met precies dezelfde Leica als Anna nu in haar handen had. Hij had een Kodak Super-2x film gebruikt, sluitertijd 1/125, diafragma 5,6. Kortom, niks bijzonders. Hij had haar foto's uit het Empire State Building gezien na het ongeluk in juli. Klasse! Hij had al aan haar naam gezien dat ook zij Duitse was. In Dresden was hij vaak genoeg geweest, wat daar was gebeurd hoefde Anna hem niet te vertellen. Ja, hij had heimwee naar Berlijn maar durfde er niet naartoe te gaan. Hij zou haar graag af en toe blijven ontmoeten; het was fijn om over fotografie te praten met iemand die er net zoveel van af wist als hijzelf. En nog in het Duits ook...

New York, Brooklyn, donderdagavond 22 november 1945

Arthur had Anna woensdagavond gebeld.

'Sorry dat ik je stoor, maar Astrid laat mijn Adrienne niet met rust. Ze heeft haar gisteren gebeld om zich over mij te beklagen. Ze zei dat ik een slavendrijver ben voor mijn medewerkers. Morgen is het Thanksgiving Day. Ik weet dat jullie dat niets zegt, maar hier is het net zo *big* als Kerstmis. Astrid zei dat je haar niet eens kon helpen bij het braden van de kalkoen omdat je 's avonds moest werken. Ze vindt dat ik jullie uitbuit, onderbetaal en dwing om in het weekend te werken. En als jullie me te oud worden, verkoop ik jullie aan de *New Yorker*. Nou weet ik dat je alles wat Astrid beweert met een korrel zout moet nemen, maar Adrienne gelooft haar op haar woord. Ben je daar nog?'

'Ik ben er nog.' Anna stikte van het lachen.

'Mag ik je iets vragen? Zou je morgen bij wijze van uitzondering níét naar de redactie willen gaan? Dat zou ik heel fijn vinden. Eén keertje maar. Beloofd?'

'Beloofd,' zei Anna lachend.

'Zeg dat eens in het Duits?'

'*Ich verspreche.*'

'Vreselijke taal. Maar goed, ik ben je zeer erkentelijk. Ik wens je een prettige Thanksgiving.'

Die avond stond Astrid Weisteinberger in de keuken te mopperen dat de kalkoen een stuk duurder was geworden, vergeleken met vorig jaar.

'Kindje, zet jij de oven aan? Ik heb een geplukte kalkoen gekocht. De maisolie staat in de kast op de onderste plank.'

'En de kalkoen?'

'In de koelkast, kindje. Waar zou-ie anders moeten zijn?'

Anna deed de koelkast open. De kalkoen lag op het middelste plankje, met een krant eromheen.

'Wat een knots!' riep Anna verbaasd. 'Het lijkt wel een struisvogel.'
'We hebben een heleboel gasten. Iedereen komt. Jij mag die blinde jood van je ook uitnodigen. Hoe heet hij?'
'Nathan, mevrouw Weisteinberger. En hij is niet blind. Hij bederft alleen maar zijn ogen omdat hij te veel leest.'

Anna wikkelde de kalkoen uit de krant en glimlachte toen ze de koppen van *The New York Times* herkende. Ze legde het beest op de opengevouwen krant en begon de ingewanden eruit te halen. Opeens zag ze de naam 'Lucas Rootenberg' staan, geschreven met ongelijkmatige, kinderlijke letters. Ze greep de krant en de kalkoen viel op de grond. Hij rolde een stukje door, tot voor de voeten van Astrid. Op de met het bloed van de kalkoen bevlekte krantenpagina stonden tekeningen van Lucas! Alleen hij tekende zo de zon! Alleen hij en niemand anders! Anna rende met de krant in haar hand de trap op, naar haar kamer. Ze belde Stanleys nummer. In gesprek. Ze schoot in haar jas, rende naar buiten en hield een taxi aan.

De conciërge van de flat waar Stanley woonde keek haar aan alsof ze getikt was.

'Wilt u Stanley Bredford bellen en zeggen dat ik er ben? Nu meteen, alstublieft!'

De conciërge pakte de telefoon. 'Er is hier ene Anna Bleibtreu. Ze wil u spreken, ze beweert dat het erg dringend is. Weet u zeker dat ik haar naar boven kan laten gaan?'

Anna rende naar de lift. Op de achtste verdieping deed een vriendelijk ogende vrouw de deur voor haar open.

'Het spijt me. Ik zou nooit durven...'

'Anna, wat is er gebeurd?' hoorde ze Stanley vragen.

Ze gaf hem het met bloed bevlekte stuk krantenpapier aan.

'Stanley, van wie is deze reportage?'

Hij begreep niet wat ze bedoelde. 'Wat voor reportage?'

'Over Lucas!'

'Wie is Lucas?'

'Kom binnen!' zei de vrouw.

Ze gingen naar de woonkamer. Anna ging in een van de fauteuils zitten. Een zwarte kater streek langs haar been. Hij deed haar aan Slobbertje denken.

'Rustig maar, Anna... Wat voor reportage?'

'Van drie dagen geleden. Herinneringen van joodse kinderen.'

'Wat is daarmee?' vroeg Stanley rustig.

De vrouw kwam de kamer binnen en zette een kop thee voor Anna neer.

'Doris, mag ik je voorstellen? Anna Bleibtreu. Ik heb je over haar verteld.'

'Ja, die reportage heb ik gelezen. Vreselijk. Heel fijn om kennis met je te maken,' zei Doris.

'Ik hou van dat jongetje, Stanley...'

'Welk jongetje, Anna?'

'Lucas.'

Stanley pakte het bebloede stuk krantenpapier van haar aan en las het artikel. Toen vroeg hij: 'Waar ken je hem van?'

'Ik heb hem altijd al gekend...'

En ze vertelde. Over papa, over de schuilplaats onder de vloer aan Grunaer Strasse nummer 18, over het echtpaar Rootenberg in de Annenkirche, over het opgetogen gezichtje van Lucas wanneer ze hem een sprookje vertelde, over zijn tekeningen, over de kersen die oma Marta hem liet brengen in het gebarsten kommetje, over oma Marta's dood...

'Stanley, bel Arthur. Hij moet weten hoe dat materiaal bij de krant terechtgekomen is!' riep Doris.

Stanley liep naar de telefoon. Doris aaide de kat, die op haar schoot gesprongen was.

'Stanley heeft me verteld over Slobbertje. En soms praat hij in zijn slaap, weet je, en dan noemt hij jouw naam. Een prachtige naam. Als we een dochter krijgen, wil ik haar ook Anna noemen. Sinds Stanley jou heeft leren kennen, is hij een ander mens geworden.'

Stanley was aan het telefoneren. Zijn stem klonk opgewonden, hoorde ze.

'Ja Arthur, het is verdomd belangrijk. Nee, het moet vandaag. Beslist vandaag. Waarom? Daarom! Luister goed naar me...'

Twee uur later werd er aan de deur gebeld. Een koerier bracht een grote grijze envelop. Lucas' tekeningen zaten erin, met een notitie erbij van Mathilde Achtenstein. Het pakje met de tekeningen was een week geleden bij *The New York Times* bezorgd. Er zat geen brief bij en ook geen adres van de afzender. Aan het stempel op de postzegels te zien was het pakje gepost in New Jersey.

Het nieuws dat Lucas leefde en misschien wel vlakbij was, liet Anna niet met rust. Eerst bladerde ze alle telefoonboeken van New Jersey door. Rootenberg is een tamelijk veelvoorkomende joodse achternaam, en haar lijst bevatte ten slotte bijna duizend telefoonnummers. Ze belde ze allemaal, maar het leverde niets op. Vervolgens duikelde Stanley met gebruikmaking van zijn contacten bij de telefoonmaatschappijen de nummers op van alle Rootenbergs in New Jersey die niet in het telefoonboek stonden. Ook die belde Anna. Stanley betwijfelde of 'haar' Rootenbergs wel telefoon hadden. Als die in februari nog in het verwoeste Dresden zaten, was het niet erg waarschijnlijk dat ze nog geen zeven maanden later een woning in New Jersey hadden, compleet met telefoon. Ze moesten eerst immers uit Dresden zien weg te komen en daarna uit Duitsland, waarna ze waarschijnlijk in Zweden terechtkwamen; daarna moesten ze de Atlantische Oceaan oversteken en de ingewikkelde immigratieprocedure hier doorlopen voor ze zich hier konden settelen. Weliswaar was de joodse gemeenschap hier erg actief en solidair, maar dan nog: zo snel kon dat gewoon niet. Ten slotte zei hij iets wat Anna niet wilde geloven: 'Misschien zijn alleen de tekeningen in Amerika terechtgekomen. Iemand zal ze per post hebben opgestuurd. De ontvanger was geëmotioneerd door wat hij zag en heeft ze aan onze krant doen toekomen.'

'Stanley, hou op!' riep Anna. 'Ik vóél dat hij hier is. Hier ergens vlakbij!'

Ze bleef zoeken. Ze nam contact op met alle onderwijsinstellingen in New Jersey en de aangrenzende staat New York. Toen schoot haar te binnen dat Jacob Rootenberg hoogleraar was geweest aan de universiteit van Dresden. Als hij hiernaartoe was gekomen, gaf hij misschien wel ergens les aan een *college*. De secretaresse van de rector van Queens College in de New Yorkse wijk Queens vertelde dat inderdaad sinds kort bij hen een professor Jacob Rootenberg werkte, aan de juridische faculteit. Hij was naar hen toe gekomen uit...'

'... uit Dresden?' viel Anna haar in de rede.

'Dresden? Is dat niet een stad in Canada? In de buurt van Toronto?'

'Nee, Dresden ligt in Europa. In Duitsland,' antwoordde Anna. Ze probeerde niet te laten merken dat ze nijdig werd. Ze moest er zo langzamerhand toch aan gewend zijn dat de meeste mensen hier een verbijsterend gebrek aan algemene ontwikkeling hadden, dat ze de meest elementaire schoolkennis ontbeerden. De grootste ezel op een Duitse *Realschule* wist meer dan de grootste uitblinker op de high school. Anna kon zich moeilijk voorstellen dat de secretaresse van de rector van een Duitse universiteit nog nooit gehoord had van, pakweg, Philadelphia.

'Dan zult u een andere Rootenberg bedoelen,' zei de secretaresse laconiek. 'Die van ons komt uit Toronto. Daar is hij pasgeleden gepromoveerd. Hij is achtentwintig.'

Na die geschiedenis met de tekeningen van Lucas veranderde Arthurs houding tegenover Anna. Hij was niet langer de familiaire, soms al te rechtlijnige chef, maar een zorgzame, attente voogd. Soms stond hij ineens op de drempel van haar kamer en vroeg hij: 'En, hoe gaat het met mijn meisje?'

Voor de andere redactiemedewerkers verborg hij deze vertrouwelijke relatie zorgvuldig. In het bijzijn van buitenstaanders was het altijd 'miss Bleibtreu'. Van haar kant probeerde Anna zich zo neutraal mogelijk te gedragen. Aanvankelijk had het feit dat Anna gevraagd was om fotojournalist bij *The New York Times* te worden de meeste medewerkers een gril geleken van Stanley. Hij had zich blijkbaar het hoofd op hol laten brengen. Maar Anna's positie op de redactie was steeds sterker geworden. Het omslagpunt was gekomen in juli, na haar foto's uit het Empire State Building. Toen snapte iedereen dat het helemaal geen gril van Stanley was geweest en dat die Duitse jongedame niet simpelweg een hoop geluk had gehad. Ze was een toptalent.

Voor Stanley werd het allemaal een stuk gemakkelijker nu Anna kennis had gemaakt met Doris. Hij had er flink mee in zijn maag gezeten en hij had Anna nooit verteld over zijn vriendin, bang als hij was dat dat de omgang tussen hem en Anna zou beïnvloeden. Voor een deel verweet Anna dat zichzelf. Ze voelde zich volkomen op haar gemak bij Stanley, geneerde zich totaal niet, kleedde zich rustig om waar hij bij was en raakte hem graag aan. Ze had daar totaal geen seksuele bedoelingen bij, maar haar onschuldige liefdesbetuigingen konden hem op het idee brengen dat ze jaloers en verdrietig zou zijn als hij haar vertelde dat hij een ander had, en dat ze dan misschien afstandelijker zou worden.

Anna en Doris werden algauw goede vriendinnen. Ze konden uren kletsen aan de telefoon, gingen graag samen shoppen en wandelen, roddelden, lazen dezelfde boeken en leenden kleren van elkaar. Na een poosje wisten ze alles van elkaar: dat Nathan een prachtkerel was, maar dat hij Anna als man totaal niet interesseerde; en dat ze allebei chagrijnige loeders waren wanneer ze 'die dagen' hadden. Alleen aan Doris, juist aan Doris, had Anna nadat ze samen een paar flessen wijn gedronken hadden alles verteld over haar violist in de catacombe. Bij

Doris kon ze terecht als ze dolblij was en als ze verschrikkelijk verdrietig was. Er waren in Anna's leven dingen die alleen Doris wist, dingen waarvan Stanley geen flauw vermoeden had. En soms wist Anna dingen eerder dan Stanley. Bijvoorbeeld dat die vader ging worden...

## Sunbury, Pennsylvania, maandagavond 24 december 1945

Ze reden om een uur of twaalf 's middags weg uit de parkeergarage onder Stanleys flat aan Park Avenue. Stanley wilde beslist in Sunbury zijn voordat daar 'de eerste ster aan de hemel verscheen'. Doris had geen idee wat hij bedoelde. Ze waren net Newark voorbij, toen ze al in de eerste file terechtkwamen. Stanley kwam terug op het thema 'de eerste ster aan de hemel'.

'Mij oma van moederskant is geboren in Polen. Ze kwam via Ierland naar Amerika. En in Polen begint Kerstmis wanneer de eerste ster aan de hemel verschijnt.'

'Waarom?' vroeg Doris.

'Vanwege het Bijbelverhaal over de ster die de Wijzen uit het Oosten volgden.'

'Wat voor wijzen, Stanley? En wat voor ster?'

Anna had een binnenpretje. Ook in Dresden gingen ze aan tafel voor het kerstmaal wanneer de eerste ster verscheen. En als het bewolkt was, bepaalde oma Marta wanneer het tijd was. De kleine Anna vond altijd dat die ster veel te laat kwam, al helemaal omdat ze de hele dag moest vasten en omdat de cadeautjes onder de kerstboom popelden om uitgepakt te worden.

'Doris, dat is alleen maar een Poolse traditie.'

'Hoe weet jij dat nou weer?'

'Ik had een Poolse oma. Nou ja, half Pools.'

Anna had zich in lange tijd niet zo gelukkig en rustig gevoeld. Ze streelde de buik van Doris, die naast haar zat, terwijl Stanley vertelde over de kerstavonden in Sunbury.

'We krijgen vast pasteitjes met kool en haring,' zei hij. 'En van die rode soep. Héél lekker!'

Het tankstation op de plek waar je Sunbury binnenreed, was bedekt onder een laagje sneeuw. Op een houten bank bij het huis zaten een man en een vrouw, dik ingepakt in hun winterjassen. Toen Stanley van de weg af draaide, naar de pomp toe, sprong de vrouw op en stormde naar de auto toe. Stanley stopte.

'Laat ons maar even. Ga maar vlug naar binnen!'

Het werd al donker toen ze in de grote keuken aan tafel gingen. Stanley had de hele tijd met zijn vader in de woonkamer gezeten. De vrouwen hadden geholpen met tafeldekken. Het hele huis rook naar borsjtsj, zoals de 'rode soep' heette, en naar pasteitjes met maanzaad. Op het linnen tafelkleed lagen op de hoeken van de tafel bosjes hooi. Er stonden zeven stoelen om de tafel heen. Toen ze de kans kreeg, fluisterde Doris Anna toe: 'Die ster is volgens mij allang weer gedoofd. Tjonge, wat ruikt het hier lekker! Ik heb me toch een honger! Wachten we op iemand? Kijk, er staan zeven stoelen...'

Anna wist op wie ze wachtten.

'Ook dat is een Poolse traditie. Er moet één extra stoel zijn en één extra bord met bestek, voor een "toevallige bezoeker". Op deze avond mag niemand alleen blijven.'

Het ontroerde Doris. 'Wat een prachtige traditie. Maar ik zie twéé extra stoelen en twéé extra borden met bestek.'

Anna raapte haar moed bij elkaar en vroeg aan Stanleys moeder: 'Komt Andrew ook vanavond?'

'Ja, hij heeft blijkbaar oponthoud onderweg. Hij werkt ontzettend hard de laatste tijd.'

Ze gingen aan tafel en Stanleys vader bad. Daarna reikte hij naar een gevlochten mandje waarin een rechthoekig, heel plat wit brood lag. Hij brak het brood en deelde het uit aan alle aanwezigen. Anna kende het allemaal heel goed. Ook oma Marta bad altijd eerst en deelde dan het brood. De uitgehongerde Doris begreep de gedachte niet achter wat er gebeurde en begon meteen smakelijk te kauwen op haar stukje brood. Stanley stond op, liep naar haar toe, omhelsde haar en wenste haar een zalige kerst. Zijn moeder deed hetzelfde, en Doris begon te huilen.

Toen het tegen elven liep, sprong Stanleys moeder ineens op van tafel. Anna was juist bezig Doris uit te leggen dat in een Pools huis de kerstmaaltijd uit twaalf gerechten bestond, naar het aantal discipelen. Als de oogst mislukt was en in tijden van oorlog telden ook water en zout als gerecht. Doris wilde iets vragen, maar Anna hoorde haar al niet meer: Andrew Bredford was naast haar gaan zitten. Anna stond op, haalde haar tasje uit het halletje en ging naar het toilet. Daar werkte ze haar lippen bij, bracht ze haar kapsel in orde en sprenkelde ze parfum op haar schouders en polsen. Ze haalde diep adem. Ze voelde een opwinding die zó intiem was dat ze haar met niemand wilde delen, zelfs niet met Doris. Hetzelfde had ze gevoeld toen Andrew haar gebeld had om zich te verontschuldigen. Toen had ze om hem te pesten net gedaan of ze op een telefoontje van Stanley wachtte. Nadat hij de hoorn erop gegooid had, was ze op haar rug op haar bed gaan liggen en had ze haar benen gespreid.

Toen Anna terugkwam in de kamer, stond iedereen al bij de kerstboom.

'We wachten op je, Anna!' riep Stanley. 'Tijd voor de cadeautjes!'

Zelf had ze ook cadeaus voor iedereen gemaakt. Stanley kreeg een album van haar met reproducties van schilderijen en kopergravures van Dürer. Doris was dolblij met haar grammofoonplaat met vioolconcerten van Paganini, en aan Stanleys ouders gaf ze een wandkalender voor het nieuwe jaar 1946, waarop ze foto's van Stanley had geplakt. Twee uit Keulen, de rest uit New York. Andrew Bredford had ze ook niet vergeten. Ze had rekening gehouden met de mogelijkheid dat hij zou komen opdagen en gaf hem in een Princeton-envelop een foto van Einstein die ze niet aan de redactie had gegeven. Einstein lachte haar olijk toe, met het puntje van zijn tong uit zijn mond. Eronder had ze geschreven: © *Anna Marta Bleibtreu, voor doctor Andrew Bredford. Alle rechten* NIET *voorbehouden.*

Die kerstavond deed Anna haar best om geen moment alleen te zijn met Andrew. Het was al heel laat; ze stond in de keuken af te wassen. Stanleys ouders waren al naar bed. Door het huis klonk muziek van Rachmaninov. Doris en Stanley zaten met de armen om elkaar heen op de bank in de woonkamer.

'Ik ben hier voor u naartoe gekomen,' hoorde ze Andrews stem.

Hij was onhoorbaar achter haar komen staan, zo dichtbij dat ze de warmte van zijn lichaam voelde. Van schrik liet ze het bord dat ze juist afdroogde uit haar handen glippen. Het viel rinkelend aan scherven.

'Scherven brengen geluk!' riep Doris vanuit de woonkamer.

Anna draaide zich om en zei: 'Tjonge. En laat ik nou denken dat u kwam voor uw moeder. Niet voor uw vader, dat niet, dat heb ik duidelijk genoeg gezien. Uw moeder zat op het bankje naast het huis en keek naar iedere passerende auto. Ze was gelukkig toen Stanley kwam. Maar ze zou nog veel blijer geweest zijn als u als eerste was gekomen. Maar u kwam pas nadat het brood gedeeld was, hoewel u heel goed weet hoe belangrijk dat ritueel voor uw moeder is. En u heeft u laten brengen. U was laat. Beláchelijk laat. En u vond het niet eens nodig u te verontschuldigen. U kwam de kamer binnen alsof de wateren van de Rode Zee zich voor u zouden scheiden. Dat was helemaal niet feestelijk, meneer Bredford. En nu zou ik maar gaan als ik u was. Uw arme chauffeur die voor het huis in de auto zit zal er blij om zijn. Ik begrijp niet hoe u iemand op een avond als deze in de auto kunt laten zitten. Werkelijk, ik begrijp het niet...'

Anna draaide zich bruusk om, pakte het volgende bord en liet ook dat glippen. Ze keek om de hoek van de kamer en riep naar Doris: 'Nee, ze brengen helemaal geen geluk!'

Nadat ze Andrew had weggebonjourd, liep Anna naar de kerstboom. Ze pakte de envelop met de foto van Einstein, verscheurde hem en smeet de snippers op de grond. Toen ging ze naar boven, naar haar slaapkamer.

New York, Brooklyn, donderdagavond 14 februari 1946

∿

Ze strekte haar handen naar hem uit. Ze glimlachte. Twee ronde, koolzwarte ogen keken haar aandachtig aan.

'Ik zal het je vertellen, Lucas. Eerlijk. Nu we nog leven.'

'Vertel je hetzelfde als gisteren?'

Ze streelde de verwarde haren van het jongetje.

'Ik zal niet meer vallen op straat. Dat beloof ik.'

'Marcus heeft water en een sigaret voor je gebracht...'

Ze stond op. Marcus reikte haar een kroes aan. Opeens hoorde ze een explosie. Ze keek omhoog. Een betonnen balk kwam omlaag, recht boven de beide jongetjes...

'Het is maar een droom, Anna,' fluisterde tante Annelise.

∿

Toen Anna wakker schrok, had ze haar nat gehuilde kussen in haar armen vastgeklemd. Ze stond op, waste haar gezicht en ging in de vensterbank een sigaret zitten roken.

De platanen in het park tegenover het huis verhieven de stompjes van hun takken naar de hemel, als in gebed. Het park was bedekt met een laag verse sneeuw. Een jaar geleden, toen ze na de eerste lucht-aanval samen met mama een sigaret stond te roken op het plein voor de Annenkirche, was ook net de eerste sneeuw gevallen. Het was al zo lang geleden, en tegelijk zo kort. Het verleden kwam tot haar in flarden van herinneringen, of in haar dromen, zoals daarnet, de droom waar-uit ze huilend en badend in het zweet wakker was geworden. Soms ook werd ze overvallen door een onverklaarbare angst – als ze een hui-lend kind hoorde, of een vliegtuig boven de stad, of de sirenes van am-bulances, brandweer- of politieauto's. Nee, ze zette het niet meer op een rennen naar de dichtstbijzijnde schuilkelder, maar ze deed wel het raam stevig dicht, om maar niet meer wakker gemaakt te worden door die geluiden.

Vandaag wilde ze alleen zijn. Ze wilde in gedachten teruggaan naar Dresden en aan zichzelf vertellen wat niemand anders zou begrijpen. Zelfs Stanley niet, die zich enigszins een voorstelling kon maken van de gebeurtenissen van die dagen. Vandaag wilde Anna alleen zijn met haar heimwee en haar verdriet.

Om negen uur belde Lisa.

'Is er iets gebeurd? Ben je ziek?' vroeg ze zorgzaam toen Anna zei dat ze die dag thuisbleef.

'Nee Lisa, mij mankeert niets, maak je geen zorgen. Maar ik wil van-daag alleen zijn en deze dag op mijn manier beleven. Wil je dat alsje-blieft tegen Stanley zeggen?'

'Maar waarom juist vandaag? Heeft iemand rot tegen je gedaan? Een man misschien?'

'Ik leg het je nog wel eens uit, Lisa...'

Een uur later had Anna al spijt van haar besluit. Ze kon zich op geen enkel boek concentreren, elke grammofoonplaat die ze probeerde ir-riteerde haar alleen maar, ze at zich klem aan brownies en rookte tweemaal zoveel als normaal. En heel Amerika vierde vandaag dat mal-lotige feest waarover de laatste dagen zelfs de serieuze *New York Times* schreef. De godganse dag al verklaarde op de radio ene John uit Jersey City zijn liefde aan ene Mary in Queens, of meldde ene Cynthia uit Coney Island met een van aandoening bevend stemmetje dat ze ene Robert uit The Bronx aanbad. Alle Amerikanen, tot de laatste toe, de-den onder verwijzing naar de nietsvermoedende Sint-Valentinus pu-bliekelijk kond van hun verliefde gevoelens. Anna vond het *zum Kot-zen.*

Tegen twaalven verliet ze haar huis en kocht ze in een winkel aan

Flatbush Avenue twee blikken verf, een stofjas en een stel kwasten. Ze wilde haar kamer een beurt geven. Astrid Weisteinberger mocht dan beweren dat de kamer 'pas nog was opgeknapt', maar ook haar laatste man was 'pas overleden', terwijl dat toch al vijftien jaar geleden was. Een uur later kwam Astrid op de verflucht af.

'Kindje, wat doe jij nou? Oranje muren?!' riep ze toen ze Anna met een kwast in haar hand zag.

'Dat is warmer en gezelliger, mevrouw Weisteinberger.'

'Hm. Ergens heb je wel gelijk. En het kleurt prima bij de gordijnen. Je gaat toch hoop ik niet het plafond zwart verven?'

'Nee hoor, dat blijft wit.'

'Heel goed. Maar haal het trapje uit de kelder, straks val je nog van die stoel, *Gott behüte*...'

's Avonds werd er op haar deur geklopt. Op de drempel stonden Doris en Stanley, feestelijk uitgedost. Stanley had een bos rozen in zijn hand, Doris een doos bonbons.

'Waarom neem je de telefoon niet op?' vroeg Stanley op berispende toon. 'Lisa wilde de ambulance, de brandweer en de FBI al op je dak sturen. We wilden je even komen vertellen dat je onze valentijn bent. Van Doris en van mij.'

Anna zocht met haar ogen haar telefoon. Het ding lag ondersteboven op de grond, bedolven onder de boeken, met de hoorn ernaast.

'Sorry, ik was de boel aan het schilderen en had er niet aan gedacht dat je kon bellen. Ik hou heel veel van je, hoor,' zei Anna. Ze omhelsde Doris.

'Oranje muren? Ben je niet bang dat Astrid je er uitgooit?'

'Nee hoor, ze vindt het goed. Op voorwaarde dat ik het plafond niet zwart verf. Help je witten?'

Doris en zij gingen in de vensterbank thee zitten drinken. Stanley wilde geen thee. Hij trok zijn jasje uit en witte het plafond.

'Weet je dat oranje een prachtkleur is voor een kinderkamer? Ik zal Stanley zover zien te krijgen dat hij hem opnieuw schildert,' zei Doris. Ze pakte Anna's hand en drukte die op haar buik. 'Voel je het? Voel je het? Ze beweegt!'

'Denk je dat het een meisje is?' fluisterde Anna.

'Dat weet ik zeker.'

Stanley vroeg aan Anna of ze hem wilde helpen een boekenrek opzij te zetten. Er viel een envelop van de bovenste plank op de met kranten bedekte vloer. Stanley bukte zich om hem op te rapen. Opeens werd hij serieus. Hij keek Anna recht aan en vroeg voorzichtig: 'Krijg jij brieven van Andrew?'

Ze werd rood en draaide zich om naar Doris.

'Wil je nog thee?'

'Doris, zeg dat je nog thee wil. Toe,' zei Stanley.

'Ja Doris, zeg alsjeblieft dat je nog thee wil,' zei Anna.

Doris keek hen beiden verbaasd aan.

'Wat hebben jullie nou? Natuurlijk wil ik nog thee. Met suiker graag.'

Anna verdween haastig naar haar keukentje.

~

Ja. Het was waar. Andrew schreef haar...

De eerste brief had ze nog vóór Nieuwjaar gekregen. Juist die brief had Stanley opgeraapt. Anna kende die brief uit haar hoofd.

~

*Sunbury, 28 december 1945*

*Beste miss Anna,*

*U heeft me net zo weggesmeten als dat bord, en ook ik ben aan scherven gevallen. Maar die scherven brachten wél geluk. Op weg naar het vliegveld van Newark vroeg ik mijn chauffeur wat hij het belangrijkste vond in het leven. Waarschijnlijk dacht hij dat ik dronken was, want ik praat onderweg nooit met hem. En opeens vroeg ik zoiets. Hij antwoordde dat het belangrijkste voor hem zijn beide Agnessen waren. Zijn vrouw en zijn dochtertje. Alsof hij aan één Agnes niet genoeg had. Toen vroeg ik hem waarom hij me in de kerstnacht naar een uithoek had gebracht in plaats van Kerstmis te vieren met zijn Agnessen. Hij zei dat dat nou eenmaal zijn werk was en dat de grote Agnes het begreep en dat de kleine Agnes het ooit ook zou begrijpen. 'Ze weten hoeveel ze voor me betekenen,' voegde hij eraan toe. En toen begreep ik dat als ík tegen iemand kon zeggen: 'Het is mijn werk, maar jij blijft voor mij het belangrijkste op deze wereld,' jij mama's bord niet kapotgesmeten had. Maar zo praat ik niet. Toch had ik het moeten zeggen, ook al doe ik het werk dat ik doe en ook al is het mij verboden met iemand over dat werk te praten. Daar, op weg naar*

*Newark, begreep ik dat voor mij tot nu toe het belangrijkste in het leven ikzelf was. U was de eerste die me dat vlak in mijn gezicht durfde te zeggen. En op zo'n manier dat ik er helemaal ondersteboven van was. Weet u, ik heb toen in de auto zitten huilen, ik huilde voor het eerst sinds die keer dat papa mij voor straf mijn bal afpakte en me verbood op het erf op de basket te mikken.*

*Vandaag ben ik naar Sunbury gereden, naar mijn ouders. Vandaag was ik niet te laat. Als niemand je verwacht, kan je ook niet te laat zijn...*

Andrew Bredford

*PS Op dit moment zit ik in mijn oude kamertje deze brief aan u te schrijven. Over een minuutje ga ik op het bed liggen waarop vier dagen geleden u lag...*

~

De volgende brief, verstuurd vanuit Chicago, lag op 2 januari op haar te wachten toen ze 's avonds thuiskwam. Twee dagen daarna kreeg ze er nog een. Ze begon uit te kijken naar zijn brieven, probeerde zelfs vroeger thuis te komen van de redactie om te kijken of er geen brief voor haar lag op het tafeltje achter de voordeur.

'Zeg, die Bredford van wie de postbode hier zowat elke dag een brief in de bus stopt, is toch niet bijgeval familie van die ruziezoeker van een redacteur van je?' had Astrid op een gegeven moment gevraagd.

'Ja, hij is zijn broer,' zei Anna. Ze wist dat Astrid alle enveloppen die bij haar op de mat vielen nauwgezet inspecteerde. Vooral als ze niet aan haarzelf waren geadresseerd.

'Zijn jongere broer toch hoop ik, kindje?'

'Ja, het is zijn jongere broer, mevrouw Weisteinberger.'

'Dat is mooi, kindje, dat is mooi. Hopelijk is hij aardiger dan zijn broer?'

Anna had geen antwoord gegeven en was op een ander onderwerp overgegaan. Zelf vergeleek ze Stanley en Andrew allang niet meer met elkaar. Ze waren gewoon té verschillend. Ook al lachten ze op dezelfde manier, en uitten ze op dezelfde manier hun verbazing, en hielden ze op dezelfde manier hun handen in hun zak, en al hadden ze allebei heel blauwe ogen. Maar daarmee hield de gelijkenis op. Hoewel Anna

338

Andrew nauwelijks kende. Eerst dacht ze dat het grootste verschil tussen hen beiden lag in hun karakters, in hun persoonlijkheid, in de manier waarop ze met andere mensen omgingen. Andrews zelfverzekerdheid, eigendunk, snobisme, lompheid zelfs, vormden een schril contrast met de bescheiden en zelfs verlegen Stanley. Wat Anna het meest aan Andrew verbaasde, was wel zijn gerichtheid op zichzelf. Als die man aandacht schonk aan iemand anders, dan moest diegene daar nadrukkelijk om vragen. Dan kreeg je die aandacht, als het echt absoluut niet anders kon. Zoals toen in de lift.

Maar al snel bleek dat haar oordeel voorbarig was geweest. Als je afging op zijn brieven, was Andrew een andere man. Of nauwkeuriger gezegd: er waren twee Andrews in één persoon verenigd. De ene was ontoegankelijk, een individualist die vond dat hij letterlijk en figuurlijk ver boven iedereen uitstak, die overtuigd was van zijn eigen uitzonderlijkheid, van zijn intellect en zijn kennis; maar er was ook die andere Andrew: de teergevoelige, kwetsbare, melancholieke, nadenkende romanticus, kritisch over anderen maar ook over zichzelf, iemand die verrukt was van Vivaldi, die de gedichten van Edgar Allan Poe uit zijn hoofd kende, die bloemen kocht voor op zijn bureau, 'niet alleen om ze te zien en te ruiken, maar ook om ze aan te raken'. Zijn brieven illustreerden hoe dubbel de menselijke natuur was. Andrew onthulde zijn twee werelden erin. In de ene wereld was hij de koude, doelgerichte geleerde; in de andere was hij de warme, verstrooide dichter die smachtte naar emoties. De beide Andrews troffen haar beiden evenzeer, maar alleen de tweede, de poëtische Andrew trok haar aan, en met iedere brief die hij schreef werd die aantrekkingskracht sterker. Ze begreep niet hoe hij die beide werelden in hem zo duidelijk kon scheiden. Papa was ook een geleerde, en ze wist wat dat waren: wetenschappelijke projecten, deadlines, academische controverses en haarkloverijen, afhankelijkheid van andere mensen. Maar in zijn werkkamer op de universiteit was papa precies dezelfde man als 's avonds thuis, dat wist ze heel zeker.

Een thema op zich in Andrews brieven was zijzelf, Anna. Hoe het gekomen was wist ze niet, maar ze had hem al heel wat over zichzelf verteld. Hij vroeg haar nooit rechtstreeks iets. Hij voelde dat ze er nog niet aan toe was om over de oorlog te vertellen. En daarin had hij gelijk. Want het was iets heel anders of ze het aan Max Sikorsky vertelde, die naast haar zat, of dat ze op papier uit moest leggen wat ze had doorgemaakt. Nee, ze kon haar lijdensweg niet zo beschrijven dat Andrew het begreep, zelfs al kon hij tussen de regels door lezen. Daarom vermeed Anna het zo goed mogelijk om haar leven in Dresden en Keulen tijdens de oorlog te beschrijven. Ze was sowieso aarzelend als het om de oorlog ging. Andrew stak zijn afkeer van Hitler en het nazidom niet onder stoelen of banken, en Anna voelde in zijn oordeel minachting voor de Duitsers als volk. Hij wilde en kon hun stilzwijgen niet begrijpen, een stilzwijgen zonder welk er geen Bergen-Belsen was geweest, geen Doktor Heim, geen Auschwitz. Andrew probeerde zijn haat niet uit te strekken tot Anna. 'Jij was immers nog een kind toen de Kristallnacht plaatsvond,' schreef hij. Maar al beschuldigde hij haar niet, ze voelde dat hij vroeg wat haar ouders, de ouders van haar ouders, haar hele familie gedaan hadden, of liever gezegd: wat ze niet hadden gedaan. Hij had het recht dat te vragen. En Anna vond dat geen enkel antwoord haar kon rechtvaardigen, noch haar ouders, noch haar oma's en opa's. Daarom schreef ze hem niet over de machteloosheid van haar vader, over die tweede God van haar oma, 'die beter was dan die we nu hebben en die Hem ooit Hitler zal vergeven', over Lucas in de schuilkelder onder hun huis.

Op een gegeven moment deed de erotiek haar intrede in hun brieven. Waarschijnlijk was het Anna die Andrew daartoe had geprovoceerd. Ze schreef dat ze aan hem dacht als ze een douche nam. Alleen maar dat, zonder bijbedoelingen. Ze was 's morgens opgestaan, onder de douche gaan staan en had erover staan nadenken wat voor bloemen hij zou kopen en in een vaas op zijn bureau zou zetten. En hoe hij die bloemen zou aanraken met zijn vingertoppen. Hm, misschien zat daar toch wel wat erotiek in.

Die ochtend had ze echt alleen maar aan bloemen gedacht. Ze had haar benen niet gespreid en niet zichzelf beroerd. Dat deed ze 's morgens nooit, ze had dan veel te veel haast. Het was iets waaraan ze 's avonds behoefte had, of soms 's nachts. Heel lang was het daarbij voor haar net geweest of ze een viool hoorde. Na een aantal brieven van Andrew zweeg de viool op een gegeven moment. Er was alleen nog zijn stem en de aanraking van zijn grote handen.

Ze kon er allemaal geen wijs uit worden. Dat wilde ze ook niet. Andrew Bredford schreef haar brieven, klaar. En zij stapte 's avonds uit de metro op station Church Avenue en rende naar huis, zo vlug dat ze buiten adem raakte. Op het tafeltje achter de voordeur lag een envelop voor haar. Ze stopte hem in haar tasje, vloog de trap op, gooide haar jas uit, ging op de rand van haar bed zitten en las de brief, de eerste keer haastig, daarna op haar gemak, met een sigaret tussen haar lippen. Soms las ze hem een derde keer, dat hing ervan af naar welke muziek ze luisterde en hoeveel wijn ze had gedronken. Het kwam ook wel voor dat ze zijn brief meenam naar de badkamer. Dan kleedde ze zich uit en las ze de brief nog een keer, terwijl ze daar naakt stond, en dan gooide ze de velletjes op de grond en dan ging ze onder de douche staan en fluisterde ze zijn naam.

~

Ze kwam haar keukentje weer uit met een dienblad. Stanley stond op het trappetje het plafond te witten. Anna liep naar Doris toe, die nog steeds in de vensterbank zat.

'Ik kan niet onthouden hoeveel schepjes suiker jij wil.'

Doris trok haar tegen zich aan.

'Wat wil Andrew van je? Je weet toch niks van natuurkunde?'

'Al wel een beetje. Maar alleen van atoomfysica. Wat Andrew wil? Dat weet ik niet precies. Wat wilde Stanley toen jullie elkaar voor het eerst ontmoetten?'

'Neuken.'

'En jij?'

'Hetzelfde.'

Anna schaterde het uit. Ze trok Doris tegen zich aan en aaide haar over haar rug.

'Ik zie hem overmorgen. Zondag. Dan zal ik hem vragen wat hij van me wil.'

'En wat zou jij willen?' vroeg Doris.

'Hetzelfde.'

New York, Manhattan, zondagavond 17 februari 1946

Die dag moest alles anders zijn dan anders. Anna was al vroeg wakker. Ze liet de radio uit, het wereldnieuws interesseerde haar vandaag niet. Ze dronk koffie en lakte haar nagels rood. Daarna ging ze voor de kast staan en koos ze de goede jurk uit. De telefoon rinkelde, maar ze nam niet op. Zelfs Andrew wilde ze nu niet spreken. Hij zou immers kunnen vertellen dat hij vandaag niet naar New York kwam, en dat wilde ze voor geen geld horen. Daarvoor had ze te lang op deze dag gewacht.

Maar het was Andrew niet. Dat wist ze zeker.

Anna verliet het huis en ging met de metro naar Greenpoint. Alleen 'pani Zosia', zoals Zosia op z'n Pools heette, kon haar haar precies doen zoals zij het wilde. Ze kwam graag bij pani Zosia, ze vond het leuk dat die haar in het Pools *kochanie* noemde, 'lieverd'. Zo noemde oma Marta haar ook. Als ze wegging probeerde Anna haar altijd in het Pools te bedanken: '*Dziękuję pani Zosia.*'

Van Greenpoint ging ze naar Manhattan. Andrew zou om ongeveer vier uur 's middags landen. Hij zou vanwege de files op de weg niet voor vijven in Manhattan zijn. Ze had tijd zat. Op de redactie was het rustig. Er waren alleen een paar dienstdoende journalisten van de verschillende afdelingen en een paar typistes. Anna ging aan haar bureau zitten en begon het werkplan voor de komende week door te nemen, maar was te opgewonden om zich te concentreren. Ze pakte net de fles whisky die ze in de onderste la van Stanley had gevonden, toen de telefoon ging.

'Bleibtreu, *New York Times*. Waarmee kan ik u van dienst zijn?'

'Ben je hier, kind? Dat dacht ik al,' hoorde ze Arthur zeggen. 'Adrienne is de winkels aan 5th Avenue aan het plunderen. Zonde van je zondag, maar wat doe je eraan. Zo gaat dat tegenwoordig. Maar ik moet iets met je komen bespreken. Heb je even?'

'Hoe kan je dat nou vragen!'

Ze voelde even paniek opkomen. Wat wilde Arthur persoonlijk met haar komen bespreken? Op zondag? Dat paste helemaal niet in haar plannen voor vandaag. Vandaag bestond voor haar alleen Andrew. Ze schonk zichzelf een dubbele whisky in.

Arthur verscheen na een uur. Hij kwam haar kamer binnen met in zijn ene hand een papieren tasje en in de andere een lange rol papier. Voor hij de deur sloot, vergewiste hij zich ervan dat in de aangrenzende kamers niemand was.

'Anna, je hebt me wel eens verteld dat je graag reist. Is dat nog steeds zo? Weet je' – hij keek haar even aan – 'de laatste tijd zitten er veel minder mensen in Washington. Om een of andere reden zijn ze allemaal vertrokken naar warme oorden.'

Washington? Als die naam viel, ging het altijd om iets belangrijks.

'Wat voor warme oorden?'

'Erg warme oorden,' antwoordde Arthur. Hij begon het langwerpige papier uit te rollen. 'Ik heb een kaart en twee atlassen gekocht, en een paar boeken over dat warme oord.' Hij wees naar het papieren tasje.

Arthur spreidde de kaart uit op de grond en pakte een potlood van het bureau.

'Kijk, daar zijn ze naartoe.' Hij tekende een ellips om een paar gele stipjes in de blauwe vlakte van de Stille Oceaan.

'Dat is een eind weg.'

'Zeg dat wel. Veertien uur met het lijnvliegtuig van Californië naar Honolulu, en vandaar nog tweeënhalf uur naar het zuidoosten met een B-29-bommenwerper van de Navy. De Marshalleilanden. Maar misschien ben je daar al eens met vakantie naartoe geweest?' lachte Arthur.

'Arthur, wil jij die reis voor mij betalen?'

'Precies, Anna. Ik dacht, je hebt de laatste tijd zo ontzettend hard gewerkt, en het weer hier is niet geweldig. Je vliegt daar naartoe, gaat lekker in de zon liggen en je maakt een paar mooie foto's voor me. Wat denk je ervan?'

'Even serieus, Arthur. Waarom moet ik uitgerekend daarheen?'

'Omdat alle bobo's uit Washington en het Pentagon daarheen vliegen. Die gaan daar vast niet alleen maar in de zon liggen bakken. Er moet daar iets aan de hand zijn. En ik wil precies weten wat. Je hebt geen visum nodig, sinds we van de jappen gewonnen hebben zijn die eilanden in de Stille Oceaan van ons. Je kunt er probleemloos naartoe, dat heb ik al uitgevist. En ik heb ook gezorgd voor...'

'Wanneer?' viel ze hem in de rede.

'Woensdag, lukt dat?' zei Arthur zonder een spier te vertrekken.

Anna ging op haar knieën bij de kaart zitten. Ze raakte met haar vinger de gele stippen aan, mompelde iets en stond weer op. ''s Ochtends of 's avonds?' vroeg ze.

Arthur draaide zich om en liep naar het bureau. Even bleef hij met zijn rug naar haar toe staan. Ze zag dat hij een zakdoek uit zijn zak haalde.

'Adrienne vindt dat ik je dit niet mag vragen, dat ik er het recht niet toe heb,' zei hij zonder haar aan te kijken. 'Na alles wat jij hebt meegemaakt moet ik je verre houden van het Pentagon, van bommenwerpers en van politiek. En jij vraagt alleen maar "'s ochtends of 's avonds?"'

Toen hij haar weer aankeek, zag Anna dat Arthurs ogen rood waren.

'De details bespreken we morgen. En vertel niemand over dit gesprek. Ze krijgen het te horen als je daar al bent. Maar ik ga, anders wordt Adrienne ongeduldig.'

Hij was de deur al door toen ze hem terugriep.

'Arthur, je hebt een paar eilanden aangegeven op de kaart. Hoe heet dat eiland waar ik naartoe vlieg?'

'Bikini.'

Ze liep naar het raam en stak een sigaret op. Daarna ging ze naar haar bureau, pakte haar camera en liep naar de kaart. Ze trok haar schoenen uit en ging in spreidstand boven de plek staan die door Arthur was gemarkeerd. Ze bracht de lens tot vlak boven de kaart en drukte op de sluiterknop. Bikini, dacht ze. Ze had geen enkele associatie bij dat woord. Ze pakte het tasje met boeken dat Arthur had gebracht, bladerde de boeken door en bekeek de kaarten in de atlas. Ze voelde zich opgewonden, maar op een andere manier dan die ochtend.

Toen Andrew belde, zat Anna nog te lezen. Hij wachtte beneden op haar, bij de ingang. Ze liep vlug naar de kast, werkte haar lippen bij en sprenkelde parfum op haar polsen en hals. In de lift duwde ze haar haar in model. Ze zag Andrew staan achter de glazen deuren. Hoe zou hun ontmoeting zijn? Ze hadden elkaar twee keer gezien, en beide keren had ze ruzie met hem gekregen. Maar dit was een andere Andrew. Ze kende hem nu goed uit zijn brieven. Ze schreven elkaar over de meest intieme dingen, maar schrijven en elkaar in het gezicht kijken, dat waren twee verschillende dingen. Even bleef Anna bij de deur staan en bestudeerde ze Andrew: opengeslagen jas, kraag omhoog, geen sjaal om, wit overhemd. Met zijn hoed op leek hij nog langer dan anders. In zijn hand had hij een bosje bloemen, en hij spiedde nerveus om zich heen. Ze ging naar buiten en bleef bij de deur staan. Hij zag haar, maar ze ging niet naar hem toe. Hij liep langzaam op haar af, lichtte zijn hoed op en overhandigde haar verlegen het boeket.

'Dag Anna. Eindelijk!' zei hij, en hij keek haar recht in haar ogen.

Ze had vaak geprobeerd zich voor te stellen hoe Andrews stem zou klinken als hij haar naam uitsprak. Hij had er daarnet heel even precies zo uitgezien als Hinnerk toen ze hun eerste afspraakje hadden gehad, bij de vijver in het Zwingerteich-park in Dresden...

'Kom, de taxi wacht op ons.' Andrew wees naar een gele limousine die langs de stoeprand stond en wilde de trappen af lopen. Toen hij een paar stappen gezet had, keek hij om. Anna was hem niet gevolgd.

Hij liep terug en vroeg geschrokken: 'Is er iets mis?'

'Kus me. Kus me alsjeblieft. Nu,' fluisterde ze.

Hij raakte met zijn handpalm haar wang aan en streek voorzichtig een haarlok weg. Toen legde hij zijn hand in haar nek, trok haar hoofd naar zijn lippen toe en kuste haar oogleden. Ze gooide haar hoofd naar achteren en verstarde even toe ze zijn ademhaling op haar hals voelde. Toen pakte hij haar bij de hand en trok hij haar mee. Ze stapten in de taxi.

'Naar de Village. U hoeft niet snel te rijden,' riep hij naar de chauffeur.

'Greenwich Village?' vroeg de chauffeur.

'Inderdaad.'

'En waar precies in Greenwich Village, sir?'

'Het restaurant.'

'Welk restaurant, sir?'

'Het beste.'

'Zal ik naar de Vanguard rijden, sir?'

Anna drukte zich tegen Andrew aan en luisterde naar het gesprekje. Toen de taxichauffeur de naam van het restaurant noemde, herinnerde ze zich dat Doris haar erover verteld had. Ja, het was in de Vanguard geweest dat Stanley Doris dronken had gevoerd en ze hem 'gebruikt' had, eerst in de taxi en daarna in de lift.

'Ja, laten we daarheen gaan! Ik heb over dat restaurant horen vertellen,' fluisterde ze Andrew toe.

Ze reden weg. Hij kuste haar voorhoofd, haar haren, haar handen. Ze kwam een stukje overeind van de zitting, tilde haar jurk wat op en ging op zijn knieën zitten. Ze likte aan haar vingers en streelde zijn mond ermee. Hij sloot zijn ogen. Langzaam duwde ze haar tong tussen zijn tanden. Hij beet er zachtjes op, beet daarna zachtjes op haar lippen. Toen de taxi stopte, gleed ze van zijn schoot.

Eigenlijk kon je de Village Vanguard nauwelijks een restaurant noemen. Ze betraden een rokerige ruimte die haar deed denken aan een schuilkelder. Achter een kelner aan wrongen ze zich tussen ronde tafeltjes door en gingen ze vlak voor een klein podium zitten waarop spotlights gericht waren. Klopt, Doris had het over muziek gehad. Andrew stond een beetje perplex.

'Anna, weet je zeker dat je hier wil blijven?' vroeg hij, de zaal rondkijkend.

Ze kreeg de kans niet om antwoord te geven. Op het podium verscheen een man in smoking.

'Dames en heren, exclusief voor u zal nu optreden de onvergelijkelijke Billie Holiday!'

Er klonk een luid applaus. Anna kende haar naam, zoals iedereen die in New York naar de radio luisterde. Ze pakte Andrews hand. Op het podium verscheen een negerin met in haar haren gevlochten bloemen. Ze knipte met haar vinger naar de pianist, liep naar de microfoon en fluisterde: 'Good morning, heartache...' Anna kende de woorden van dat lied. Ze had Andrew de laatste tijd brieven geschreven terwijl het op de radio was! Ze pakte zijn hand nog steviger beet, stond op en zong samen met de rest van de zaal het refrein mee:

> Good morning, heartache,
> You old gloomy sight.
> Good morning, heartache,
> Though we said goodbye last night.

Anna keek naar Andrews gezicht. Hij keek haar een beetje verbijsterd aan. Ze zakte neer op de grond en legde haar hoofd op zijn knieën.

'Andrew, ik heb zo lang op je gewacht...'

Billie Holiday verscheen nog een paar maal op het podium. Anna rookte de ene sigaret na de andere. Ze dronken wijn en praatten. Soms boog Andrew zich over haar heen en kuste haar. Wanneer hij praatte, keek ze naar zijn handen. Soms, vooral wanneer hij het over zijn geliefde natuurkunde had, gebruikte hij woorden die ze niet kende. Dan onderbrak ze hem, en dan legde Andrew rustig uit wat dat woord betekende. Juist op die momenten had hij de blauwste ogen van de wereld. Soms zat Anna, terwijl ze deed of ze luisterde, te denken of ze hem onder tafel moest aanraken met haar voet. Maar elke keer was er iets wat haar tegenhield. Er klonk luid applaus: Billie Holiday gaf haar toegift. Anna stond op, strekte haar hand uit naar Andrew, en ze gingen dansen.

> Good morning, heartache,
> You old gloomy sight.
> Good morning, heartache,
> Though we said goodbye last night.

Hij kuste haar haren. Ze drukte zich tegen hem aan. Ze sloot haar ogen...

∼

Alles draaide voor haar ogen. De schedels, de doodkisten, de vlammen van de kaarsen, zijn gezicht, de viool. Toen was het opeens stil en de zweetdruppels op zijn gezicht vermengden zich op haar lippen met haar tranen. Ze boog zich naar hem over en keek om zich heen, alsof ze zocht naar de gezichten van haar ouders en van haar oma...

∾

Toen ze weer aan hun tafeltje zaten, bestelden ze whisky.

'Liefst Ierse,' riep Anna de weglopende kelner achterna.

Het was al ver na middernacht toen ze de Village Vanguard verlieten. Anna ademde vol welbehagen de frisse lucht in. Bij Brooklyn Bridge vroeg Andrew waarom ze had gehuild tijdens het dansen. Toen ze de brug al over waren, antwoordde Anna dat het kwam doordat ze een viool had gehoord. Andrew begreep het niet: er waren toch geen violen in het orkest? Hij begreep er nog minder van toen ze zei dat ze alléén een viool had gehoord.

In het park met de platanen en ahorns tegenover haar huis gingen ze op een bankje zitten.

'Hou jij van katten, Andrew?' vroeg Anna ineens.

'Weet ik niet. Ik had niet echt iets met de katten thuis in Sunbury. En Mefistofeles mag me niet. Waarom vraag je dat?'.

'Zomaar.' Anna pakte zijn hand.

Ze kusten elkaar. Hij liet zijn hand in haar decolleté glijden en raakte haar borsten, haar tepels aan. Ze sloot haar ogen.

'Schrijf je me morgen?' vroeg ze.

'Ik schrijf je,' fluisterde hij.

'Ik ga aan een nieuw project werken voor The New York Times. Ik moet voor een flinke poos de stad uit.'

'Hoe lang?'

'Dat weet ik nog niet. Maar daar wil ik nu niet over praten.'

'Ik ga ook weg; die reis is al heel lang gepland. We werken aan...'

Anna liet hem zijn zin niet afmaken. 'Ik wil je, Andrew. Ik wil je,' fluisterde ze. 'Nu.'

Ze tilde haar jurk op en ging schrijlings op Andrews schoot zitten. Ze maakte zijn broekriem los. Hij tilde haar jurk nog wat verder op en ze spreidde haar benen.

'Ik wil je, Andrew, ik wil je...' En weer hoorde ze de viool.

Ineens springen er vonken over, aanrakingen, hartstocht, kussen, een minuut, een ogenblik, druipnatte gezichten, druipnatte haren, natte lippen, een vervlochten levenslot, verwarrende gedachten en nog verwarrender gevoelens. En een wereld die pulseert van leven, gewekt door de lente, dronken van mei, alles leeft, rent, stormt verder, maar zij zijn hier en nu. Ze verliezen zich zonder iets te verliezen. Ze smelten, lossen op in dit ogenblik...

Voor het huis van Astrid Weisteinberger namen ze afscheid, maar Andrew ging niet weg. Anna kuste hem, rende het trappetje op, draaide zich om en rende weer terug. Eindelijk fluisterde ze: 'Andrew, nu moet je gaan, anders verlies ik helemaal mijn hoofd. En dat wil ik niet. Niet nu. Ga. En schrijf me...'

Ze kon niet slapen. Toen het al licht werd, liep ze naar het raam. Ze keek naar het verlaten bankje onder de platanen en neuriede:

> *Good morning, heartache,*
> *You old gloomy sight.*
> *Good morning, heartache,*
> *Though we said goodbye last night.*

New York, Brooklyn, maandagochtend 18 februari 1946

Anna versliep zich. Om zes uur had ze de wekker op zeven uur gezet, maar ze sliep erdoorheen en werd pas om tien uur wakker. Ze was kwaad op zichzelf, want ze had er een hekel aan om na Stanley op de redactie te verschijnen. Bovendien wilde Arthur vandaag met haar over Bikini praten. Om helemaal wakker te worden douchte ze beurtelings met koud en warm water.

Het was zo'n lange nacht geweest. Zo wonderlijk lang. Anna stapte onder de douche vandaan en keek in de spiegel. Haar lippen waren gezwollen van de kussen en ze had kringen onder haar ogen. Gaf niet, ze had wel vaker dikke ogen, als ze tot laat had gewerkt of te veel had gerookt of als ze gehuild had.

348

Ze vloog de trap af. Astrid Weisteinberger stond gekleed in een roze duster en met papillotten in haar haar op de drempel van de woonkamer. Ze las net de jonge zwarte werkster de les, die op haar knieën bezig was om met een rafelige dweil het parket in de hal te boenen.

'Nou kindje, je was behoorlijk in de weer vannacht,' wendde ze zich verwijtend tot Anna. 'Wil je volgende keer tenminste andere schoenen aantrekken als je met je vrijers de trap op en af stormt? Je roffelde met je hakken als een dronken smid op het aambeeld. Ik deed geen oog dicht. En mijn huurders waarschijnlijk ook niet.'

'Het spijt me, mevrouw Weisteinberger. Ik had er niet aan gedacht dat...'

'Al goed, al goed, kindje. Maar denk er de volgende keer om. Wacht, nog niet wegrennen, ik heb iets voor je. Die reus met wie je de hele nacht zo schaamteloos hebt staan lebberen was hier vanmorgen alweer. Hij heeft een envelop onder de deur door geschoven. Onze Betty' – ze wees naar het negerinnetje – 'heeft hem gevonden. Nou, je hebt hem behoorlijk het hoofd op hol gebracht. Hé jij daar, niet meeluisteren! En wrijf een beetje steviger alsjeblieft, dat zei ik je toch net!' riep ze naar de werkster, die toen ze haar naam hoorde noemen haar hoofd had opgetild en met de dweil in haar hand was verstard.

'Een envelop?' vroeg Anna verbaasd.

'Ja kindje, een envelop. Je krijgt nu al twéé brieven per dag,' zei Astrid, en ze haalde de envelop uit de zak van haar duster.

Anna herkende Andrews handschrift. Ze liep vlug het trappetje af, stak de straat over en ging op het bankje zitten, dat nat was van de dauw. Ze scheurde de envelop open.

*New York, Manhattan, 18 februari 1946*

*Anna,*

*Ik herinner me elk moment van deze nacht...*
*Voor het eerst in mijn leven mis ik iemand...*
*Voor het eerst in mijn leven wil ik benoemen wat ik voel, het definiëren, het een naam geven.*
*Maar jij bent niet te beschrijven. Daarvoor heb ik geen vergelijking, geen formule, ik heb geen enkel instrument om ook maar bij benadering te voorspellen hoe jij de volgende seconde zult zijn. Je bent wild, gek, moedig, intelligent, naïef, romantisch, zakelijk, zwak, sterk, kinderlijk, volwassen, on-*

*schuldig, ongeremd, tactvol, zwak en sterk, bazig en hulpeloos, vrolijk en verdrietig. En dat alles door elkaar, dat alles pulseert in je, strijdt in je. Voor een natuurkundige zoals ik zijn dat te veel tegenstrijdige voorwaarden, te veel variabelen. Je bent onvoorspelbaar en uniek. Je bent een wonder.*

*Door de verlaten straten van New York liep ik terug naar mijn hotel en ik beleefde elke seconde die ik met je heb doorgebracht opnieuw. Ik stelde me onze toekomst samen voor. Ik was opgewonden. Want je kunt weigeren me voortaan je tijd te geven. Waarom zou je die uitgerekend aan mij geven? Ik was zo opgewonden als een puber na zijn eerste afspraakje. Onderweg heb ik veel belangrijke beslissingen genomen. Ik wil bij je zijn, ik zal alles doen om bij je te zijn. Ik wil jouw wereld bestuderen. Ik ga leren fotograferen, ik ga Duits leren, ik ga leren naar de mening van anderen te luisteren, ik ga leren om me bescheiden op te stellen. En ik ga leren vioolspelen.*

*Ik kon niet slapen. Ik wilde niet slapen. Ik droom al jaren niet meer. Daarom was ik bang dat ik niet van jou zou dromen. Ik was bang om in te slapen, omdat ik geen afscheid van je kon nemen. Toen ben ik deze brief gaan schrijven. Over een paar minuten brengt mijn chauffeur, die met zijn twee Agnessen, mij naar Brooklyn. Ik zal naar het trappetje lopen waar jij van af stormde, naar mij toe. Ik zal je nog een keer horen zeggen: 'Ik verlies mijn hoofd en dat wil ik niet. Niet vandaag...' en ik zal de brief onder je deur door schuiven.*

*Van Brooklyn ga ik rechtstreeks naar het vliegveld. Ik zal wachten op onze volgende ontmoeting. Bij mij...*

*Ik werk aan een heel belangrijk project, en heel ver weg. Ik zal je schrijven. En daarna? Daarna kom ik terug. Naar jou.*

*Andrew*

*PS Ik heb er vaak over nagedacht wat liefde is. Ik begrijp dat je me een zonderling vindt, met mijn manie om altijd alles te willen definiëren. Maar zo ben ik nu eenmaal. Ik denk dat liefde de mooiste en belangrijkste manier is om te dorsten naar kennis. Alles wat ik deed en doe in mijn leven, ging en gaat uit van juist dat principe. Ik heb er nog nooit zo naar gesmacht om een vrouw te leren kennen, als ik ernaar smacht jou te kennen...*

Anna zat op het bankje en drukte de brief tegen haar borst. Een magere kat kwam aanwandelen en schurkte zich luid mauwend tegen haar schoenen. Ze strekte haar hand naar hem uit. De kat sprong op het bankje en keek haar aan...

~

'Snap je, Slobbertje, ik kan niet zoveel goeds aan op één dag,' zei ze, haar tranen wegslikkend. 'Ik heb gewoon niet zoveel plaats.'

~

Anna arriveerde tegen de middag op de redactie. Stanley was er nog niet. Zodra ze achter haar bureau zat, kwam Lisa binnen. Ze deed de deur achter zich dicht.

'Stanley is naar het ziekenhuis,' zei ze.

'Naar het ziekenhuis?' riep Anna geschrokken.

'Doris heeft complicaties. Het begon zondagavond. Maar het gaat alweer beter. Ze blijft nog een dag of veertien in het ziekenhuis.'

'O god...'

'Rustig maar, Anna. Het komt allemaal goed. Arthur heeft instructies voor je achtergelaten. Je moet ze allemaal aandachtig doorlezen, zei hij.' Lisa legde een grijze map neer met een rood lint eromheen; op Stanleys bureau lag net zo'n map. 'Maar dat had hij er niet bij hoeven zeggen, jou kennende.'

Kennelijk had Lisa Arthurs 'gebruiksaanwijzing' al gelezen, hoewel het rode lint aangaf dat het uitsluitend voor de geadresseerde was bestemd. Maar voor Lisa was niets geheim, zij mocht zoiets doen.

Anna probeerde Stanley thuis te bellen. Er werd niet opgenomen. Daarna belde ze Lisa. Die wist niet in welk ziekenhuis Doris was opgenomen, maar ze beloofde het uit te zoeken en het haar te laten weten. Ze trok het rode lint van de map en haalde alles eruit wat erin zat. Twee PanAm-tickets, een van New York naar Chicago, waar ze vier uur moest wachten, en een van Chicago naar Los Angeles. Naar Hawaï vloog ze met Aloha Airlines. Ze had in Los Angeles maar een uur om over te stappen. Na veertien of vijftien uur, dat hing van het weer af, zou ze landen in Honolulu. Daar werd ze afgehaald door luitenant Berney Collier, die haar naar de militaire vliegbasis Hickam zou brengen. Die lag niet ver van Honolulu. Vandaar vloog ze met een B-29 naar Majuro, de hoofdstad van de Marshalleilanden. Hoe laat ze zouden vertrekken en hoe lang de vlucht zou duren, wilden de militairen niet meedelen. Van luitenant Collier zou ze te horen krijgen hoe ze van Majuro naar het atol Bikini werd gebracht. Met een plaatselijk vliegtuigje waarschijnlijk. Alle tickets waren betaald, net als Anna's verblijf op het atol. Collier moest haar alle documenten geven die dat bevestigden. Over de terugreis waren helaas nog geen details bekend. Dat moest Anna bespreken met de vertegenwoordigers van de Amerikaanse autoriteiten ter plaatse. Haar bagage diende beperkt te blijven tot één niet te grote koffer. Het was niet waarschijnlijk dat ze in Majuro filmrollen kon aanschaffen. Ze moest er daarom genoeg meenemen. Het was op dit moment op Bikini tachtig graden Fahrenheit (negenentwintig graden Celsius) en het regende er. Maar voor woensdag werd zonnig weer voorspeld. Na haar landing in Majuro kon Anna waarschijnlijk geen contact meer onderhouden met de redactie. De militairen hadden het daar voor het zeggen, ze moest erg voorzichtig zijn.

Anna deed alles weer in de map en borg die weg in een bureaula. Ze zou dus woensdag om twee uur vanaf La Guardia vertrekken naar Chicago. Maar goed dat ze het van tevoren wist, want de post werd bij Astrid niet voor elven 's ochtends bezorgd.

Ze besloot op de redactie op Stanley te blijven wachten. Om een uur of zes belde Arthur. Uit Washington. Trekt Adrienne dat? dacht Anna onwillekeurig. Haar man zou maandag hier zijn en hij belt uit Washington. Maar meteen dacht ze ook aan de twee Agnessen van Andrews chauffeur.

'Arthur,' zei ze zachtjes.

'Lieverd, het kon niet anders. Ik moest weg. Heeft Lisa je de map al gegeven? Weet je, het blijkt dat er woensdagavond geen vlucht is. Maakt dat het voor jou erg veel lastiger?'

'Arthur, je had hier moeten zijn! Je had me een afscheidskus moeten geven!'

Hij mompelde iets en zweeg toen even. 'Blijf daar niet hangen als je het niet naar je zin hebt. Maar probeer die dingen te fotograferen waarvan de militairen niet willen dat iemand ze ziet. Net als in Dresden. Maak je foto's en kom meteen terug. Ik heb een telegram naar Majuro gestuurd. Als de kolonel daar niet goed voor je zorgt, krijgt hij een hoop gedonder. En niet alleen met mij. Lisa laat je weten hoe je hem kan bereiken. En kom maar vlug terug...'

Stanley kwam pas 's avonds laat. Hij rook naar alcohol, merkte Anna. Zonder zijn jas uit te doen ging hij op de rand van zijn bureau zitten. Ze liep naar hem toe en gaf hem een brandende sigaret.

'Wat is er aan de hand, Stanley? Waarom heb je gedronken?'

'Doris heeft vannacht een bloeding gehad. Ik schrok me een ongeluk.'

'Breng me naar haar toe.'

'Ze laten niemand bij haar toe.'

'Heeft ze daar telefoon?'

'Nee.'

'Schrijf het adres van het ziekenhuis voor me op.' Anna pakte een velletje papier van het bureau.

'Ga morgenochtend naar haar toe. Doe iets. Zorg dat ze je toelaten. Ze vroeg naar je. Heb je wodka?'

'Nee,' loog Anna.

'Ik vlieg niet mee naar Bikini. Het spijt me, ik kan het niet. Jij moet het alleen opknappen. Ik breng je woensdag naar het vliegveld. Anna, heb je echt geen wodka?'

'Stanley, dwing me niet nog een keer te liegen. Je krijgt geen wodka van me. Dat zou Doris me nooit vergeven.'

Anna was om een uur of tien 's avonds bij het ziekenhuis. Ze had eerst bij een apotheek een paar pakjes verband gekocht en dat als een tulband om haar hoofd gewikkeld. De portier liet haar zonder iets te vragen naar binnen gaan. Op de vierde verdieping trok ze het verband van haar hoofd en liep ze snel door de gang. Bij elke kamer gluurde ze om de hoek van de deur. Ze vond Doris in een zaaltje vlak achter de helder verlichte verpleegsterskamer.

'Ik ben doodsbang,' bekende Doris. 'We verlangen zo naar onze kleine Anna. Stanley houdt nu al van haar. Hij drukt zijn lippen tegen mijn buik om haar een kusje te geven en hij praat met haar. Mij vergeet hij, hij praat alleen met haar. Hij kan niet wachten tot ze geboren is. Anna, we zijn zo bang! En jou heb ik ook al twee dagen niet gezien,' voegde ze er fluisterend aan toe.

Anna ging op de rand van het bed zitten en streelde Doris' hand.

'Sorry, Doris. Maar het waren misschien wel de belangrijkste twee dagen van mijn leven. En nu moet ik op reis, het is niet anders. Stanley weet waarom. Alleen is hij nu helemaal de kluts kwijt. Hij houdt zo vreselijk veel van je. Stanley Bredford kan alleen van een bijzondere vrouw houden. Eet veel fruit, drink veel melk, pas goed op jezelf en lees geen droevige boeken. En verbied Stanley te drinken. Als jij het hem verbiedt, stopt hij. Verbied het hem.'

Een zuster kwam binnen en deed het licht aan.

'Wat doet u hier?' riep ze verontwaardigd.

'Ik praat met mijn vriendin. Daar heeft ze heel wat meer aan dan aan uw pillen.'

'Wie heeft u hier toegelaten? Gaat u onmiddellijk weg.'

Anna gaf Doris een kus en ging. In de metro op weg naar huis dacht ze erover na wat liefde was. Hoe noemde Andrew het ook alweer? 'De mooiste en belangrijkste manier om te dorsten naar kennis,' dat was het. Ze begreep waarnaar Stanley dorstte. De vrouw van wie hij hield moest hem een kind schenken. Waar zou Adrienne naar dorsten, na zoveel jaar samen met Arthur? Waarnaar dorstte oma Marta, die een paar decennia met opa getrouwd was geweest? Ze wisten waarschijnlijk allang alles van elkaar. Ze werden immers elke dag naast elkaar wakker. Of wisten ze toch niet alles? Zouden ze nog steeds benieuwd zijn wat hem van haar en wat haar van hem te wachten stond? Wat hun beiden te wachten stond? Of wilden ze juist wél weten wat hun te wachten stond? Wilden ze daarom samen zijn?

Toen Anna op Church Avenue het metrostation verliet, ging ze naar het park. Ze ging op haar geliefkoosde bankje zitten en kreeg ineens ontzettende zin om met een mesje *Dit is het belangrijkste bankje ter wereld* in de rugleuning te kerven. Daar had je die kat weer. Ze aaide hem. De kat begon te spinnen en streek langs haar been.

'Ik vlieg naar Bikini. Weet je waar dat is? Nee, dat weet je niet. Ik weet het zelf niet eens precies. Maar ik kom terug. En weet je waar Dresden ligt? Nee, dat weet je ook niet...'

Ze stond op en stak de straat over. De kat kwam achter haar aan.

Ook die nacht sliep ze niet. Ze las alle brieven van Andrew, en daarna bekeek ze de atlas. Ze ging met haar vinger van Dresden naar Keulen, van Keulen naar Luxemburg, van Luxemburg naar New York, van New York naar Honolulu, van Honolulu naar Bikini. Het was moeilijk te geloven dat ze die hele reis van haar vinger tot aan New York werkelijk gemaakt had, en dat ze de rest van de reis over een paar uur zou maken... Daarna las ze Andrews brieven nog een keer. Toen het al ochtend werd ging ze in de vensterbank zitten. Ze rookte een sigaret en keek naar hun bankje...


New York, Brooklyn, woensdagmiddag 20 februari 1946

Stanley was om twaalf uur bij Astrids huis. Anna stond op de drempel op de postbode te wachten. Ze wilde zeker weten dat alles in orde was. De postbode kwam, maar bracht geen brief van Andrew. Naast haar stond de kleine koffer, die ze de vorige avond al had ingepakt. Ze had toen ze terugkwam van de redactie een heel stel winkels in Manhattan afgesjouwd, op zoek naar een geschikt badpak. Max Sikorsky had een pakket met filmrollen voor haar klaargemaakt. Lisa had in opdracht van Arthur twee extra lenzen gekocht, elk met een leren foedraal. Alles wat ze nodig had zat in het koffertje. Ze had alleen afscheid genomen van Max en Lisa. Verder had ze aan niemand verteld dat ze op reis ging, om niet te hoeven liegen over de bestemming. Arthur vond het erg belangrijk dat het geheim bleef, en daarom had ze zelfs Astrid geprobeerd te ontlopen.

Onderweg naar het vliegtuig vroeg Anna of Stanley even wilde stoppen bij een Poolse winkel in Greenpoint. Daar kocht ze een grote en een kleine fles wodka. De grote stopte ze in haar koffer, de kleine in haar handtas. Ze praatten over Doris. Het bloeden was opgehouden, maar ze moest nog minimaal twee weken ter observatie opgenomen blijven. De artsen wisten niet wat de oorzaak was van de complicatie, maar ze hoopten er het beste van.

'Ik verlang zo naar ons kindje!' zuchtte Stanley.

Anna ging dichter bij hem zitten en legde haar hoofd op zijn schouder.

'Stanley, weet je nog dat we naar Findel reden? En die klier van een korporaal bij die controlepost in Konz? En dat dat bijna op een schietpartij uitliep? Ik was toen zo bang dat jou iets zou overkomen en dat ik er alleen voor zou staan. Wat is dat nog maar kort geleden, hè Stanley?'

'Ik weet het allemaal nog, Anna. Soms droom ik ervan. En dat je opeens vroeg: "Is er een vrouw die van jou houdt? Behalve je moeder en je zussen? Streelde je haar voorhoofd en haar haren net zoals bij mij? Houdt ze echt van je? Heeft ze dat tegen je gezegd? Heeft ze daar de kans voor gehad voor je wegging?" Weet je, ik streel nu iedere avond Doris' voorhoofd en haren voor we gaan slapen. En ik zeg dat ik van haar hou. Elke avond. Na mijn reis in Europa heb ik geleerd bang te zijn dat ik er later de kans niet meer voor zal krijgen...'

'Herhaal dat tegen haar, Stanley. Telkens weer. Hoe vaker, hoe beter. Vooral nu.' Ze kuste zijn wang.

Algauw waren ze op La Guardia. Ze gingen in de rij staan bij de ingang naar de gate waarboven CHICAGO stond. Geen van beiden zei iets. Een medewerker van PanAm controleerde haar ticket. Anna draaide zich om naar Stanley en zei zachtjes: 'Zeg dat je thee wil, Stanley. Zeg het...'

Hij omhelsde haar.

'Anna, je hebt beloofd dat je niet zou huilen. Dat hebben we afgesproken. Weet je nog?'

Ze deed haar ogen dicht en hoorde heel in de verte een stem...

~

'Marcus, kom nou! Dat hebben we in de tuin van Von Zeiss toch al afgesproken, dat we niet zouden huilen? Weet je dat niet meer? Ik huil niet, ik heb gewoon een strootje in mijn oog. Echt, ik huil niet.'

~

Anna pakte haar koffer op en liep de glazen deur door. Een jonge, donkere man nam de koffer van haar aan en zette hem op de grond. Bij de vliegtuigtrap draaide ze zich om. Stanley stond daar achter de glazen deur en haalde nerveus zijn hand door zijn haar. Een familietrekje, bedacht ze, want Andrew had precies hetzelfde gedaan toen hij haar vroeg hoe het verder met hen zou gaan. Een stewardess wees Anna haar plaats in het vliegtuig.

Marshalleilanden, atol Bikini, vrijdag 22 februari 1946, vroeg in de ochtend

In Honolulu werd ze afgehaald door luitenant Berney Collier. Op een stuk karton had hij *Mrs. Faithful* geschreven. Een grapje, zo bleek achteraf. Anna had het grapje niet begrepen en was de dikke militair in het blauwe uniform en met het bordje *Mrs. Faithful* nietsvermoedend voorbijgelopen. Daarna had ze zich twee uur lang zitten verbijten op een houten bankje. Toen de aankomsthal helemaal verlaten was, was hij op haar toe gestapt en had hij haar gevraagd of zij bijgeval uit New York kwam en door zou vliegen naar Majuro. Hij wees op zijn bordje met *Mrs. Faithful*. Door haar naam te vertalen had hij in één moeite door zijn talenkennis, zijn gevoel voor humor en zijn formidabele gastvrijheid willen demonstreren. Anna mocht hem niet. Hij had vette haren, rouwranden onder zijn nagels en hij stonk naar zweet en bier.

In een hotsende jeep reden ze naar de legerbasis. Tijdens de rit dronk luitenant Berney Collier drie flessen bier en nodigde hij Anna een paar keer uit ook een slok te nemen. Hij vond blijkbaar dat hij haar bezig moest houden en kletste onophoudelijk. Het hinderde Anna, die rustig wilde nadenken en naar het landschap wilde kijken. Bovendien zeikte hij voortdurend de jonge soldaat achter het stuur af. Ten slotte hield Anna het niet langer uit.

Ze boog zich naar hem over. 'Weet u wat, luitenant Collier?' fluisterde ze.

'Ik weet veel, maar dat nog niet, miss...'

'Dan krijg je het nu te horen, Berney, allemaal. Ik heb in mijn leven een heleboel Amerikaanse officieren ontmoet, in Duitsland en hier in de States. Maar niet één, Berney, geloof me, niet één' – ze boog zich nog wat dichter naar zijn oor toe – 'niet één' – ze haalde diep adem en brulde toen zo hard als ze kon: 'NIET ÉÉN WAS ZO'N WALGELIJKE, STIN-KENDE, STOMME ONGELIKTE BEER ALS JIJ!'

Luitenant Collier deinsde van schrik achteruit en het bier gulpte over zijn kleren. Minstens een minuut zat hij luid te snuiven. Toen schold hij de chauffeur stijf. En daarna hield hij eindelijk zijn kop.

In Hickam kwam hij zelfs niet de auto uit om Anna te helpen, en hij verbood ook de chauffeur om uit te stappen. Ze pakte rustig haar koffer, groette de chauffeur en liep naar het militaire vliegtuig dat op de startbaan stond. Het was net zo'n toestel als dat waarin ze met Stanley van Europa naar Amerika was gevlogen. Ze klom aan boord. De zitplaats achter het gordijn was vrij. Anna hurkte en drukte haar camera tegen zich aan. Een paar minuten later klonk het vertrouwde geronk van de motoren. Ze stegen op. Anna was moe, maar nog te gespannen om even te kunnen slapen. Ze schroefde haar flesje wodka open en nam een paar slokken, in de hoop dat dat zou helpen.

Het was al donker toen ze landden in Majuro. Ze waren naar het zuidwesten gevlogen, met de tijd mee. Bijna de hele vlucht uit Los Angeles was het nacht geweest, de langste nacht in haar leven. Het was warm en vochtig toen Anna uit het vliegtuig stapte. De bagage werd uitgeladen. Ze trok haar jas uit, en daarna haar trui. Nu had ze alleen haar beha aan; de jongeman naast haar keek naar haar alsof ze een bezoeker was van een andere planeet. Ze maakte haar koffer open en pakte een sitsen blouse. Ze trok haar beha uit en de man wendde zich af. Anna trok de blouse aan. Na een hele tijd kwam er een vrachtauto aanrijden waar de bagage in werd geladen. De vrachtauto vertrok en Anna begaf zich samen met de aanwezige militairen naar een houten gebouwtje met een dak van palmbladeren. De zojuist gearriveerde passagiers zouden met riksja's naar de haven worden gebracht. De 'riksja's' hier bleken gewone fietsen met een karretje erachter. De koffer paste net in het karretje. Anna ging achterop zitten, op de bagagedrager, en sloeg haar armen stevig om het pezige lijf van de man die fietste. Ze deed haar ogen dicht. Het was net alsof ze achterop zat bij Hinnerk wanneer hij haar thuisbracht, naar de Grunaer Strasse...

Na tien minuutjes waren ze bij het strand. De 'haven' leek op de aanlegsteiger voor jachten op Sylt. Aan de houten steiger dobberde een klein watervliegtuig op de golven. Anna greep zich vast aan de metalen leuningen van haar stoel toen ze stuiterend het luchtruim kozen.

Ze werd wakker toen de roodharige jongen in legeruniform haar met zijn elleboog in de zij porde: ze gingen landen. Het was prachtig zonnig weer. Anna drukte de lens van haar camera tegen de patrijspoort en trok hem meteen weer terug. Ze keek nog eens. Het leek alsof iemand enorme smaragden had uitgestrooid over een turkooizen tapijt. Ze wreef zich in haar ogen. Niets dan schitterende groene en blauwe tinten! Even later zag ze land in de vorm van een onregelmatige, onderbroken cirkel. Ze wilde op de sluiterknop drukken, maar bedacht zich. Voor het eerst in haar leven betwijfelde ze het of het haar zou lukken datgene wat ze zag op film vast te leggen. Er waren te veel kleurnuances, het was te mooi. Haar camera zou verblind raken, gek worden – hij kon immers alleen maar licht en schaduw weergeven. Wit, zwart en alle grijstinten daartussenin. Het zou zijn alsof er een dimensie ontbrak, alles zou vlak lijken. Voor de wereld die zij gefotografeerd had, hadden wit, zwart en grijs altijd volstaan. Op zo'n omstuimige kleurenpracht was ze niet voorbereid.

Het vliegtuigje daalde, waarbij het steeds kleinere cirkels beschreef. Op de plek waar een witte zandstrook uit de oceaan tevoorschijn kwam, had het water een blauwgroene kleur, als Indiase halfedelstenen. Anna had ze in New York in een museum gezien. De ene na de andere rij turkooizen golven brak schuimend op het hagelwitte zand. Dit moment zou ze niet kunnen vastleggen, begreep Anna.

Ze voelde eenzelfde opwinding als wanneer ze vroeger met papa schilderijen bekeek in de musea van Dresden en Berlijn. Ze sperde dan van verbazing haar ogen open, slaakte een kreetje van verrukking en drukte zich tegen papa aan, die zachtjes haar haren streelde. Ze greep de arm van de jonge soldaat naast haar. Samen keken ze zonder iets te zeggen naar beneden.

Het watervliegtuig plofte op de golven, maakte een sprongetje en daalde weer. Even later werden de beide motoren uitgeschakeld. Er was alleen nog maar stilte, rustig deinen, het geklots van de golven. Anna keek op haar horloge. Het was vrijdag 22 februari 1946. Ze was op Bikini...

Twee militaire sloepjes gleden op het vliegtuig af. In het eerste werd de bagage neergelegd; de passagiers stapten via een wiebelig laddertje in het tweede. Het sloepje liep met zijn platte bodem op het strand. In de verte, tussen de palmen, zag Anna iets wat op een hangar leek.

'De Cross Spikes Club!' riep de roodharige jongen enthousiast uit. 'Ik heb al vanaf Majuro visioenen van een groot glas koud bier. Eindelijk! Daar vlieg je graag voor naar de rand van de aarde!'

De soldaten sprongen uit de sloep en liepen in de richting van de hangar. Anna ging als laatste aan land. De roodharige jongen pakte de camera en het pakje filmrollen van haar aan en gaf haar een hand om haar te helpen uitstappen. Het zand voelde zacht en warm aan onder haar voetzolen. Haar koffertje stond verloren tussen de militaire plunjebalen.

'We zien elkaar nog wel. Dat kan hier moeilijk anders,' zei de roodharige jongen. Hij lachte vriendelijk naar haar en rende zijn maten achterna naar de hangar.

Anna boog zich over haar koffertje. Ze wilde een blik werpen op de van rode lakzegels voorziene documenten die luitenant Collier haar al in Honolulu had overhandigd. Van Arthur wist ze wat haar taak hier was: foto's maken, maar ook aan de weet zien te komen waarom politici en militairen een halfjaar na het einde van de oorlog in de Stille Oceaan ineens zo geïnteresseerd waren in een piepklein stukje aarde aan de rand van de wereld. Maar op dit moment wilde Anna daar niet aan denken. Ze was doodop en droomde van een bed of hangmat en de mogelijkheid zich te wassen. Ze was zelfs te moe om uit te rekenen hoeveel uur ze onderweg was geweest.

Ze maakte haar koffer open en haalde er een oranje envelop uit. Op haar knieën liggend verbrak ze de lakzegels.

Op dat moment viel er een wit envelopje in de koffer. Anna hief met een ruk haar hoofd op.

'Je hebt me toch geschreven!' riep ze. Ze sprong overeind en omhelsde Andrew. 'Ik wíst dat je zou schrijven,' voegde ze er fluisterend aan toe.

Hij raakte met zijn lippen haar haar aan en kuste haar voorhoofd.

Een hele tijd stonden ze daar, dicht tegen elkaar aan. Duizend vragen tegelijk bestormden Anna. Waar kwam Andrew ineens vandaan? Juist nu? Waarom had hij haar niks verteld? Hoe wist hij dat zij hier ook zou zijn? En waarom had hij niet gezegd dat hij daar al van op de hoogte was? Waarom? Ze had zich erop ingesteld dat ze hem zou missen, en dat ze tijd zou hebben om na te denken over hun toekomst.

'Andrew, je ruikt naar zeewind en naar het strand,' fluisterde ze.

'Ik zal je alles vertellen,' zei hij, alsof hij haar gedachten had geraden.

'Ja...'

Ze deed haar koffer weer dicht. De oranje envelop interesseerde haar niet meer. Andrew droeg haar koffer en zij liep glimlachend naast hem. Ze betraden een palmbosje en zagen zich algauw omringd door houten huisjes, bedekt met uitgedroogde palmbladeren. Op het dorpsplein speelden soldaten met plaatselijke kindertjes. Even dacht Anna dat ze Lucas zag. Nee, het was een ander jongetje, van een jaar of zes, met een bruin gezichtje, grote donkere ogen en volle, als het ware naar buiten gebogen lipjes. Hij lachte en toonde een gebit waarvan een paar melktandjes waren uitgevallen. Hij wenkte haar toen ze langs hem liep. De soldaten onderbraken hun spel en volgden het paar met hun blikken. Een van hen floot veelbetekenend. Ze probeerde het commentaar te negeren dat hun achterna werd geroepen. Sinds Dresden had ze niet meer zoveel militairen bij elkaar gezien. Andrew, met zijn spijkerbroek, witte overhemd en sandalen, leek hier de enige burger te zijn. Zonder hem en die kinderen had je je op een legerbasis of een oefenterrein gewaand. Arthur had gelijk. Hier was iets erg belangrijks aan de gang. Of er stond iets belangrijks te gebeuren.

De kamer in de houten barak waar Andrew haar naartoe bracht had de afmetingen van het kleinste toilet in het *New York Times*-gebouw, en het was zeker niet gezelliger. Een smal ijzeren ledikant, met een kussen en, op een keurig vierkant stapeltje gelegd, een grijze deken zonder overtrek, een laken en een kussensloop. Een tafeltje, een keukenstoel en een roestige metalen kast. Anna vond het op dit moment allemaal best. Als ze zich maar kon wassen en kon gaan slapen.

'Probeer het nog even vol te houden tot het eten,' zei Andrew, die haar gedachten had geraden. 'Als je nu niet meteen gaat slapen ben je het gauwst over je jetlag heen. De douches zijn aan het eind van de gang. Er is een aparte damesdouche; er werken hier nog een paar vrouwen.'

Anna keek hem eens aan. Ze kon nog steeds niet geloven dat hij hier was. Hij leek haar nu nog langer, nog knapper.

'Andrew, wat doe je hier?' vroeg ze.

'Als je een kwartiertje wacht,' zei hij ontwijkend, 'laat ik je de mooiste badkamer van de hele wereld zien. Ik moet even naar de staf. Wakker blijven, hoor!'

Hij ging naar buiten en deed de deur achter zich dicht. Hij had gelijk, het liefst ging ze slapen, ze liep nu voor haar gevoel al half te slaapwandelen. In elk geval ging ze zich eerst wassen. De geluiden van buiten drongen vertraagd tot haar door, alsof iemand een vinylgrammofoonplaat afspeelde op een te laag toerental. Ze keek naar haar handen. Eigenlijk waren ze helemaal niet zo smerig. Het onopgemaakte bed lokte. Eén minuutje, tot Andrew terugkwam.

Een seconde later sliep ze als een blok.

Anna werd wakker van een hoop kabaal en schaterend gelach. Ze sprong op en rende naar het raam. Er rende een hele zwerm kinderen voorbij, kwetterend en gierend van de lach. Anna probeerde te schatten hoe lang ze geslapen had. Ze keek het kamertje rond. De ongeverfde planken herinnerden haar aan de tijdelijke status van haar onderkomen. Er werd geklopt.

Andrew kwam binnen. 'Sorry dat ik je heb laten wachten,' zei hij.

'Is het al ochtend?' vroeg Anna. Ze was alle besef van tijd kwijt. 'Ik heb geen idee hoe lang ik heb geslapen. Een uur? Een dag? Een week?'

Hij glimlachte, ging naar de metalen kast en haalde er een handdoek uit.

'Kom, ik had je toch een bad beloofd?' zei hij, en hij omhelsde haar.

Ze staken een smalle grasstrook over en daarna het verblindend witte strand. De jonge soldaten, ouder dan negentien leken ze niet, salueerden en Andrew knikte vriendelijk terug. Het verbaasde Anna, maar ze besloot haar vragen tot later te bewaren.

Eindelijk waren ze bij het water. Dit was een heel ander strand dan Anna zich van Sylt herinnerde. Een beetje verloren stond ze bij de vloedlijn. De zee die zij gezien had was altijd koud geweest, geelgroen of soms blauwgrijs. Ze dacht dat de golven van de zee altijd die kleur hadden. Nu bleek dat papa, toen hij haar en mama de natuur van het eiland liet zien, vergeten was erbij te vertellen dat alles daar in sepiatinten geschilderd was. En dat dat niet overal op de wereld zo was. Hier op Bikini was het water aquamarijn als de steen aan de ringvinger van oma Marta's linkerhand. Anna probeerde na te gaan hoeveel woorden ze kende voor allerlei kleuren blauw.

Andrew riep al zwaaiend met zijn armen dat ze in het water moest komen. Voor het eerst zag ze hem zonder overhemd, das en colbert. Zo zag je goed dat hij jonger was dan Stanley. Ze maakte de knoopjes van haar groene blouse los en liet haar rok op het zand glijden. Even overwoog ze ook haar crèmekleurige onderjurk en haar slipje uit te doen, maar ze hield haar onderjurk aan en liep bijna tot aan haar middel het water in. De natte dunne stof vlijde zich om haar lichaam. Ze sloeg haar armen uit en dook het water in. Toen ze bij Andrew was, reikte het water nog steeds tot haar middel. Andrew glimlachte. Ze zag dat hij zijn ogen niet van haar borsten af kon houden.

'Je draagt geen beha,' zei hij zachtjes.

Ze kruiste even haar armen voor haar borst, maar liet ze weer zakken en begon te zwemmen.

~

Eerst hadden ze met zijn drieën op het Oostzeestrand gezeten en van de zonsondergang genoten. Daarna hadden ze een heel stuk gewandeld. Papa kuste mama en omhelsde haar. Toen het al donker werd en er verder niemand meer op het strand was, hadden papa en mama Anna, die zout was van het zeewater, op een strandstoel gelegd, en daarna waren ze samen naar de zee gerend. Mama gooide lachend haar kleren uit; ze waren immers alleen? Anna had zich tot een bolletje opgerold op haar strandstoel en deed alsof ze sliep, tot ze werkelijk wegdommelde. Wat hielden papa en mama veel van elkaar! Papa kwam het water uit, haalde vlug een handdoek en rende weer terug naar zijn vrouw. Toen Anna haar ogen weer opendeed, stond hij op het zand en hield hij de handdoek klaar voor mama. Ook die kwam uit zee, zonder zich te schamen voor haar naaktheid. Anna herinnerde zich de naderende silhouetten en de fluisterende vraag: 'Maken we haar niet wakker?' Papa en mama gingen op de handdoek liggen. Anna begreep niet precies wat zich daar tussen hen afspeelde, maar ze voelde dat het iets goeds was...

~

Ze wendde haar hoofd naar Andrew, die naast haar zwom.

'Weet jij waar de Oostzee ligt?' vroeg ze hem.

'Ja,' antwoordde hij. 'Ik was in Kopenhagen, op uitnodiging van Niels Bohr. Maar dat was 's winters, en we voelden niet de minste aanvechting om een duik te nemen.'

Anna dook onder water zonder haar ogen dicht te doen. Vlak voor haar zwom een grote, bonte vis. Ze kwam boven water en pakte Andrew bij zijn schouder.

Hij was haar vraag voor. 'Ja, hier zijn heel veel vissen. Met de ongelooflijkste kleuren. Hoe ze allemaal heten, weet ik niet. Ik zei je toch dat dit het mooiste zwembad is dat je ooit gezien hebt? En op nog geen tien meter begint het koraalrif. Dát is me een kleurenfestijn! Zullen we daar nu naartoe zwemmen?'

'Nee, niet nu!' riep Anna. Ze zwom terug naar het strand.

Even later zaten ze samen in het zand. Anna had haar onderbroekje en haar blouse alweer aangetrokken.

'Je hebt gelijk, zo is het beter. Die jongens hier zijn uitgehongerd.'

'Wat dacht je van mij?' lachte hij.

Ze liep naar de soldaten toe en kwam terug met een brandende sigaret. 'Had ik trek in,' verklaarde ze.

'Jij bent ontzettend onvoorspelbaar en impulsief,' zuchtte Andrew. 'Wat denk je hoe die jongens vanavond met een fles bier voor zich over jouw borsten praten? En hoe ze er hardop over dromen dat ze "die lekkere assistente van doctor Bredford eens even..." hoe noemen ze dat? "... een beurt zullen geven". Ze zitten niet om uitdrukkingen verlegen.'

'Nou en?' onderbrak ze hem. 'Zit je daarmee, dan?'

'Waarmee?'

'Wat die soldaten allemaal kletsen.'

'Welnee.'

'Nou, ik ook niet. Dus waar hebben we het over?' Ze nam lachend een trekje van haar sigaret. 'Maar nu iets anders, Andrew. Hoe ben jij hier verzeild geraakt?'

Hij ging staan, trok zijn broek aan en ging niet weer zitten.

'Dat jij hier bent, is toeval,' zei hij. 'Eigenlijk had Stanley hier moeten zijn. Maar die kan op dit moment niet helder denken. Terwijl het een kans voor hem was die maar één op de miljoen mensen krijgen. Nou ja, hij moet het zelf weten, het is zijn leven. Die oude jood van *The New York Times* is helemaal lyrisch over jou. Hij kon voor je instaan, en zijn connecties reiken tot de president en de opperbevelhebber en Onze-Lieve-Heer zelf. Hij zwoer dat jij dit aankunt. Hij zei dat jij dingen ziet over het bestaan waarvan de intelligentste mensen zelfs geen vermoeden hebben. Dat je foto's maakt die de mensen de tranen naar de ogen jagen, van ontroering en van plezier. Dat je een treffend onderwerp kiest en dat je daarna pas voelt dat dat onderwerp op de tweede plaats komt, dat de kern in iets anders ligt. Dat jij de schoonheid kunt laten zien van een afgetrapte schoen, dat je de naïviteit hebt van een kind en de wijsheid van een oude vrouw. Dat zei Arthur, en hij is de paus van de Amerikaanse pers. Hij zei ook dat jij je niet afwendt als er iets belangrijks gebeurt en dat je niet je ogen sluit als je ongewild getuige bent van een intiem voorval. Sinds die nacht op het bankje in het park weet ik het: je sluit niet alleen je ogen niet, je spert ze zelfs open. Jij bent hier de enige die geen Amerikaans staatsburger is, maar dankzij Arthurs connecties, Doris' problemen met haar zwangerschap waardoor mijn broer zijn laatste restje gezond verstand verloor en ongetwijfeld ook dankzij je talent, ben je hier. Er zijn een hoop fotografen in Amerika, Anna, maar voor ze zich met jou kunnen meten, moeten ze nog heel wat leren. En zo denken ze er niet alleen over bij *The New York Times.*'

Anna stond op. Ze had het warm gekregen, van de zon of van Andrews woorden. Ze trok haar blouse uit, liep naar de soldaten onder de palmbomen en kwam terug met een handje sigaretten en een doosje lucifers.

'Meneer Bredford, nou moet u eens goed naar mij luisteren. Mijn leven hangt al heel lang van toevalligheden aan elkaar. Alleen al dat ik nog leef, is puur toeval. Dat ik je broer heb ontmoet is een onwaarschijnlijke samenloop van omstandigheden. Een gelukkige samenloop. Dat ik hier nu voor jou op het strand van Bikini sta te roken, is ook ongelooflijk. Stanley is hier niet omdat hij van zijn vrouw houdt. Dat hij bij haar is gebleven, is niet rationeel, dat klopt. Maar liefde ís niet rationeel. Godzijdank, doctor Bredford, godzijdank!' Ze praatte nu met stemverheffing. 'Jouw broer heeft zijn verstand niet verloren vanwege Doris. Hij is juist verstandig geworden dankzij haar. Bovendien ben ik ontzettend blij met Arthurs connecties. Ik weet niet door wat voor vreemde samenloop van omstandigheden een natuurkundige uit Chicago bruin wordt op dit eiland en waarom militairen voor hem salueren – je hebt mijn vraag nog steeds niet beantwoord –, maar dat kom ik vlug genoeg te weten. Als het niet van jou is, dan wel van die jongens wanneer ze genoeg bier achter de knopen hebben. Wees gerust, ik kom erachter. Ik kom overal achter.'

Ze knipte haar peuk weg in het zand, pakte een nieuwe en gaf Andrew het doosje lucifers.

'Geef me een vuurtje. Mijn handen trillen te erg...'

Langs het strand liepen ze terug naar de barak. In de verte waren de verbleekte daken van huisjes te zien, andere dan die waarin Anna was ondergebracht. De met palmbladeren bedekte huisjes leken op enorme omgekeerde manden.

'Dat is het dorp. Daar moet je beslist naartoe. De inboorlingen hier zijn allervriendelijkst. En neem vooral je camera mee.'

Dat laatste advies was overbodig, want Anna en haar camera waren onafscheidelijk. In Brooklyn was ze een keer even vlug een boodschap gaan doen op Flatbush Avenue en had ze haar Leica thuisgelaten. Daar had ze meteen spijt van gekregen. Aan een lantaarnpaal stond een hondje vastgebonden dat in zijn bek een opgerolde krant had, en je zag net de krantenkop: WAT EEN HONDENLEVEN. Soms vond Anna het jammer dat haar camera geen deel van haar lichaam was. Dan had ze hem écht altijd bij zich.

Andrew bracht haar tot aan de deur van haar barak. Ze omhelsde en kuste hem, maar zei niets. Ze was te moe om nog iets te zeggen...

Marshalleilanden, atol Bikini, zaterdag 23 februari 1946

Anna werd wakker doordat haar wang brandde. Ze deed haar ogen open en sloot ze meteen weer, zo verblindend was de zon. Ze luisterde naar het luide gekwetter van vogels bij het open raam. Ze stond op en haalde uit haar koffer de lichtblauwe jurk die ze met kerst van Doris had gekregen, trok hem aan en strikte de koordjes aan de ronde kraag. Daarna pakte ze de handdoek die over de rugleuning van de stoel hing en ging douchen. De kleine doucheruimte aan het eind van de gang was vrij. Anna waste zich en stak toen haar hoofd onder de koude waterstraal. Even bestudeerde ze haar gezicht in de ietwat vervormende spiegel. Het koude water droop uit haar blonde haren op haar jurk. Ze wreef met de handdoek over haar hoofd en probeerde met haar vingers pijpenkrullen te draaien van haar haar. Daarna bracht ze de handdoek terug naar haar kamer, pakte haar Leica en ging naar buiten.

Op het pleintje bij de kantine stond een groepje jonge soldaten. Anna herkende de roodharige jongen uit het vliegtuig. Ze zwaaiden naar elkaar.

'En ik maar denken dat ze hier alleen maar varkens, schapen, geiten en ratten naartoe hadden gebracht,' grapte een van de soldaten. 'Maar ik zie hier ook hele mooie konijntjes.' Zijn maten brulden van het lachen.

Anna ging de kantine binnen. Ze pakte uit een mand die op een lange houten bank stond twee stukken donker brood en nam boter en jam. Daarna schonk ze zichzelf een mok hete koffie in en ging bij het raam zitten. De zaal vulde zich geleidelijk met soldaten. De roodharige jongen en een andere soldaat liepen naar Anna toe.

'Mogen we hier komen zitten?' vroeg de jongen met het rode haar. Zonder op toestemming te wachten ging hij tegenover haar zitten. 'Zeg, wat kom jij hier eigenlijk doen?' probeerde hij een praatje aan te knopen. 'Als je de nieuwe zuster bent, voel ik me ineens ontzettend ziek worden.' Hij lachte luidkeels om zijn eigen grapje en keek naar zijn maat.

'Nee, het spijt me,' glimlachte Anna. Toen boog ze zich over de tafel heen naar de jongen toe en zei zachtjes maar duidelijk: 'Maar als ik wel de zuster was en je kwam bij me, omdat je laten we zeggen een zere duim had of kiespijn, dan zou ik je meteen een klysma voorschrijven. En die zou ik je eigenhandig in je kont duwen. "Op onze kennismaking," zou ik erbij zeggen.'

Ze ging weer op haar stoel zitten en knipoogde naar de andere soldaat, die dubbelsloeg van het lachen. De rode keek een beetje beteuterd.

'Je hebt het zwaar te verduren, zie ik wel. Je bent een veel te lekker hapje.'

Andrew ging naast Anna zitten en zette zijn dampende beker koffie op tafel. De rode soldaat en zijn maat gingen er meteen vandoor.

'Goeiemorgen!' glimlachte hij. 'Tja, er zijn op het eiland behalve jij maar twee blanke vrouwen. Luitenant Trocky, voor wie zelfs een dolle hond op de loop gaat, en sergeant O'Connor, van wie je pas merkt dat ze een vrouw is als ze haar piepstemmetje laat horen.'

Andrew zag er erg moe uit. Tussen zijn wenkbrauwen zat een diepe rimpel.

'Het wordt vandaag erg warm. Het middageten is hier om twaalf uur en het avondeten om zes uur. Ik zit meestal daar links, bij de muur. Daar tocht het nog een beetje. Je komt toch bij me zitten?' Hij zei het vriendelijk, maar zijn blik was een beetje mat. 'Vandaag heb ik het nogal druk, waarschijnlijk ben ik tot het avondeten aan het werk. Maar ik probeer om zes uur klaar te zijn en als je wil kunnen we dan samen eten.' Hij stond op.

Waarmee kon doctor Andrew Bredford, hoogleraar in de natuurkunde aan de universiteit van Chicago, het toch een hele dag lang, tot aan het avondeten, zo druk hebben op een eilandje waar het grootste gebouw een hangar met een bierbar was? Anna begreep het niet.

Om negen uur had Anna haar ontbijt op en had ze haar laatste kop koffie gedronken, haar vierde. Ze had altijd gedacht dat ze nergens slappere koffie dronken dan in Amerika. Nu wist ze het: op Bikini.

Ze ging naar buiten. De lucht was drukkend. Langs het strand liep ze in de richting van het dorp. Ze zag mensen heen en weer lopen tussen de huisjes. Een oudere vrouw, gekleed in een lange, kleurige jurk met een ceintuur om het middel, sneed smalle stroken van palmbladeren. Ze had kleine, mollige handen en stevige schouders. Af en toe onderbrak ze haar werk en wierp ze een blik op een jongetje dat met een tak een kuil in het zand aan het maken was. Dan verscheen er een kalme glimlach op haar ronde gezicht. Zou het echt zo zijn dat overal ter wereld oude vrouwen iets weten wat niemand anders weet? dacht Anna. En is het juist die kennis die hun vreugde en rust geeft? Oma Marta had precies dezelfde kalme glimlach wanneer ze in haar kamer aan de Grunaer Strasse servetten zat te borduren en Anna aan haar voeten op het tapijt met haar blokkendoos speelde...

De vrouw kauwde op iets wat ze af en toe uitspuugde. Het leek op bloed. Ze probeerde onopgemerkt dichterbij te komen – dat leverde altijd de mooiste foto's op. Ineens bleef ze met haar blote voet achter een boomwortel haken en struikelde.

'*Verdammte Scheisse!*' schold ze. Terwijl ze viel tilde ze haar camera zo hoog mogelijk op, zodat die niet beschadigd zou raken. '*Scheisse!*'

Een kinderstemmetje riep haar vrolijk na: '*Scheisse, Scheisse, grosse Scheisse!*'

Anna zag twee enorme opengesperde bruine ogen, twee bijna bolronde lipjes en een melkgebit waarin twee tanden ontbraken. Ze herkende het jongetje van gisteren, bij de barak.

'Kleine boef! Waarom lach je me uit en waarom doe je me na?' vroeg ze in het Duits.

'*Was lachst du, was lachst du? Lachen verboten!*'

Hè? Dat laatste had ze niet gezegd. Anna ging op het zand zitten en staarde verbaasd naar het jongetje, dat zich meteen verstopte achter een boomstam.

'Spreek jij Duits? Hé krummel, kom eens tevoorschijn!'

'*Ich bin kein Krümel.*'

Anna was stomverbaasd. Dat jongetje bauwde haar niet alleen maar na, hij sprak werkelijk Duits. Hij vormde zelfs zinnen! Dit was de grootste verrassing tot nu toe op Bikini.

Een frêle figuurtje kwam van van achter de kokospalm vandaan tevoorschijn. Het jongetje stond tegen de boom geleund en wreef met zijn rechtervoet tegen zijn linkerscheenbeen.

'Waarom staar jij zo naar me?' vroeg hij. 'Ik ben Matteus. Hoe heet jij?' Hij zei het allemaal in keurig Duits! Anna maakte onopvallend een foto van zijn gul lachende gezichtje.

'Dus jij bent Matteus? Ik ben Anna. Spreken alle kinderen hier Duits? Waar heb jij mijn taal geleerd?'

Het jongetje kwam dichterbij en bekeek vol belangstelling Anna's camera.

'Wat is dat?'

'Een fototoestel. Wil jij een foto maken?'

'Wat is dat, "een foto maken"?'

Ze hield hem haar Leica voor. Het jongetje keek er nieuwsgierig naar, maar durfde het toestel niet aan te pakken.

'Je kijkt hiernaar, naar dat schermpje, en dan druk je op deze knop en dan blijft wat je ziet er binnenin zitten. Snap je?'

Het jongetje keek in de zoeker. 'Oooh,' riep hij verrukt.

'Je mag een foto maken als je me eerst vertelt waar je mijn taal hebt geleerd.'

'Dat is geen geheim, maar hij is al dood. Hij was heel oud.'

'Hij?'

'JoiLaiso. Hij was heel oud. Hij wist de oude tijden nog. Toen hij doodging was hij wel honderd. Of misschien tweehonderd. Zijn tanden waren helemaal zwart. Van de betel. Hij zei dat ik Duits moest leren en dat ik dan een schat zou vinden. Er moeten hier oude kaarten zijn en daarop staat waar de schat verstopt is.' Het jongetje liet zijn stem dalen tot een geheimzinnig gefluister. 'Een Duitse schat. Ik heb al overal gezocht, maar ik heb hem nog niet *gefinden*.'

'*Gefunden*,' verbeterde Anna.

Ze liepen langs de oude vrouw, die nu bezig was de smalle stroken te vlechten, zo te zien tot een soort tapijtje.

Het jongetje wees naar haar. 'Oude Kethruth,' zei hij. 'Zij kauwt ook betel, en wat ze daar vlecht heet een *jaki*. Morgen komen er een heleboel mensen en die moeten iets hebben om op te slapen.'

Het jongetje rende naar de vrouw toe. Hij fluisterde haar iets in haar oor en wees naar Anna. De vrouw knikte glimlachend en zei: '*Yowke!*'

'Matteus, wil jij aan Kethruth vragen of ik foto's van haar mag maken?'

'Dat mag. Dat hoef je niet te vragen. Ze weet toch niet wat het is. Ze ziet zo'n ding voor het eerst, net als ik.'

Anna kwam dichterbij. De vrouw liet even haar werk rusten en keek nieuwsgierig in de lens. Toen lachte ze luid en spuwde een rode straal uit.

'Dat is toch geen bloed?' vroeg Anna geschrokken.

'Bloed? Natuurlijk niet!' zei ze.

Samen met Matteus liep ze langs de huisjes, waarin ze mensen hoorde praten. Het leven in het dorp ging zijn gewone gang. Een jonge vrouw zat in het zand haar baby de borst te geven. Matteus rende naar haar toe en gaf de baby een kusje.

'Dit is mijn oudste zus Rachel. Rachel kan Engels en ze weet heel, heel veel. Op de oceaan kan ze de weg beter vinden dan haar man.'

De jonge vrouw glimlachte, boog zich over haar kindje heen en zei: '*Lokwe yuk, love to you.*'

Anna pakte haar camera, drukte op de sluiterknop en zei het haar zachtjes na: '*Love...*'

Ze bleef even staan, bekoord door het tafereeltje: de bonte jurk van Rachel, haar ontblote borst en het handje van de baby. Het zwarte hoofdje, tegen de moeder aan gedrukt; de blote babyvoetjes; de rode bloem in Rachels haar, boven haar oor; haar brede, ontwapenende glimlach.

'Morgen hebben we *kemem*. Onze hele familie komt. Kom jij ook?' zei Rachel in het Engels. 'Dat zouden we erg leuk vinden.'

Anna wilde vragen wat een kemem was, maar Matteus was haar voor.

'Wij hebben vaak feesten,' legde hij uit terwijl ze verder door het dorp wandelden. 'We vinden het fijn om de hele familie te zien. Mijn tantes en mijn neven en hun vrouwen... Mijn nichtje wordt morgen één jaar. Daarom vieren we feest. Dat is nou kemem.'

In elk huisje waar het jongetje Anna mee naar binnen nam, werd ze nieuwsgierig maar hartelijk begroet en overladen met glimlachjes. Overal heerste een idyllische rust en harmonie. Geen jachtig gedoe, geen geschreeuw, geen achterdocht. Ze liep hier in een schilderij van Gauguin.

Het dorp, dat zich helemaal uitstrekte langs de zee, was niet groot. Op een gegeven moment zagen ze in de verte op zee een langwerpig voorwerp.

'Nishma! Kijk, daar is Nishma, Rachels man. Hij is wezen vissen. Kom, we gaan kijken hoeveel hij gevangen heeft,' riep Matteus. Hij pakte Anna's hand en trok haar mee.

Hij rende de zee in en wuifde naar de man in zijn bootje. Anna nam de ene foto na de andere.

Ze bleef in het dorp tot de zon onderging. Nishma leerde haar vis schoonmaken. Daarna brachten ze de vissen in manden van palmbladeren naar het dorp, grilden ze boven open vuur en aten ze op. Matteus legde iedereen met een gewichtig gezicht uit wat een fototoestel was. Anna betwijfelde of zijn uitleg helemaal klopte, maar de dorpsbewoners luisterden vol bewondering.

Anna wilde wel eens betel proeven. Nishma legde haar, met behulp van Matteus, uit dat het een blad was van een plant met een geestverruimende werking. Zoiets als een cocablad, begreep ze. Op de Marshalleilanden kauwden alle volwassen mannen en vrouwen betel. Anders dan bij het cocablad werd je speeksel er vuurrood van en verkleurden je tanden tot ze zwart waren. De uitgekauwde bladeren moest je uitspuwen, want die smaakten bitter. Toen Anna op de drempel van Rachels huisje samen met haar betel zat te kauwen, verzamelde zich een nieuwsgierige menigte om hen heen. Anna merkte niets van enige geestverruimende werking. Toen ze haar blad uitspuwde, schaterde iedereen het uit.

Daarna zong Rachel een prachtig wiegeliedje voor haar baby. Anna schreef het op; ze wilde het uit haar hoofd leren – 'voor mijn eigen kindje, als ik dat ooit krijg,' legde ze uit aan Rachel, die oprecht verbaasd was dat 'zo'n oude vrouw' nog geen kinderen had.

Het was al helemaal donker toen Anna terug was in haar kamer. Ze sliep meteen in.


Marshalleilanden, atol Bikini, zondag 24 februari 1946

Anna werd wakker doordat iemand voorzichtig aan haar schouder schudde. Ze deed haar ogen open en zag Matteus' hagelwitte tandjes.

'Wil je met me mee de zee op? Dan moet je opstaan,' zei hij zacht-jes.

'Wat?' Anna sliep nog half en dacht dat ze droomde. 'Nee Marcus, ik vertel je nu geen sprookje. Laat me slapen,' mompelde ze, en ze draaide zich om op haar andere zij.

'Marcus? Wat voor Marcus? Kom mee, we gaan de golven leren voe-len.'

Nu pas werd ze helemaal wakker. Ze kwam een stukje overeind, steunend op haar elleboog.

'Hoe kom je hierbinnen?' vroeg ze, in haar ogen wrijvend.

'Je had het raam opengelaten,' lachte het jongetje.

'De golven leren voelen? Natuurlijk wil ik dat, maar je moet even geduld hebben, Matteus. Ik heb nog niets gegeten, ik word zeeziek. Als ik aan golven denk moet ik al kotsen.'

'Wat betekent dat, "kotsen"?' vroeg Matteus. En zonder het ant-woord af te wachten, voegde hij eraan toe: 'Schiet op, we wachten op je.'

'Draai je dan om.'

'Waarom?'

'Ik moet me aankleden.'

'Waarom? Dit is toch ook heel mooi?'

'Ik wil zwemkleren aantrekken. Vooruit, draai je om!'

Toen ze het strand op renden, voer een van de twee bootjes, een soort brede zeilkano, al weg. In de tweede zag Anna Nishma staan. Met zijn ene hand hield hij het roer vast en met zijn andere een stuk touw dat aan het driehoekige zeil vastzat. Er zat een heel stel jongetjes in het vaartuigje. Aan de romp was een houten balk bevestigd, kenne-lijk als tegenwicht. Zo'n boot had Anna nog nooit gezien. Ze voeren weg. Matteus ging naast haar zitten, haalde iets uit een stoffen zakje en gaf het aan haar.

'Kokos,' zei hij voor ze iets had kunnen vragen. 'Als je daarop kauwt, word je niet zeeziek. Of heb je liever betel?' lachte hij. 'Kokos is alles voor ons, zegt Kethruth. Ze kan er olie van maken om in te bakken en meel voor brood, en zeep om de was te doen. Van de bladeren maakt ze touw en jaki's, en van de stammen bouwen we onze huizen. God wist wat Hij deed toen Hij ons de kokospalm gaf, zegt ze altijd.'

Anna keek naar de jongetjes, die stijf tegen elkaar aan zaten. Ze le-ken tussen de vijf en tien jaar te zijn. De zon kwam op boven de hori-zon en verlichtte het water. Al snel kon ze gezichten onderscheiden.

Een olijfkleurige huid, enorme lachende ogen, sneeuwwitte tanden. Ze haalde vlug haar camera uit het foedraal. Er was nog te weinig licht voor een goede overzichtsfoto, maar die witte tanden kon ze al vangen op de gevoelige plaat.

Er dook een eiland op, en nog een, en nog een. Door het water heen zag Anna koraalformaties, die leken op struikgewas. Sommige leken op keien, andere op kanten servetten, of op waaiers die bewogen in de golven.

De jongetjes waren nu zichtbaar opgewonden. Nishma begon het zeil in te nemen. Hij zei iets met luide stem en wees naar een donkere vlek met eromheen bijna sneeuwwitte ondiepe plekken.

Matteus sprong overeind. 'We zijn er!' riep hij. 'Nu gaan we de golven leren voelen.'

Anna snapte niet wat hij bedoelde.

'Spring ons achterna. Dan leer jij het ook!' riep hij haar toe.

'Wat moet ik dan doen? Hoe kan je de golven leren voelen?' vroeg ze.

'Spring in het water en ga liggen, net als ik.'

'Gaan liggen? Waar heb je het over?'

Nishma gooide het anker uit en riep de kinderen bij zich. Hij legde iets uit, met weidse handgebaren. Hij wees naar het eilandje, waarop mangobomen groeiden, en sprong zelf ook in het water. Daar strekte hij zich uit op zijn rug, met zijn voeten in de richting van een kleine lagune die doordrong tot het hart van het eilandje. De jongens deden hetzelfde. Anna deed haar camera af, wikkelde hem in haar jurk en stopte hem in haar tas. Daarna sprong ze in het water.

Het was doodstil nu. De hele groep deed haar denken aan het pijlkruid in het zeeaquarium in Hamburg. Daarvan wezen de puntige bladeren aan het wateroppervlak ook altijd in één richting. Even later spreidde Nishma zijn armen en bleef in die houding drijven. Anna zag er niets vreemds in. Ze vond het gewoon prettig. Ze deed haar ogen dicht en genoot van de warme zonnestralen en het zachte deinen op de golven.

Toen ze weer in de boot zaten, haalde Nishma uit een kist onder het roer een eigenaardig voorwerp tevoorschijn, dat deed denken aan een spinnenweb van dunne latjes, en begon de jongens iets te vertellen. Later legde Matteus aan Anna uit dat die latjes niets anders waren dan kaarten waarmee je de plaats kon bepalen van eilanden en atollen. Maar alleen wanneer je geleerd had hoe de golven zich bewogen ten opzichte van een concrete plek. En dat was precies wat ze geleerd hadden toen ze in het water lagen en 'de golven voelden'. Ooit, wanneer ze dat onder de knie hadden, hoefden ze maar in de oceaan te springen, de golven te voelen en hun gewaarwording te vergelijken met de lattenkaart, om precies te weten waar ze waren. Anna begreep dat ze een college nautische navigatie had bijgewoond.

Terug op het eiland overpeinsde ze waarin deze kleine wereld hier verschilde van alles wat ze tot dan toe had gezien. Ze kon zich de plaatselijke bewoners op geen enkele andere plek ter wereld voorstellen.

## Marshalleilanden, atol Bikini, donderdag 28 februari 1946

Vreemd: Bikini was zo klein als een korrel zand, maar ze zag Andrew bijna niet. Op maandag had hij een paar minuten samen met haar ontbeten en op dinsdag had ze een brief van hem onder de deur gevonden. Gisteren en vandaag had hij zelfs geen berichtje voor haar achtergelaten. Dat ze hem vlakbij wist stelde haar gerust, maar irriteerde haar ook. Ze begreep dat hij hier geen vakantie vierde, maar ze kon zich toch niet verzoenen met zijn voortdurende afwezigheid. Om achter hem aan te lopen, daar was ze te trots voor, maar ze miste hem.

De meeste tijd bracht ze door met Matteus. Ze leerde de gewoonten van de eilandbewoners kennen, leerde hun taal. Het eerste wat ze kon onthouden waren kinderversjes en losse woorden, daarna kreeg ze hele zinnen onder de knie. Rachel leerde haar hoe je met de helft van een scherpe schelp de ingewanden uit een glibberige vis kon halen. Eerst moest je die vis in het zand rondwentelen, anders glipte hij je uit de vingers. Nishma vertelde haar over de geschiedenis van het eiland en 's avonds hoorde ze van de betel kauwende Kethruth verhalen over de geesten en demonen die op het eiland huisden.

Anna scheidde geen seconde van haar fototoestel. Ze had hier nu al haar lievelingsplekjes, waar ze altijd weer naartoe ging. Ze wist vanaf welk punt je de vissers die terugkwamen van de oceaan het best kon zien. Ze wist waar ze de liederen het best kon horen die werden gezongen in de *pebei*, het dorpshuis dat op zondag dienstdeed als kerk. Ze ging graag naar de plek waar het huisje stond van het dorpshoofd, vlak naast de *faluw*, het mannenhuis, waar de ongetrouwde mannen verbleven. In de faluw zaten geen deuren, alleen ramen met bamboeluiken die altijd openstonden; vanaf het strand kon je ongestraft kijken wat zich daarbinnen afspeelde.

Ze zat ook graag op de plek waar Andrew haar de eerste keer mee naartoe had genomen. Daar zat ze altijd op een enorme, door water en wind glad gepolijste boomstronk. De eindeloze, gladde oceaanvlakte maakte dat ze zich vrij voelde, en het zand onder haar voeten gaf haar een gevoel van veiligheid. Juist hier hervond Anna een rust en ontspanning die ze niet meer gekend had sinds de gebeurtenissen in Dresden.

Het was een snikhete dag. Ze had zich met haar camera in de schaduw van een palmboom geïnstalleerd en keek naar een paartje witte vogels, die even verderop telkens in een holle boom verdwenen en meteen weer naar buiten kwamen. De ene had een lange staart, waaruit een paar nog langere veren staken.

'Ze bouwen een nest,' hoorde ze een stem achter haar rug.

Anna was er al aan gewend dat Matteus altijd uit de aarde leek op te rijzen.

'Het is vandaag te warm voor vogels. Laten we naar de vissen gaan.'

'Vissen? Goed, dan gaan we vissen. Alleen, waarmee moeten we ze vangen? Met onze handen?' vroeg ze belangstellend.

'Ik ben helemaal niet van plan om met je te gaan vissen. Je praat te veel en je praat te luid. *Wir geh'n nach die Fischen gucken!*' De jongen maakte voor zijn ogen een verrekijker van zijn beide handen.

'*Nach* den *Fischen.*'

'*Nach* den *Fischen.* Ik wist wel dat je me zou verbeteren. "Spreek jij Duits? Hé krummel, kom eens tevoorschijn?"' schaterde hij, haar intonatie perfect imiterend.

Anna liep naar de barak om haar camera daar achter te laten. Ze pakte een handdoek, trok haar badpak aan en bond om haar heupen de kleurige doek die Kethruth haar had gegeven. Matteus wachtte onder haar raam. Het zand was zo heet dat ze zachtjes kermde van pijn toen ze er met blote voeten op stapte.

'Je moet je voeten scheef neerzetten. Kijk, net zoals ik, met de buitenkanten.'

Ze probeerde zijn voorbeeld te volgen. Inderdaad, zo was het minder pijnlijk. Allen verzwikte ze bijna haar enkels.

Ze liepen naar het strand aan de zuidkant van het eiland. Een paar meter vanaf het strand zag ze de donkere omtrekken van koraalformaties. De oceaan was hier rustig en de bodem liep geleidelijk omlaag. Ze zwommen naar het koraal en Matteus zei dat Anna haar hoofd onder water moest doen en moest kijken. Het zoute water beet in haar ogen, maar wat ze zag maakte het waard om dat te verduren. Er schoot een school bonte visjes onder haar door. Kleine lichtblauwe visjes achtervolgden gestreepte visjes. Gele, oranje en teerzwarte vissen blonken en wemelden voor haar ogen, als de beelden van een sprookjesfilm. Matteus omklemde haar pols en trok haar omlaag. Ze raakte in ademnood en was genoodzaakt weer naar het wateroppervlak te gaan.

'En? Nog steeds meer zin in vogels?' vroeg hij lachend.

'Matteus, dit is een wonder! Ik heb nog nooit in mijn leven zoveel vissen gezien, en zulke mooie!'

'Kan je naar die rots daar zwemmen?' vroeg Matteus. Hij wees naar een koraalformatie die oprees uit het water. 'Daar wonen twee heel grappige vissen. Het zijn net vogels, en als je goed luistert hoor je dat het net is of ze met elkaar praten.'

'Ja hoor, dat haal ik best. Tuurlijk...'

Ze zwommen enkele tientallen meters en bereikten een plek waar het turkooizen water een donkerder schakering aannam, maar even kristalhelder was. Anna haalde diep adem, ging op haar buik liggen en duwde haar gezicht onder water. Ze zag twee grote vissen, een groene en een roze. Het leek net of iemand hun lippen knalrood had gestift. Ze hadden iets van twee bonte papegaaien, en eerlijk gezegd deden ze Anna ook een beetje denken aan Astrid Weisteinberger. Zij en Matteus kwamen bijna gelijk aan de oppervlakte en haalden gretig adem.

'Hoe wist je dat ze hier zouden zijn?'

'Ze zijn hier altijd. Ze wonen hier. En nu moet je proberen om heel diep te duiken. Daar is een gat en daarin zit een monster. Je moet niet te veel lucht inademen, dat duikt makkelijker.'

Anna dook zo diep als ze kon. De zonnestralen vielen bijna loodrecht op het oceaanoppervlak. Bij dit licht kon ze ieder schubbetje onderscheiden op de blinkende ruggen van de vissen die voorbijzwommen. Daarbeneden, in een kleine spleet, zag ze eerst twee lange, omhoogwijzende voelsprieten en daarna de stevige tangen van een lichtroze kreeft. Het zoute water beet in haar ogen en haar longen deden pijn, maar ze kon haar blik niet losmaken van dat bijzondere schepsel. Kon ik dit maar fotograferen, dacht ze.

Toen ze terug waren, wachtte Andrew op haar bij haar barak.

'Ik dacht al dat je aan het shoppen was in Chicago,' begroette hij haar ironisch. 'Luister, het is nu ontzettend hectisch. Ik leg het je later uit.'

'Heeft het te maken met dat grote schip dat ik vandaag zag vanaf het strand?' Ze keek hem strak aan.

Andrew gaf geen antwoord. Hij ging dichter bij haar staan, kuste haar en zei zachtjes: 'Heb je vanavond misschien een beetje tijd voor me over? Voor ons tweeën? Dan neem ik je mee.'

Ze omhelsde hem.

'En wanneer neem je mij... mee?' vroeg ze lachend.

'Ik ben er om zes uur. Ik zal niet te laat komen.'

Anna haalde haar zwarte jurkje uit haar koffer. Ze had hem gekocht in The Bronx, in zo'n tweedehandswinkeltje waar je voor een paar dollar echte schatten op de kop kon tikken – zoals dit jurkje, dat prachtig om haar taille en heupen viel, met een smal kantkraagje en met kleine zwarte knoopjes en lusjes van boven tot beneden. Het was het enige elegante kledingstuk dat ze mee had genomen.

Andrew verscheen precies om zes uur, zoals hij had beloofd. Hij had een lichtblauw overhemd aan. Zijn haar zat keurig in de scheiding, maar zijn haren waren warrig geworden van de zeewind en telkens vielen ongehoorzame lokken over zijn voorhoofd, die hij tevergeefs probeerde terug te duwen. Hand in hand liepen ze naar de kleine baai die hij Anna op de eerste dag had laten zien. Daar wachtte een roeibootje op hen. De oceaan was spiegelglad. Het zand was nog warm van overdag, maar je brandde niet meer je voeten. Andrew stapte als eerste in het bootje. Anna tilde haar jurkje hoog op en volgde hem. Ze ging op het bankje bij de boeg zitten. Bij haar voeten stond een mand met een witte doek eroverheen. Ze voeren naar rechts, de lagune van het atol op, in de richting van de ondergaande zon.

'Wil je niet weten waar ik je mee naartoe neem?' vroeg hij.

'Nee,' glimlachte Anna. 'Ik vind het overal goed, als ik maar bij jou ben.'

Hij kon zijn ogen niet van haar afhouden, en zij keek naar de enorme handen waarmee hij de roeiriemen hanteerde. Na een minuut of tien dook ineens een wit zandstrand voor hen op. Een piepklein eilandje met een paar struiken, één palmboom en een grote platte boomstronk die iets weg had van een lage tafel.

Andrew tilde Anna het bootje uit en zette haar voorzichtig neer op het zachte witte zand. Hij legde een wit tafelkleed over de boomstronk en haalde een fles wijn en twee glazen uit de mand. Daarna ging hij terug naar het bootje en kwam terug met een kristallen vaasje vol aardbeien.

'Dit is het meest romantische moment van mijn leven,' fluisterde hij, en hij zette het vaasje aardbeien voor Anna neer.

'Aardbeien in februari, op een onbewoond eiland!' riep Anna verbaasd. 'Andrew, wat betekent dit allemaal?'

Hij omhelsde en kuste haar.

Ze liepen door het ondiepe water met hun wijnglas in de hand. En ze praatten. Anna vertelde over Matteus, over Nishma die haar 'de golven had leren voelen', over de bonte vissen en vogels, over Rachel die haar kindje de borst gaf, over de rust en vrede die ze ervoer op dit eiland, over Kethruth die haar soms deed denken aan een toverheks, over alle kleuren blauw die ze hier had leren kennen, over de enorme roze kreeft in de spleet in het koraal, over de foto's die ze gemaakt had. Ze vertelde hoe gelukkig ze hier was. Toen het donker werd, gingen ze op het strand liggen en keken ze naar de donkerblauwe sterrenhemel.

'Andrew,' zei ze zacht. 'Ik vind het hier zo fijn.'

Hij kuste haar. Daarna haalde hij de speld uit haar haar. Ze sloot haar ogen. Hij knoopte haar jurkje los, knoopje na knoopje...

Marshalleilanden, atol Bikini, vrijdag 1 maart 1946

's Morgens vond ze weer een envelop van hem. Er zat geen brief in, alleen een zwart knoopje. 's Middags aten ze samen, maar Andrew was helemaal met zijn eigen gedachten bezig.

'Zit je iets dwars?' vroeg Anna toen hij voor de derde keer geen antwoord gaf op een vraag van haar.

'Nee nee, Anna. Alles is prima met me.' Hij keek nijdig naar een soldaat die bij hen wilde komen zitten. 'Kom, we gaan ergens anders naartoe.'

Ze liepen naar het verlaten strand en gingen zitten. Andrew porde nerveus met de punt van zijn schoen in het zand.

'Herinner je je Hiroshima en Nagasaki?' vroeg hij ineens.

Anna keek hem bevreemd aan.

'Wat een vraag! Zoiets vergeet je niet, Andrew! Alleen een monster kon op zo'n duivels idee komen! En waar was het in godsnaam voor nodig?' riep ze uit.

'Waarvoor dat nodig was?' In zijn stem hoorde ze ineens verdriet, teleurstelling, woede. 'Dat "monster", zoals jij het belieft te noemen, bestaat niet,' zei hij zacht, met opeengeklemde tanden. 'Maar er is wel één man zonder wie die bom er niet zou zijn. Nog niet, tenminste.'

'En wie is die man?'

'Mijn vriend, en tegelijkertijd de geleerde die ik het meest bewonder: Enrico Fermi. Je kunt het je misschien moeilijk voorstellen' – hij klonk ineens als een vreemde voor haar – 'maar ik ben er trots op dat ik deelgenoot ben geweest in dit, wat jij noemt, duivelse project. Een paar jaren van mijn leven heb ik eraan gewijd. En jij zegt dat ik een monster heb geholpen. Fermi is geen duivel. Hij niet! Die Hitler van jullie, dát was de duivel. Als hij die bom eerder had gehad dan wij, hadden we in Amerika ons eigen Auschwitz gehad. Ergens bij New York waarschijnlijk, want daar zitten de meeste joden die moesten worden doodgeschoten, doodgehongerd, vergast en verbrand.'

Anna voelde een steek in haar borst en daarna een doffe pijn in haar buik, alsof iemand haar daar gestompt had. Ze probeerde niet naar Andrew te kijken. Hij mocht niet merken wat ze voelde. Ze stond op en liep langzaam naar de waterkant. Daar liep ze een poosje heen en weer, diep en ritmisch ademhalend. Dat hielp altijd, tegen angstaanvallen, tegen ongecontroleerde woede-uitbarstingen, en soms zelfs tegen de menstruatiepijn. Ze bukte zich, schepte water op met het kommetje van haar handen en spoelde haar gezicht af. Andrew kwam achter haar staan en legde zijn handen op haar buik. Ze stond onbeweeglijk.

'Anna, ik wilde je niet kwetsen. Dat bedoelde ik niet. Ik bedoel...' fluisterde hij, terwijl hij haar in haar hals kuste. 'Het deed me alleen zo'n pijn dat je alles wat ik de laatste twee jaar gedaan heb... duivelswerk noemde.'

Ze stond te huilen, met machteloos neerhangende armen.

'Andrew, het was niet "die Hitler van mij". En ook niet van mijn mama en mijn papa en mijn oma. We moesten wel leven met zijn bestaan en met zijn paranoia. Ik begrijp dat het voor jou moeilijk te begrijpen is. Jij hebt daar niet gewoond. Jij kan je niet voorstellen dat er ook mensen waren die níét hun rechterarm de lucht in gooiden. Die waren er echt, ook al waren het er weinig. Te weinig, volgens jou. Wat hadden ze moeten doen? Met hun kop tegen de muur te pletter lopen? Had je dat gewild? Nou? Jij hebt geen idee hoe hoog en stevig die muur was. Ze hadden ons binnen de kortste keren afgemaakt. Je woorden hebben me pijn gedaan, Andrew. Op een dag was ineens Lucas bij ons in huis. Een jongetje dat... Maar nee, daar wil ik niet over praten. Niet nu.' Ze maakte een afwerend handgebaar. 'Sorry voor wat ik gezegd heb. Ik wist niet dat jij...'

'Dat kon je niet weten,' onderbrak hij haar. 'Niemand mocht dat weten.'

'Nu wel? Ga je het me vertellen?' Anna draaide zich naar hem om. Ze stak haar hand naar hem uit maar deed een stap achteruit toen hij haar wilde kussen. Ze gingen in het zand zitten.

'Vertel je het me?' hield ze aan.

'Het is natuurkunde, Anna. Het verhaal van die bom is natuurkunde. Ik weet niet of dat nou zo'n geschikt gespreksonderwerp is voor een vrouw. En al helemaal niet op het strand.'

'Ik ben er dol op als je me over natuurkunde vertelt. Dan vergeet je alles op de wereld. Dat vind ik zo mooi,' antwoordde ze fluisterend.

Andrew keek naar haar en sloeg zijn ogen neer. Hij liet straaltjes zand tussen zijn vingers door lopen.

'Fermi kwam in december '38 naar de Verenigde Staten. Uit Stockholm. Daar had hij de Nobelprijs gekregen. Zijn vrouw was joods. In Italië dreigden ze vervolgd te worden toen Mussolini daar aan de macht was. Een maand later, op 29 januari 1939, ontmoette ik Enrico op een conferentie in Washington. Hij sprak daar over zijn proefnemingen met atoomsplitsing. Ik heb verstand van atoomsplitsing, meer dan van wat ook, denk ik. Fermi kon een atoom splitsen. Als je een atoom beschiet met neutronen, komt een deel van die neutronen in de atoomkern terecht en doet die in twee stukken breken. Uit die stukken komen twee of drie nieuwe neutronen vrij, en als die in de volgende kern van het uraniumatoom terechtkomen, splitsen ze ook die. Dat had Leó Szilárd, een vriend van Fermi en mij, al voorspeld en nauwkeurig beschreven in zijn artikelen. Leó is van Hongaars-joodse afkomst. Hij is in '33 eerst van Berlijn naar Wenen gevlucht en daarna is hij via Engeland in Amerika beland. Hij is een fenomenale theoreticus en hij kent iedereen die in Berlijn met Einstein heeft samengewerkt. Juist hij muntte in zijn publicaties termen als "kettingreactie" en "kritische massa". En juist Leó heeft de atoombom voorzien en beschreven. Fermi heeft zijn ideeën alleen maar in praktijk gebracht. Ik respecteer Leó, ook al zijn we geen vrienden meer. Na Hiroshima verbrak hij het contact met ons en na Nagasaki heeft hij ons fel bekritiseerd. Maar ja, zo gaan die dingen... Maar terug naar de kernsplitsing. Bij elk van die delingen komt energie vrij. Een heel klein beetje maar, op het eerste gezicht. Je kunt uitrekenen hoeveel, of liever gezegd, hoe weinig. Einstein deed dat met zijn beroemde formule $E=MC^2$. Die energie is net voldoende om een zandkorrel te bewegen. Maar anderzijds is het een kolossale energie. Wanneer een zuurstofatoom samensmelt met een ander zuurstofatoom, komt er honderd miljoen minder maal energie vrij dan bij de splitsing van één uraniumatoomkern – en Fermi werkte met uranium. Splits je honderd miljoen uraniumatomen, de een na de ander, in een kettingreactie, dan krijg je miljoenen zandkorrels van hun plaats. En als je miljarden atomen splitst, miljarden zandkorrels. Verzamel je een miljard maal een miljard uraniumatomen en veroorzaak je dan een kettingreactie, dan laat je een stukje van dit strand schudden. Atomen zijn klein, heel klein. Maar ze zijn wel met een heleboel...'

Andrew pakte een handvol nat zand en kneedde er een kluit van ter grootte van een tennisbal.

'In ongeveer deze hoeveelheid uranium,' zei hij, en hij gooide het balletje zand op de grond, 'zit genoeg energie om New York van de aardbodem weg te vagen. Leó wist dat. Fermi wist dat. Iedereen die er een beetje verstand van heeft, weet dat. Ook de natuurkundigen in Duitsland. We beseften dat Duitse natuurkundigen als Hahn, Strassmann, Von Weizsäcker en Heisenberg ook werkten aan dit probleem. Robert Furman, de directeur van een door het Pentagon speciaal in het leven geroepen inlichtingendienst, informeerde ons dat Duitsland actief uraniumerts verzamelde. Toen de Wehrmacht in 1940 het neutrale België bezette, kregen ze het bedrijf Union Minière du Haut Katanga in handen, de grootste exporteur van uraniumerts ter wereld, in de Belgische kolonie Congo. Alleen een bepaald type uraniumisotoop is namelijk geschikt als splijtstof. Dat is voor het eerst beschreven door de Deen Niels Bohr. In het uraniumerts op onze planeet is dit isotoop gemengd met andere isotopen, en het maakt slechts een miniem deel uit van dat erts. Meer dan negenennegentig procent van het erts is voor ons doel ongeschikt. Waar het om gaat, is dat isotoop te isoleren en in handen te krijgen. Dat is erg moeilijk en het kost verschrikkelijk veel geld. Ondanks alle brieven en verzoeken van Fermi weigerde de Amerikaanse regering lange tijd hardnekkig het belang hiervan in te zien. Pas toen Einstein na de Pearl Harbor-tragedie persoonlijk een beroep deed op Roosevelt, veranderde alles. Eindelijk kreeg Amerika door dat ook Duitsland aan een atoombom werkte. Er begon een wedloop en er werd een speciaal project gestart, codenaam "Manhattan", dat uiteindelijk moest resulteren in het vervaardigen van een atoombom. Het was het geheimste project in de geschiedenis van de Verenigde Staten. Een fabriek in Oak Ridge, Tennessee, leverde ons gram voor gram uranium dat geschikt was als splijtstof. In november '42 kwam ik naar Chicago. Het was me streng verboden hier ook maar met iemand over te praten. Op een avond gingen Fermi, Szilárd en ik naar een plaatselijke jazzclub. Je kunt je mijn verbijstering voorstellen toen we in die club mijn broer Stanley tegen het lijf liepen. In Chicago bouwden Fermi, Szilárd en ik een kernreactor. Om de neutronen te laten exploderen in de uraniumkern, moest je ze eerst afremmen, "modereren". Dat had Fermi in zijn theorie voorzien. Het enige middel daartoe is grafiet. We hadden veel plaats nodig. Het gesplitste uranium moest worden opgeslagen in grafietblokken. Die blokken moeten zich op een bepaalde onderlinge afstand bevinden. We maakten een ellipsvormige constructie van drie meter hoog en met een doorsnede van acht meter. Op het complex van de universiteit van Chicago was de meest geschikte ruimte daarvoor de squashzaal onder de westtribune van het stadion. Daar brachten we op 2 december 1942 midden in Chicago de eerste gecontroleerde kernreactie tot stand. Het leek gekkenwerk. Midden in Chicago! Maar Fermi was zeker van zijn zaak, net als Leó, en ik had een onbegrensd vertrouwen in hen beiden. Ik had zelf de afmetingen van de ellips uitgerekend, en zij hadden mijn berekeningen niet overgedaan. Voor de zekerheid posteerden we boven op onze reactor drie mannen met elk een emmer cadmiumsulfaat. Zo'n kettingreactie kan namelijk uit de hand lopen. Gebeurt dat in een bom dan is dat prima, maar bij een experiment is het onwenselijk. Om de reactie onder controle te houden, moet je de neutronen vangen die ontsnappen uit de uraniumatoomkern. Cadmiumsulfaat is daar heel geschikt voor. De reactie duurde vierenhalve minuut. We maten een halve watt energie, omgezet in warmte. Een miezerig half wattje. Als we het warm hadden in die koude zaal, dan kwam dat zeker niet door die halve watt. Daar had een verkleumde mier het nog niet warm van gekregen. Nee, we hadden het warm van opwinding. Het was zo uniek, ook al hadden we alles duizend keer doorgerekend. Het was alsof we de Here God zelf in zijn kaart keken toen Hij het heelal schiep, en va-banque speelden.'

Andrew zweeg. Hij stond op en liep naar de vloedlijn. Anna stak een sigaret op. Ze keek naar het zandhoopje dat was overgebleven van het balletje zand dat hij had neergegooid. Ze begreep zijn enthousiasme en zijn opwinding. Dat is wat je voelt als je iets doet wat heel belangrijk voor je is. Ook papa kon maandenlang helemaal opgaan in het werk dat hij onder handen had. Dan was hij verschrikkelijk verstrooid. Maar papa zou nooit mee willen doen aan een project dat mensen kwaad kon doen, dat kon vernederen, verwonden, doden.

~

De walging waarmee papa zijn uniform aantrok toen hij werd opgeroepen... Mama en zij hadden hem naar het station gebracht. Op zijn gezicht was een grenzeloos verdriet, een oneindige schaamte te lezen. Hij vond het weerzinwekkend om voor hen te staan in zijn uniform, zei dat hij zich 'een clown op een begrafenis' voelde, maar hij kon tussen twee dingen kiezen: de gevangenis of het uniform. De gevangenis betekende dat ook zijn vrouw, zijn dochter en zijn moeder aan vervolging bloot zouden staan. Het hele gezin. Anna had soms het gevoel dat papa daar al was gestorven, op het station van Dresden, nog voordat de trein richting Stalingrad was vertrokken. Ze kon zich niet voorstellen dat hij ooit op iemand had geschoten...

~

Anna schrok op uit haar overpeinzingen en keek naar de oceaan. Andrew was nergens te zien. Ze schrok, sprong op en liep naar het water.
'Andrew, waar ben je? Andrew!' riep ze in paniek.
Ineens stond hij naast haar.
'Ik ben hier.'
'Andrew, wil je dat nooit meer doen? Echt nooit meer?' fluisterde ze. Gulzig kuste ze zijn gezicht, zijn haren.
Hij omhelsde haar. Dicht tegen elkaar aan gedrukt liepen ze langs het strand.

Marshalleilanden, atol Bikini, zondag 3 maart 1946,
rond het middaguur

Anna voelde zich vreemd gespannen toen ze wakker werd. Ze deed nog even haar ogen dicht en stak een sigaret op.
Op Bikini begon de zondag. Voor Nishma, Matteus, Rachel en alle

anderen in het dorp had dat geen bijzondere betekenis. Voor hen onderscheidde de zondag zich alleen van een doordeweekse dag doordat ze naar de kerk gingen. Voor de rest waren alle dagen dezelfde. De bootjes kozen zee, de vrouwen vlochten matten en manden, maakten vis schoon en bereidden die boven een houtvuur, de kinderen lachten en huilden, de zon kwam op en ging onder, mensen stierven en werden geboren – door de week zo goed als op zondag. Op Bikini waren de dagen van de week een abstractie.

Anna deed een nieuw filmpje in haar toestel. Ze kleedde zich wat netter aan dan anders. Ze trok schoenen aan en liep voor het eerst hier met schoenen aan op het strand. Op blote voeten naar de kerk, dat kon niet, vond ze.

Een kerkdienst leek hier meer op een feest dan op een eredienst. De vrouwen hadden niet alleen het altaar met bloemen versierd. Ze hadden hibiscusbloemen in hun haar gevlochten en zagen er ongelooflijk schilderachtig uit. Iedereen lachte blij en verheugde zich zichtbaar op de ontmoeting met God. Voor de bewoners van Bikini was God, die ze hadden leren kennen dankzij de zendelingen, niet alleen de christelijke wonderdoener en wijze, was Hij niet alleen Jezus, omringd door Zijn discipelen; nee, Hij was ook in de bast van een kokosnoot, in het bonte verenpak van een vogel, in een schelp op het strand, in de wind, in het blauw van de oceaan en in elke vis die de oceaan hun schonk. Ze hadden het christendom dat de zendelingen gebracht hadden aanvaard, maar het belette hen niet er hun eigen natuurgodsdienst op na te houden.

Toen Anna het volle kerkzaaltje binnenkwam, zag ze Matteus. Hij zat op de eerste rij, naast koning Juda. Toen Matteus haar beloofd had haar voor te stellen aan de koning, had ze zich hem voorgesteld als een imposante en ongenaakbare figuur. De koning bleek echter een klein mannetje met tanden die te groot leken om in zijn mond te passen, en met een lange, warrige haardos die eruitzag alsof hij net uit zijn bed gekomen was, of alsof hij juist al een paar dagen zijn bed niet had gezien. Hij leek op een aan lagerwal geraakte bedelaar op Pennsylvania Station in New York. Zijn vrouw, die naast hem zat, zag er een stuk majesteitelijker uit. Ze had Indiaas aandoende gelaatstrekken en deed een beetje uit de hoogte, als een echte koningin. Het verbaasde Anna niet. Het was haar allang opgevallen dat de vrouwen het hier voor het zeggen hadden. En steeds meer had ze het gevoel gekregen dat juist dat maakte dat hier zo'n rust, zo'n harmonie heerste.

De voorganger hield een korte preek; plechtstatig gezang vulde de ruimte en zweefde over het eiland. Anna zong mee en zonk weg in gedachten. Als ze zich in New York in een menigte begaf, betekende dat altijd dat ze net als iedereen als een gek moest rennen. Hier op Bikini leek het leven zich in slow motion af te spelen, hier schonken de mensen meer aandacht aan ieder moment, omdat het nooit terug zou komen. Iedereen hier had tijd genoeg. En iedereen was bereid die tijd met een ander te delen, als het belangrijkste dat je je medemens kon schenken. Pas hier had Anna begrepen hoe belangrijk dat was. Toen ze een keer op de drempel van Rachels huisje zat, waren er twee kleine meisjes op haar afgestapt. Die hadden bijna een uur lang met houten kammetjes haar haar gekamd. Ze vonden het fijn om die blonde haren aan te raken, die ze nog nooit hadden gezien. Vier kleine handjes hadden er bloemen in gevlochten, hadden vlechtjes gemaakt en er weer uit gehaald, alleen maar voor het genoegen om die blonde krullen tussen hun vingers te voelen. Anna had ze geduldig hun gang laten gaan. De meisjes lachten, maar zij huilde: ze moest denken aan mama's houten kam, die zij, Anna, soms meenam naar de schuilplaats om Lucas' haar te kammen.

Na de dienst stroomde de bonte menigte uit over het dorpsplein. Er stond een man in een Amerikaans Navy-uniform. Hij wenkte de mensen naar zich toe, drukte mannen en vrouwen de hand, aaide kinderen over de bol, glimlachte breed en begroette iedereen overdreven opgewekt.

Toen zag Anna dat het dorpsplein omsingeld was door gewapende militairen met helmen op. Tot nu toe hadden de Amerikanen op het eiland eruitgezien als toeristen; in elk geval droegen ze nooit wapens. Maar vandaag zagen ze eruit als veroveraars.

'Goedendag allemaal, goedendag. Blijft u allemaal alstublieft nog even. Gaat u zitten,' zei de geüniformeerde man. Hij wees naar de stenen stoep van het kerkgebouwtje.

Hij liep naar koning Juda toe en omhelsde hem. Daarna liep hij terug naar zijn plaats.

'*Hi*, mijn naam is Ben H. Wyatt en ik ben militair gouverneur van de Marshalleilanden,' begon hij.

Op dat moment rende Matteus naar Anna toe. Hij pakte haar hand, maar toen hij zag dat ze schoenen aanhad, boog hij zich eroverheen, veegde het zand eraf, spuugde in zijn hand en begon ze schoon te poetsen. Anna keek verbaasd op hem neer.

De officier wachtte tot het geroezemoes was verstomd. Het was nu doodstil op het dorpsplein. Anna voelde weer die vreemde gespannenheid. Ze hield er niet van als gewapende mannen voor ongewapende mensen gingen staan en begonnen te praten. Als dat in Dresden gebeurde, pakte papa haar bij haar hand en liepen ze onopvallend weg.

De officier begon te praten over de oorlog die net afgelopen was, over een mogelijke aanval, over Pearl Harbor, over democratie, over de bewapeningswedloop, over de zorgen van de regering van de Verenigde Staten, over vrijheid, over de betrokkenheid van president Truman, over de achting die het Amerikaanse volk voelde voor de bewoners van de Marshalleilanden en over de wens van alle mensen om in vrede te leven. Ten slotte zei hij: 'Ik ben hier om u uit naam van de president van de Verenigde Staten en van het hele Amerikaanse volk te verzoeken of u uw eiland voor enige tijd wilt verlaten. Ter wille van het welzijn van de hele mensheid. De regering van mijn land wil hier grootschalige wetenschappelijke proeven verrichten met een nieuw wapen. Tot heil van alle mensen. Tot heil van u. Opdat er voor eens en altijd een einde komt aan alle oorlogen.'

Anna had haar camera opgeheven. De oude Kethruth drukte haar kleindochtertje tegen zich aan. Koning Juda keek zoekend om zich heen, alsof hij op de gezichten van de mensen een reactie wilde lezen op wat ze zojuist gehoord hadden. Anna maakte onophoudelijk foto's. Gouverneur Wyatt spreidde met een huichelachtige glimlach zijn armen. Kethruth staarde strak naar haar kleindochter. De oude Elini liet haar tasje vallen.

Anna liep naar voren. Haar schoenen zakten weg in het zand en ze schopte ze uit. Ze ging tussen Wyatt en de eilandbewoners in staan.

'Als ik het goed begrijp wilt u dat de mensen van dit eiland hun boeltje pakken en opkrassen omdat u hier wilt gaan experimenteren!' schreeuwde ze.

Wyatt keek haar stomverbaasd aan. Hij deed een stap achteruit en trok de knoop van zijn das wat strakker.

'En wie mag u dan wel zijn?' vroeg hij geërgerd.

'U wilt deze mensen uit hun huizen en van hun eiland trappen en hier uw wapens testen?' Anna schreeuwde steeds harder. Ze was nu razend.

'Niemand wordt "van het eiland getrapt". Ik kom een verzoek overbrengen van de regering, van de presi...'

'Een verzoek?' viel ze hem in de rede. 'En daarom is het plein omsingeld door gewapende militairen. En daarom ligt er een kanonneerboot voor anker die er gisteren nog niet was. U komt een verzoek overbrengen. Oké, dan noemen we het een verzoek. En als ze dat verzoek nou eens afwijzen? Ik zou niet akkoord gaan als ik hun was. Nooit, verstaat u mij. Nooit!'

Ze liep op Wyatt af. Twee jonge soldaten versperden haar de weg. Anna probeerde ze weg te duwen. Ze grepen naar hun machinepistolen. Toen draaide ze zich om en rende weg.

～

Steeds harder rende ze, terwijl ze Lucas' handje stevig vasthield.

～

Anna rende tot haar knieën het water in, maar hoorde toen opeens iemand roepen. Ze draaide zich om en zag Andrews lippen bewegen, maar ze kon niet verstaan wat hij zei. Langzaam waadde ze terug.

'Anna, wat doe je?' vroeg hij verschrikt. 'Je bent spiernaakt!'

Hij reikte haar haar blouse aan, maar die smeet ze woedend op het zand.

'Geef me mijn camera. Geef me onmiddellijk mijn camera,' schreeuwde ze.

Hij stak zijn hand uit. Ze pakte het leren foedraal en keek hem strak aan.

'Ik heb me vergist,' riep ze. 'Ik heb me vergist, hoor je me!'

Ze liep langs de vloedlijn, haar camera vast tegen zich aan klemmend.

'Anna, je bent naakt,' herhaalde hij, en hij gaf haar opnieuw de blouse aan.

Zonder naar hem te kijken trok ze de blouse aan.

'Loop niet achter me aan, Andrew. Niet doen.'

Ze rende de barak in, knalde de deur achter zich dicht en ging op haar bed zitten. Ze begon ineens hevig te beven. Met haar gezicht in haar handen begon ze te snikken. Er werd geklopt, maar ze reageerde niet. Andrew kwam binnen.

'Er is op de hele wereld geen volk dat minder te betekenen heeft dan dit volk,' zei hij vanaf de drempel. 'Het is maar een handjevol inboorlingen. Wat is het offer dat we van hen vragen in vergelijking met het nut dat deze oefening oplevert? Deze oefening is tot heil van iedereen. Wees toch niet zo naïef, Anna.' Hij liep naar haar toe en wilde haar wang aanraken.

Met een bruuske beweging schudde ze zijn hand van zich af.

'Ik weet niet wat de mensheid hierbij wint, Andrew. Ik heb schijt aan de mensheid en al die kennis interesseert me geen moer,' schreeuwde ze. 'Maar ik weet heel precies wat Matteus en zijn zus en de oude Kethruth kwijtraken. En wat ik zojuist ben kwijtgeraakt.' Ze keerde hem haar rug toe.

Ineens stond ze op, ging vlak voor Andrew staan en keek hem recht in zijn ogen.

'Weet jij soms wat het is om je huis kwijt te raken? En je straat, en de bakker op de hoek? Kan jij het je voorstellen wat het is om je om te draaien en van je huis maar één plank te herkennen? Eén plank! Begrijp jij soms wat iemand voelt als hij die plank moet opstoken om warm te blijven? Hoe het is om geen plek meer te hebben? Om niet te weten waar je morgen je hoofd moet neerleggen? Weet je dat? Weet jij wat oorlog is? Weet jij hoeveel wodka je moet drinken om niet langer het kreunen te horen van een moeder die na het bombardement stukje bij beetje de stoffelijke resten van haar dochter bij elkaar zoekt? Heb je wel eens gehoord hoe dat klinkt, zulk gekreun?'

'Hou op! Je bent gek geworden!'

'Ik kan het niet aan om nóg een catastrofe mee te maken, Andrew. Ik wil hier weg. Help me met het vervoer, oké? Je kunt toch wel één keer iets voor een ander doen in plaats van voor jezelf? Ik wil hier zo snel mogelijk vandaan,' schreeuwde ze, beukend op het ijzeren frame van haar bed. 'Ik kan het niet, ik kan het niet,' zei ze telkens weer. 'En ga nu weg. Ik wil alleen zijn.'

'Anna...' Andrew wilde naar haar toe lopen.

'Ga weg, hoor je me? Ga weg. En schrijf me nooit meer.'


Marshalleilanden, atol Bikini, maandagochtend 4 maart 1946

Met opgetrokken knieën lag ze op haar bed. Daarna stond ze op en deed ze een nieuwe film in haar camera. Langs het strand liep ze naar het dorp. Het eiland was omsingeld door schepen. Gisteren was het er nog één, nu waren het er wel twaalf. Een jonge soldaat op het strand verzocht haar geen foto's te maken.

'Lady, u mag die objecten niet fotograferen.' Ze deed of ze hem niet hoorde.

Hij kwam haar hijgend achternagerend.

'U mag die schepen niet fotograferen!'

Ze draaide zich om en snauwde: 'Ik ben een journalist van *The New York Times*, geen toerist. Ik doe hier mijn werk, gesnopen? *Du kannst mich mal!*'

Toen de soldaat Duits hoorde spreken, verloor hij even zijn spraakvermogen. Ze wachtte niet tot hij weer bij zijn positieven kwam en liep verder, al fotograferend.

Het was ongewoon stil in het dorp. Overal renden mensen heen en weer, maar niemand zong, zoals anders. En er was niet één kind te zien. Anna liep naar het huisje van Nishma. Rachel was van palmbladeren gemaakte manden aan het inpakken: de kleertjes van haar dochtertje, een dekentje, het slaapmatje waarop ze haar altijd in slaap zong. In de keuken pakte Nishma borden en kommetjes en zijn visspullen in. Niemand zei een woord. Anna hief haar Leica op. Nishma zag het en smeet een blikken kommetje tegen een houten kist. Ze maakte er een foto van. Daarna liep ze naar Nishma toe en omhelsde hem.

'Wat moet ik tegen mijn dochtertje zeggen als ze vraagt waar haar huis is?' riep hij wanhopig, en hij rende het huisje uit.

Anna ging op zoek naar Matteus. Hij was niet in het huis van zijn ouders. Ze ging terug naar het strand. Daar was hij. Ze liep naar hem toe.

'Wat heb je?'

'Niks,' zei hij. Hij keek haar niet aan.

'Toe, vertel me wat er is.'

'Ze sturen ons weg!' schreeuwde hij.

'Ik weet het, Matteus. Ik heb het gehoord.'

Ze hurkte naast hem neer en wilde haar hand op zijn schouder leggen, maar die schudde hij van zich af.

'Ze willen dat we naar Rongerik gaan. Daar woont niemand, want daar is haast geen zoet water! Op dat eiland kan je niet leven!'

Het jongetje balde zijn kleine vuisten en keek haar bang aan. Wat leek hij klein zo.

'Waarom maken ze ons niet meteen dood? Hoe kan je nou op een eiland wonen waar alleen maar doden en demonen wonen? Laten ze zelf naar de duivel lopen. Niemand heeft hun gevraagd hier te komen.'

Anna drukte hem tegen zich aan. Hij rukte zich los en rende weg, waarbij hij iets liet vallen wat hij in zijn hand had gehad. Ze bukte zich om te zien wat het was. Een klein schildpadje spartelde wanhopig met zijn pootjes, tevergeefs proberend om zichzelf om te draaien. Anna pakte hem op en liep ermee naar Matteus.

'Beloof je me dat je hem redt?' vroeg ze. Ze gaf hem het schildpadje aan. 'Toe, beloof het me.' Ze ging naast hem zitten. 'Weet je, toen het oorlog was in Duitsland hebben we thuis een jongetje verstopt. Hij zat bij ons onder de vloer. Hij was net zo hulpeloos als dit schildpadje...'

Matteus pakte het schildpadje aan en streelde zijn schild. Toen ze samen terug waren gelopen naar het dorp, fotografeerde Anna daar alle vertrouwde gezichten. Ze nam afscheid van hen. 's Avonds ging ze terug naar Nishma's huis. Rachel herhaalde telkens, als een bezwering: 'Het is maar tijdelijk, het is maar tijdelijk...'


Marshalleilanden, atol Bikini, donderdagmiddag 7 maart 1946

Die ochtend pakte ook Anna haar spullen in. Daarna ging ze bij het raam zitten, stak een sigaret op en las voor de zoveelste keer de brief van Andrew. Hoewel, een brief kon je het nauwelijks noemen. Het was een notitie: *Het vliegtuig naar Majuro vertrekt 's avonds op de zevende. Vanmiddag verlaten alle bewoners Bikini. Andrew Bredford.*

Ze ging naar het strand, scheurde het briefje aan snippers en gooide die in het water. Toen ze in de golven verdwenen waren, draaide ze zich om en liep ze naar de steiger.

Bij een lange scheepstrap dromden mensen samen. Ze klommen langzaam op het dek. Op hun schouders en hoofden droegen ze in zakken en manden hun schamele bezittingen. Anna zag Matteus staan. Hij stond naast zijn moeder en de oude Kethruth. Ze rende naar hem toe en kuste hem.

'Je gaat, *mister*?' vroeg ze. Ze probeerde haar tranen terug te dringen. 'Mannen vertrekken soms, maar ze komen altijd terug. Jij komt terug!'

'Wat praat je nou? En waarom huil je? *Natürlich komme ich zurück, na klar!*'

Hij pakte haar hand, legde het schildpadje erin, bracht zijn lippen bij haar oor en fluisterde: 'Laat je hem vandaag vrij in zee? Op ons plekje? Maar alleen daar, hoor!'

Nishma pakte het jongetje bij zijn hand en ze begonnen de ladder op te klimmen. Anna stond toe te kijken. Juda stond te praten met een officier in een blauw uniform, die zorgvuldig iets opschreef op een vel papier.

'Honderdzevenenzestig. Dat zijn ze allemaal, Juda?' hoorde ze hem zeggen.

Lieren knersten, de scheepstrap werd opgehesen. Even later klonk de sirene van het schip. Anna keek naar de op het dek samengedromde mensen. De trossen werden losgegooid. Opeens begonnen ze in koor te zingen:

> I jab ber emol, aet, i jab ber ainmon
> ion kineo im bitu
> kin ailon eo ao im melan ko ie
> Eber im lok jiktok ikerele
> kot iban bok hartu jonan an elap ippa
> Ao emotlok rounni im lo ijen ion
> ijen ebin joe a eankin
> ijen jikin ao emotlok im ber im mad ie[5]

Anna stond kaarsrecht tot de laatste klanken waren weggestorven. Toen het schip achter de horizon verdwenen was, liep ze naar het strand en ging het water in. Ze opende haar hand. Het schildpadje zette zich af van haar handpalm en verdween in het water. Anna zag het lachende gezichtje van Matteus voor zich...

Die avond stond ze met haar koffertje op het zand bij de palmen. Het duurde niet lang voordat het vliegtuig opsteeg en snel hoogte won. Anna pakte een fles en een pennenmesje, wipte de kurk eruit en zette de fles aan haar mond. Toen ze een beetje gekalmeerd was, pakte ze pen en papier.

*Hier, op grote hoogte, lijkt het of ik dichter bij God ben. Ik moet me hier bezatten – om God niet te vervloeken. Hem te vervloeken omdat Hij niets ziet en niets zegt. Hij was er niet in Dresden, Hij was er niet in Bergen-Belsen en Hij was vanmorgen niet hier, op Bikini. Hij is er nooit. Waarschijnlijk bestaat Hij niet eens. Ik mis Matteus, ik mis Lucas. Ik mis de viool. Vooral de viool. Alleen jou mis ik niet, Andrew. Jij hebt voor mij afgedaan, Andrew. Jij bent een slecht mens. Jij maakt alles kapot.*

Ze schroefde de dop op haar vulpen en stopte die in haar tas. Ze bracht de fles aan haar lippen. Daarna pakte ze haar blocnote uit haar tas. Ze bladerde hem door, dacht terug aan het eiland dat gedoemd was van de aarde te verdwijnen, las nog eens alle verhalen die ze in deze dagen had opgeschreven. Over vriendschap, intimiteit, tederheid, rust. Voor haar ogen zag ze beelden, als was het een film: de oude Kethruth die een rode betelstraal uitspuwde, de enorme kreeft in de koraalspleet, de lachende Matteus, de jongens die de golven leerden voelen, Nishma die terugkwam van het vissen, de overvolle kerk, de afschuwelijke Wyatt, de geïntimideerde Juda bij wie de tranen in de ogen stonden, Rachel met haar baby op de arm, de meisjes die haar haar vlochten. Ze haalde haar camera uit het foedraal. Ze maakte de filmcassettes open en trok de filmpjes eruit. Dit was zoals het geweest was. Dit was wat ze zich herinnerde. Dit was wat ze gingen vernietigen. Maar zij wilde er niets mee te maken hebben. Het zou in haar geheugen begraven blijven. Voor altijd. Ze smeet de bedorven filmpjes op de grond. Ineens voelde ze dat ze uitgeput was. De lege fles gleed uit haar hand. Ze viel in slaap.

De hele reis verkeerde Anna in een soort halfslaap, krachteloos, beneveld door de alcohol. Majuro, Honolulu, Los Angeles... Ze daalde samen met andere passagiers vliegtuigtrappen af, gaf tickets af, ging in weer een ander vliegtuig zitten. Eindelijk landde ze in New York. Het was een warme avond. Anna nam een taxi naar Times Square. De drukte op straat en het geclaxonneer van de auto's waren onwerkelijk. Ze keek omlaag en zag dat het zand van Bikini nog op haar schoenen zat.

Haar bureau was precies zoals ze het had achtergelaten. Een kreukelige kaart van de Stille Oceaan. Vellen papier, volgeschreven in Stanleys handschrift. Een lege koffiekop met op het schoteltje haar favoriete lepeltje. Alles was alsof ze gisteren haar kamer had verlaten.

Anna stond langzaam op, liep naar de keuken en kwam terug met een kop koffie. In de machinekamer ratelden de telexen als altijd. Ze legde de in spiralen gedraaide belichte films op tafel, samen met een paar niet-belichte films en haar camera.

Ze liep naar het raam en stak een sigaret op. Er werd geklopt. Iemand kwam binnen, maar ze draaide zich niet om.

'Je moet niet zoveel roken,' hoorde ze Arthur rustig zeggen.

Ze draaide zich om en liep langzaam naar haar toe. Dikke tranen stroomden over haar wangen.

Arthur sloeg zijn armen om haar heen. 'Willen ze dat eiland echt opblazen?' vroeg hij.

'Ik weet het niet. Ze hebben alle bewoners weggejaagd. Ze hebben ze op een schip gezet en gedeporteerd. Begrijp je wat ik zeg? Ze hebben ze uit hun huizen gesleurd en een schip op gejaagd. En die mensen... ze gingen rustig, ze schreeuwden niet, protesteerden niet. Ze stonden op het dek en zongen.'

'Wie heeft ze bevel gegeven te vertrekken? Wat hebben ze hun beloofd?'

'Wyatt. Hij heeft beloofd dat ze later terug mogen.'

'En verder? Krijgen ze een financiële compensatie? Vertelde hij wanneer ze terug mogen? Hebben ze iets ondertekend? Heb je documenten gezien?'

'Nee. Wyatt verscheen na de kerkdienst en verzocht hun te vertrekken.'

'Heeft hij een officieel decreet voorgelezen?' Arthur begon zichtbaar kwaad te worden. 'Een regeringsverklaring of iets dergelijks?'

'Nee, hij heeft niets voorgelezen. Hij verzocht hun gewoon...'

'Verzocht? Dus hij ging voor ze staan en verzocht het hun? Zomaar?' vroeg Arthur. Hij wond zich steeds meer op. 'Kan je van dat alles een ooggetuigenverslag geven?'

'Ja.'

'Heb je negatieven? Heb je Wyatt gefotografeerd? Heb je foto's van die klootzak gemaakt?'

'Ja.'

'Waar zijn ze?'

'Weet ik niet. Op mijn bureau. Ik heb me in het vliegtuig bezopen en een deel van de films belicht. Ik trok het niet, Arthur. Het deed te veel pijn.'

Hij drukte haar tegen zich aan. Toen pakte hij de telefoon.

'Max, meteen hier komen. Laat alles uit je handen vallen en kom hierheen. Anna is terug. Morgenochtend wil ik alle foto's van Bikini op mijn bureau hebben, oké? Allemaal. Alles wat je op haar films aantreft. Ook op de belichte... Ja, dat heb je goed gehoord. Morgenochtend...'

Een auto van de krant bracht Anna naar Brooklyn. Op het trappetje van het huis van Astrid Weisteinberger wachtte de magere kat op haar. Toen ze de trap op liep, begon hij luid te mauwen. Ze bleef staan. De kat rende naar haar toe en begon tegen haar been te strijken. Ze tilde hem op, drukte hem stevig tegen zich aan en barstte in snikken uit.

Na Bikini zat Anna elke zondag op de redactie. Juist als ze vrij had, had ze het meeste heimwee naar Dresden, naar Keulen, naar dat andere leven, en dan vluchtte ze in haar werk. En nu had ze nog een andere reden om heimwee te hebben. Op de redactie had ze haar foto's om zich heen, haar boeken, haar plantjes, de vertrouwde chaos op haar bureau en 'haar' roze koelkast in de keuken. De stilte in het verlaten redactiebureau werd alleen verbroken door het geratel van de telexen in de machinekamer. Wanneer ze zich eenzaam voelde, kon ze altijd naar beneden gaan naar het laboratorium, naar Max. Max Sikorsky was er altijd. En hij had altijd tijd voor haar. Ook op zondag. 's Middags ging ze naar hem toe en samen ontwikkelden ze foto's. Bijzondere foto's.

∽

Zaterdagochtend had ze met Stanley en Doris afgesproken in Central Park. Het was winderig weer. Stanley duwde de kinderwagen, Anna en Doris liepen achter hem te praten. Anna had haar camera bij zich. Opeens tilde Stanley de baby uit de wagen, nam haar op zijn arm en drukte haar tegen zich aan. Doris rende geschrokken naar hem toe. 'Wat doe jij nou?' riep ze. 'Zo meteen vat ze nog kou!'

En Anna begon te fotograferen. Stanley rende weg en Doris probeerde hem in te halen. Eindelijk bleef Stanley staan. Ze begonnen de baby verwoed kusjes te geven. Anna maakte er foto's van. Ze ging dichterbij staan en maakte nog meer foto's. Stanley gaf de baby aan Doris. Hij liep naar Anna toe en omhelsde haar.

'Je had beloofd dat je niet zou huilen. Dat hebben we afgesproken, weet je nog?'

Ja, ze had het beloofd. Maar het was iets anders waarom ze daar in dat park huilde. Het was geen zelfmedelijden, het kwam ook niet door Andrew. Ze huilde van vreugde.

'Ik huil niet, er zit gewoon iets in mijn oog.'

∽

De ogen van de kleine Anna Bredford in Central Park waren nog blauwer dan die van de gebroeders Bredford. En ze straalden nog meer.

Zelfs op zwart-witfoto's blonken ze helder.

Daarna ontwikkelden Anna en Max andere foto's, met andere ogen die ook blonken – van tranen.

~

Die zaterdagavond had Anna afgesproken met Nathan. Ze wilden naar de museumnacht. Vorig jaar mei hadden ze daar geen tijd voor gehad. Nu, bijna een jaar later, lukte het wel. Anna stond op de trappen van het Metropolitan Museum een sigaret te roken terwijl ze wachtte op Nathan. Hij kwam niet alleen. Een nog tamelijk jonge vrouw drukte zich tegen zijn schouder aan.

'Anna, mag ik je voorstellen aan...'

De vrouw strekte haar hand naar haar uit.

'Ik ben Zofia,' zei ze zacht.

Zo sprak ze het uit, Zofia. De beste vriendin van oma Marta uit Opole heette ook Zofia. Niet Sophie, nee, Zofia. Ze gingen het museum binnen. Zofia sprak heel gebrekkig Engels. Soms ging ze zonder het zelf te merken over op Frans. Dan kwam Nathan haar te hulp. Ze liepen door de zalen en Anna dacht eraan wat papa haar allemaal zou vertellen als hij naast haar liep. Ze keek wel naar de schilderijen, maar was toch voornamelijk bezig met fotograferen. Zoals Zofia's gezicht. Op een gegeven moment was Nathan alleen een eindje vooruitgelopen. De vrouwen gingen op een bank in het midden van een van de grootste zalen zitten.

'Nathan heeft me veel over u verteld,' zei Zofia in het Duits. 'U bent een heel goed mens.'

'U spreekt Duits!' zei Anna verbaasd.

'Niet slechter dan Pools. Eerder beter. Maar Nathan kan het niet uitstaan als ik Duits spreek.'

'Waar heeft u Duits geleerd?'

'In Kraków en Wenen. Mijn man kwam uit Wenen. In Kraków praatten mijn man en ik Duits met elkaar, en met ons dochtertje praatten we Pools.'

Anna bekeek Zofia wat aandachtiger. Meer dan dertig zou je haar niet geven. Erg mager, met een grijze sliert haar voor haar linkerslaap en diepliggende ogen. Magerder handen dan die van Zofia had Anna nog nooit gezien.

'Duits? In Kraków?' vroeg Anna verbaasd.

'Ja. Mijn man wilde beslist dat ons kind Duits leerde. Dat vond hij de belangrijkste taal van de wereld. En de mooiste.'

Anna voelde een steek in haar borst. Ze snakte ineens naar een sigaret, en ze stak er eentje op. Een dikke vrouwelijke suppoost stormde meteen op haar af.

'Zeg, bent u gek geworden? Maak ogenblikkelijk die sigaret uit!'

Anna tikte de as in haar tasje, drukte de sigaret uit op haar schoenzool en verstopte de peuk in haar zak. De suppoost verwijderde zich. Het ene trekje had geholpen, meer had ze niet nodig.

'Weet u dat ik Duitse ben?' vroeg ze.

'Ja, dat heeft Nathan me verteld. U komt uit Dresden...'

'Wat is er met uw man gebeurd?'

'De Duitsers hebben hem vermoord. En mijn vader ook. In Majdanek.'

Anna stond op. Ze liep langzaam naar de suppoost.

'Ik ben erg verslaafd aan nicotine en ik ben momenteel erg nerveus. Behalve ons drieën is er niemand in deze zaal. Mag ik één sigaretje roken? Ik zal de as in mijn tasje gooien. Alstublieft!'

'Geen sprake van! Hier bevinden zich kunstwerken!' zei de suppoost verontwaardigd.

Anna ging terug naar de bank. Ze ging naast Zofia zitten.

'Ik wilde u niet kwetsen,' zei die zachtjes. 'Maar u vroeg...'

'U heeft mij helemaal niet gekwetst. Ik haat die Dúítsers, ik haat ze!' viel Anna haar in de rede. 'Was uw man een jood?' Ze knabbelde op haar sigaret.

'Ja. Maar mijn vader niet. Hij was Pools, net als ik. Het is niet waar dat ze alleen joden vermoordden. In ons kamp vermoordden ze iedereen. Russen, Polen, Oostenrijkers, Hongaren, Fransen...'

'In welk kamp was dat dan?' riep Anna uit.

'Auschwitz.'

'U heeft Auschwitz overleefd!'

'Ja. Ik spreek Duits, Frans en Pools, ik kan typen en ik ken steno. Ik werkte als secretaresse van de tweede plaatsvervangend commandant van het kamp.'

'Secretaresse van de tweede plaatsvervangend commandant van het kamp. Secretaresse van de tweede plaatsvervangend commandant van het kamp,' prevelde Anna, peuterend aan haar sigaret. 'Hoe heten uw kinderen?' vroeg ze zacht.

'Magdalena en Erich. Magda is in Auschwitz gestorven. Ze was ziek en werd meteen na aankomst in het kamp van me afgepakt. En Erich is meegenomen door zijn vader, de tweede plaatsvervangend commandant van het kamp, toen hij vlak voor de bevrijding van het kamp de benen nam.'

Anna stond op, met gebalde vuisten. Ze liep luidkeels te vloeken. In het Duits. Ze stak haar sigaret aan en liep langzaam langs de suppoost. Ze had schijt aan alle kunstwerken van de wereld. Ze wílde zelfs dat de suppoost zich op haar stortte. Ze was in staat haar te wurgen, met haar vuisten op haar gezicht te timmeren. Ze haatte haar. Ze kon op dit moment niets anders doen dan haten. Iedereen die ze op dit moment tegenkwam, en niet alleen de tweede plaatsvervangend commandant van Auschwitz. Maar de suppoost keek haar alleen maar medelijdend aan en draaide haar vol minachting de rug toe.

∼

Anna tuurde naar het spoelbakje. Langzaam kwam het gezicht van Zofia tevoorschijn. Enorme, glimlachende ogen, vol tranen, hoewel ze niet huilde. Anna hoorde haar weer zeggen: 'Magda is in Auschwitz gestorven. Ze was ziek en werd meteen na aankomst in het kamp van me afgepakt.'

Ze ging terug naar haar kamer. Om 23.00 uur kwam het radiostation CBS met de volgende laconieke mededeling:

*Vanochtend, 30 juni 1946, om 9.00 uur lokale tijd, hebben de strijdkrachten van de Verenigde Staten met succes een kernbom getest op het atol Bikini. De bom, met een kracht van 23.000 ton TNT, werd afgeworpen uit een B-29-bommenwerper en ontplofte op een hoogte van 520 voet (160 meter). De resultaten van de proef worden over enkele dagen bekendgemaakt. De Sovjet-Unie heeft met klem geprotesteerd tegen de kernproef. Het protest is hedenochtend overhandigd aan de ambassadeur van de Verenigde Staten in Moskou.*

Anna stond op van haar stoel. Ze deed haar ogen dicht.

∼

Ze draaide de priester de rug toe, bukte zich en zocht het grootste brok steen dat in haar hand paste. Daarna draaide ze zich om en smeet het stuk steen zo hard ze kon weg.

∽

Ze pakte een plant en smeet hem tegen de kast. Daarna liep ze naar de kast toe en schopte ertegenaan, zo hard als ze kon.

Het was al na middernacht toen Anna thuiskwam. Onderweg was ze midden op de Brooklyn Bridge op het asfalt gaan zitten. Met haar rug tegen de reling had ze zitten huilen.

Maandagochtend ging ze in de vensterbank zitten en keek ze een hele tijd naar het bankje in het park. Daarna nam ze een douche. Het koude water stroomde langs haar rug. Ze wilde ijskoud worden en Andrew vergeten. Zijn aanrakingen van zich afwassen. Niets voelen.

Van station Times Square liep ze Madison Avenue af. Op de hoek van 42nd Street ging ze de croissanterie binnen waar ze met Max was geweest. Ze had toen melk en zuurdesembrood besteld, zoals oma Marta die bakte. Anna ging aan een tafeltje achter in de salon zitten. De jonge vrouw die haar eerder had geholpen, kwam op haar tafeltje toe lopen.

'Een melk voor u?'

'Dat u dat nog weet!'

'Ik herinner me u heel goed hoor. U en die meneer zaten hier foto's te bekijken.'

'Ach ja, dat klopt. Ja, ik wil graag een beker melk en een gewoon wit broodje met boter.'

Anna snoof de vertrouwde geur op, precies dezelfde als in de Dresdense bakkerij op de hoek van de Grunaer Strasse en de Zirkusstrasse. Op zondag stuurde mama haar daar naartoe om broodjes te halen, en daarna ontbeten ze dan op hun gemak. Anna was verzot op die lange late ontbijten in hun huis aan de Grunaer Strasse...

Ze keek uit het raam naar de mensen die zich naar hun werk haastten. Het was een zonnige zomerochtend. Je voelde al dat het een hete dag ging worden. Opeens zag ze Doris, die langzaam een kinderwagen voor zich uit duwde. Anna herinnerde zich dat Stanley van plan was vandaag op de redactie met zijn dochter te komen pronken. Ze sprong op en rende de deur uit.

'Doris!' riep ze.

Doris tilde haar baby uit de wagen en samen kwamen ze de croissanterie binnen.

'Doris, ze hebben hier echte melk. Wil jij ook een glas?'

'Alsjeblieft niet, ik ben zelf een wandelende melkfabriek. Doe mij maar koffie. Met suiker.'

De bebaarde man achter de toonbank riep: 'Jacqueline, je melk!'

Toen ze Anna's melk bracht, deed Doris haar dochtertje net haar zonnemutsje af. Jacqueline nam Doris even aandachtig op.

'Stanley vindt dat ik nu geen koffie mag drinken,' zei Doris zonder aandacht te schenken aan de serveerster. 'Hij zegt dat ik dan het kind vergiftig. Kan je het je voorstellen? Echt, letterlijk, dat zei hij. Hij is echt gek de laatste tijd.'

Anna zag dat Jacquelines handen trilden toen ze haar beker melk op het tafeltje zette.

'Mag ik uw baby'tje heel even vasthouden?' vroeg ze ineens aan Doris. 'Ze heeft van die schitterende blauwe ogen.'

Doris keek glimlachend op.

'Die heeft ze van haar vader,' zei ze.

'Dat weet ik,' antwoordde Jacqueline nauwelijks hoorbaar. Ze raakte het hoofdje van de baby even voorzichtig aan.

Een paar seconden later liep ze weer weg. Anna en Doris keken elkaar even aan, haalden hun schouders op en vervolgden hun gesprek. Anna had honger en zag dat haar broodje nog op de toonbank stond. Ze stond op en laveerde tussen de tafeltjes door om het te halen. Een man keek op van zijn krant, nam zijn hoornen bril van zijn neus en trok haastig zijn benen onder zijn tafeltje. Anna keek naar de krant, die hij naast zijn hoed had gelegd. Ze zag de naam van de krant staan, *The New York Times*, en daaronder een grote zwarte vlek. Ze pakte de krant en vouwde hem uit, waarbij de hoed van de man op de grond viel. De hele voorpagina was zwart. Er stond één wit woord op de zwarte achtergrond: *Bikini*.

'Arthur...' mompelde ze.

'Ik heet geen Arthur. U verwart mij met iemand anders,' zei de man vriendelijk.

Anna liep terug naar Doris. Met trillende handen trok ze een paar bankbiljetten uit haar portemonnee en legde ze naast haar half leeggedronken beker melk.

'Sorry Doris. Ik moet er meteen vandoor. Sorry...'

Ze verliet de croissanterie en zette het op een rennen.

~

Ze rende steeds sneller. Als een bezetene. Ze hield Lucas' handje stevig vast. Opeens liet ze zijn handje los. Hij rende naast haar, glimlachend. Twee grote ogen, twee grote, koolzwarte pupillen. Hij haalde haar in en ze bleef staan. Ze zag hem in de menigte verdwijnen. Toen hoorde ze die viool...

## Noten

1. Stalin heeft in werkelijkheid de goelag nooit bezocht – vert.
2. Een historisch feit dat is bevestigd door talrijke ooggetuigen die het bombardement van Dresden hebben overleefd.
3. Harold Denny en Otto Tolischus zijn twee verslaggevers van *The New York Times* die in 1941 gevangen werden genomen: Denny in Zuid-Afrika en Otto Tolischus in Japan. Tolischus werd gemarteld en van spionage beschuldigd. Beiden werden vrijgelaten na tussenkomst van de Amerikaanse regering.
4. Consolidated Edison, al meer dan 180 jaar stroomleverancier in de stad New York, met uitzondering van Queens.
5. Niet langer kan ik blijven, het is waar/ Niet langer kan ik leven in vrede en rust/ Niet langer kan ik rusten op mijn mat en kussen/ Op mijn eiland het leven leiden dat ik daar eens kende/ De gedachte verplettert mij/ Zij maakt mij hulpeloos en wanhopig/ Mijn geest verlaat mij, zwerft rond, ver weg/ Tot hij wordt meegevoerd door een machtige stroom/ En pas dan vind ik rust.